Britannica®
ENCICLOPEDIA
UNIVERSAL
ILUSTRADA

ley

Mato Grosso

ENCYCLOPÆDIA
Britannica

Britannica
ENCICLOPEDIA UNIVERSAL ILUSTRADA

Edición en español de BRITANNICA CONCISE ENCYCLOPEDIA

© 2006 Encyclopædia Britannica, Inc.

Encyclopædia Britannica, Britannica y el logotipo del cardo son marcas registradas de Encyclopædia Britannica, Inc.

Edición promocional para América Latina desarrollada, diseñada y publicada por Sociedad Comercial y Editorial Santiago Ltda., Avda. Apoquindo 3650, Santiago, Chile.

ISBN 956-8402-79-9 (Obra completa)
ISBN 956-8402-91-8 (Volumen 12)

Impreso en Chile, Printed in Chile.
Código de barras 978 956840291 - 4

ley Según la definición del jurista francés Marcel Planiol, regla social obligatoria, establecida en forma permanente por la autoridad pública y sancionada por la fuerza. La ley es general y abstracta y se ha establecido para un número indeterminado de actos y para que rija a todas las personas que se encuentran en una situación determinada. La ley dura indefinidamente desde el tiempo de su promulgación hasta su derogación, lo que no significa que deba ser perpetua, puesto que existen leyes transitorias o temporales que se dictan para tener vigencia durante un tiempo determinado. Las leyes deben ser cumplidas y no es facultativo para los individuos acatarlas o no. Quien no cumpla con la ley puede ser obligado a cumplirla por la fuerza. La ley emana del organismo al que la comunidad ha investido de la facultad para dictarla, habitualmente el parlamento o congreso en las sociedades democráticas modernas. La ley constituye hoy en día la principal fuente del DERECHO, pero no es su fuente originaria sino la COSTUMBRE. La ley apareció más tarde y constituye un fenómeno mucho más moderno, porque presupone la existencia del Estado y en esfuerzo de abstracción y generalidad que sólo se alcanzan en un período de desarrollo avanzado de la mentalidad jurídica. Sobre todo a partir de la Revolución francesa y del código de NAPOLEÓN, la ley adquiere una preponderancia casi exclusiva frente a las demás fuentes formales del derecho, sin perjuicio de la enorme importancia de la jurisprudencia en los países que se rigen por el COMMON LAW, como EE.UU. y el Reino Unido.

Leyden ver LEIDEN

Leyden, Lucas van ver LUCAS (HUYGHSZOON) VAN LEYDEN

leyenda Relato o grupo de relatos tradicionales acerca de una persona o un lugar determinado. Antiguamente, el término hacía referencia a un relato sobre la vida de un santo. Las leyendas se asemejan a los cuentos populares por su contenido; pueden incluir personajes sobrenaturales, elementos de mitología o explicaciones de fenómenos naturales; sin embargo, se las

El palacio Potala, antigua residencia del Dalai Lama en Lhasa, la "Ciudad prohibida", capital del Tíbet, Asia.
GAVIN HELLIER/ROBERT HARDING WORLD IMAGERY/GETTY IMAGES

suele asociar con un lugar o persona determinados. Las leyendas son transmitidas de generación en generación desde un pasado remoto y, por lo general, se consideran históricas, si bien su historicidad no siempre es verificable.

Leyenda negra Historias sobre las colonias españolas en América, fuertemente impulsadas por rivales como Gran Bretaña y Holanda, que dieron origen a la creencia de que España superaba a otros países en cuanto a la crueldad en el trato a sus poblaciones. Los historiadores del s. XVI BARTOLOMÉ DE LAS CASAS y GARCILASO DE LA VEGA documentaron el trato a los indios en la Nueva España (México y Guatemala) y el Perú, respectivamente, y dieron base a la leyenda. A pesar de que España puede no haber superado a otras potencias coloniales en materia de crueldad, la conquista efectivamente redujo con rapidez el número de indígenas y les causó un gran sufrimiento.

Leyster, Judith (28 jul. 1609, Haarlem, Países Bajos–10 feb. 1660, Heemstede). Pintora neerlandesa. Hija de un cervecero, a los 24 años de edad ya era miembro del gremio de pintores de Haarlem. Muchas de sus obras conocidas, principalmente retratos, pintura de género y naturalezas muertas, fueron tiempo atrás atribuidas a sus contemporáneos masculinos. Aunque es clara la influencia de FRANS HALS, también se interesó por el estilo barroco de la escuela de UTRECHT. Abarcó un universo más amplio de temas que otros pintores holandeses de la época, y fue una de las primeras en representar escenas domésticas.

Leyte, batalla del golfo de (23–26 oct. 1944). Combate aéreo y naval decisivo durante la segunda GUERRA MUNDIAL, que permitió a los aliados controlar el Pacífico. Después del desembarco anfibio estadounidense en la isla filipina de Leyte (20 oct.), los japoneses reaccionaron con un plan para atraer a la flota estadounidense hacia el norte mientras ellos entraban en el golfo de Leyte con tres fuerzas de ataque. Los estadounidenses descubrieron uno de estos destacamentos mientras maniobraban para tomar posición, lo que desencadenó tres días de enfrentamientos navales y aéreos incesantes. Fue el combate naval más grande de la guerra; las fuerzas de EE.UU. desbarataron la flota japonesa y la obligaron a retirarse, con lo que el país norteamericano pudo rematar su invasión a Filipinas.

Leyte, isla Isla (pob., 2000: 1.952.496 hab.) del grupo de las VISAYAS, en el este de Filipinas. De 7.214 km² (2.785 mi²), está situada al sudoeste de la isla de SAMAR, a la que se conecta por un puente de 2.162 m (7.093 pies). Los exploradores españoles del s. XVI la conocían con el nombre de Tandaya; permaneció bajo dominio español hasta fines del s. XIX. Quedó bajo control de EE.UU. a comienzos del s. XX, y su población creció rápidamente. Durante la segunda guerra mundial fue ocupada por los japoneses, que fueron desalojados por las fuerzas estadounidenses en la batalla del golfo de LEYTE. Sus dos ciudades principales son Ormoc y Tacloban.

Lezama Lima, José (19 dic. 1910, La Habana, Cuba–9 ago. 1976, La Habana). Poeta, novelista y ensayista cubano. Después de estudiar derecho en La Habana, Lezama se relacionó con diversas revistas literarias y posteriormente con un grupo literario que publicaba el trabajo de jóvenes poetas que revolucionaron la literatura cubana. Dentro de su obra destacan los volúmenes de poesía *Muerte de Narciso* (1937) y *La fijeza* (1949), y las colecciones de ensayos *Analecta del reloj* (1953) y *La expresión americana* (1957). La novela *Paradiso* (1966), considerada su obra maestra, reafirma la fe en su arte y la propia visión estética de cara a la revolución de 1959, la que en gran medida repudiaba.

Lhasa Capital (pob., est. 2003: 129.490 hab.) de la región autónoma del Tíbet, China. Ubicada a 3.650 m (11.975 pies) de altura, en los montes HIMALAYA tibetanos, cerca del río Lhasa. Ha sido el centro religioso del Tíbet al menos desde el s. IX DC. Se transformó en la capital en 1642 y permaneció así hasta después de que los chinos comunistas tomaran el control de la región en 1951; fue designada capital de la región autónoma del Tíbet en 1965. El templo de Gtsug-lag-khang, que data del s. VII, es considerado el más sagrado. Otros lugares importantes son el templo de Klu-khang, el antiguo palacio invernal POTALA del DALAI LAMA, y los monasterios. Lhasa también es conocida como la "Ciudad prohibida" debido a su inaccesibilidad y la tradicional hostilidad de sus líderes religiosos hacia los extranjeros.

Lhasa apso.
© KENT & DONNA DANNEN

lhasa apso Raza canina del Tíbet. Sus ejemplares son resistentes, inteligentes y despiertos; más largos que altos, tienen una alzada de 25–28 cm (10–11 pulg.) y pesan 6–7 kg (13–15 lb). Tienen una cola muy tupida que se enrosca sobre el lomo y un pelaje largo y abundante que cubre sus ojos. El pelaje puede tener varios colores, pero la mayoría de los criadores lo prefieren de visos marrones dorados.

Lhotse, monte Monte del Himalaya. Situado en la frontera entre Nepal y el Tíbet, con 8.501 m (27.890 pies) de altura, es una de las cumbres más altas del mundo. A veces se lo considera parte del EVEREST, porque ambos están unidos por una elevación de 7.600 m (25.000 pies). Los suizos Fritz Luchsinger y Ernest Reiss fueron los primeros en escalarlo (1956). En lengua tibetana Lhotse significa "cumbre meridional". En el levantamiento topográfico de India hecho en 1931 se lo designó originalmente con el símbolo E-1, i.e., Everest-1.

Li Bo o **Li Bai** (701, Jiangyou, provincia de Sichuan, China–762, Dangtu, provincia de Anhui). Poeta chino. Estudioso del taoísmo, pasó largos períodos de peregrinaje además de desempeñarse como poeta cortesano oficioso. Sus poemas son admirados por su exquisita fantasía, riqueza de lenguaje, alusiones y cadencia. Fue un romántico y famoso bebedor de vino que ensalzó los placeres de la bebida, y también abordó temas como la amistad, la soledad, la naturaleza y el paso del tiempo. La leyenda popular dice que se ahogó cuando, sentado ebrio en un bote, trató de asir el reflejo de la luna en el agua. Compite con DU FU por el honor de ser considerado el poeta chino más excelso.

El poeta cortesano Li Bo junto a sus asistentes.
FOTOBANCO

Li Chunfeng (602, Qizhou, provincia de Yong, China–670, Chang'an). Matemático y astrónomo chino. Como resultado de su crítica al calendario Wuyin, en 627 se le asignó un empleo en la Oficina imperial de astronomía y alcanzó a ser subdirector c. 641. Participó en la compilación de la historia oficial de las dinastías Jin (265–420) y Sui (581–618), escribiendo los capítulos que delinean el desarrollo histórico de la astronomía, astrología, metrología y teoría matemática de la música en China. En 648 se convirtió en director de la Oficina imperial de astronomía y fue coeditor de una colección de tratados empleados como manuales en la Escuela de matemática de la Universidad Estatal. Más tarde preparó el calendario Linde, promulgado en 665 y que se usó hasta 728.

Li Dazhao o **Li Ta-chao** (6 oct. 1888, provincia de Hebei, China–28 abr. 1927, Beijing). Cofundador del PARTIDO COMUNISTA CHINO (PCCh) junto con CHEN DUXIU. Bibliotecario jefe y profesor de historia en la Universidad de Beijing, Li se sintió inspirado por el éxito de la Revolución rusa y comenzó a estudiar y a dar conferencias sobre marxismo. En 1921, los grupos de estudio que había creado se convirtieron oficial-mente en el PCCh. Li ayudó al nuevo partido a implementar la política de la Internacional Comunista (ver KOMINTERN) y colaboró con el GUOMINDANG de SUN YAT-SEN. Su carrera se interrumpió cuando fue capturado y ahorcado por el jefe militar ZHANG ZUOLIN; sin embargo, MAO ZEDONG llevó a la práctica sus ideas sobre la revolución del campesinado empobrecido.

Li Hongzhang o **Li Hung-chang** (15 feb. 1823, Hefei, provincia de Anhui, China–7 nov. 1901, Beijing). Estadista chino que representó a su país en una serie de humillantes negociaciones a fines de la guerra CHINO-FRANCESA (1883–85), la guerra CHINO-JAPONESA (1894–95) y la rebelión de los BÓXERS (1900). Mucho antes en su carrera había ayudado a contener la rebelión TAIPING (1850–64) y a sofocar la rebelión NIAN (c. 1852–68). En esa época, tuvo contacto con extranjeros (principalmente el inglés CHARLES GEORGE GORDON) y con las armas occidentales, y llegó a la convicción de que China necesitaba un poderío militar del tipo occidental para proteger su soberanía. En 1870, cuando lo nombraron gobernador general de la antigua provincia de Zhili, pudo construir arsenales, fundar una academia militar, establecer dos modernas bases navales, adquirir buques de guerra y adoptar otras medidas de "autofortalecimiento". A través de la modernización, aspiraba preservar la China tradicional, pero dentro de ella no pudieron desarrollarse plenamente los cambios que se había propuesto realizar y se vio entrabado por el sistema que intentaba proteger.

Li Keran o **Li K'o-jan** orig. **Li Yongshun** alias **Sanqi** (26 mar. 1907, Xuzhou, provincia de Jiangsu, China–5 dic. 1989, Beijing). Pintor y maestro de arte chino. Mientras estudiaba en la Escuela de arte de Shanghai fue influenciado por KANG YOUWEI, quien apoyaba la fusión del arte occidental y oriental para crear una nueva era en la pintura china. En la Escuela de Arte de Hangzhou (1929–32), Li estudió junto al profesor francés André Claoudit y desarrolló un estilo pictórico abstracto y estructural que revelaba la influencia del EXPRESIONISMO alemán. En 1932 fue miembro de la sociedad izquierdista de arte Yiba. En la década de 1940 comenzó a pintar vaqueros y búfalos acuáticos, revitalizando este tema tradicional con una innovadora técnica de tinta salpicada. En 1946 se integró a la facultad de la Escuela nacional de arte de Beijing. Mientras imitaba la antigua CALIGRAFÍA china, su conocimiento de la pintura al óleo también lo llevó a aplicar elementos occidentales a su obra, como el CLAROSCURO. En sus últimos años, Li atrajo a muchos estudiantes y seguidores, quienes formaron la "Escuela Li" en la década de 1980.

Li Rui (15 ene. 1769, Yuanhe, China–12 ago. 1817, Yuanhe). Matemático y astrónomo chino que hizo notables contribuciones al renacimiento de la matemática y astronomía chinas tradicionales y al desarrollo de la teoría de las ecuaciones. Tras fracasar varias veces en los exámenes del servicio civil chino, no pudo obtener un puesto en el servicio público y tuvo que llevar una vida de pobreza como asistente de varios MANDARINES. Desde c. 1800 empezó a estudiar las obras de los matemáticos del s. XIII, LI YE y QIN JIUSHAO. Encontró que los métodos chinos tradicionales para resolver ecuaciones de grado superior tenían varias ventajas sobre los métodos algebraicos que habían sido importados recientemente de Occidente. Su obra *Kaifang shuo* (1820) contiene el trabajo sobre la teoría de las ecuaciones: una regla de signos, una discusión de las raíces múltiples y raíces negativas, y la regla acerca de que las raíces no reales de una ecuación algebraica deben existir en pares.

Li Shanlan también llamado **Li Renshu** o **Li Qiuren** (2 ene. 1811, Haining, provincia de Zhejiang, China–9 dic. 1882, China). Matemático chino. Dominó a edad precoz tanto los tratados sobre matemática tradicionales chinos como aquellos occidentales disponibles. En 1852, en Shanghai, conoció a Alexander Wylie de la Sociedad misionera de Londres y acordó colaborar en la traducción de obras occidentales. Junto con su casi contemporáneo HUA HENGFANG, Li dejó una impronta permanente en la nomenclatura y exposición matemática chinas. Desde 1869, Li fue profesor de matemática en la escuela de Tongwen Guan, convirtiéndose en el primer chino en ocupar un cargo de estilo occidental en matemática.

Li Si *o* **Li Ssu** (¿280 AC?, estado de Chu, China central–208 AC, Xianyang, provincia de Shaanxi). Ministro de la dinastía QIN en China que se basó en las ideas de HANFEIZI para convertir la dinastía en el primer imperio chino centralizado. Su decisión de ordenar el "bibliocausto de Qin" (quema de todos los libros) le ganó el oprobio de las futuras generaciones de letrados confucianos.

Li Sixun *o* **Li Ssu-hsün** (651–716). Pintor chino. Relacionado con la familia imperial Tang, llevó una vida política activa y obtuvo el rango honorífico de general. Su hijo, Li Zhaodao, también fue un pintor famoso, de ahí que el padre sea nombrado a veces Gran General Li y el hijo, Pequeño General Li. Aunque no se conservan obras genuinas, se sabe que tanto Li Sixun como Li Zhaodao pintaron con un estilo sumamente decorativo y meticuloso, empleando la precisa técnica lineal derivada de artistas anteriores como Gu Kaizhi y Zhan Ziqian. Li es considerado el principal exponente de un estilo de paisaje decorativamente colorido de la dinastía Tang, y el fundador de la llamada Escuela de pintores profesionales del norte.

Li Tang *o* **Li T'ang** (c. 1050–c. 1130). Pintor chino. Se ganó el rango más alto en la academia de pintura del emperador HUIZONG. Después de la caída del norte de China a manos de los mongoles, marchó al sur e ingresó a la academia del emperador Song Gaozong. Sus paisajes sirven como vínculo vital entre la primera y esencialmente nortina variedad de paisaje monumental y el estilo sureño más lírico de la escuela Ma-Xia (inspirado en la obra de MA YUAN y XIA GUI). Li perfeccionó la textura de la pincelada conocida como "golpe de hacha", que brinda una sensación táctil a las rocas pintadas y sugiere la precisa y amplia realidad que los artistas sureños Song buscaban dar a sus paisajes.

Li Ye *nombre literario* **Jingzhai** (1192, Luangcheng, provincia de Hebei, China–1279, Yuanshi). Matemático y funcionario letrado chino que contribuyó a la solución de ecuaciones polinomiales de una variable. Cuando los mongoles invadieron el distrito donde vivía en 1233, Li deambuló sin hogar por las provincias de Shanxi, Shandong y Henan. Durante ese período compuso su obra principal, *Ceyuan haijing* (1248), que contiene 170 problemas algebraicos sobre los círculos inscritos o circunscritos a un triángulo rectángulo. Aunque se trataba de problemas muy artificiales, le permitieron listar unas 692 fórmulas algebraicas para áreas de triángulos y longitudes de segmentos. En 1264, Li fue elegido para la academia HANLIN por KUBLAI KHAN. Sin embargo, Li criticó fuertemente el clima político e intelectual de su tiempo y pronto utilizó como pretexto su mala salud para retirarse y vivir como ermitaño.

Li Zhizao (1565, Hangzhou, China–1 nov. 1630, Beijing). Matemático, astrónomo y geógrafo chino cuyas traducciones de libros científicos europeos contribuyó en gran medida a la divulgación de la ciencia occidental en China. En 1601 conoció al jesuita italiano Matteo Ricci, quien lo bautizó en 1610. Grabando e imprimiendo numerosas copias del mapa del mundo de Ricci, Li alteró muchas visiones chinas sobre la geografía mundial. Li y Ricci tradujeron la introducción a la aritmética de Christopher Clavius, *Epitome arithmeticae practicae* (1585) como *Tongwen suanzhi* (1614). Este libro introdujo en forma sistemática el estilo europeo de notación matemática, mientras Li incorporaba elementos complementarios de la matemática tradicional china. También reunió y publicó una serie de libros compuestos por los jesuitas con ayuda china, *Tianxue chuhan* (1629), que abarcaba 20 títulos científicos y religiosos occidentales.

Li Zicheng *o* **Li Tzu-ch'eng** (¿3 oct. 1605?, Mizhi, provincia de Shaanxi, China–1645, provincia de Hubei). Líder rebelde que provocó la caída de la dinastía MING de China (1368–1644). Antiguo trabajador postal, se unió a la causa rebelde en 1631 después de una gran hambruna que asoló el norte del país. En 1644 se autoproclamó primer emperador de una nueva dinastía y marchó hacia Beijing, capturándola con facilidad. Pero su victoria resultó efímera. WU SANGUI, un general leal a los Ming, pidió ayuda a las tribus MANCHÚES para expulsarlo. Li huyó hacia el norte, donde probablemente fue asesinado por aldeanos locales. Ver también DORGON.

liana Cualquiera de varias plantas TREPADORAS leñosas de tallo largo, en especial de la selva lluviosa tropical, que arraigadas en el suelo, trepan o se enrollan en otras plantas a medida que crecen en altura. A menudo forman una red enmarañada de hasta 100 m (330 pies) de alto, alrededor y entre los árboles que las sostienen.

Lianas en una selva lluviosa tropical.
© GARY BRAASCH

Liao, dinastía (907–1125). Dinastía formada por las tribus nómadas khitan que gobernó gran parte de las actuales Manchuria, Mongolia y el extremo nororiental de China. Mientras los dominios de influencia china del imperio fueron regidos según el modelo de la dinastía TANG, la parte septentrional se organizó en torno a principios tribales. Después del establecimiento de la dinastía SONG (960–1279), los Liao libraron una guerra fronteriza por el control del norte de China. Finalmente, los Song acordaron pagar a los Liao un tributo anual. Las tribus juchen (Ver dinastía JIN), antiguos súbditos de los Liao, destruyeron la dinastía en 1125, pero adoptaron gran parte de su sistema de gobierno. El término "Catay" para referirse a China proviene de khitay, otro nombre de los khitan.

Liao He Río que cruza la provincia de LIAONING y la región autónoma de MONGOLIA INTERIOR, China. El Liao oriental nace en los montes de la provincia de Jilin, y el Liao occidental, en el sudeste de Mongolia Interior. Ambos confluyen (con el nombre de Liao) y discurren en dirección sudoeste hasta vaciar sus aguas en el golfo de Liaodong, después de un curso de 1.345 km (836 mi). Su cuenca de drenaje tiene 215.000 km² (83.000 mi²). Es navegable para embarcaciones pequeñas a lo largo de 645 km (400 mi) a partir de su desembocadura.

Liaodong, península *o* **Liao-tung** Península en la costa meridional de la provincia de LIAONING, nordeste de China. Separa en parte el golfo de BOHAI situado al oeste, de la bahía de Corea, al este. Es una extensión de un sistema montañoso conectado con los montes Changbai; la zona contigua a la península recibe el nombre de montes Qian. Cerca del extremo meridional de la península se halla el puerto de DALIAN.

Liaoning *ant. (1903–28)* **Fengtian** *o* **Feng-t'ien** Provincia (pob., est. 2000: 42.380.000 hab.) del nordeste de China. Se ubica en las costas del mar AMARILLO y limita con COREA DEL

NORTE, las provincias de JILIN y HEBEI y con MONGOLIA INTERIOR. Con una superficie de 151.000 km² (58.300 mi²), es la más meridional de las tres provincias que forman la región de MANCHURIA. Su capital es SHENYANG. Se divide en cuatro grandes regiones topográficas: llanuras centrales, península de LIAODONG, tierras altas occidentales y zona cordillerana oriental. La región fue conocida durante la dinastía QING (manchú) (1644–1911) como Shenjing. En 1932–45 formó parte del estado títere japonés de MANCHUKUO. Shenyang fue capturada por los comunistas chinos en 1948. Liaoning es la provincia más industrializada de China y produce acero, cemento, petróleo crudo y energía eléctrica.

libanés, Pacto nacional ver PACTO NACIONAL LIBANÉS

libanesa, guerra civil (1975–91). Conflicto civil generado por tensiones entre los habitantes cristianos y musulmanes del LÍBANO y exacerbado en la década de 1970 ante la presencia en el país de combatientes de la OLP (Organización para la Liberación de Palestina). En 1975, los musulmanes e izquierdistas libaneses apoyaron a la OLP e intentaron aumentar su poder político. Los cristianos, en cambio, empeñados en mantener su hegemonía política, se opusieron a la OLP. Ambas facciones combatieron violentamente hasta comienzos de 1976 y el Líbano quedó dividido, con los cristianos en el norte y los musulmanes en el sur. Temiendo una ampliación de la guerra, tanto Israel como Siria intervinieron en favor de los cristianos, que habían empezado a perder terreno. Los enfrentamientos continuaron con menor nivel de intensidad hasta 1982, fecha en que Israel invadió el sur del Líbano para destruir las bases guerrilleras palestinas. Las fuerzas de la OLP fueron expulsadas de Beirut y en 1985 Israel se había retirado de la mayor parte del Líbano, que para entonces se había dividido internamente en cuanto a si aceptar o no el liderazgo de Siria. En 1989, el líder cristiano gral. Michel Aoun intentó expulsar a Siria del país, pero fue derrotado y la Liga ÁRABE actuó de mediador de un acuerdo de paz; con su remoción del poder en 1990 se eliminó el principal obstáculo para llevar a cabo el acuerdo de paz de 1989. En el sur del Líbano continuaron los enfrentamientos entre las fuerzas de Israel y HEZBOLÁ, incluso después de la retirada final israelí del territorio libanés en 2000.

LÍBANO

▸ **Superficie:** 10.400 km² (4.016 mi²)

▸ **Población:** 3.577.000 hab. (est. 2005)

▸ **Capital:** BEIRUT

▸ **Moneda:** libra libanesa

Líbano *ofic.* **República del Líbano** País de la costa oriental del mar Mediterráneo. Limita con Siria e Israel. Los libaneses son una mezcla étnica de elementos fenicios, griegos, armenios y árabes. Idiomas: árabe (oficial), francés e inglés. Religiones: Islam (sunníes y chiitas) y cristianismo (maronitas, ortodoxos griegos). El país está dominado por dos grandes cordones montañosos: la cordillera del LÍBANO, en la región central, y la cordillera del ANTILÍBANO (donde se encuentra el monte Hermón) a lo largo de la frontera oriental; una planicie costera de baja altura se extiende a lo largo del Mediterráneo. El río LITANI fluye hacia el extremo meridional a través del fértil valle de la BEKAA. Originalmente, la mayor parte del país estaba cubierta de bosques (los cedros del Líbano

Cumbre del Qurnat al-Sawdāʼ, el monte más alto de la cordillera del Líbano. FOTOBANCO

eran famosos en la antigüedad), pero estos ocupan en la actualidad menos del 10% de la superficie del país. Líbano no es autosuficiente en términos agrícolas y depende de la importación de alimentos. Su función tradicional de centro financiero del Medio Oriente se ha visto debilitada desde el estallido de la guerra civil LIBANESA (1975–91). Es una república unicameral; el presidente es el jefe de Estado, y el primer ministro, el jefe de Gobierno. La mayor parte del Líbano actual corresponde a la antigua FENICIA, que fue poblada c. 3000 AC. En el s. VI DC, grupos cristianos que huían de la persecución siria se asentaron en el norte del territorio y fundaron la Iglesia MARONITA. Diversos pueblos tribales árabes habitaron el sur, y en el s. XI refugiados religiosos procedentes de Egipto fundaron la religión de los DRUSOS. Durante el medievo formó parte de los estados cruzados, y después fue gobernado por la dinastía de los mamelucos. En 1516 quedó en poder de los otomanos, que primero gobernaron por intermedio de representantes, y acabaron con el dominio de los príncipes drusos shihāb en 1842. Las malas relaciones existentes entre los grupos religiosos concluyeron en una masacre de maronitas por los drusos en 1860. La intervención de Francia forzó a los otomanos a constituir una provincia autónoma en la zona cristiana conocida como Monte Líbano. Después de la primera guerra mundial (1914–18), la totalidad del territorio libanés fue administrado por militares franceses como parte del mandato de Francia; el país alcanzó la plena independencia en 1946. Después de las guerras ÁRABE-ISRAELÍES de 1948–49, más de 200.000 refugiados palestinos se asentaron en el sur del Líbano. En 1970, la OLP trasladó su cuartel general a territorio libanés y comenzó a lanzar incursiones contra la zona norte de Israel. El gobierno libanés, dominado por los cristianos, intentó frenarlos y en respuesta, la OLP se alineó con los libaneses musulmanes en su conflicto con los cristianos, contribuyendo así a que el país cayera en una guerra civil que lo dividió en numerosas facciones políticas y religiosas. En 1976–82, tropas sirias y de la ONU intentaron imponer una tregua. En 1982, las fuerzas israelíes invadieron el país en un intento de expulsar a las fuerzas palestinas del sur del Líbano; los israelíes se retiraron en 1985 de toda la región, con excepción de una estrecha zona de protección en el sur del país. A partir de entonces, las guerrillas de la milicia libanesa chiita HEZBOLÁ se enfrentaron a menudo con tropas de Israel, que se retiraron completamente del Líbano en 2000.

Líbano, cordillera del *árabe* **Yabal Libnān Lubnān** *antig.* **Libanus** Cordillera que se estiende en forma paralela a la costa del mar Mediterráneo a lo largo de unos 160 km (100 mi). La sección septentrional es la de mayor altura y en ella se encuentra el monte más alto, el Qurnat al-Sawdāʼ, de 3.083 m (10.131 pies) de altura. En sus faldeos occidentales quedan aún bosquecillos de los famosos cedros del Líbano. Es posible que sus cumbres nevadas le hayan valido el nombre de Líbano en la antigüedad (*laban* significa "blanco" en arameo).

Libby, Willard (Frank) (17 dic. 1908, Grand Valley, Col., EE.UU.–8 sep. 1980, Los Ángeles, Cal.). Químico estadounidense. Estudió en la Universidad de California, en Berkeley, donde más tarde fue profesor; también hizo clases en las universidades de Chicago y de California en Los Ángeles. Dentro del proyecto MANHATTAN ayudó a desarrollar un método para separar los ISÓTOPOS de URANIO y demostró que el TRITIO es resultado de la radiación cósmica. En 1947, él y sus estudiantes desarrollaron la DATACIÓN POR CARBONO 14, que probó ser una herramienta sumamente valiosa en arqueología, antropología y geología, y le hizo acreedor del Premio Nobel en 1960.

libélula Cualquier miembro del suborden Anisoptera (orden Odonata) de insectos, caracterizado por cuatro alas grandes, membranosas y multivenosas, que en reposo permanecen horizontales y no verticales (ver CABALLITO DEL DIABLO). Las libélulas son ágiles y tienen ojos protuberantes, que a menudo ocupan la mayor parte de la cabeza, y una envergadura de unos 16 cm (6 pulg.). La libélula es uno de los insectos más voraces y de vuelo más rápido; en 30 minutos puede consumir su mismo peso en alimento. Difieren de la mayoría de los demás insectos por tener los órganos de copulación masculinos en la parte anterior del abdomen y no en el extremo posterior. Macho y hembra a menudo vuelan en tándem durante la transferencia espermática.

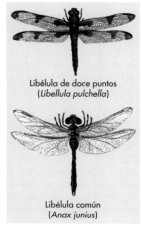

Libélula de doce puntos
(*Libellula pulchella*)

Libélula común
(*Anax junius*)

Especies de libélula.
© ENCYCLOPÆDIA BRITANNICA, INC.

liber ver FLOEMA

Liber Augustalis ver constituciones de MELFI

Liberace *orig.* **Wladziu Valentino Liberace** (16 may. 1919, West Allis, Wis., EE.UU.–4 feb. 1987, Palm Springs, Cal.). Pianista estadounidense. Hijo de inmigrantes polacos e italianos, a los 16 años de edad fue solista junto a la orquesta sinfónica de Chicago. Comenzó a realizar conciertos vestido con trajes extravagantes y acompañado de pianos ornamentados y decorados con candelabros y, si bien en ocasiones ofreció conciertos con orquestas sinfónicas, la base de su carrera fue la interpretación de música popular. Músico de gran éxito, fue presentador de su propio programa de variedades en la televisión, *The Liberace Show* (1952–55, 1969) y actuó en películas como *Sincerely yours* (1955). En sus años posteriores realizó conciertos en forma habitual en Las Vegas.

liberalismo Doctrina política y económica que pone el acento en los derechos y libertades de las personas y en la necesidad de limitar los poderes del Estado. El liberalismo se originó como una reacción defensiva ante los horrores de las guerras de religión europeas del s. XVI (ver guerra de los TREINTA AÑOS). Sus ideas básicas recibieron expresión formal en las obras de THOMAS HOBBES y JOHN LOCKE, quienes sostenían que el poder del soberano se justificaba en última instancia por el consentimiento de los gobernados, otorgado en un hipotético CONTRATO SOCIAL más que por derecho divino (ver MONARQUÍA DE ORIGEN DIVINO). En el ámbito económico, los liberales en el s. XIX propugnaron el término de la intervención estatal en la vida económica de la sociedad. Siguiendo a ADAM SMITH, sostuvieron que los sistemas económicos basados en mercados libres son más eficientes y generan más prosperidad que aquellos parcialmente controlados por el Estado. En respuesta a las grandes desigualdades de riqueza y otros problemas sociales creados por la REVOLUCIÓN INDUSTRIAL en Europa y Norteamérica, los liberales de fines del s. XIX y comienzos

del s. XX abogaron por una intervención limitada del Estado en el mercado y la creación de servicios sociales con financiamiento estatal, como educación pública gratuita y seguro de salud. En EE.UU., el programa del NEW DEAL acometido por el pdte. FRANKLIN D. ROOSEVELT simbolizó el liberalismo moderno con su vasta expansión del ámbito de las actividades estatales y una mayor regulación de la actividad empresarial. Después de la segunda guerra mundial tuvo lugar una expansión aún mayor de los programas de seguridad social en Gran Bretaña, Escandinavia y EE.UU. El estancamiento económico que comenzó a fines de la década de 1970 condujo al resurgimiento de posiciones liberales clásicas que promovían los mercados libres, especialmente entre los conservadores en Gran Bretaña y EE.UU. El liberalismo contemporáneo permanece comprometido con la reforma social, que comprende la disminución de la desigualdad y la ampliación de los derechos individuales. Ver también CONSERVADURISMO; INDIVIDUALISMO.

liberalismo teológico Escuela de pensamiento religioso caracterizada por ocuparse de la motivación interna en lugar de los controles externos. Partió en el s. XVII con RENÉ DESCARTES, quien expresó su fe en la razón humana, y fue influenciada por filósofos como BENEDICTUS DE SPINOZA, G.W. LEIBNIZ y JOHN LOCKE. Su segunda etapa, que coincidió con el movimiento romántico de fines del s. XVIII–XIX, estuvo marcada por una valoración de la creatividad individual, expresada en los escritos de filósofos como JEAN-JACQUES ROUSSEAU e IMMANUEL KANT, así como los del teólogo FRIEDRICH SCHLEIERMACHER. La tercera etapa, desde mediados del s. XIX hasta la década de 1920, enfatizó la idea del progreso. Estimulados por la REVOLUCIÓN INDUSTRIAL y por *El origen de las especies* (1859) de CHARLES DARWIN, pensadores como T.H. HUXLEY y HERBERT SPENCER en Inglaterra, y WILLIAM JAMES y JOHN DEWEY en EE.UU., se concentraron en el estudio psicológico de la experiencia religiosa, el estudio sociológico de las instituciones religiosas y en la investigación filosófica de los valores religiosos.

LIBERIA

▸ **Superficie:** 97.754 km² (37.743 mi²)

▸ **Población:** 2.900.000 hab. (est. 2005)

▸ **Capital:** MONROVIA

▸ **Moneda:** dólar liberiano

Liberia *ofic.* **República de Liberia** República de África occidental. Entre los grupos étnicos del país se cuentan los liberoamericanos, descendientes de negros libertos que emigraron de EE.UU. en el s. XIX, y 16 pueblos indígenas de los grupos lingüísticos mandé, kwa y mel. Idiomas: inglés (oficial) y lenguas indígenas. Religiones: cristianismo, Islam y religiones tradicionales. Liberia tiene tierras bajas en el litoral que se extienden 560 km (350 mi) a lo largo del Atlántico; en las zonas interiores hay colinas y montañas bajas. Cerca del 20% del territorio está cubierto de selva tropical. Menos del 4% del suelo es cultivable, pero el país posee ricas reservas de hierro, su principal recurso de exportación. Los principales cultivos comerciales son caucho, café y cacao, mientras que los más comunes de consumo interno son arroz y mandioca. Liberia es una república bicameral; el jefe de Estado y de Gobierno es el presidente, asistido por el ministro de Estado para asuntos presidenciales. Liberia, que es la república más antigua de África, se fundó sobre un territorio comprado por la

Sociedad norteamericana de colonización a la población local para albergar a los esclavos libertos de EE.UU.; para tal efecto, la sociedad fundó en 1821 una colonia en cabo Mesurado. Al año siguiente se nombró a Jehudi Ashmun, ministro metodista, director de la colonia, quien sería el verdadero fundador del país. En 1824, el territorio fue denominado Liberia y su principal asentamiento pasó a llamarse Monrovia. Su primer gobernador no blanco, Joseph Jenkins Roberts, proclamó la independencia en 1847 y amplió las fronteras del país. Poco después surgieron conflictos limítrofes con Francia y Gran Bretaña, que se prolongaron hasta 1892, año en que las fronteras fueron fijadas oficialmente. En 1980, un golpe liderado por el gral. SAMUEL K. DOE acabó con el prolongado dominio político de los liberoamericanos sobre los africanos nativos. Una rebelión ocurrida en 1989 agravó la situación y condujo a una destructiva guerra civil en la década de 1990. Aunque en 1996 se alcanzó un acuerdo de paz y en 1997 se celebraron elecciones, los conflictos no cesaron.

libertad condicional Libertad bajo palabra y supervisión que se otorga a un recluso antes que se cumpla la condena. El uso moderno de la libertad condicional deriva del cambio experimentado por la filosofía penal en el sentido de poner más énfasis en la rehabilitación que en el castigo. En algunas legislaciones, los condenados por algunos delitos (p. ej., violación u homicidio) no tienen derecho a libertad condicional. Los requisitos de esta varían, pero en todos los casos su infracción puede dar lugar a ser encarcelado nuevamente. La supervisión de la libertad condicional comprende desde poco más que un control policial periódico a la fiscalización intensiva por personal especializado. Cabe advertir que en América Latina la libertad condicional es la que se otorga al inculpado antes de que se pronuncie sentencia condenatoria. Ver también LIBERTAD VIGILADA.

libertad de culto, cláusula de Cláusula de la I enmienda de la Constitución de los ESTADOS UNIDOS DE AMÉRICA que prohíbe al congreso imponer una religión de Estado e impide promulgar leyes que den preferencia o impongan un credo determinado. Esta cláusula acompaña la disposición que prohíbe limitar la libre expresión religiosa.

libertad de expresión Derecho a informar y dar a conocer ideas y opiniones sin que estén sujetas a limitaciones por parte del gobierno, en razón de su contenido, consagrado en la I y XIV enmiendas a la Constitución de los ESTADOS UNIDOS DE AMÉRICA. Una comprobación moderna de la legitimidad de las restricciones propuestas a la libertad de expresión es la opinión de OLIVER WENDELL HOLMES, JR. en el caso Schenk v. U.S. (1919): "las restricciones al derecho en cuestión sólo son legítimas si las expresiones suponen un peligro claro y actual, esto es, un riesgo o amenaza grave e inminente para la seguridad u otros intereses públicos". Muchos casos relacionados con la libertad de expresión y de prensa hacen mención a la DIFAMACIÓN, OBSCENIDAD y censura previa (ver papeles del PENTÁGONO). Ver también CENSURA.

Libertad, estatua de la Monumento nacional en Liberty Island (anteriormente Bedloe's Island), en el puerto de Nueva York, N.Y., EE.UU. Ocupa una superficie de 23 ha (58 acres) donde se ubica la colosal estatua *Liberty Enlightening the World* (La libertad iluminando al mundo), esculpida por FRÉDÉRIC-AUGUSTE BARTHOLDI y entregada en 1886, y un museo dedicado a la memoria de los inmigrantes cercano a ella. La estatua, de 92 m (302 pies)

La estatua de la Libertad, Nueva York, EE.UU.
FOTOBANCO

de altura, corresponde a una mujer que sostiene una tablilla en una mano y en la otra alza una antorcha. Fue obsequiada por Francia a EE.UU. en conmemoración de la amistad entre ambos países. En la entrada a su pedestal hay una placa con un soneto de EMMA LAZARUS. La estatua de la Libertad fue declarada monumento nacional en 1924; en 1965 se agregó la cercana isla ELLIS a la zona de monumento.

libertad personal, leyes de Leyes aprobadas por los estados del Norte de EE.UU. para contrarrestar las leyes de los ESCLAVOS FUGITIVOS. Estados como Indiana (1824) y Connecticut (1828) aprobaron leyes que concedían a los esclavos fugitivos el derecho a juicio ante jurado por apelación. Vermont y Nueva York (1840) aseguraban a los prófugos el derecho a juicio ante jurado y les proporcionaban abogados. Otros estados prohibieron la captura y el retorno de los fugitivos por las autoridades. Después del COMPROMISO DE 1850, casi todos los estados norteños aprobaron otras garantías de juicio ante jurado y sanciones a la captura ilegal. Los partidarios de la esclavitud citaban estas leyes como asaltos a los derechos de los estados y como justificación de la SECESIÓN.

libertad vigilada Suspensión condicional del cumplimiento de una pena privativa de libertad basada en la promesa de buen comportamiento del condenado, quien queda sujeto a supervisión y debe cumplir con una serie de otras obligaciones. Difiere de la LIBERTAD CONDICIONAL en que no exige que el afectado cumpla parte alguna de la pena a que ha sido sentenciado. Por lo general, no pueden acogerse a este beneficio los condenados por delitos graves y los reincidentes. Estudios realizados en varios países revelan que entre el 70 y 80% de los beneficiados completan satisfactoriamente su condena en libertad; algunas pruebas adicionales indican que la reincidencia podría ser inferior al 30%.

libertades civiles Ausencia de intromisión arbitraria del Estado o de personas en la búsqueda de los propios objetivos. El término generalmente se utiliza en plural. Las constituciones de la mayoría de los países democráticos protegen las libertades civiles. (En los regímenes autoritarios, a menudo se garantizan en la constitución, pero se ignoran en la práctica). En EE.UU., las libertades civiles están garantizadas por la BILL OF RIGHTS y por las enmiendas XIII, XIV y XV de la Constitución de los ESTADOS UNIDOS DE AMÉRICA. La enmienda XIII prohíbe la esclavitud y la servidumbre personal involuntaria; la XIV impide la aplicación de toda ley que pueda limitar las "prerrogativas e inmunidades" de los ciudadanos estadounidenses o privar a las personas de "la vida, libertad o bienes sin el DEBIDO PROCESO legal" o negar a una persona la IGUALDAD ANTE LA LEY; y la enmienda XV garantiza el derecho a sufragio de todos los ciudadanos estadounidenses. El término conexo derechos civiles (ver movimiento por los DERECHOS CIVILES) suele utilizarse para referirse a una o más de estas libertades o indirectamente a la obligación del Estado de proteger a determinados grupos de personas de la violación de una o más de sus libertades civiles (p. ej., la obligación de proteger a las minorías raciales de la discriminación basada en la raza). En EE.UU., los derechos civiles están protegidos por la ley sobre DERECHOS CIVILES FUNDAMENTALES DE 1964 y por leyes posteriores. Ver también AMERICAN CIVIL LIBERTIES UNION (ACLU).

libertarismo Filosofía política que pone el acento en la libertad personal. Los libertarios creen que las personas deberían tener completa libertad de acción, siempre que sus actos no afecten la libertad de los demás. Su falta de confianza en el Estado tiene sus raíces en el ANARQUISMO del s. XIX. Los libertarios se oponen no sólo al impuesto a la renta y otros gravámenes sino también a programas que muchos consideran beneficiosos, como la seguridad social y el servicio postal. En EE.UU., sus puntos de vista a menudo traspasan las fronteras tradicionales de los partidos (p. ej., los libertarios se oponen al control de armas, al igual que la mayoría de los republicanos, pero apoyan la legalización de drogas prohibidas como algunos demócratas liberales). Entre los pensadores que abrazaron esta doctrina se cuentan HENRY DAVID THOREAU y AYN RAND.

libertos, oficina de los *inglés* Freedmen's Bureau

(1865–72). Servicio estadounidense creado durante la RECONSTRUCCIÓN para asistir a los esclavos libertos en su transición a la libertad. Su nombre oficial fue U.S. Bureau of Refugees, Freedmen, and Abandoned Lands (Oficina estadounidense de refugiados, libertos y tierras abandonadas), y su director fue OLIVER O. HOWARD. La oficina construyó hospitales y proporcionó atención médica a más de 1 millón de esclavos libertos y 21 millones de raciones para negros y blancos. También construyó y fundo más de 1.000 escuelas para niños afroamericanos, así como instituciones de estudios superiores y escuelas normales, pero no tuvo éxito en cuanto a salvaguardar los derechos civiles ni promover la redistribución de la tierra. Más adelante, el congreso cedió ante la presión de los sureños blancos y disolvió la organización.

LIBIA

- **Superficie:** 1.759.540 km² (679.362 mi²)
- **Población:** 5.853.000 hab. (est. 2005)
- **Capital:** TRÍPOLI
- **Moneda:** dinar libio

Libia *ofic.* República Árabe Libia Popular y Socialista

País del norte de África. Originalmente, los bereberes constituían el principal grupo étnico que hoy se ha asimilado en gran medida a la cultura árabe. Entre los grupos étnicos restantes destacan italianos, griegos, judíos y africanos subsaharianos. Idiomas: árabe (oficial) y lengua hamítica (bereber). Religiones: Islam (oficial) y cristianismo (en pequeña proporción). Todo el territorio está cubierto por el SAHARA, con excepción de dos pequeñas zonas: Tripolitania en el noroeste y Cirenaica en el nordeste. Tripolitania es la región agrícola más importante y la zona más poblada del país. La producción y exportación de petróleo constituyen la base de la economía; otros recursos son gas natural, manganeso y yeso. La cría de ganado, en especial de ovejas y cabras, es importante en el norte. Libia es un Estado socialista con un solo cuerpo político; el primer ministro es el jefe de Gobierno, pero MUAMMAR AL-GADAFI ha sido el jefe de Estado de facto y ha representado el verdadero poder desde 1970. La historia temprana del país coincide con la de FEZZÁN, CIRENAICA y TRIPOLITANIA, regiones que el Imperio otomano puso en el s. XVI bajo el dominio de una regencia única con sede en Trípoli. En 1911, Italia reclamó el control de Libia, y durante la segunda guerra mundial (1939–45) 150.000 italianos emigraron a la zona. Escenario de numerosos combates durante la guerra, se convirtió en Estado independiente en 1951 y dos años después pasó a integrar la Liga ÁRABE. El descubrimiento de petróleo en 1959 trajo riqueza al país. Diez años después, un grupo de oficiales del

Arte rupestre de Tadrart Acacus, una de las 300 muestras de pintura que se conservan en el sudoeste de Libia.
FOTOBANCO

ejército dirigido por al-Gadafi depuso al rey y convirtió al país en república islámica. Bajo su conducción, Libia apoyó a la OLP y, según se sostiene, entregó ayuda a grupos terroristas internacionales. Una guerra intermitente con Chad, iniciada en la década de 1970, finalizó con la derrota libia en 1987. En la década de 1990, las relaciones internacionales del país estuvieron dominadas por las consecuencias del embargo comercial impuesto por EE.UU. (con respaldo de la ONU), debido a su presunta conexión con el terrorismo.

Libia, desierto de

Porción nororiental del SAHARA que abarca el este de Libia, el sudoeste de Egipto y el noroeste de Sudán. Su punto más alto es el monte Uwaynat (1.934 m [6.345 pies]), situado en la convergencia de los tres países. El desierto árido se caracteriza por mesetas de roca desnuda y llanuras de arena.

libido

Energía fisiológica y emocional asociada al impulso sexual. El concepto fue acuñado por SIGMUND FREUD, para el cual la libido estaba relacionada no sólo con el deseo sexual, sino con toda la actividad creadora humana. Pensaba que las enfermedades psíquicas eran resultado de una desviación o represión de la libido. CARL GUSTAV JUNG usó el término de modo más amplio para abarcar los procesos vitales de todas las especies.

libra

Unidad de peso del sistema europeo tradicional *avoirdupois* (incorporado en el sistema de pesos y medidas imperial británico y en el estadounidense), equivalente a 16 onzas, 7.000 granos o 453,6 g. También existe la libra en los sistemas *troy* y *apothecary* (otros dos sistemas de peso tradicionales), equivalente a 12 onzas (*troy* o *apothecary*, según el caso), equivalente a 5.760 granos o 370 g. Su abreviatura es lb, por su antecesor romano, la *libra*. La libra *troy* se usa para metales preciosos, la *apothecary* en farmacia. El nombre de la moneda británica, llamada libra esterlina, está ligado históricamente con la acuñación de monedas de plata (esterlinas). Los pagos elevados se expresaban en "libras de esterlinas", más tarde abreviado a "libras esterlinas". Ver también GRAMO; MEDICIÓN; sistema MÉTRICO; ONZA; SISTEMA INTERNACIONAL DE UNIDADES.

Libra

(latín: "balanza"). En astronomía, la constelación ubicada entre Escorpión y Virgo; en ASTROLOGÍA, el séptimo signo del ZODÍACO, que rige aproximadamente el período entre el 22 de septiembre y el 23 de octubre. Su símbolo es una mujer sosteniendo una balanza o bien sólo el platillo. La mujer se identifica a veces con Astrea, la diosa romana de la justicia.

libre albedrío, problema del

Problema que surge de la manifiesta inconsistencia entre el DETERMINISMO causal imperante en la naturaleza y el poder humano, o la capacidad del hombre de elegir entre distintas opciones o de actuar libremente en determinadas situaciones, de modo independiente a las compulsiones naturales, sociales o divinas. Su importancia deriva del hecho de que el libre albedrío es considerado en general una presuposición necesaria de la responsabilidad moral, mientras que el determinismo ha sido visto (al menos hasta la llegada de la MECÁNICA CUÁNTICA) como una presuposición necesaria de la ciencia natural. Los argumentos en favor del libre albedrío se basan en la experiencia subjetiva de la libertad, en el sentimiento de culpa, en la religión revelada y en el supuesto de la responsabilidad de las acciones personales que subyace a los conceptos de ley, premio, castigo e incentivo. En teología, la existencia del libre albedrío debe conciliarse con la presciencia de Dios, con la omnisciencia y la bondad divinas (al permitir a los seres humanos elegir mal) y con la gracia divina, que supuestamente es necesaria para cualquier acto meritorio.

libre comercio Política conforme a la cual un gobierno no discrimina las importaciones ni interfiere en las exportaciones. Una política de libre comercio no significa necesariamente que el gobierno deje de aplicar gravámenes a las importaciones y exportaciones o queden sin control, sino más bien que se abstiene de adoptar medidas destinadas específicamente a dificultar el comercio internacional, como barreras arancelarias (ver ARANCEL), restricciones monetarias y CUOTAS de importación. La base teórica del libre comercio se encuentra en el argumento de ADAM SMITH de que la DIVISIÓN DEL TRABAJO entre los países genera especialización, mayor eficiencia y mayor producción agregada. Según Smith, la forma de incentivar la división del trabajo es permitir que las naciones produzcan y vendan cualquier producto que pueda competir con éxito en el mercado internacional.

Libreville Ciudad (pob., 1993: 362.386 hab.), capital de GABÓN, en la costa septentrional del estuario de Gabón. La región fue habitada por pueblos mpongwe después del s. XVI, seguidos por los fang en el s. XIX. En 1843, los franceses construyeron un fuerte en la ribera septentrional del estuario, y en 1849 se les dio el nombre de Libreville a un asentamiento de esclavos libertos y a un grupo de villorrios mpongwe. En 1850, Francia abandonó el fuerte y se reubicó en la meseta aledaña, en lo que actualmente es el centro comercial y administrativo de la ciudad. Libreville se ha industrializado y constituye el centro educacional de Gabón. Entre 1888 y 1904 fue la capital del África Ecuatorial Francesa.

libro Mensaje escrito o impreso de considerable extensión, destinado a la circulación y registrado en uno o más materiales lo bastante durables y livianos para ser portátiles. El rollo de PAPIRO del antiguo Egipto es el ancestro directo del

Imprenta de libros de la colección *Nova Reperta*, grabado de Theodoor Galle, basado en un dibujo de Jan van der Straet c. 1550; Museo Británico, Londres.
GENTILEZA DEL DIRECTORIO DEL MUSEO BRITÁNICO; FOTOGRAFÍA, J.R. FREEMAN & CO. LTD.

libro moderno que más se le asemeja, a diferencia de la tablilla de arcilla; hay especímenes de ambos que se remontan hacia 3000 AC. Tiempo después, los chinos forjaron de manera independiente una forma para compilar el saber basado en libros, muchos de los cuales fueron hechos de tablillas de madera o de bambú amarradas con cuerdas. La tinta de negro de humo se introdujo en China c. 400 DC, mientras que la impresión en bloques de madera se instauró en el s. VI. Los griegos adoptaron el rollo de papiro, el que luego pasó a los romanos. El PERGAMINO o CÓDICE de papel vitela sustituyó al rollo de papiro en 400 DC. El pergamino medieval (u hoja de papel vitela) se elaboraba a base de pieles de animales. En el s. XV eran comunes los manuscritos en papel. La imprenta se masificó rápidamente a fines del s. XV. Varios adelantos técnicos posteriores, como el desarrollo de la impresión en offset, mejoraron varios aspectos de la elaboración del libro. A fines de la década de 1990 ya se podían bajar libros electrónicos de la internet.

Licaonia Antigua región del sur de ANATOLIA. Situada al norte de los montes Taurus, en la actual Turquía, en la antigüedad limitaba con las regiones de CARIA y Panfilia. Estuvo sucesivamente bajo dominio de ALEJANDRO MAGNO, los SELÉUCIDAS, los atálidas y, por último, los romanos. Durante el dominio de Roma, fue anexada a GALATEA y CAPADOCIA. A partir del período seléucida, su capital fue Iconium (actual KONYA). San PABLO estuvo en ella, y en el s. IV poseía ya un sistema eclesiástico organizado.

Licchavi, era (c. 450–c. 750). Período del reinado de la dinastía Licchavi en Nepal. Se originó en la India, utilizó el sánscrito como idioma de la corte y ordenó acuñar monedas de estilo indio. Mantuvo lazos estrechos con India y también relaciones económicas y políticas con el Tíbet, convirtiéndose así en un centro cultural que sirvió de enlace entre Asia central y meridional. La era finalizó cuando Amsuvarman fundó la dinastía Thakuri a mediados del s. VIII.

Lichtenstein, Roy (27 oct. 1923, Nueva York, N.Y., EE.UU.–29 sep. 1997, Nueva York). Pintor, escultor y artista gráfico estadounidense. En un principio adhirió al EXPRESIONISMO ABSTRACTO, pero en la década de 1960 se volcó al POP ART, movimiento por el cual más se le conoce. Sus pinturas con colores brillantes, en el estilo de tiras cómicas a gran escala como *Whaam* (1963), son especialmente populares. A mediados de la década de 1960 comenzó a realizar versiones pop de pinturas conocidas de artistas como CLAUDE MONET, PABLO PICASSO y HENRI MATISSE. En la década de 1970 también creó esculturas en las que reprodujo formas ART DÉCO. Durante la década de 1980 pintó un mural de cinco pisos de altura en un edificio de oficinas de Nueva York.

Licia Antiguo distrito del sudoeste de ANATOLIA. Situado a lo largo de las costas del Mediterráneo de la actual Turquía, en la antigüedad se ubicaba entre las regiones de CARIA y Panfilia. En el s. VIII AC era una próspera región marítima. Más tarde cayó en manos del rey CIRO II el Grande de la dinastía aqueménida persa. Anexado a la Panfilia romana en 43 DC, se convirtió en provincia romana a partir del s. IV.

Licinio *latín* **Valerius Licinianus Licinius** (m. 325). Emperador romano (308–324). Nacido en el seno de una familia campesina iliria, escaló posiciones en el ejército y en 308 su amigo, el emperador GALERIO, lo nombró augusto. Dado que por entonces el imperio estaba dividido entre varios emperadores (ver TETRARCA), su dominio se limitaba a Panonia. Después de la muerte de Galerio (311), se alió con CONSTANTINO I, derrotó a su rival Maximino en Asia Menor y dividió el imperio (313). Aunque se cree que se convirtió al cristianismo, se volvió en su contra y c. 320 inició una campaña persecutoria, aunque moderada, contra los cristianos. Poco después Constantino lo desplazó del poder y lo hizo ejecutar.

licopodio Cualquiera de unas 200 especies de PLANTAS VASCULARES primitivas que constituyen el género *Lycopodium* (orden Licopodiales), originarias principalmente de las montañas tropicales, aunque también comunes en los bosques templados del mundo. Son plantas siempreverde con hojas

Caminadera (*Lycopodium complanatum*).
© ENCYCLOPÆDIA BRITANNICA, INC.

aciculares y a menudo con grupos coniformes de esporofilos (estróbilos; ver CONO), cada uno con un esporangio reniforme en su base. Algunas especies representativas son el licopodio porra o pie de lobo (*L. clavatum*), la caminadera (*L. complanatum* 'flabelliforme'), el licopodio brillante (*L. lucidulum*), el musgo derecho (*L. selago*), el licopodio oscuro (*L. obscurum*) y el licopodio alpino (*L. alpinum*).

licor destilado BEBIDA ALCOHÓLICA obtenida de la destilación del VINO, de zumo de fruta fermentado, o de diversos CEREALES

Licor de arroz destilado en la antigua China.
FOTOBANCO

que han sido previamente remojados, hervidos y fermentados. El ingrediente esencial suele ser azúcar natural o una sustancia rica en almidón que puede transformarse fácilmente en azúcar. El proceso de destilación se basa en los distintos puntos de ebullición del agua (100 °C [212 °F]) y del alcohol (78,5 °C [173 °F]). Los vapores de alcohol que surgen mientras hierve el líquido fermentado son atrapados y recondensados para producir un líquido de mucho mayor graduación alcohólica. El resultado de la destilación se envejece, a menudo durante varios años, antes de ser envasado y vendido. Ver también AQUAVIT; BRANDY; GIN; MISTELA; RON; VODKA y WHISKY.

licuación Técnica para separar los componentes de un mineral, un metal o una aleación mediante una fusión parcial. Si el material se calienta a una temperatura a la cual uno de los componentes se funde y el otro permanece sólido, el componente líquido puede drenarse. Esta técnica fue usada inicialmente para extraer compuestos de antimonio de su mena, para separar la plata del cobre con plomo como solvente, y para refinar estaño.

Licurgo (floreció ¿s. VII AC?). Fundador legendario de instituciones legales en ESPARTA. Debido a que las fuentes antiguas entregan diferentes versiones de su carrera, algunos especialistas concluyen que no fue un personaje histórico, pero muchos creen que un hombre llamado Licurgo introdujo drásticas reformas en Esparta después de la revuelta de los ILOTAS en el s. VII AC. Se piensa que concibió el sistema militarizado que hizo de Esparta un caso único entre las ciudades-estado griegas, y que definió las facultades del consejo y la asamblea.

Licurgo (c. 390–324 AC). Orador y estadista ateniense. Apoyó a DEMÓSTENES en su oposición a Macedonia. Mientras fue contralor de las finanzas del estado (338–326), se destacó por su eficiente administración y su enérgica persecución de los funcionarios corruptos. Reorganizó el ejército y remodeló la flota, llevó a cabo un vasto programa de obras públicas que incluyó la reconstrucción del teatro de Dioniso, publicó la edición oficial de los dramas de ESQUILO, SÓFOCLES

y EURÍPIDES, y se empeñó en restablecer los cultos y las festividades atenienses.

Liddell Hart, Sir Basil (Henry) (31 oct. 1895, París, Francia–29 ene. 1970, Marlow, Buckinghamshire, Inglaterra). Historiador militar y estratega británico. Dejó la Universidad de Cambridge para incorporarse al ejército británico al estallar la primera guerra mundial, y se retiró como capitán en 1927. Fue un temprano impulsor del poderío aéreo y de la guerra mecanizada con tanques. Escribió para diarios londinenses, de 1925 a 1945. Sus escritos sobre estrategia, que enfatizaban los elementos movilidad y sorpresa, tuvieron más influencia en Alemania que en Francia o Inglaterra; su teoría del ataque "torrente en expansión" se convirtió en la base del BLITZKRIEG alemán de 1939-41. Autor de más de 30 libros, fue ordenado caballero en 1966.

líderes cristianos del Sur, conferencia de Organización estadounidense no sectaria, fundada en 1957 por MARTIN LUTHER KING, JR. y otras personas, con el fin de asistir a las instituciones locales que trabajaban por la igualdad de derechos para los afroamericanos. Funcionaba principalmente en el Sur y llevaba a cabo programas de capacitación de líderes, proyectos de educación ciudadana y campañas de inscripción de votantes. Desempeñó un papel importante en la histórica Marcha sobre Washington de 1963 y en las campañas en favor de la ley sobre DERECHOS CIVILES FUNDAMENTALES DE 1964 y la ley de DERECHO A VOTO DE 1965. Cuando King fue asesinado, en 1968, RALPH ABERNATHY lo sucedió en la presidencia. A comienzos de la década de 1970 la conferencia se vio debilitada por diversos cismas, entre ellos el alejamiento de JESSE JACKSON, quien fundó en Chicago la Operación PUSH.

Lidia Antigua región del oeste de ANATOLIA. Situada en la actual Turquía, limitaba al oeste con el mar Egeo. En los s. VII–VI AC, Lidia ejerció profunda influencia sobre los jonios, mediante avances económicos como la acuñación de monedas. En 546 AC fue conquistada por los persas al mando de CIRO II. Más tarde quedó bajo el control de Siria y Pérgamo, y durante el dominio romano formó parte de la provincia de Asia.

Lie, Jonas (Lauritz Idemil) (6 nov. 1833, Hokksund in Eiker, Noruega–5 jul. 1908, Stavern). Novelista noruego. Escribió su primera novela, *El vidente o imágenes de Nordland* (1870), con la colaboración de su esposa. Entre sus novelas siguientes destacan *El tres palos "Porvenir"* (1872), *La esclava de la vida* (1883) y la clásica *La familia de Gilje* (1883), que aborda la posición de la mujer en la sociedad. En su obra quiso reflejar la naturaleza, las tradiciones y el espíritu social de su país. Junto a HENRIK IBSEN, BJØRNSTJERNE

Jonas Lie.
GENTILEZA DE LA EMBAJADA REAL DE NORUEGA

BJØRNSON y Alexander Kielland (n. 1849–m. 1906), es considerado uno de los "cuatro grandes" de la literatura noruega decimonónica.

Lie, Trygve (16 jul. 1896, Cristianía, Noruega–30 dic. 1968, Geilo). Primer secretario general de las NACIONES UNIDAS (1946–52). Tras estudiar derecho en la Universidad de Cristianía (Oslo), participó como miembro activo del Partido Laborista noruego y fue designado ministro de relaciones exteriores del gobierno de Noruega en el exilio durante la segunda guerra mundial. Como miembro de la delegación de su país ante la Conferencia de las Naciones Unidas para la Organización Internacional (1945), ayudó a redactar las normas que regulan el CONSEJO DE SEGURIDAD DE LAS NACIONES

UNIDAS. Como secretario general, ayudó a garantizar el retiro de las tropas soviéticas de Irán; también intervino en la primera guerra ÁRABE-ISRAELÍ y en el conflicto entre India y Pakistán por CACHEMIRA. La Unión Soviética cesó de prestarle colaboración después de que apoyó la intervención de las Naciones Unidas en la guerra de COREA, y su eficacia se vio obstaculizada aún más por acusaciones de políticos anticomunistas de EE.UU. que afirmaban que la secretaría había empleado a subversivos. Renunció en 1952.

Liebermann, Max (20 jul. 1847, Berlín, Prusia–8 feb. 1935, Berlín, Alemania). Pintor y grabador alemán. El realismo y la simplicidad de *Desplumadoras de ocas* (1872), su primera pintura exhibida, manifestaron un sorprendente contraste con el arte romántico e idealizado de moda entonces. En el verano de 1873 vivía en Barbizon, donde conoció a los pintores de la escuela de BARBIZON. Como resultado de su influencia intensificó los tonos de su paleta y contribuyó a iniciar la escuela alemana del IMPRESIONISMO. En la década de 1880 extraía sus personajes tanto de los orfanatos y asilos de ancianos de Amsterdam, como de entre los campesinos y obreros urbanos de Alemania y los Países Bajos. Defensor de estilos académicamente impopulares como el impresionismo y el ART NOUVEAU, fundó la SEZESSION de Berlín (1899), pero más tarde se convirtió en presidente de la conservadora Academia de Berlín.

Liebig, Justus, Freiherr (barón) von (12 may. 1803, Darmstadt, Hesse-Darmstadt–18 abr. 1873, Munich, Baviera). Químico alemán. Hizo contribuciones importantes a la sistematización de la química orgánica en sus primeras etapas, a la bioquímica, la educación en química y la química agrícola. Fue el primero en demostrar la existencia de los RADICALES LIBRES y buscó infructuosamente clarificar las propiedades de los ÁCIDOS.

Karl Liebknecht, 1913.
INTERFOTO-FRIEDRICH RAUCH, MUNICH, ALEMANIA

Desarrolló métodos analíticos simples (ver ANÁLISIS) que en gran medida ayudaron en su trabajo, analizó muchos tejidos y fluidos corporales y demostró que las plantas utilizan dióxido de carbono, agua y amoníaco. Con los años su reputación se hizo tan grande que fue considerado la autoridad definitiva en cuestiones de química, y con frecuencia se vio involucrado en controversias científicas.

Liebknecht, Karl (13 ago. 1871, Leipzig, Alemania–15 ene. 1919, Berlín). Líder socialista alemán. Hijo de WILHELM LIEBKNECHT, se convirtió en abogado y adhirió al marxismo. En 1912 se integró al Reichstag y encabezó la oposición a la política de Alemania antes de la primera guerra mundial. En 1916 fue expulsado del PARTIDO SOCIALDEMÓCRATA DE ALEMANIA (SPD) por negarse a su liderazgo y entró en estrecha alianza con ROSA LUXEMBURGO, con quien fundó el grupo de los ESPARTAQUISTAS. Fue arrestado (1916–18) por propugnar el derrocamiento del gobierno. En 1918 cumplió un destacado papel en la formación del Partido Comunista alemán. Una serie de sangrientos enfrentamientos culminaron en un intento de golpe de Estado en enero de 1919, en el que recurrió a la fuerza. Fue asesinado con el pretexto de que estaba intentando escapar del arresto.

Liebknecht, Wilhelm (29 mar. 1826, Giessen, Hesse–7 ago. 1900, Berlín, Alemania). Socialista alemán, cofundador del PARTIDO SOCIALDEMÓCRATA DE ALEMANIA. Arrestado por su participación en las REVOLUCIONES DE 1848, vivió exiliado en Inglaterra (1849–62), donde trabajó en forma estrecha con KARL MARX y FRIEDRICH ENGELS. Prusia lo amnistió en 1862, pero OTTO VON BISMARCK lo expulsó nuevamente en 1865. En Leipzig, junto a AUGUST BEBEL, organizó en 1869 el Partido Obrero Socialdemócrata. Fue encarcelado (1872–74) por sus escritos contra la guerra franco-prusiana. La represión de Bismarck contra los socialistas provocó una fusión con los seguidores de FERDINAND LASSALLE en 1875. Con la expiración de la ley antisocialista (1878–90), el partido pasó a ser conocido como Partido Socialdemócrata de Alemania. Liebknecht continuó como su principal vocero, en particular como escritor del periódico del partido, *Vorwärts*.

Wilhelm Liebknecht, c. 1890.
ARCHIV FUR KUNST UND GESCHICHTE, BERLÍN, ALEMANIA

liebre Mamífero brincador (familia Leporidae) cuyas crías, a diferencia de las de los CONEJOS, nacen con el pelaje completo, los ojos abiertos y suficientemente maduras para saltar unos pocos minutos después de nacer. La liebre común (*Lepus europaeus*) es originaria de Europa central y meridional, el Oriente Medio y África; aclimatada en Australia, ha pasado a ser allí una plaga. La LIEBRE DE NORTEAMÉRICA y la LIEBRE NIVAL tienen distribución amplia. Muchas otras especies se encuentran en forma natural en los continentes, a excepción de Australia. Las liebres tienen patas traseras bien desarrolladas y las orejas suelen ser más largas que la cabeza. Las especies varían de 40 a 70 cm (16–28 pulg.) de largo, sin considerar el rabo. Las liebres árticas tienen pelaje blanco en invierno y marrón grisáceo en verano; en otras partes, son normalmente marrón grisáceo todo el año. Son esencialmente herbívoras.

liebre de Norteamérica Cualquiera de varias especies de LIEBRES grandes y comunes de Norteamérica (p. ej., *Lepus townsendii*, *L. californicus*). Son de orejas muy largas y patas posteriores también largas. Tienen una distribución amplia, en especial en el oeste, pero habitan de preferencia en praderas y llanuras.

liebre nival Especie de LIEBRE de Norteamérica septentrional (*Lepus americanus*), que cambia de color anualmente, de pardusca o grisácea en verano a blanca pura en invierno. Los pies traseros tienen un pelaje tupido y los cuatro pies son grandes en proporción al tamaño corporal, una adaptación tipo raqueta que le permite caminar sobre la nieve.

Liebre de Norteamérica
(*Lepus townsendii*)

Liebre ártica
(*Lepus arcticus*)

Liebre común
(*Lepus europaeus*)

Especies de liebre, familia Leporidae.
© ENCYCLOPÆDIA BRITANNICA, INC.

LIECHTENSTEIN

▸ **Superficie:** 160 km² (62 mi²)

▸ **Población:** 34.800 hab. (est. 2005)

▸ **Capital:** VADUZ

▸ **Moneda:** franco suizo

Liechtenstein *ofic.* **Principado de Liechtenstein** Principado de Europa occidental, situado entre Suiza y Austria. Su población desciende de la tribu alemanni que llegó a la región después de 500 DC. Idiomas: alemán (oficial) y dialectos alemanni y walser. Religión: catolicismo romano. Las estribaciones del macizo Rhätikon, parte de los ALPES centrales, componen los dos tercios del pequeño territorio de Liechtenstein. La zona occidental del país está ocupada por la planicie aluvial del río RIN. Liechtenstein no posee recursos naturales de valor comercial, de manera que importa prácticamente todas las materias primas, entre ellas madera. Sus principales industrias son la metalúrgica, los productos farmacéuticos, los lentes ópticos y la fabricación de productos electrónicos y alimentarios. El principado es un centro turístico y también financiero debido a su estabilidad política y a su absoluto secreto bancario. Constituye una monarquía constitucional unicameral; el jefe de Estado es el príncipe, y jefe de Gobierno, el primer ministro. La planicie del Rin estuvo ocupada durante siglos por Vaduz y Schellenberg, dos señoríos independientes del SACRO IMPERIO ROMANO. El principado de Liechtenstein, compuesto de ambos señoríos, se fundó en 1719 y se mantuvo como parte del Sacro Imperio romano. Más tarde se incorporó a la CONFEDERACIÓN GERMÁNICA (1815–66). Se independizó en 1866, reconociendo las regiones de Vaduz y Schellenberg como distritos electorales separados. En 1921 adoptó la moneda suiza, y en 1923 se integró a la unión aduanera suiza. En 1997 se disolvió una coalición que gobernó durante casi 60 años, por lo que el príncipe impulsó la adopción de reformas constitucionales.

lied Canción alemana artística para voz y piano de fines del s. XVIII o del s. XIX. El movimiento romántico fomentó la poesía popular seria de vates como JOHANN WOLFGANG VON GOETHE. A menudo los compositores musicalizaban estos poemas con melodías de influencia folclórica, sin embargo, el lied podía también ser muy sofisticado e incluso experimental. Al principio generalmente se interpretaba en reuniones sociales privadas y con el tiempo se trasladó al repertorio de las salas de concierto. El compositor más influyente y prolífico de lied fue FRANZ SCHUBERT, quien escribió más de 600; ROBERT SCHUMANN, FELIX MENDELSSOHN, JOHANNES BRAHMS, HUGO WOLF, GUSTAV MAHLER y RICHARD STRAUSS son los más prominentes en la historia subsiguiente del lied.

Lieja *flamenco* **Luik** Ciudad (pob., est. 2000: 185.639 hab.) en el este de Bélgica. Situada en la confluencia de los ríos MOSA y Ourthe, fue habitada en tiempos prehistóricos y los romanos la conocían con el nombre de Leodium. En 721 se convirtió en ciudad cuando San Humberto trasladó ahí la sede del obispado; durante la Edad Media se destacó como centro del saber. En 1795 fue anexionada a Francia y en 1815 asignada a los Países Bajos junto con el resto de Bélgica. Los ciudadanos de Lieja alentaron la revolución que llevó a la independencia de Bélgica en 1830. Actualmente es un centro de investigación industrial y un puerto importante.

Lieja, Universidad de Universidad pública de Bélgica, ubicada en la ciudad de Lieja, en la zona francohablante del país. Fue fundada en 1817 por iniciativa de GUILLERMO I, rey de los Países Bajos, quien logró concretar la larga tradición de intelectualidad proveniente de las escuelas de enseñanza del s. XI. En la actualidad es una institución integral de enseñanza superior e investigación que depende de la Comunidad francesa de Bélgica. Otorga programas de licenciatura y posgrado en las principales disciplinas en sus ocho facultades: filosofía y letras, derecho y escuela de criminología, ciencias, medicina, ciencias aplicadas, ciencias veterinarias, psicología y ciencias educacionales, y economía, administración y ciencias sociales. Se destaca en el área de investigación espacial y aeronáutica, astronomía, neurología, microbiología y biotecnología.

Liena, río *o* **río Lena** Río del centro-este de Rusia, uno de los más largos del mundo. A partir de su fuente, un lago de montaña situado en Siberia, al oeste del lago BAIKAL, discurre a lo largo de 4.400 km (2.734 mi) hacia el norte a través de Rusia hasta desembocar en el océano Ártico. Su cuenca cubre una superficie de 2.490.000 km² (961.000 mi²). El Liena tiene numerosos afluentes, entre ellos los ríos Vitim y Oliokma. El territorio a lo largo del curso superior del Liena y sus afluentes es rico en minerales, en especial oro y carbón. El delta del Liena, que da al mar de Laptev, fue explorado por primera vez a comienzos de la década de 1630.

Liezi *o* **Lie-tsê** (c. siglo IV AC, China). Filósofo taoísta chino. Fue uno de los tres filósofos principales que elaboraron los principios del pensamiento taoísta y autor presunto de la obra taoísta *Liezi*. Se ha concluido que muchos de los escritos que la tradición le atribuye son falsificaciones posteriores, pero todavía en muchos círculos se considera un personaje histórico.

Liezi *o* **Lie-tsê** Obra clásica del taoísmo. Aunque tradicionalmente se menciona a LIEZI como su autor, en su forma actual data probablemente del s. III o IV DC. Tal como los clásicos taoístas precedentes, pone énfasis en el misterioso TAO (camino). El capítulo "Yang Zhu" reconoce la inutilidad de desafiar el *tao* y sostiene que todo lo que uno puede esperar en la vida es sexo, música, belleza física y abundancia material. Esta creencia fatalista en una vida de egoísmo exacerbado fue un hecho nuevo en el TAOÍSMO.

Lifar, Serge (2 abr. 1905, Kíev, Ucrania, Imperio ruso– 15 dic. 1986, Lausana, Suiza). Bailarín, coreógrafo y maestro de ballet francés de origen ruso. En 1923 se incorporó a los BALLETS RUSOS, donde ascendió a primer bailarín en 1925 e interpretó el papel principal en varios ballets de GEORGE BALANCHINE. Trabajó en el ballet de la Ópera de París como bailarín principal y maestro de ballet (1929–45, 1947–58) y compuso la coreografía de más de 50 obras, como *Prometeo* (1929), *Ícaro* (1935), *Los espejismos* (1947) y *Les noces fantastiques* [Las

Centro de Lieja, atravesada por el río Mosa, Bélgica.
PHOTO RESEARCH INTERNATIONAL

bodas fantásticas] (1955). Reestructuró la compañía como grupo de danza independiente, destacando la importancia de los bailarines. Se retiró de las tablas en 1956, pero continuó realizando coreografías para diversas compañías europeas.

Life Revista gráfica estadounidense publicada semanalmente en Nueva York desde 1936 hasta 1972. Posteriormente sólo circuló en ediciones especiales. Fue una de las revistas estadounidenses más populares e imitadas. Fundada por Henry R. Luce, pronto se convirtió en la piedra angular de la Time-Life Publications. Desde sus inicios privilegió la fotografía, con instantáneas noticiosas cautivantes y muy bien elegidas, así como especiales y ensayos fotográficos realizados por los mejores profesionales, y en forma gradual se agregó más texto. La cobertura de los conflictos bélicos –especialmente el de la segunda guerra mundial– se destacó por su vivacidad, autenticidad y conmovedora intensidad. *Life* dejó de publicarse, en gran medida, porque sus costos superaban los ingresos. Reapareció luego en ediciones especiales, y de 1978 a 2000 como revista mensual.

Liffey, río Río de Irlanda. Nace al sudoeste de DUBLÍN, fluye hacia el noroeste y continúa luego hacia el oeste en las tierras bajas de Kildare. Cruza hacia el este, atravesando Dublín, donde está canalizado, y después de un recorrido de 80 km (50 mi) desemboca en la bahía de Dublín, entrada del mar de Irlanda. El río está personificado como Anna Livia Plurabelle en *Finnegans Wake* de JAMES JOYCE.

liforreticuloma ver enfermedad de HODGKIN

Liga contra las leyes cerealistas Organización británica fundada en 1839, dedicada a luchar contra las leyes del GRANO (*corn laws*) que regulaban la importación y exportación de cereales. Fue dirigida por RICHARD COBDEN, quien consideró que las leyes eran incorrectas desde un punto de vista moral y dañaban la economía. La liga movilizó a las clases medias nacidas con la industrialización contra los terratenientes, y Cobden triunfó sobre el primer ministro Sir ROBERT PEEL. Las leyes del Grano fueron derogadas en 1846.

Liga de Augsburgo, guerra de la (1689–97). Tercera guerra en importancia del rey de Francia LUIS XIV, en la cual sus planes expansionistas fueron bloqueados por una alianza liderada por Gran Bretaña, las Provincias Unidas de los Países Bajos y los Habsburgo austríacos. La causa profunda que subyacía a la guerra era la rivalidad entre las casas de BORBÓN y HABSBURGO. Luis emprendió una campaña en la década de 1680 para colocar a los Borbones en la futura sucesión del trono español. Para oponerse a él, el emperador Habsburgo LEOPOLDO I se unió a otras naciones europeas en la Liga de AUGSBURGO. La liga demostró ser ineficaz, pero en la década de 1690 Gran Bretaña, Brandeburgo, Sajonia, Baviera y España, alarmadas por los éxitos de Luis, se unieron con Leopoldo para formar la Gran Alianza. Cuando estalló la guerra en Europa y en las colonias de ultramar, entre ellas, América (ver guerra del REY GUILLERMO), el rey descubrió que sus fuerzas armadas no estaban preparadas adecuadamente, y Francia sufrió fuertes pérdidas navales. En 1695, Luis comenzó negociaciones secretas de paz, que culminaron en el tratado de Rijswijk (1697). El conflicto subyacente entre los gobernantes de las dinastías Habsburgo y Borbón y la rivalidad entre ingleses y franceses permanecieron sin resolverse y resurgieron cuatro años más tarde en la guerra de sucesión ESPAÑOLA.

Liga de los estados árabes ver Liga ÁRABE

Liga Nacional de Fútbol ver NFL

Liga Nacional de Hockey ver NATIONAL HOCKEY LEAGUE

Liga pequeña ver LITTLE LEAGUE

Liga Santa ver Liga SANTA

ligamento Banda fibrosa de TEJIDO CONECTIVO resistente que sostiene los órganos internos y mantiene adecuadamente unidos los huesos en las ARTICULACIONES. Se compone de densos haces de fibras y células fusiformes (fibroblastos y fibrocitos), con escasa sustancia fundamental. Los ligamentos blancos son ricos en fibras de COLÁGENO firmes e inelásticas; los ligamentos amarillos son ricos en fibras elásticas fuertes, que permiten mayor movilidad. Ver también TENDÓN.

ligamiento, grupo de ver GRUPO DE LIGAMIENTO

ligando ÁTOMO, grupo (ver GRUPO FUNCIONAL) o MOLÉCULA unido a un átomo central, a menudo de un elemento de TRANSICIÓN, en un COMPUESTO de coordinación o complejo (ver ENLACE). Casi siempre es el donante de un par de electrones (NUCLEÓFILO) en un ENLACE COVALENTE. Los ligandos comunes son las moléculas neutras AGUA (H_2O), amoníaco (NH_3) y monóxido de carbono (CO), y los ANIONES cianuro (CN^-), cloruro (Cl^-) e hidróxido (OH^-). Rara vez, los ligandos son CATIONES y aceptores de pares de electrones (ELECTRÓFILOS). Los ligandos orgánicos incluyen el EDTA (ver QUELATO) y el ácido nitrilotriacético. Los sistemas biológicos dependen de ligandos, como la PORFIRINA en la HEMOGLOBINA y la CLOROFILA, y numerosos COFACTORES son ligandos. En los quelatos, el ligando se une en más de un punto, compartiendo más de un par de electrones, y se denomina bidentado o polidentado, porque tiene dos o muchos "dientes". Los ligandos en un complejo pueden ser todos iguales o diferentes.

Ligeti, György (Sándor) (n. 28 may. 1923, Diciosânmartin, Transilvania, Rumania). Compositor húngaro (transilvano). En 1950 enseñaba en la Academia de Budapest, pero no encontró su camino en la composición hasta que en 1956 conoció a KARLHEINZ STOCKHAUSEN y otros en Viena. Después de un interés fugaz por la música electrónica, obtuvo reconocimiento internacional por sus obras vanguardistas para intérpretes. Estas obras tratan principalmente de masas de sonido y colores tonales cambiantes. Su obra más famosa, *Atmósferas* (1961), fue usada en la película *2001: Una odisea en el espacio* (1968). La ópera *Le Grand macabre* (1978) ha sido muy representada en Europa.

Lightfoot, Gordon (n. 17 nov. 1938, Orillia, Ontario, Canadá). Cantautor canadiense. Comenzó a escribir canciones pop de orientación folclórica a mediados de la década de 1960, como "Early Morning Rain" y "Ribbon of Darkness". Sus éxitos posteriores incluyen "If You Could Read My Mind" y "The Wreck of the Edmund Fitzgerald". Sus canciones han sido interpretadas por una gama de cantantes que va desde BARBRA STREISAND hasta JERRY LEE LEWIS.

ligio En la sociedad feudal europea, vínculo incondicional entre un hombre y su señor, en virtud del cual si un inquilino ocupaba tierras pertenecientes a varios señores, sus obligaciones hacia el señor feudal, a quien había rendido "homenaje ligio", eran mayores que las que correspondían a sus demás señores, a quienes sólo había rendido "homenaje simple". Ver también sistema FEUDAL DE TENENCIA DE LA TIERRA.

lignina Compuesto orgánico complejo que contiene oxígeno y es una mezcla de POLÍMEROS de estructura no muy conocida. Después de la CELULOSA, es el material orgánico más abundante en la Tierra, constituyendo desde un cuarto hasta un tercio del peso seco de la MADERA y se concentra en las paredes celulares de esta. Se extrae de la pulpa de la madera en la fabricación del PAPEL y se utiliza como un aglomerante en placas de partículas (paneles aglomerados) y productos similares; también como acondicionador del suelo, relleno en ciertos plásticos, ingrediente en adhesivos y materia prima para productos químicos que incluyen DIMETIL SULFÓXIDO y vainillina (saborizante sintético de VAINILLA).

lignito CARBÓN amarillo a marrón oscuro, raramente negro, que se ha formado a partir de TURBA sometida a presión moderada. Uno de los primeros productos de la carbonización,

ocupa un lugar intermedio entre la turba y el CARBÓN SUBITU-
MINOSO. El lignito seco contiene 60–70% de carbono. Casi la
mitad de las reservas mundiales de carbón contienen lignito
y carbón subituminoso, pero el lignito no ha sido explotado a
gran escala, ya que es inferior a otros carbones (p. ej., CARBÓN
BITUMINOSO) en valor calorífico, facilidad de manipulación y
estabilidad en el almacenaje. En algunas áreas, sin embargo, la
escasez de combustible ha llevado a su extenso desarrollo.

Liguria Región (pob., est. 2001: 1.560.748 hab.) en el noroeste de Italia. Cubre una superficie de 5.418 km² (2.092 mi²);
está situada a orillas del mar de Liguria entre Francia y la región de Toscana, y su capital es GÉNOVA. Pese a que la región estuvo bajo dominio romano desde el s. I AC, durante un
breve período fue controlada por lombardos y FRANCOS en la
Edad Media. Génova surgió como unidad dominante desde el
s. XI y a partir de 1400 toda la región se benefició de su poderío marítimo y comercial. En 1815, el Congreso de VIENA asignó a Liguria el reino del Piemonte-Cerdeña, lo que contribuyó
en forma significativa a la unión de Italia en 1861. Su economía depende de la agricultura, el turismo y las industrias con-
centradas en sus principales ciudades, entre ellas Génova. La
Spezia es una importante base naval de la región.

ligustro Cualquiera de unas 40–50 especies de arbustos y
arbolillos del género *Ligustrum* de la familia de las Oleáceas,
(ver OLIVO) de uso generalizado en setos, barreras y plantaciones ornamentales. Originarias de Europa, Asia, Australia y
el Mediterráneo, estas plantas siempreverde o deciduas tienen
hojas normalmente aovadas y de bordes lisos, racimos de
flores blanco crema, a menudo fragantes, y bayas negras. El
ligustro común (*L. vulgare*), originario de Europa nororiental
y Gran Bretaña y naturalizado en el nordeste de Norteamérica,
es resistente a la intemperie y se usa ampliamente como seto
vivo. Los ligustros falsos pertenecen al género *Phillyrea* (de
la misma familia) y dan frutos rojo brillante que se vuelven
púrpura oscuro cuando maduran.

Likud Coalición de partidos políticos israelíes de derecha. Se
formó en 1973 mediante la fusión del Partido Herut (1948) y
el Partido Liberal (1961), que era a su vez, una fusión de los
sionistas generales y los progresistas. Desde fines de la década de 1970, el Likud se ha alternado en el poder con el PARTIDO
LABORISTA DE ISRAEL. En general, el partido ha contemplado con es-
cepticismo el proceso de paz israelí-palestino; se ha opuesto a la
creación de un estado palestino y ha apoyado la continua colonización judía de los territorios ocupados de Cisjordania y la franja
de Gaza. Entre los líderes del Likud se cuentan MENAHEM BEGIN,
YITZHAK SHAMIR y ARIEL SHARON. El Likud sufrió una escisión al
formarse el nuevo partido político Kadima (2005). Ver también
guerras ÁRABE-ISRAELÍES; IRGUN TZEVAÍ LEUMÍ; VLADIMIR JABOTINSKY.

lila Cualquiera de unas 30 especies de arbustos y arbolillos de
jardín, septentrionales, de floración primaveral y fragantes, que
constituyen el género *Syringa* de la familia de las Oleáceas (ver
OLIVO). Originaria de Europa oriental y la zona templada de Asia,
tiene hojas verde oscuro y racimos grandes y ovales de flores
compuestas de color púrpura oscuro, lavanda, azul, rojo, rosado,
blanco o amarillo cremoso; a menudo tiene un aroma intenso.
La lila común (*S. vulgaris*) alcanza 6 m (20 pies) de altura y
produce muchos vástagos (brotes del tallo o la raíz). El término
syringa se usó en otro tiempo para denominar la naranja falsa
de la familia de las Saxifragáceas (ver SAXIFRAGA); y el arbusto
mariposa (ver BUDDLEIA) se llama vulgarmente "lila de verano".

Lilburne, John (¿1614?, Greenwich, cerca de Londres, Inglaterra–29 ago. 1657, Eltham, Kent). Revolucionario inglés. De
tendencia separatista, se integró a la oposición puritana de CAR-
LOS I y ayudó a ingresar de contrabando panfletos puritanos a
Inglaterra, por lo cual fue encarcelado (1638–40). Se transformó
en oficial del ejército parlamentario, pero renunció en 1645 antes
que suscribir el Pacto y Liga SOLEMNE. Fue un experto propagan-
dista de los LEVELLERS y criticó al parlamento por no satisfacer
las demandas de dicha facción. Fue encarcelado nuevamente
(1645–47), pero mantuvo su popularidad entre los londinenses
y fue absuelto dos veces de acusaciones de traición.

Liliáceas Familia del orden Liliales, que contiene unas 4.000
especies de hierbas y arbustos florales repartidas en 280 géneros. El género *Lilium* comprende los lirios genuinos. Originarias
esencialmente de regiones templadas y subtropicales, estas
monocotiledóneas (ver COTILEDÓN) tienen normalmente flores
hexámeras, frutos capsulares de tres cámaras y hojas de venas
paralelas. Los lirios genuinos están entre las plantas cultivadas
más antiguas; son perennes, erguidas con tallos foliados, bulbos
escamosos, hojas normalmente angostas y flores solitarias o en
racimos, algunas bastante fragantes, en variados colores. La mayoría de las especies almacena nutrientes en un bulbo, cormo o
tubérculo. En esta familia las plantas ornamentales de jardín y de
interior importantes son ÁLOE, AZUCENA, HOSTA, SELLO DE SALOMÓN,
TULIPÁN y las especies de ENDYMION y CROCUS. Los miembros alimentarios son CEBOLLA, AJO y espárrago (ver ASPARAGUS).

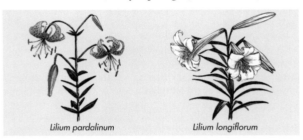

Lilium pardalinum *Lilium longiflorum*

Especies de la familia de las Liliáceas.
© ENCYCLOPÆDIA BRITANNICA, INC.

Lilit En el folclore judío, DEMONIO femenino. En la literatura
rabínica es descrita como la primera esposa de Adán o como
la madre de su demoníaca descendencia, después de que Adán
se separó de Eva fuera del Paraíso (ver ADÁN Y EVA). El mal
que hacía a los niños se podía contrarrestar usando un amuleto
con los nombres de los tres ángeles que se le oponían. Un culto
asociado a Lilit subsistió hasta el s. VII DC.

Liliuokalani *orig.* **Lydia Kamakaeha** (2 sep. 1838,
Honolulu, Hawai–11 nov. 1917, Honolulu). Reina hawaiana,
última monarca hawaiana que gobernó las islas (1891–93).
Sucedió en el trono a su hermano, David Kalakaua, y procuró
restablecer la monarquía tradicional. Se opuso al tratado de
reciprocidad que entregaba concesiones comerciales a EE.UU.
En 1893, SANFORD B. DOLE y el Partido Misionero, partidario
de la anexión a EE.UU., la declararon depuesta. Se sofocó un
levantamiento en su favor y se encarceló a los rebeldes. Para
conseguir el perdón para sus parti-
darios, la reina abdicó oficialmente
en 1895. De gran talento musical,
compuso la canción "Aloha Oe".

Lille Ciudad (pob., 1999: ciudad, 184.493 hab.; área metrop.,
1.000.900 hab.) a orillas del río
Deûle, norte de Francia. Fortificada
en el s. XI, durante la Edad Media
cambió de manos en varias oportunidades. En 1667, LUIS XIV sitió y
capturó la ciudad. En 1708 la tomó
JOHN CHURCHILL MARLBOROUGH y en
1713 fue cedida a Francia. Los
alemanes la ocuparon durante la

Liliuokalani, reina hawaiana.
GENTILEZA DEL BERNICE P. BISHOP MUSEUM

primera y la segunda guerra mundial. Es el centro textil tradicional de Francia y existen otras industrias como manufactura de maquinaria y plantas químicas. Su museo cuenta con una
valiosa colección de arte.

Lilongwe *o* **Lilongue** Capital y segunda ciudad más populosa (pob., est. 1994: área metrop., 395.500 hab.) de MALAWI. Es la capital ministerial, financiera y legislativa del país, en tanto que BLANTYRE es la capital ejecutiva y judicial. Lilongwe está situada en una llanura interior, a 80 km (50 mi) al oeste del extremo meridional del lago MALAWI. Es un mercado para los productos agrícolas de la fértil meseta de la región central; en 1975 reemplazó a la ciudad de Zomba como capital nacional. El casco antiguo funciona como centro comercial y de servicios, mientras que el nuevo distrito de Capital Hill alberga los edificios gubernamentales y las embajadas.

Lily, William (¿1468?, Odiham, Hampshire, Inglaterra–25 feb. 1522, Londres). Erudito del renacimiento inglés y gramático clásico. Después de peregrinar a Jerusalén y de visitar Grecia e Italia, llegó a ser un pionero en materia de estudios del griego en Inglaterra y fue nombrado director de la escuela de St. Paul's en 1510. Su gramática, que constaba de dos libros, uno en inglés y otro en latín, apareció por primera vez unos 18 años después de su muerte. Su uso por mandato real en todas las escuelas secundarias inglesas la hizo acreedora del nombre "the King's Grammar". Con correcciones y revisiones, continuó usándose hasta el s. XIX y ejerció influencia en la opinión de generaciones de ingleses acerca de las lenguas, incluido el inglés.

lima En ferretería y metalistería, herramienta con forma de barra o varilla, de acero templado, con la superficie finamente estriada. Se usa para suavizar y dar forma a los objetos, especialmente los de metal. La acción de corte o abrasión de una lima resulta de frotarla, por lo común a mano, contra el objeto. La lima de un filo tiene hileras de dientes paralelos que corren diagonalmente sobre su superficie. La lima de doble filo tiene hileras de dientes que se entrecruzan. La escofina es una lima con dientes más grandes y redondeados en la punta; se usa principalmente para desbastar piezas de madera y materiales blandos.

Lima Ciudad (pob., 2005: 6.954.583 hab.) y capital del PERÚ. Situada entre el océano Pacífico y la cordillera de los ANDES, a 13 km del puerto de CALLAO. Fue fundada por FRANCISCO PIZARRO en 1535, el día de la festividad de la EPIFANÍA, lo que sugirió el nombre original de Ciudad de los Reyes, pero el nombre no trascendió. Más tarde, Lima se convirtió en la capital del virreinato del PERÚ. Fue destruida por un terremoto en 1746 y luego reconstruida. Experimentó un rápido crecimiento durante el s. XX y en la actualidad alberga casi un tercio de la población del Perú. Es el centro económico y cultural del país. Entre sus sitios históricos destacan la catedral (que comenzó a construirse en el s. XVI) y la Universidad Nacional Mayor de San Marcos (1551).

Palacio de Gobierno situado en el centro cívico de Lima, Perú.
ARCHIVO EDIT. SANTIAGO

limadora MÁQUINA HERRAMIENTA para corte de metales en la cual la pieza es sostenida a menudo en un TORNILLO DE BANCO o aparato similar sujeto a una mesa; puede ser operado manualmente o con un motor en ángulos rectos a la trayectoria de una herramienta de corte tipo cincel con un solo canto de corte. Una mesa móvil desplaza ligeramente la pieza al final de cada carrera de la herramienta. El montaje ajustable de la herramienta permite cortar ranuras y generar superficies en casi cualquier ángulo. Las limadoras de gran tamaño tienen carrera de 90 cm (36 pulg.) y pueden maquinar piezas de hasta 90 cm (36 pulg.) de largo. Ver también CEPILLO.

Liman von Sanders, Otto (17 feb. 1855, Stolp, Pomerania–22 ago. 1929, Munich, Alemania). General alemán. Se integró al ejército alemán en 1874 y ascendió hasta teniente general. Reorganizó el ejército turco y lo transformó en una eficiente fuerza de combate en la primera guerra mundial. Al mando del ejército turco en Gallípoli, logró en conjunto con los comandantes turcos forzar a los aliados a terminar la campaña de los DARDANELOS y evitó la captura de Constantinopla.

Limavady Ciudad (pob., 1991: 10.350 hab.) y capital del distrito de Limavady (pob., 2001: 32.422 hab.), Irlanda del Norte. Situada a orillas del río Roe, al este de la antigua ciudad de Londonderry, data de comienzos del s. XVII con la colonización del Ulster; más tarde se establecieron ahí protestantes escoceses. Es un distrito principalmente agrícola.

limbo En el CATOLICISMO ROMANO, una región entre el CIELO y el INFIERNO, lugar donde moran las ALMAS no condenadas al castigo, pero privadas de la dicha de estar con Dios en el cielo. El concepto se gestó probablemente en la Edad Media. Se propusieron dos tipos diferentes: el *limbus patrum* ("limbo de los padres"), donde los santos del Antiguo Testamento estaban confinados hasta que fueron liberados por JESÚS en su "descenso al infierno"; y el *limbus infantum* o *limbus puerorum* ("limbo de los niños"), la morada de aquellos niños que murieron sin haber pecado, pero cuyo pecado original no había sido redimido por el BAUTISMO o cuyo libre albedrío estaba limitado por la deficiencia mental. Actualmente, la Iglesia católica le resta importancia a la noción de limbo y este no forma parte oficial de la doctrina eclesiástica.

Ilustración de *Las muy ricas horas del duque de Berry*, manuscrito iluminado de los hermanos Limbourg, 1416.
GENTILEZA DEL MUSÉE CONDÉ, CHANTILLY, FRANCIA; FOTOGRAFÍA, GIRAUDON—ART RESOURCE

Limbourg, hermanos *o* **hermanos Limburg** (c. 1400–1446). Iluminadores flamencos. Los tres hermanos–Pol, Herman y Jehanequin de Limbourg– eran hijos de un escultor y aprendieron el arte de la orfebrería en París. Ingresaron al servicio del duque de Berry, para quien realizaron uno de los MANUSCRITOS ILUMINADOS más famosos, un libro de horas (libro de oraciones privado) conocido como las *Las muy ricas horas del duque de Berry* (c. 1410–16). Dado que los hermanos trabajaron juntos, es difícil distinguir estilos particulares. Sintetizaron los logros de sus contemporáneos en un estilo caracterizado por figuras altas y aristocráticas, con drapeados profusos y curvilíneos, además de paisajes estacionales y escenas de la vida campesina muy naturalistas. Su obra influenció el curso del arte FLAMENCO PRIMITIVO. Sus muertes, ocurridas el mismo año, sugieren que murieron a causa de la peste.

limerick Forma popular de verso breve, por lo general humorístico, absurdo y burlón. Es una quintilla, con rima *aabba*, y el metro dominante es anapéstico, con dos pies en la tercera y cuarta líneas y tres pies en las otras. Se desconoce el origen del término; pero se sabe que un grupo de poetas del condado de Limerick, en Irlanda, cultivaron la forma en irlandés en el s. XVIII. Las primeras colecciones de *limericks* en inglés datan de c. 1820. Entre los más famosos cabe citar los que figuran en el *Libro del nonsense* (1846) de EDWARD LEAR.

limero Arbolillo arbustiforme (*Citrus aurantifolia*), cultivado ampliamente en regiones tropicales y subtropicales. Su fruto ácido comestible se llama lima. Las ramas y ramillas rígidas del limero emergen del tallo espinoso a intervalos irregulares y terminan en hojas verdes. Los racimos de florecillas blancas producen frutos ovales pequeños con una cáscara delgada amarillo-verdosa clara. La pulpa jugosa es más ácida

Lima, fruto del limero (*Citrus aurantifolia*).
GRANT HEILMAN

y dulce que la del limón (ver LIMONERO). Las limas sirven para sazonar muchos alimentos. Ricas en vitamina C, se usaron otrora en la armada británica para prevenir el ESCORBUTO.

limes *plural* **limites** (latín: "sendero"). En la antigua Roma, franja de terreno abierto mediante la cual avanzaban las tropas en territorio hostil. Con el tiempo, el término pasó a designar las vías militares romanas, fortificadas con torres de observación y fortalezas. Ejemplo de esta construcción era el sistema continuo de fortificaciones y barreras que se extendía 555 km (345 mi) a lo largo de la frontera romana en Germania y RETIA. El muro de ADRIANO también sirvió como *limes*. Aunque no impenetrables, permitieron a los romanos controlar las comunicaciones a lo largo de las fronteras y disuadir a las bandas invasoras. En el oriente y el sur del imperio, solían utilizarse para proteger las rutas de las caravanas.

Limfjord Estrecho que atraviesa el norte de Jutlandia, en Dinamarca, y conecta el mar del Norte con el Kattegat. Tiene 180 km (110 mi) de largo y está constituido por una serie de fiordos salpicados de islas. En 1825, el mar del Norte se abrió paso a través de la parte occidental y hubo que cortar el canal de Thyborøn para mantener abierta la salida.

limitación de la competencia Acto o condición que impide la libre competencia en los negocios, como por ejemplo la fijación de precios o la creación de un MONOPOLIO. EE.UU. aplica desde hace mucho políticas destinadas a mantener la competencia entre las empresas mediante leyes ANTIMONOPOLIOS, la más conocida es la ley antimonopolio SHERMAN de 1890, que declaró ilegal "todo contrato, asociación... o conspiración que limite el intercambio".

limitación del dominio En el derecho inmobiliario, figura jurídica en virtud de la cual un bien raíz perteneciente a una persona queda sujeto a un uso o goce específicos por otra. Las limitaciones del dominio permiten establecer arreglos estables y a largo plazo para una amplia variedad de propósitos, como el uso compartido de la tierra, el mantenimiento del carácter residencial, el desarrollo comercial, o el valor histórico de un barrio determinado; y el financiamiento de infraestructura y servicios comunes. En el DERECHO CIVIL europeo moderno, que deriva del derecho ROMANO, una de las limitaciones del dominio son las servidumbres, que se dividen en rurales (las constituidas en una propiedad en favor de otra) y urbanas (aquellas que se establecen por razones de conveniencia). Las servidumbres rurales incluyen diversos derechos de tránsito; por su parte, las urbanas, comprenden derechos de construcción en propiedades colindantes, como los derechos de drenaje y de ingreso en terreno ajeno y los derechos de luz, apoyo y vista.

límite Concepto matemático basado en la idea de cercanía, que se usa principalmente en el estudio del comportamiento de FUNCIONES en la cercanía de valores de las variables para los cuales las funciones no están definidas. Por ejemplo, la función $1/x$ no está definida en $x = 0$. Para valores positivos de x, a medida que x más se aproxima a 0, el valor de $1/x$ empieza a crecer rápidamente, tendiendo hacia INFINITO como un límite. Este juego entre acción y reacción a medida que la VARIABLE independiente se acerca a un valor dado, es la esencia de la idea de límite. Para definir la DERIVADA y la INTEGRAL de una función los límites proveen los medios.

límite central, teorema del En estadística, cualquiera de varios teoremas fundamentales en la teoría de PROBABILIDADES. Originalmente conocidos como la ley de errores, en su forma clásica establece que la suma de un conjunto de VARIABLES ALEATORIAS independientes tenderá a la DISTRIBUCIÓN NORMAL, cualquiera sea la distribución de cada una de dichas variables, dadas ciertas condiciones generales. Más aún, la media (ver MEDIA, MEDIANA Y MODA) de esa distribución normal coincide con la media (aritmética) de las medias (estadística) de cada variable aleatoria.

limnología Subdisciplina de la HIDROLOGÍA encargada del estudio de las aguas dulces, específicamente lagos y estanques (tanto naturales como artificiales), incluyendo sus aspectos biológicos, físicos y químicos. La especialidad fue establecida por François-Alphonse Forel (n. 1841–m. 1912) con sus estudios del lago Léman o de Ginebra. Tradicionalmente, la limnología está muy relacionada con la hidrobiología, la cual se preocupa de la aplicación de principios y métodos de física, química, geología y geografía a problemas ecológicos.

limo Partículas de sedimento de 0,004–0,06 mm (0,00016–0,0024 pulg.) de diámetro, independientes del tipo de mineral. El limo es transportado con facilidad por corrientes en movimiento, pero sedimenta en agua quieta. Un aglomerado no consolidado (no litificado o endurecido) de partículas de limo también es llamado limo, mientras que un aglomerado consolidado se llama LIMOLITA. Los depósitos de limo formados por el viento se llaman LOESS. Los sedimentos rara vez están compuestos en su totalidad por limo, siendo más bien una mezcla de arcilla, limo y arena. Con frecuencia, al litificarse el limo rico en arcilla se producen fracturas a lo largo de los planos de sedimentación y entonces es llamado PIZARRA ARCILLOSA. Si no se desarrollan fracturas, la roca compacta se llama lodolita.

Limoges, esmalte pintado de ESMALTE fabricado en Limoges, Francia, generalmente considerado como el esmalte pintado más fino producido en Europa durante el s. XVI. Los ejemplos más tempranos muestran escenas religiosas en estilo gótico tardío, pero los motivos renacentistas aparecieron c. 1520. Después se introdujo la pintura en GRISALLA. A fines del s. XVI, la calidad de los artículos de esmalte ya había declinado. Ver también LÉONARD LIMOSIN.

Limoges, porcelana de PORCELANA, mayoritariamente vajilla, fabricada en Limoges, Francia, a partir del s. XVIII. Allí se fabricó FAYENZA de inigualable calidad a partir de 1736, pero la fabricación de porcelana de pasta dura, o auténtica, data sólo de 1771. En 1784, la fábrica fue adquirida como un adjunto de la fábrica real de Sèvres (ver porcelana de SÈVRES), y la decoración de ambos productos se hizo similar. Después de 1858, Limoges se convirtió en exportador masivo de porcelana a EE.UU. bajo el nombre de Haviland.

limolita Roca sedimentaria endurecida compuesta principalmente por partículas angulares del tamaño de las del LIMO y que no es laminada ni se parte fácilmente en capas delgadas. Dura y resistente, se encuentra en capas que rara vez son lo bastante gruesas como para ser clasificadas como formaciones. Son intermedias entre la arenisca y la pizarra arcillosa, pero no tan común como ellas.

Limón, José (Arcadio) (12 ene. 1908, Culiacán, Sinaloa, México–2 dic. 1972, Flemington, N.J., EE.UU.). Bailarín de danza moderna y coreógrafo estadounidense de origen mexicano, fundador y director de la José Limón Dance Company. A los siete años de edad se trasladó a EE.UU., donde más tarde estudió con DORIS HUMPHREY y CHARLES WEIDMAN y bailó en su compañía (1930–40). Fundó su propia compañía en 1947, con Humphrey como directora artística. Sus coreografías transmitían la expresión de la danza moderna dentro de una estructura bien definida, como lo reflejan sus obras *La pavana del moro* (1949) y *Missa Brevis* (1958). La compañía realizó numerosas giras y se mantuvo activa después de la muerte de Limón.

limonero Arbolillo espinoso o arbusto expandido (*Citrus limon*) de la familia de las RUTÁCEAS; su fruto comestible es el limón. Bajo la cáscara exterior amarilla, está la interior que es blanca y esponjosa, el origen de la PECTINA comercial. La pulpa, jugosa, es ácida, rica en vitamina C y contiene cantidades menores de vitaminas B. Los climas costeros de Italia y California (EE.UU.) son especialmente favorables para el cultivo de los limoneros, los que en esas regiones dan frutos 6–10 veces al año. El jugo del limón mejora el sabor de alimentos y la limonada es una bebida popular en estaciones calurosas. Los subproductos del limón se usan en bebidas (ácido cítrico), gelatinas de frutas (pectina) y cera para muebles (aceite de limón).

Limonita (izquierda) de Ironwood, Michigan, y (derecha) de Montgomery, Pensilvania, EE.UU.
GENTILEZA DEL FIELD MUSEUM OF NATURAL HISTORY, CHICAGO; FOTOGRAFÍA, JOHN H. GERARD—EB INC.

limonita Uno de los principales minerales de HIERRO. Es un óxido ferroso hidratado de composición variable. Frecuentemente de color y textura terrosos, se forma por la alteración de otros minerales de hierro, como la hidratación de la HEMATITA o la oxidación e hidratación de SIDERITA o PIRITA.

Limosin, Léonard o **Léonard Limousin** (c. 1505, Limoges, Francia–c. 1577, Limoges). Pintor francés. Miembro más talentoso de una importante familia de esmaltadores de Limoges, conocido por el revelador realismo de los retratos que pintó en la vajilla de LIMOGES. Su obra autentificada más antigua es *La Pasión del Señor* (1532), una serie de 18 placas esmaltadas a la manera de los grabados de ALBERTO DURERO. Más tarde, los artistas del MANIERISMO italiano que trabajaron en Fontainebleau al servicio de FRANCISCO I, para quien Limosin fue pintor de la corte, ejercieron influencia sobre él. Tambien fue un talentoso pintor de óleos.

limpieza étnica Creación de una zona geográfica étnicamente homogénea eliminando los grupos étnicos no deseados mediante deportación, desplazamiento forzado o GENOCIDIO. La limpieza étnica también ha involucrado el intento de eliminar los vestigios físicos del grupo afectado en el territorio, destruyendo y profanando monumentos, cementerios y lugares de culto. Aunque algunos críticos del término han sostenido que la limpieza étnica no es más que una forma de genocidio, sus defensores observan que si bien el principal propósito de una política genocida es la eliminación de un grupo étnico, racial o religioso, su objetivo fundamental es crear espacios territoriales homogéneos, lo que puede lograrse por diversos medios, como el genocidio. El término fue ampliamente utilizado en la década de 1990 para describir la manera cruel en que fueron tratados los bosniacos (musulmanes bosnios), los serbios de la región croata de Krajina y los albaneses de la provincia serbia de Kosovo durante los conflictos que estallaron tras la desintegración de Yugoslavia.

Limpopo, río Río de la República de Sudáfrica. Nace con el nombre de río Cocodrilo (Krokodil) en la región de Witwatersrand. Fluye primero hacia el nordeste, a lo largo de la frontera de Sudáfrica; luego discurre al sudeste a través de Mozambique y finalmente desemboca sus aguas en el océano Índico. A lo largo de su curso medio marca la frontera de Sudáfrica con Botswana y Zimbabwe. Tiene un total de 1.800 km (1.100 mi), pero es navegable sólo en los primeros 208 km (130 mi) desde la costa. El primer europeo en internarse por el Limpopo fue VASCO DA GAMA, que en 1498 dio el nombre de río Espíritu Santo a su desembocadura.

Lin Biao o **Lin Piao** (5 dic. 1907, Huanggang, provincia de Hubei, China– ¿13 dic. 1971?, ¿Mongolia?). Líder militar y funcionario gubernamental chino que desempeñó un papel destacado en la REVOLUCIÓN CULTURAL. Se integró a la Juventud Socialista en 1925 y a la expedición al NORTE de CHIANG KAI-SHEK en 1926. Desertó para unirse a Mao cuando Chiang inició una purga contra los comunistas en 1927. Durante la LARGA MARCHA, Lin adquirió fama legendaria por nunca perder una batalla. Venció a los japoneses en la década de 1930 y a los nacionalistas en la década siguiente. A comienzos de los años 60 su reforma y adoctrinamiento del ejército, según las enseñanzas de Mao, se convirtieron en un modelo para el resto de la sociedad. Fue nombrado sucesor de Mao durante la Revolución cultural. Se especula que Mao sentía temor ante el poder acumulado por Lin, y que este habría urdido un golpe de Estado como medida desesperada para evitar ser víctima de una purga. El gobierno manifestó que había fallecido durante un accidente aéreo en Mongolia, cuando intentaba huir de China, sin embargo, su muerte continúa siendo un misterio.

Lin Yutang (10 oct. 1895, Longxi, provincia de Fujian, China–26 mar. 1976, Hong Kong). Escritor chino. Hijo de un ministro presbiteriano, estudió en Europa y EE.UU. En 1932 fundó una exitosa revista satírica de estilo occidental, que representó una verdadera novedad para la sociedad china, la que fue seguida de otras dos publicaciones. Fue un autor prolífico, tanto en idioma chino como en inglés. Su primer libro en inglés fue *Mi patria y mi pueblo*, en 1935. Desde 1936 en adelante, vivió principalmente en EE.UU. Entre sus obras se incluye *The Wisdom of China and India* [La sabiduría de China e India] (1942), además de varios volúmenes acerca de la historia y la filosofía de su país natal y de traducciones al inglés muy prestigiosas de obras maestras de la literatura china.

Lin Zexu o **Lin Tse-hsü** (30 ago. 1785, Houguan, provincia de Fujian, China–22 nov. 1850, Chaozhu, provincia de Guangdong). Destacado estudioso chino, funcionario de la dinastía QING, considerado un héroe nacional por su posición frente a los británicos antes de la guerra del OPIO anglo-china (1839–42). Lin aprobó los exámenes de mayor exigencia del sistema de evaluación chino e ingresó a la academia HANLIN y al gobierno. Después de sugerir al emperador algunas medidas para suprimir el comercio del opio, fue nombrado comisionado imperial y enviado a Guangzhou (Cantón) para encargarse directamente del problema. Tuvo tal éxito que, en represalia por la destrucción de sus existencias de opio, los británicos devastaron grandes zonas del sur de China, y Lin fue destituido rápidamente. Cumplió lealmente con su trabajo en el exilio y pronto fue llamado de regreso a prestar servicios en otro cargo de importancia. Falleció cuando se dirigía a sofocar la rebelión TAIPING.

linac ver ACELERADOR LINEAL

Lináceas Familia del orden Linales que se compone de unos 14 géneros de plantas herbáceas y arbustos distribuidos mundialmente. El género *Linum* incluye el LINO, quizás el miembro más importante de la familia, que se

Flor del lino (*Linum usitatissimum*).
© ENCYCLOPÆDIA BRITANNICA, INC.

cultiva por su fibra, el aceite de linaza y como planta ornamental de jardín. Las especies de *Reinwardtia* son básicamente arbustos bajos, que se cultivan en invernaderos y a la intemperie en climas cálidos; *R. indica*, el lino amarillo, es notable por sus flores grandes que se dan profusamente a fines del otoño y comienzos del invierno.

Linacre, Thomas (c. 1460, Canterbury, Kent, Inglaterra–20 oct. 1524, Londres). Médico inglés y erudito en lenguas clásicas. Elegido miembro del consejo de gobierno de Oxford en 1484, fue uno de los primeros propagadores del "Nuevo aprendizaje" humanista en Inglaterra; entre sus estudiantes se encontraban ERASMO DE ROTTERDAM y santo TOMÁS MORO. Muchos londinenses prominentes fueron sus pacientes, incluso ENRIQUE VIII, de quien obtuvo aprobación en 1518 para fundar el Royal College of Physicians, que decidía quien podía practicar la medicina en el Gran Londres y licenciaba a los médicos de todo el reino, terminando con la práctica indiscriminada de la medicina por barberos, clérigos y otros.

linaria Planta herbácea común y perenne (*Linaria vulgaris*) de la familia de las ESCROFULARIÁCEAS, originaria de Eurasia y naturalizada ampliamente en Norteamérica. Da hojas parecidas a las del lino y flores llamativas, de color amarillo y naranja, que son bilabiadas y en espolón como la cabeza de dragón.

lince Cualquiera de tres especies de FELINOS silvícolas de cola corta (género *Lynx*), presentes en Europa, Asia y Norteamérica septentrional. El lince norteamericano (*Lynx canadensis*) se considera diferente de las especies euroasiáticas y españolas (ibéricas). El lince tiene patas largas, zarpas grandes, orejas copetudas, plantas peludas y una cabeza ancha y corta. El pelaje, que forma un collarín, varía de marrón amarillento a crema y tiene manchas de color marrón y negro. El pelaje invernal es denso y suave y se ha utilizado para ribetear prendas de vestir. Los linces miden aprox. 80–100 cm (30–40 pulg.) de largo, sin considerar la cola de 10–20 cm (4–8 pulg.) y tienen una alzada de unos 60 cm (24 pulg.). Tienen un peso de 10–20 kg (20–45 lb).

Lince rojo (*Lynx rufus*).
© ENCYCLOPÆDIA BRITANNICA, INC.

Son nocturnos y silenciosos excepto durante el estro y viven solos o en grupos pequeños. Trepan y nadan bien y se alimentan de pájaros, mamíferos pequeños y ocasionalmente de ciervos. Se considera que algunas poblaciones regionales de linces están en peligro de extinción.

linchamiento Ejecución de un presunto criminal por una turba sin previo juicio, bajo el pretexto de administrar justicia. A veces implica la tortura de la víctima y la mutilación de su cuerpo. El linchamiento a menudo ha ocurrido en condiciones de inestabilidad social. El término deriva del nombre de Charles Lynch, originario del estado de Virginia, EE.UU., que encabezó un tribunal irregular para procesar a los REALISTAS durante la guerra de independencia de los ESTADOS UNIDOS DE AMÉRICA. Después de la reconstrucción, el linchamiento fue ampliamente aplicado en el Sur en contra de los negros, para intimidarlos y así disuadirlos de ejercer sus derechos civiles.

Lincoln Ciudad (pob., 2000: 225.581 hab.) y capital del estado de Nebraska y del condado de Lancaster, EE.UU. En 1859 con el nombre de Lancaster se la eligió capital del condado; fue rebautizada en honor a ABRAHAM LINCOLN cuando se la designó capital del estado en 1867. De 1887 a 1921 vivió allí el político WILLIAM JENNINGS BRYAN. Es estación de empalme y centro de actividad comercial que presta servicio a la región agrícola circundante. Entre sus instituciones de educación superior se cuentan la Universidad de NEBRASKA, el Union College y la Nebraska Wesleyan University.

Lincoln *antig.* **Lindum** Ciudad y centro administrativo (pob., 2001: 85.616 hab.) del cond. administrativo e histórico de LINCOLNSHIRE, en el este de Inglaterra. Fue un asentamiento romano fortificado llamado Lindum, que en 71 DC se había convertido en una colonia para soldados en retiro. Más tarde cayó bajo dominación danesa, y en la Edad Media fue una de las ciudades más importantes de Inglaterra. ENRIQUE II le otorgó su primera cédula real en 1154. Es el centro de actividad comercial de una región agrícola y también tiene algunas industrias manufactureras. En Lincoln hay muchos edificios medievales, entre ellos la catedral (comenzada en c. 1075).

Lincoln, Abraham (12 feb. 1809, cerca de Hodgenville, Ky., EE.UU.–15 abr. 1865, Washington, D.C.). Decimosexto presidente de EE.UU. (1861–65). Nacido en una cabaña en Kentucky, se trasladó a Indiana en 1816 y a Illinois en 1830. Trabajó de almacenero, cortó troncos para hacer cercas, fue jefe de correos y agrimensor, luego se alistó como voluntario en la guerra contra Halcón Negro (1832) y ascendió a capitán de su compañía. Estudió derecho, aprobó el examen para el título de abogado y en 1836 comenzó a ejercer en Springfield, Ill. A partir de 1837 ejerció con éxito como abogado de circuito y se dio a conocer por su agudeza, sentido común y honradez (que le valió el apodo de "Honest Abe" [Abe el honrado]). De 1834 a 1840 se desempeñó en el poder legislativo de Illinois y, en 1847, fue elegido miembro whig (conservador) de la Cámara de Representantes. En 1856 se incorporó al Partido Republicano, que lo nombró su candidato en la elección senatorial de 1858. En la serie de siete debates con STEPHEN A. DOUGLAS (los debates LINCOLN-DOUGLAS), alegó contra la prolongación de la esclavitud a los territorios del oeste. Aunque opuesto moralmente a la esclavitud, no era abolicionista; de hecho, intentó rebatir el cargo que le formuló Douglas de que era un radical peligroso, asegurando al público que no era partidario de la igualdad política para los negros. Aunque perdió la elección, los debates le atrajeron la atención nacional. En la elección presidencial de 1860 volvió a tener como contendor a Douglas y ganó por amplio margen en el colegio electoral, aunque obtuvo sólo el 40% de la votación popular. El Sur se opuso a su postura frente a la esclavitud y, antes de que asumiera su cargo, siete estados sureños se separaron de la Unión. La guerra de SECESIÓN consumió completamente su gobierno. Sobresalió como líder en tiempo de guerra, creó un alto mando encargado de dirigir todos los recursos y energías del país hacia las necesidades bélicas, y combinó el arte de gobernar y el mando supremo de los ejércitos con aquello que algunos han denominado genio militar. No obstante, la suspensión de ciertas libertades civiles, en especial del RECURSO DE AMPARO, y el cierre de varios periódicos ordenado por sus generales alarmaron por igual a demócratas y republicanos, y hasta a algunos miembros de su propio gabinete. Con el fin de unificar el Norte e influir en la opinión internacional, dictó la proclama de

Abraham Lincoln.
FOTOBANCO

la EMANCIPACIÓN (1863); su discurso de GETTYSBURG (1863) ennobleció aún más el propósito de la contienda. La guerra, que no cejaba, alteró la determinación de algunos norteños y la reelección no estaba segura, pero las victorias militares estratégicas cambiaron el rumbo de los acontecimientos y en 1864 derrotó sin dificultad a GEORGE B. MCCLELLAN. Su programa incluía la aprobación de la XIII enmienda, que prohibía la esclavitud (ratificada en 1865). En su segunda investidura, con el triunfo a la vista, se refirió a la moderación al reconstruir el Sur y establecer una Unión armónica. El 14 de abril, cinco días después de terminada la guerra, JOHN WILKES BOOTH le disparó y lo hirió de muerte.

Lincoln, Benjamin (24 ene. 1733, Hingham, Mass., EE.UU.– 9 may. 1810, Boston). Oficial estadounidense de la guerra de la independencia. Luego de prestar servicios en la milicia de Massachusetts (1755–76), fue nombrado general de división en el Ejército continental. En 1780, como comandante de las fuerzas en el Sur, fue obligado a rendirse con 7.000 soldados, luego de la victoria británica de Charleston, S.C. Fue liberado en un intercambio de prisioneros y combatió en la campaña de Yorktown, en 1781. Entre ese año y 1783 fue secretario de guerra y, en 1787, estuvo al mando de la milicia que sofocó la rebelión de SHAYS. Desde 1789 hasta 1809 fue recaudador del puerto de Boston.

Lincoln Center for the Performing Arts Complejo cultural cubierto de mármol travertino, en la zona oeste de Manhattan (1962–68), Nueva York, EE.UU. Fue construido por un equipo de arquitectos, encabezados por Wallace K. Harrison (n. 1895–m. 1981). Los edificios, situados alrededor de una plaza que contiene una fuente, alojan al METROPOLITAN OPERA, la Ópera de Nueva York, la Orquesta Filarmónica, el NEW YORK CITY BALLET y la JUILLIARD SCHOOL de música. El mismo Harrison diseñó el edificio del Metropolitan Opera, y EERO SAARINEN hizo lo propio con el teatro Vivian Beaumont. PHILIP JOHNSON optó por una fachada clásica y un vestíbulo de cuatro pisos de altura para el New York State Theater. Para corregir la acústica y mejorar los espacios del vestíbulo, Johnson también reconstruyó el Avery Fisher Hall (donde se encuentra la Filarmónica), diseñado originalmente por Max Abramovitz.

Lincoln-Douglas, debates Serie de siete debates entre el candidato republicano ABRAHAM LINCOLN y el senador demócrata STEPHEN A. DOUGLAS, durante la campaña senatorial de 1858 en Illinois, EE.UU. Su tema fue la esclavitud y la prolongación de ella a los Territorios del Oeste. Lincoln criticó a Douglas por su apoyo a la soberanía popular y a la ley Kansas-Nebraska; a su vez, Douglas acusó a Lincoln de abogar por la igualdad racial y la ruptura de la Unión. Douglas ganó la reelección, pero la postura de Lincoln contra la esclavitud y su brillante oratoria hicieron de él una figura de nivel nacional en el joven PARTIDO REPUBLICANO.

Lincolnshire Condado administrativo (pob., 2001: 646.646 hab.), geográfico e histórico en el este de Inglaterra. Situado junto al mar del Norte, entre los estuarios de Humber y Wash, LINCOLN es una de sus principales ciudades. Habitado desde tiempos prehistóricos, se convirtió en una colonia romana. Más tarde, los anglosajones establecieron en este lugar el reino de Lindsey. También se extendió la influencia danesa a través de los pueblos que fundaron en la zona. A causa de su aislamiento geográfico, Lincolnshire continúa siendo principalmente una región agrícola. El turismo ha aumentado en la zona costera.

Lind, James (1716, Edimburgo, Escocia–13 jul. 1794, Gosport, Hampshire, Inglaterra). Médico y cirujano naval escocés. Luego de observar miles de casos de ESCORBUTO, TIFUS y DISENTERÍA, y las condiciones que los causaban a bordo de los buques, publicó *A Treatise on Scurvy* [Un tratado sobre el escorbuto] en 1754, época en que esta afección provocaba más muertes

de marineros británicos que los combates. Recomendó administrar frutas y zumos cítricos (fuentes de VITAMINA C) a los marineros en los viajes largos, una práctica que los holandeses conocían por casi dos siglos. Cuando la medida quedó plenamente instituida en 1795, el escorbuto desapareció "por arte de magia" de las filas. Lind también sugirió el despioje de los barcos, el uso de barcos hospitales y adoptó medidas para destilar agua de mar y potabilizarla.

Lind, Jenny *orig.* **Johanna Maria Lind** (6 oct. 1820, Estocolmo, Suecia–2 nov.1887, Malvern, Worcestershire, Inglaterra). Soprano sueca. Fue *prima donna* de la Ópera Real de Estocolmo a los 18 años de edad. Sus estudios con Manuel García (n. 1805–m. 1906) en 1841 previnieron el daño por fatiga vocal. Su carrera se extendió a Alemania, luego a Viena y Londres, donde causó sensación. Su fama europea atrajo la atención de P.T. Barnum, quien la organizó una gira por EE.UU. (con el apodo de "el ruiseñor sueco") que inauguró muchas técnicas modernas de publicidad. Dejó a Barnum en 1851 y volvió a cantar en Europa, pero en forma más esporádica. En sus últimos años residió y se dedicó a enseñar en Inglaterra.

Lindbergh, Charles A(ugustus) (4 feb. 1902, Detroit, Mich., EE.UU.–26 ago. 1974, Maui, Hawai). Aviador que realizó el primer vuelo en solitario, sin escalas, a través del

Charles A. Lindbergh, 1927.
GENTILEZA DE LA BIBLIOTECA DEL CONGRESO, WASHINGTON, D.C.

Atlántico. Abandonó los estudios universitarios para enrolarse en una escuela de vuelo en Lincoln, Neb., y se transformó en piloto de correo aéreo en 1926. Obtuvo el apoyo de empresarios de St. Louis para competir por un premio por la travesía de Nueva York a París, y en 1927, en el monoplano *Spirit of St. Louis* realizó el vuelo en 33,5 horas, convirtiéndose de inmediato en un héroe en EE.UU. y Europa. En 1929 se casó con la escritora Anne Morrow (n. 1906– m. 2001), quien más tarde sería su copiloto y navegante. En 1932, su hijo fue raptado y asesinado, crimen que acaparó la atención mundial. La pareja se trasladó a Inglaterra para escapar de la publicidad y regresó a EE.UU. en 1940 para hacer frente a la crítica por sus discursos llamando a la neutralidad de EE.UU. en la segunda guerra mundial. Durante la guerra, Lindbergh fue asesor de la Ford Motor Company y la United Aircraft Corp.; luego fue consultor para la Pan American Airways y el Departamento de defensa de EE.UU., e integró varios directorios y comités relacionados con la aeronáutica. En 1953 escribió su libro ganador del Premio Pulitzer *El espíritu de San Luis*.

Lindisfarne Pequeña isla histórica a 3 km (2 mi) de la costa northumbriana inglesa. Se convirtió en un centro religioso en 635, cuando san AIDAN estableció allí un monasterio y una iglesia. Fue abandonada en 875 debido a la amenaza de las incursiones danesas, pero el monasterio fue refundado en 1082 y subsistió hasta la disolución de los monasterios (1536– 40) bajo ENRIQUE VIII. Los evangelios de LINDISFARNE (c. 696– 698) es uno de los manuscritos iluminados más bellos que se conservan del período. Es posible que la actual iglesia parroquial de Lindisfarne esté emplazada en el lugar que ocupaba el monasterio original de san Aidan.

Lindisfarne, evangelios de Versión de los cuatro evangelios realizada en MANUSCRITOS ILUMINADOS a fines del s. VII para el monasterio de LINDISFARNE en la isla de Northumbria. El libro fue diseñado y realizado por Eadfrith, quien fue obispo de Lindisfarne en 698. Los evangelios de Lindisfarne (actualmente en la Biblioteca Británica) están iluminados en estilo

HIBERNO-SAJÓN y muestran una fusión de elementos irlandeses, clásicos y bizantinos. Ver también libro de KELLS.

Lindsay, Howard (29 mar. 1889, Waterford, N.Y., EE.UU.–11 feb. 1968, Nueva York, N.Y.). Dramaturgo, actor y productor estadounidense, conocido por sus colaboraciones con Russel Crouse (n. 1893– m. 1966). Lindsay comenzó su carrera ejerciendo de actor, director y dramaturgo. Crouse era periodista antes de que el productor Vinton Freedley los reuniera para escribir los libretos de las exitosas comedias musicales de COLE PORTER *Todo vale* (1934) y *Red, Hot and Blue* (1936). Su obra más popular en conjunto fue *La vida con papá* (1939), que se mantuvo por siete años en cartelera y en la que Lindsay protagonizó al personaje del padre. Asimismo produjeron *Arsénico por compasión* (1940) y más tarde escribieron libretos para musicales como *El estado de la unión* (1945, Premio Pulitzer) y *Sonrisas y lágrimas* (1959).

Line Islands *español* **islas de la Línea** o **Espóradas Ecuatoriales** Cadena de islas del océano Pacífico central, al sur del archipiélago de Hawai. Se extienden a lo largo de 2.600 km (1.600 mi), en una superficie de 500 km^2 (193 mi^2). Dentro del grupo septentrional, la isla Teraina (Washington) y los atolones de Tabuaeran (Fanning) y Kiritimati (Christmas) pertenecen a la República de KIRIBATI, mientras que el arrecife Kingman, el atolón de Palmira y la isla Jervis son territorio estadounidense. Kiribati ejerce también soberanía sobre el grupo central (islas Malden y Starbuck) y el grupo meridional (atolón de Carolina e islas Vostok y Flint).

línea de flujo En MECÁNICA DE FLUIDOS, la trayectoria de partículas imaginarias suspendidas en un fluido y transportadas por este. Cuando la corriente fluye en régimen, las partículas se mueven pero las líneas de flujo permanecen fijas. Cuando las líneas de flujo convergen, la velocidad de flujo es relativamente alta; cuando divergen, el fluido está relativamente quieto. Ver también FLUJO LAMINAR; FLUJO TURBULENTO.

línea de montaje Disposición de máquinas, equipos y operarios en una fábrica que permite el flujo continuo de piezas en operaciones de PRODUCCIÓN EN SERIE. Una línea de montaje se diseña determinando la secuencia de operaciones para fabricar cada componente como asimismo el producto final. Cada flujo de material se hace lo más simple y breve posible, evitando cruces de flujos o desandadas. Se debe programar la asignación de trabajos, el número de máquinas y el régimen de producción para que todas las operaciones a lo largo de la línea sean compatibles. Las líneas de montaje automáticas (ver AUTOMATIZACIÓN) están compuestas enteramente por máquinas operadas por otras máquinas y se usan en industrias de procesos continuos, como la refinación de petróleo y la industria química, como también en muchas plantas modernas de motores de automóviles. Ver también HENRY FORD; PIEZAS INTERCAMBIABLES; TAYLORISMO.

línea internacional de cambio de fecha Línea imaginaria que se extiende entre los polos norte y sur, que señala el lugar en que se adelanta o retrasa un día la fecha. Corresponde al meridiano 180° de longitud, pero se desvía hacia el este al pasar por el estrecho de Bering para evitar dividir Siberia; luego se desvía al oeste para incluir las islas Aleutianas en Alaska. Al sur del ecuador aparece otra desviación hacia el este para permitir que ciertos grupos de islas tengan el mismo día que Nueva Zelanda. La línea de cambio de fecha es una consecuencia del uso a nivel mundial de sistemas horarios ajustados, de modo que el mediodía local corresponda de manera aproximada con la hora a la cual el Sol pasa por el meridiano local. Ver también HORA OFICIAL.

lineal, aproximación ver APROXIMACIÓN LINEAL

linfa Líquido claro que baña los tejidos, manteniendo el equilibrio de los fluidos y removiendo bacterias. Entra al sistema sanguíneo por una vena bajo la clavícula, a la que llega por canales y conductos, impulsada principalmente por la actividad muscular circundante. Los órganos linfáticos (BAZO y TIMO) y los GANGLIOS LINFÁTICOS filtran bacterias y otras partículas que la linfa recoge de los tejidos corporales. La linfa contiene LINFOCITOS y macrófagos, células primarias del sistema INMUNE. Ver también sistema LINFÁTICO.

linfático, ganglio ver GANGLIO LINFÁTICO

linfático, sistema Sistema de vasos, nódulos y GANGLIOS LINFÁTICOS y TEJIDO LINFOIDE. Comprende TIMO, BAZO, AMÍGDALAS FARÍNGEAS y MÉDULA ÓSEA, a través de los cuales circula y es filtrada la LINFA. Su función esencial es devolver a la sangre proteínas, productos de desecho y fluidos. Las moléculas demasiado grandes para entrar en los CAPILARES pasan a través de las paredes más permeables de los vasos linfáticos. Existen válvulas que mantienen el flujo linfático en una dirección, más lentamente y con menor presión que la sangre. El sistema linfático también desempeña un papel en el sistema INMUNE. Los ganglios filtran materias extrañas y bacterias de la linfa. En las áreas más expuestas a estos materiales se forman nódulos más pequeños, que a menudo producen LINFOCITOS. Estos se pueden fusionar y hacerse permanentes, como en las amígdalas faríngeas. El bloqueo de un vaso linfático puede producir acumulación de líquido en los tejidos, denominada linfedema (hinchazón tisular). Otros trastornos del sistema linfático son las LEUCEMIAS linfocíticas y los LINFOMAS. Ver también sistema RETICULOENDOTELIAL.

linfocito Tipo de LEUCOCITO fundamental para el sistema INMUNE. Regula y participa en la INMUNIDAD adquirida. Cada uno tiene, en su superficie, moléculas receptoras que se fijan a un ANTÍGENO específico. Los dos tipos primarios, las CÉLULAS B y las CÉLULAS T, se originan de células troncales de la MÉDULA ÓSEA y viajan hacia el TEJIDO LINFOIDE. Cuando una célula B se fija a un antígeno, se multiplica formando un clon de células idénticas. Algunas de estas, activadas por las células T ayudantes, se diferencian en células plasmáticas, que producen ANTICUERPOS contra el antígeno. Otras (las células con memoria) se multiplican proporcionando INMUNIDAD duradera contra el antígeno.

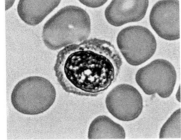
Linfocito humano (microfotografía de contraste de fase).
MANFRED KAGE–PETER ARNOLD

linfoma Cualquiera de un grupo de enfermedades malignas (ver CÁNCER) que comienza con frecuencia en los GANGLIOS LINFÁTICOS o en los TEJIDOS LINFÁTICOS. Los dos tipos principales, la enfermedad de HODGKIN y el linfoma no Hodgkin, tienen varios subtipos. El diagnóstico de cualquiera de ellos requiere de una BIOPSIA, habitualmente de los ganglios linfáticos. Los linfomas no Hodgkin pueden ser difusos (diseminados) o nodulares (concentrados en nódulos); los linfomas nodulares se desarrollan por lo general más lentamente.

linga o **lingam** En el HINDUISMO, símbolo del dios SHIVA y del poder generador. Los lingas, elaborados con madera, gemas, metal o piedra, son los principales objetos de culto en los templos dedicados a Shiva y en las capillas familiares de toda India. Históricamente era una representación del falo, como lo demuestran las esculturas de los s. I–II DC, primeras dataciones del culto linga. La mayoría de los hindúes actuales confirman esta imagen. Su estilización como un objeto cilíndrico liso revela una oposición a los iconos. La dimensión sexual subsiste en la forma más común en que aparece en la actualidad. El YONI, símbolo del órgano sexual femenino, a menudo forma la base del linga, un recordatorio de que los principios masculino y femenino representan juntos la totalidad de la existencia. El linga es venerado con ofrendas florales, agua, fruta, hojas y arroz, y se pone particular énfasis en la pureza de los materiales y del cultor.

lingayat Miembro de una secta hindú que adora a SHIVA como la única deidad. Tiene muchos seguidores en el sur de India. Reciben ese nombre ("portadores de linga") por los pequeños LINGAS que tanto hombres como mujeres se cuelgan del cuello. Su creencia en una sola deidad y su concepto de BHAKTI (devoción) como un conocimiento intuitivo y amoroso de Dios revelan la influencia de RAMANUJA. Rechazan a BRAHMA y a la autoridad de los VEDAS; su oposición al matrimonio infantil y al maltrato de las viudas preludió los movimientos de reforma social del s. XIX.

Lingayen, golfo de Ensenada en el sur del mar de CHINA meridional, en la costa noroccidental de LUZÓN, Filipinas. Tiene una extensión de 56 km (36 mi) y un ancho, en la entrada, de 42 km (26 mi). Está constituido por varias islas; en la provincia de Pangasinan se encuentran Dagupan, el principal centro comercial, y Lingayen, la capital provincial. Durante la segunda guerra mundial fue escenario de operaciones de desembarco de Japón y EE.UU.

lingote Masa de METAL vaciada en forma de barra, placa o lámina, y de tamaño conveniente para su almacenamiento y transporte, o para ser convertida en un producto semielaborado o terminado. Los lingotes de acero varían en tamaño y forma desde pequeños bloques rectangulares que pesan algunos kilogramos (o libras) hasta grandes masas octagonales con formas de pirámides truncadas de unas 500 t (450 Tm).

lingua franca Lengua empleada para la comunicación entre dos o más grupos que tienen diferentes lenguas maternas. Puede ser una lengua estándar. Por ejemplo, el inglés y el francés en su empleo en la diplomacia internacional, y el SWAHILI, utilizado por hablantes de numerosas y diversas lenguas locales en África oriental. Una lingua franca también puede ser un PIDGIN, como el pidgin melanesio, usado ampliamente en el Pacífico sur. El término lingua franca (latín: "lengua de los francos") se aplicó a un pidgin basado en el francés y el italiano que surgió en el Mediterráneo. Ver también CRIOLLO.

lingüística Estudio de la naturaleza y estructura del lenguaje. En el estudio de las lenguas, los lingüistas aplican un método sincrónico (describir una lengua tal como existe en un momento dado) o diacrónico (determinar su desarrollo a través de la historia). Los filósofos griegos, que en el s. V AC debatían acerca de los orígenes del lenguaje humano, fueron los primeros en Occidente que se ocuparon de la teoría lingüística. La primera GRAMÁTICA completa del griego, escrita por Dionysus Thrax en el s. I AC, fue un modelo para los gramáticos romanos, cuyo trabajo sirvió de base a las gramáticas vernáculas de la Edad Media y el Renacimiento. Con el surgimiento de la LINGÜÍSTICA HISTÓRICA en el s. XIX, esta disciplina se transformó en una ciencia. A fines del s. XIX y comienzos del s. XX, FERDINAND DE SAUSSURE estableció la escuela estructuralista de la lingüística (ver ESTRUCTURALISMO), que analizaba el habla misma para conocer la estructura lingüística subyacente. En la década de 1950, NOAM CHOMSKY puso en entredicho el enfoque estructuralista, argumentando que la lingüística debería estudiar el conocimiento inconsciente que las personas tienen de su propia lengua (competencia), no su efectiva producción de lenguaje (ejecución), y formuló la GRAMÁTICA GENERATIVA.

lingüística computacional (LC) Uso de computadoras digitales en investigaciones LINGÜÍSTICAS. Los ejemplos más simples son el empleo de computadoras para escanear texto y producir ayudas, como listas de palabras, conteo de frecuencia y concordancia. Desde mediados de la década de 1950 hasta mediados de la de 1960 el avance fue hecho por grupos de investigación que trabajaron en traducción de máquina y RECUPERACIÓN DE INFORMACIÓN. La LC teórica trata con teorías formales acerca del conocimiento lingüístico, que hoy alcanza un grado de complejidad manejado sólo mediante el uso de computadoras poderosas. La aplicación de la LC se centra en los resultados prácticos del modelado del uso del lenguaje humano.

lingüística histórica Rama de la lingüística que se ocupa de examinar los cambios en la FONOLOGÍA, la GRAMÁTICA y la SEMÁNTICA durante la evolución de una lengua, y así reconstruir sus etapas anteriores y sacar a la luz comprobaciones acerca de la influencia de otras lenguas. Sus raíces se encuentran en escritos clásicos y medievales sobre etimología, y en el estudio comparativo del griego y el latín durante el Renacimiento. Sólo en el s. XIX los métodos de análisis lingüístico más científicos hicieron posible el desarrollo de la lingüística histórica como disciplina académica. Los neogramáticos, grupo de lingüistas alemanes que determinaron correspondencias de sonidos en las lenguas INDOEUROPEAS, fueron muy influyentes. En el s. XX los métodos de la lingüística histórica se extendieron al estudio de otros grupos de lenguas.

Linneo, Carlos sueco **Carl von Linné** (23 may. 1707, Råshult, Småland, Suecia–10 ene. 1778, Uppsala). Botánico y explorador sueco. Estudió botánica en la

Carlos Linneo, detalle de un retrato de A. Roslin, 1775.
GENTILEZA DEL SVENSKA PORTRÄTTARKIVET, ESTOCOLMO

Universidad de Uppsala y exploró la Laponia sueca antes de estudiar medicina (1735) en Holanda. Fue el primero en establecer principios para definir los géneros y las especies de los organismos y crear un sistema uniforme para denominarlos, la NOMENCLATURA BINOMIAL. El sistema de Linneo se basó fundamentalmente en las partes de las flores, que tienden a permanecer invariables durante la evolución. Aunque artificial, ese sistema fue valioso porque permitió que los estudiantes ubicaran rápidamente una planta en una categoría designada. Linneo no sólo sistematizó los reinos vegetal y animal, sino que también clasificó el reino mineral y publicó un estudio de las enfermedades conocidas en su época. Sus manuscritos, herbario y colecciones se conservan en la London's Linnaean Society. Entre sus obras figuran *Systema Naturae* (1735), *Fundamenta Botanica* (1736) y *Species Plantarum* (1753).

lino Fibra extraída del tallo de la planta homónima (ver LINÁCEAS), así como el HILO y la tela hechos a partir de esa fibra. El lino es una de las fibras TEXTILES más antiguas usadas por el hombre; se han encontrado indicios de su uso en viviendas prehistóricas lacustres de Suiza. También se han hallado telas finas de ese material en antiguas tumbas egipcias. La fibra se obtiene al someter el tallo de la planta a una serie de operaciones, como su enriado (proceso de maceración en agua) y su posterior secado, triturado y batido. El lino es más fuerte que el ALGODÓN, se seca más rápido, y su deterioro por efecto del sol es más lento. Su baja elasticidad le da una textura dura pero suave, y hace que la tela de lino se arrugue con facilidad. El lino absorbe y libera la humedad rápidamente y es un buen conductor del calor; por esa razón la ropa de lino da una sensación de frescura al usuario. Con los tipos de lino más finos se hacen telas y cordones, como también tapices de muebles.

linóleo Recubrimiento de suelos, suave y lustroso, hecho de una mezcla de aceite de linaza oxidado, resinas y otras sustancias como aglomerantes, rellenos y pigmentos, que se aplica a un forro de fieltro o lona para darle resistencia. El linóleo es flexible, cálido, no se altera con la temperatura común del suelo, y es de combustión lenta. El linóleo se endurece especialmente para resistir melladuras y no sufre daño por grasas, aceites o solventes orgánicos.

linotipia Máquina de COMPOSICIÓN TIPOGRÁFICA que funde en metal una línea completa de caracteres, en vez de uno por uno (como en la máquina de composición llamada monotipia). Patentada en 1884 por OTTMAR MERGENTHALER, hoy en día ha sido reemplazada casi por completo por la fotocomposición. En la linotipia, cada línea de texto se escribe con un teclado. Las líneas producidas por la máquina son piezas rectangulares de metal de imprenta (aleación de plomo, antimonio y estaño), en que los caracteres en relieve forman la imagen especular de la línea que se desea imprimir; luego se funde en metal caliente (ver COLADA), se enfría brevemente al aire y se coloca en una "rama" para ser insertada en la posición apropiada dentro del texto que se está componiendo. Ver también IMPRESIÓN; IMPRESIÓN TIPOGRÁFICA.

Linux SISTEMA OPERATIVO no patentado para computadoras digitales. En 1991, Linus Torvalds, de Finlandia, comenzó a solicitar a programadores voluntarios en INTERNET su colaboración para el desarrollo de un sistema operativo como el UNIX para COMPUTADORAS PERSONALES; la versión "1.0" de Linux se lanzó al público en 1994. Un verdadero sistema multiusuario y multitareas, Linux contiene características (p. ej., memoria virtual, bibliotecas compartidas, administración de memoria y redes TCP/IP) anteriormente encontradas sólo en MACROCOMPUTADORAS. Con su código fuente disponible gratis al público, miles de voluntarios, así como también varias empresas que venden productos Linux preempacados, han hecho contribuciones al sistema operativo. Confiable, de rápida ejecución y seguro, Linux es popular para REDES DE COMPUTADORAS corporativas y SERVIDORES web.

Linz *antig.* **Lentia** Ciudad (pob., 2001: 183.504 hab.) en el centro-norte de Austria. Ubicada a orillas del DANUBIO, al oeste de VIENA y junto a la ruta ferroviaria que une el Báltico con el Adriático, originalmente fue un asentamiento romano fortificado. En el medievo era un importante centro de intercambio comercial y en el s. XV se dio a conocer por sus ferias. Linz resultó seriamente dañada durante la segunda guerra mundial. En la actualidad, es un centro de actividad cultural y sede de la Universidad Johannes Kepler.

Lions international ver Asociación Internacional de Clubes de LEONES

Lípari, islas Archipiélago volcánico en el mar Tirreno. Situado frente a la costa septentrional de SICILIA, sus siete islas principales y varios islotes cubren una superficie total de 88 km² (34 mi²). Las islas más importantes son Alicudi, Stromboli, Vulcano, Lípari (la más grande, 34 km² [13 mi²]), Salina, Filicudi y Panarea. Vulcano y Stromboli son volcanes activos. Los griegos creían que en estas islas habitaba el dios Eolo, quien mantenía los vientos encerrados en una de sus cuevas. Estuvieron habitadas desde el período NEOLÍTICO y pertenecieron sucesivamente a griegos, cartagineses, romanos, sarracenos, normandos y aragoneses.

Lipchitz, Jacques *orig.* **Chaim Jacob Lipchitz** (10 ago. 1891, Druskininkai, Lituania, Imperio ruso–26 may. 1973, Capri, Italia). Escultor francés de origen lituano. Realizó parte de su obra en EE.UU. Se formó como ingeniero en Vilnius, pero se reorientó hacia la escultura luego de mudarse a París en 1909. Su obra temprana era de estilo cubista. Alrededor de 1925 comenzó a realizar una serie de obras conocidas como "transparentes", curvilíneos bronces de formas abiertas como *El arpista* (1930), las que influyeron fuertemente el curso de la escultura del siguiente cuarto de siglo. Después de esta-

blecerse cerca de Nueva York en 1941, produjo obras monumentales como *La oración* (1943) y *Belerofonte domando a Pegaso* (1966).

lípido Cualquiera de una variada clase de compuestos orgánicos grasosos e insolubles en agua, que se encuentran en todos los seres vivos. Los lípidos constituyen una de las tres grandes clases de sustancias presentes en los alimentos y en las células vivas, y contienen más del doble de energía (CALORÍAS) por unidad de peso que los compuestos de las otras dos (PROTEÍNAS y CARBOHIDRATOS). Comprenden las GRASAS y los ACEITES comestibles (p. ej., manteca, aceite de oliva, aceite de maíz), que son principalmente TRIGLICÉRIDOS; los fosfolípidos (p. ej., LECITINA), que son importantes en la estructura de la célula y en el metabolismo; las CERAS de origen animal o vegetal; y los esfingolípidos, sustancias complejas presentes en varios tejidos del cerebro y del sistema nervioso. Puesto que la insolubilidad es la característica que los define, el COLESTEROL y los ESTEROIDES relacionados, los carotenoides (ver CAROTENO), las PROSTAGLANDINAS y varios otros compuestos también son clasificables como lípidos.

lípidos, enfermedad por depósito de Cualquiera de un grupo de trastornos hereditarios relativamente raros del METABOLISMO de las GRASAS en los que los defectos enzimáticos (ver ENZIMA) causan la acumulación de tipos característicos de LÍPIDOS. Ellos comprenden la enfermedad de TAY-SACHS, la enfermedad de Gaucher, la enfermedad de Niemann-Pick y la enfermedad de Fabry. Muchas son intratables y causan la muerte antes de los cinco años de edad; otras se presentan en la adultez.

Lipizzaner Raza de CABALLO ligero, llamada así por la monta imperial austríaca situada en Lipizza, cerca de Trieste, otrora parte de Austria-Hungría. La raza, que tiene seis variedades, data de 1580. Los Lipizzaner tienen lomo largo, cuello corto y grueso; promedian 15–16 palmos (unos 152–164 cm o 60–64 pulg.) de alzada y 450–585 kg (1.000–1.300 lb) de peso y son normalmente de color gris. Algunos habitan en países que fueron parte de Austria-Hungría y unos pocos se han

Semental de Lipizzaner.
© SCOTT SMUDSKY

exportado a EE.UU. Los más conocidos son aquellos adiestrados en la Escuela de caballería española de Viena.

lipoproteína Cualquiera de una clase de compuestos orgánicos que contienen tanto LÍPIDOS (GRASAS) como PROTEÍNAS. Pueden ser solubles (presentes en la yema de huevo y el plasma sanguíneo) o insolubles (que se hallan en las membranas celulares) en agua y en soluciones acuosas. Las lipoproteínas del plasma sanguíneo son el modo de transporte para el COLESTEROL, insoluble. Las lipoproteínas de baja densidad (LDL, del inglés *Low-Density Lipoprotein*) transportan el colesterol desde el hígado, donde es sintetizado, hasta las células, donde es utilizado; las lipoproteínas de alta densidad (HDL, del inglés *High-Density Lipoprotein*) pueden transportar el colesterol sobrante de vuelta al hígado, para su descomposición y excreción. El colesterol ligado a las LDL es el principal responsable de los depósitos en las arterias (ver ATEROESCLEROSIS) que puede ocasionar CARDIOPATÍA CORONARIA, ANGINA DE PECHO, ATAQUE CARDÍACO O ACCIDENTE VASCULAR ENCEFÁLICO. El HDL no forma estos depósitos y de hecho puede retardar o reducir su acumulación.

Lippe Antiguo estado alemán entre la selva de TEUTOBURGO y el río WESER, cuya capital era Detmold. Fue un estado medieval y se convirtió en condado en el s. XVI. A causa de particiones dinásticas, a comienzos del s. XVII se dividió en los condados de Lippe y SCHAUMBURG-LIPPE. En 1720 lo decretaron principado. Integró la CONFEDERACIÓN GERMÁNICA en 1815, formó parte del Imperio alemán en 1871 y de la República de WEIMAR en 1918. En 1947 se incorporó al estado de Renania del Norte-Westfalia.

Lippe, río Río del oeste de Alemania. Nace en la ribera occidental de la selva de TEUTOBURGO y discurre hacia el oeste 250 km (155 mi) hasta ingresar al río RIN, cerca de Wesel. En el pasado se utilizó para transportar carbón, madera y productos agrícolas, y en la actualidad provee de agua al sistema de canales de la región del RUHR.

Lippi, Filippino (c. 1457, Prato, República de Florencia–18 abr. 1504, Florencia). Pintor italiano. Después de la muerte de su padre, FRA FILIPPO LIPPI, cuando Filippino tenía 12 años de edad ingresó al taller de SANDRO BOTTICELLI y asimiló muchos aspectos de su estilo. Uno de sus encargos más importantes fue la terminación de los frescos de la capilla Brancacci del monasterio de Santa Maria del Carmine de Florencia (c. 1485–87), inconclusos tras la muerte de MASACCIO. Su pintura más conocida es el retablo *Visión de san Bernardo* (c. 1480). Sus frescos decorativos en la capilla Carafa en Santa Maria sopra Minerva, Roma (1488–93) y aquellos de la capilla Strozzi en Santa Maria Novella, Florencia (finalizados en 1502), anticiparon el manierismo toscano del s. XVI.

Lippi, Fra Filippo (c. 1406, Florencia–8/10 oct. 1469, Spoleto, Estados Pontificios). Pintor italiano. En 1421 se hizo monje carmelita en el convento de Santa Maria del Carmine en Florencia, donde pronto MASACCIO decoró con frescos la capilla Brancacci. Lippi también pintó frescos en la iglesia, muchos de los cuales estuvieron influenciados por los de Massacio. En 1432 desapareció del monasterio. Dos años después estaba en Padua, pero en 1437 regresó a Florencia bajo la protección de la familia MÉDICIS y se le encargó la realización de varias obras para conventos e iglesias. Su *Madonna y el Niño* (1437) y su *Anunciación* (c. 1442) revelan un cuidadoso estilo caracterizado por el

"Madonna y el Niño" de Fra Filippo Lippi, c. 1437; Galería de los Uffizi, Florencia.
ALINARI—ART RESOURCE/EB INC.

colorido cálido y la preocupación por los efectos decorativos. Críticos posteriores han reconocido en Lippi un espíritu "narrativo" que reflejaba la vida de su época, traduciendo en un lenguaje cotidiano los ideales del temprano RENACIMIENTO. En 1456, mientras pintaba en un convento en Prato, huyó con la religiosa Lucrezia Buti. Más tarde, la pareja fue liberada de sus votos y se les permitió contraer matrimonio. De esa unión nació el ilustre FILIPPINO LIPPI. Fra Filippo volvió varias veces a Prato y sus frescos de la catedral de ese lugar figuran entre sus logros más notables.

Lippmann, Walter (23 sep. 1889, Nueva York, N.Y., EE.UU.–14 dic. 1974, Nueva York). Comentarista estadounidense y columnista de periódicos. Se educó en Harvard y fue editor en la revista *The New Republic* en sus comienzos (1914–17). Sus ideas influyeron en WOODROW WILSON, y participó en las negociaciones que culminaron en el tratado de Versalles. Después de colaborar como redactor y editor para

la reformista *World*, se trasladó al periódico *New York Herald-Tribune*, donde comenzó a redactar en 1931 su columna "Today and Tomorrow" [Hoy y mañana]; publicada simultáneamente en gran número de periódicos, ganó dos Premios Pulitzer (1958, 1962) y se consagró como uno de los columnistas políticos más respetados del mundo. Entre sus libros figuran *A Preface to Politics* [Prefacio a la política] (1913); *La opinión pública* (1922), tal vez su obra más influyente; *El fantasma público* (1925) y *The Good Society* [La buena sociedad] (1937).

Lipset, Seymour Martin (n. 18 mar. 1922, Nueva York, N.Y., EE.UU.). Sociólogo y cientista político estadounidense. Obtuvo su grado de bachiller en el City College of New York y un Ph.D. en la Universidad de Columbia, donde más tarde enseñó (1950–56). En la Universidad de California, en Berkeley (1956–66), se desempeñó a la vez como profesor y como director del Instituto de Estudios Internacionales (1962–66). Desde entonces ha enseñado en las universidades de Harvard, Stanford y George Mason. Sus múltiples libros acerca de estructura de clases, comportamiento de elites y partidos políticos han moldeado de una manera significativa el estudio de la política comparada.

Lipton, Sir Thomas J(ohnstone) (10 may. 1850, Glasgow, Escocia–2 oct. 1931, Londres, Inglaterra). Comerciante británico que construyó el imperio del té Lipton. Se inició con una pequeña tienda de abarrotes en Glasgow, que se expandió hasta convertirse en una cadena de tiendas minoristas en toda Gran Bretaña. Para abastecer sus tiendas con productos de bajo precio, Lipton compró plantaciones de té, café y cacao en Ceilán, y predios de árboles frutales, fábricas de mermeladas y panaderías en Inglaterra. En 1898, su empresa se organizó bajo la razón social Lipton Ltd. Fue nombrado caballero ese mismo año y baronet en 1902. Aficionado a la navegación, compitió cinco veces por la Copa AMÉRICA con sus yates "Shamrock", pero sin éxito.

liquen Cualquiera de unas 15.000 especies de plantas pequeñas, escamosas y coloridas, que consisten en una asociación simbiótica de ALGAS (normalmente verdes) y HONGOS. Estas plantas, de crecimiento lento y sumamente resistentes a condiciones extremas, son a menudo especies pioneras de la vegetación en parajes inhóspitos, como las cumbres de montañas y las regiones circumpolares. Las células fúngicas, ancladas al sustrato por prolongaciones piliformes (rizinas) forman la base. En el cuerpo (TALO), numerosas células del alga (gonidios) se distribuyen entre unas pocas células fúngicas. Los gonidios fotosintetizan (ver FOTOSÍNTESIS) azúcares simples y vitaminas para ambos miembros de esta asociación simbiótica. Las células fúngicas protegen a los gonidios de condiciones ambientales extremas. Los líquenes pueden formar una cubierta delgada, crustácea y fuertemente adherida al sustrato (p. ej., grietas en las rocas) o pueden ser pequeños, foliformes y de adhesión precaria. Los colores van del marrón al anaranjado o amarillo brillante. En las regiones más septentrionales de Europa y Asia los líquenes suministran los dos tercios del alimento del caribú y el reno. Han sido una fuente de medicinas y colorantes.

líquido Uno de los tres estados principales de la materia, intermedio entre un gas y un sólido. No presenta el estado ordenado de un sólido ni tampoco el caótico de un gas. Tiene la habilidad de fluir bajo la acción de TENSIONES de corte muy pequeñas. En contacto con su propio vapor o con aire posee una TENSIÓN SUPERFICIAL que causa que la interfase tienda a asumir la configuración de mínima área (i.e., esférica). Las superficies entre líquidos y sólidos tienen tensiones interfaciales que determinan si el líquido moja o no al sólido. Con la excepción de los metales líquidos, las sales fundidas y las soluciones de sales, la conductividad eléctrica de los líquidos es pequeña; el agua es conductora sólo en la medida en que contiene sales en solución.

líquido cefalorraquídeo Líquido incoloro, transparente, que rodea el ENCÉFALO y la MÉDULA ESPINAL y rellena sus espacios. Ayuda a sustentar el encéfalo, actúa como lubricante, mantiene la presión en el interior del cráneo y amortigua las sacudidas. El análisis del líquido cefalorraquídeo obtenido por punción lumbar sirve para diagnosticar varios trastornos, entre ellos MENINGITIS y hemorragias del sistema nervioso central.

líquido seminal ver SEMEN

lira Instrumento musical de cuerda que consiste en un marco de resonancia con dos montantes y un travesaño al que se fijan las cuerdas extendidas. Instrumentos semejantes a la lira existieron en Sumer antes de 2000 AC. La lira griega tenía dos variantes: la KITHARA y la *lyra*. Esta última tenía una caja redondeada, un fondo curvado, a menudo un caparazón de tortuga, y una cubierta de piel. Así era el instrumento del aficionado; los profesionales usaban la *kithara* más elaborada. En la antigua Grecia, la lira era un atributo de APOLO y simbolizaba la sabiduría y la moderación. En la Europa medieval aparecieron nuevas variedades de lira que, como la *kithara*, eran liras de caja, aunque no se conoce su relación exacta con las liras de la antigüedad clásica.

Kerar (tipo de lira) de África oriental; Pitt Rivers Museum, Oxford.
GENTILEZA DEL PITT RIVERS MUSEUM, OXFORD

Las liras de la moderna África oriental probablemente reflejan la antigua difusión del instrumento a través de Egipto.

Liri, río Río en el centro de Italia. Nace cerca de Capadocia y discurre al sudeste a través de los APENINOS. Confluye con otros ríos y continúa hacia el sudoeste hasta desembocar en el mar Tirreno, cerca de Minturno. Tiene 158 km (98 mi) de longitud. Durante la segunda guerra mundial, los aliados invadieron el valle de Liri en su avanzada hacia Roma.

lírica Género literario al que pertenecen las composiciones poéticas que expresan de modo subjetivo una emoción personal intensa o los pensamientos y sentimientos del poeta. ELEGÍA, ODA y SONETO son sus manifestaciones principales. En la antigüedad y la Edad Media, los poemas líricos solían cantarse con acompañamiento de un instrumento musical, por lo general la lira (de donde proviene su nombre). La poesía lírica se diferencia claramente de la narrativa, que relata hechos con objetividad, y de la dramática, que los representa a través de personajes que dialogan.

lirio del Nilo ver AGAPANTO

lirio del valle ver MUGUETE

lirón Cualquiera de 20 especies de ROEDORES (familia Gliridae) presentes en toda Eurasia y África septentrional. Los lirones tienen ojos grandes, pelaje suave, orejas redondeadas y cola peluda y a veces tupida. Viven en árboles, arbustos y paredes rocosas, en nidos de material vegetal. Comen fruta, nueces, huevos de aves, algunos insectos y animales pequeños. Muchas especies duermen por largos períodos, en especial en invierno. La especie de mayor tamaño es el lirón gris (*Glis glis*), comestible, que llega hasta 20 cm (8 pulg.) aprox. de largo, sin la cola de 15 cm (6 pulg.).

Lirón gris (*Glis glis*).
SCHUNEMANN—BAVARIA-VERLAG

lisa Cualquiera de unas 100 especies (familia Mugilidae) de peces de cardumen, abundantes y de importancia comercial, que habita en aguas salobres o dulces de todas las regiones tropicales y templadas. Frecuentan aguas costeras y someras, en busca de plantas microscópicas y animales pequeños en la arena y el cieno. Es plateada y mide 30–90 cm (1–3 pies) de largo, tiene escamas grandes, un morro corto, cuerpo

Lisa común (*Mugil cephalus*).
© ENCYCLOPÆDIA BRITANNICA, INC.

fusiforme, cola ahorquillada y dos aletas dorsales peculiares, donde la primera tiene cuatro espinas rígidas. La lisa común (*Mugil cephalus*), que se cultiva en algunas regiones, es una especie bien conocida de distribución mundial.

Lisandro (m. 395 AC, Haliarto, Beocia). Líder espartano en la guerra del PELOPONESO. En su primer año como almirante, obtuvo el apoyo del rey persa Ciro el Joven. Derrotó a la flota ateniense en Notion (406), lo cual trajo consigo la destitución de ALCIBÍADES. En 405 destruyó nuevamente la flota ateniense en la batalla de EGOSPÓTAMOS, acción que cerró la ruta para el comercio de cereales y obligó a la ciudad a rendirse a causa de la hambruna. Estableció en Atenas el gobierno de los TREINTA TIRANOS y nombró a amigos suyos gobernadores del antiguo imperio ateniense. Sufrió una derrota cuando Esparta permitió la restauración de la democracia en Atenas (403). Murió al atacar Haliarto mientras estaba en campaña en Beocia, conduciendo un ejército de aliados del norte de Esparta.

Lisboa Ciudad (pob., 2001: 556.797 hab.) y capital de PORTUGAL. Ubicada a orillas del río TAJO, cerca de su desembocadura en el océano Atlántico, es la mayor urbe del

Monumento a los Descubrimientos, Lisboa, Portugal.
ARCHIVO EDIT. SANTIAGO

país y el principal puerto marítimo. Estuvo bajo dominio romano desde 205 AC; JULIO CÉSAR la convirtió en un municipio denominado Felicitas Julia. Desde el s. V la gobernaron una serie de tribus bárbaras, y en el s. VIII fue capturada por los moros. Los cruzados ganaron el control sobre ella en 1147 durante el reinado de ALFONSO I, y en 1256 se convirtió en capital nacional. En los s. XIV–XVI fue una destacada ciudad comercial europea. Uno de los terremotos más fuertes jamás registrados azotó a Lisboa en 1755, provocando la muerte de 30.000 personas. La renovación urbana que siguió al terremoto tuvo un alcance sin precedentes. Lisboa albergó a la Exposición Internacional de 1998 (Expo '98). Es un importante centro comercial, administrativo, educacional y manufacturero, cuna de LUIS CAMÕES.

Lisburn Ciudad (pob., 1991: 42.110 hab.), capital del distrito de Lisburn (pob., 2001: 108.694 hab.), Irlanda del Norte. Situada a orillas del río Lagan, al sudoeste de BELFAST, era un pequeño pueblo conocido como Lisnagarvey hasta la década de 1620, cuando los ingleses, escoceses y galeses se establecieron ahí como parte del plan de colonización del Ulster. Más tarde atrajo a trabajadores franceses del lino, que introdujeron telares holandeses y reorganizaron dicha industria en la zona; Lisburn continúa siendo un importante centro de fabricación de lino. El distrito se creó en 1973.

Lisias (c. 445– c. 380 AC). Orador griego. Era METECO (residente extranjero) en Atenas, y como tal se le prohibió hablar en público en calidad de ciudadano romano; todos sus discursos fueron pronunciados por otras personas. En 404, él y su hermano fueron detenidos por la oligarquía gobernante bajo el cargo de ser extranjeros desleales; escapó, pero su hermano fue ejecutado. Como escritor, es comparable a ANTIFONTE por la claridad, sencillez y gran eficacia de su prosa; su estilo se convirtió en modelo para la prosa ática griega. Muchos de sus escritos han sobrevivido.

lisina Uno de los AMINOÁCIDOS esenciales, presentes en muchas PROTEÍNAS comunes. Su proporción en las proteínas de algunas plantas alimentarias importantes (como trigo y maíz) es tan pequeña, que las poblaciones dependientes de estos cereales como fuente exclusiva de proteína dietética, padecen de deficiencia de lisina, afectando el crecimiento de los niños y el bienestar general en los adultos. Se utiliza en investigación bioquímica y nutricional, productos farmacéuticos, alimentos fortificados y como suplemento nutritivo y aditivo en alimentación animal.

Lisipo (floreció s. IV AC, Sicione, Grecia). Escultor griego, célebre por las nuevas y esbeltas proporciones de sus figuras y por su naturalismo de parecido fiel. Se le atribuye la realización de más de 1.500 obras, la mayoría en bronce. No se conserva ninguna, pero con seguridad se le pueden atribuir algunas copias, entre ellas, *Apoxiomenos*, un joven atleta en actitud de quitarse el polvo y el aceite del cuerpo con la estrígila. Otra obra clave es el colosal Heracles de Sicione. Realizó muchos bustos de ALEJANDRO MAGNO desde su niñez en adelante. Se dice que Alejandro no habría dejado que ningún otro escultor lo retratara.

"Apoxiomenos", copia romana en mármol del original griego en bronce de Lisipo, c. 310 AC; Museos y Galerías del Vaticano.
ANDERSON–ALINARI DE ART RESOURCE

lisogenia Tipo de ciclo vital que ocurre en un BACTERIÓFAGO después de infectar ciertos tipos de bacterias. El genoma del bacteriófago (su dotación completa de genes) entra al cromosoma de la bacteria huésped y se replica junto con él. No se produce descendencia del virus; en cambio, el virus infectante permanece latente en el cromosoma del huésped hasta que este es sometido a ciertos estímulos, como la luz ultravioleta. En este punto, el genoma del virus es removido del cromosoma huésped y comienza a multiplicarse, formando nuevos virus. Finalmente, el huésped bacteriano es destruido (lisado), liberando partículas virales al medio para infectar nuevas células bacterianas.

lisosoma Organelo rodeado de una membrana, presente en todas las células eucarióticas (ver EUCARIONTE), encargado de la digestión celular de macromoléculas, partes celulares envejecidas y microorganismos. Los lisosomas contienen una gran variedad de enzimas que descomponen macromoléculas, como ácidos nucleicos, proteínas y polisacáridos. Muchos productos de la digestión lisosomal, como los aminoácidos y los nucleótidos, son reciclados de vuelta a la célula para emplearlos en la síntesis de nuevos componentes celulares.

LISP LENGUAJE DE PROGRAMACIÓN computacional poderoso, diseñado para manipular listas de datos o símbolos en lugar de procesar datos numéricos. Usado ampliamente en aplicaciones de INTELIGENCIA ARTIFICIAL, fue desarrollado en el Instituto Tecnológico de Massachusetts a fines de la década de 1950 e inicios de la siguiente por un grupo encabezado por JOHN MCCARTHY. Su nombre deriva de "list processor" (procesador de listas). Radicalmente diferente de otros lenguajes de programación, como ALGOL, C, C++, FORTRAN y PASCAL, el LISP requiere grandes espacios de memoria y es lento en la ejecución de programas.

Lispector, Clarice (10 dic. 1925, Ucrania, U.R.S.S.–9 dic. 1977, Río de Janeiro, Brasil). Novelista y cuentista brasileña. Una de las figuras literarias más importantes de Brasil durante el s. XX. Su obra ofrece una perspectiva muy personal, casi existencialista de los dilemas humanos. En contraste con la preocupación social y nacional expresada por muchos autores brasileños de la época, su visión artística trasciende tiempo y lugar. Su primera novela, *Perto do coração selvagem* (1944), se publicó cuando tenía 19 años de edad, con gran acogida de la crítica. En obras posteriores, como *La manzana en lo oscuro* (1961), *La pasión según G.H.* (1964) y *Água viva* (1973), sus alienados personajes adquieren un sentido de autoconciencia aceptando su lugar en un universo que, si bien arbitrario, es eterno. Su prosa más refinada se concentra en los cuentos, entre ellos *Lazos de familia* (1960) y *A legião estrangeira* (1964).

Lissitzky, El o **El Lisitsky** orig. **Lazar Markovich Lisitskii** (10 nov. 1890, Pochinok, cerca de Smolensko, Rusia–30 dic. 1941, Moscú). Pintor, tipógrafo y diseñador ruso. Cuando era profesor en la revolucionaria escuela de arte de MARC CHAGALL en Vitebsk, conoció a KAZIMIR MALIÉVICH, cuya influencia se observa en una serie de pinturas abstractas que constituyeron la mayor contribución de Lissitzky al CONSTRUCTIVISMO. En 1922, luego de que el gobierno soviético se opusiera al arte moderno, viajó a Alemania. Allí conoció a THEO VAN DOESBURG y LÁSZLÓ MOHOLY-NAGY, quienes transmitieron sus ideas a Occidente a través de la enseñanza que ambos impartieron en la BAUHAUS. En 1925 regresó a Rusia y se dedicó a idear nuevas técnicas de impresión, fotomontaje y arquitectura.

List, (Georg) Friedrich (6 ago. 1789, Reutlingen, Württemberg, Alemania–30 nov. 1846, Kufstein, Austria). Economista estadounidense de origen alemán. Primero fue conocido como fundador de una asociación de industriales germanos que favorecía la abolición de las barreras arancelarias entre los estados alemanes. Exiliado en 1825 por sus ideas liberales, se trasladó a EE.UU. En *Esbozos de economía política americana* (1827) sostuvo que una economía nacional en una etapa inicial de industrialización requiere protección arancelaria para estimular el desarrollo. Después de transformarse en ciudadano estadounidense, regresó a Alemania como cónsul de EE.UU. en Baden (1831–34) y Leipzig (1834–37). Su obra más conocida fue *Sistema nacional de economía política* (1841). Los problemas financieros y otras dificultades lo llevaron finalmente al suicidio.

Lister, Joseph post. **barón Lister (de Lyme Regis)** (5 abr. 1827, Upton, Essex, Inglaterra–10 feb. 1912, Walmer, Kent). Cirujano y científico británico. En 1852 se tituló de médico en Oxford y fue ayudante de James Syme, el mejor profesor de cirugía de su época. En 1861 fue designado cirujano de la Glasgow Royal Infirmary, donde observó que un 45–50% de los pacientes amputados morían de sepsis (infección generalizada). Postuló inicialmente que el polvo del aire podía ser la causa, pero en 1865 se enteró de la teoría de LOUIS PASTEUR, de que las infecciones son producidas por microorganismos. Empleando FENOL como antiséptico, Lister redujo la mortalidad en su servicio en un 15% en cuatro años. La mayoría de los cirujanos no se convenció sino hasta que resultó exitosa una operación bajo condiciones asépticas, ampliamente publicitada. Cuando se retiró en 1893, su principio había sido aceptado casi universalmente. Es considerado el fundador de la medicina antiséptica.

Liszt, Franz húngaro **Ferenc Liszt** (22 oct.1811, Raiding, Hungría–31 jul.1886, Bayreuth, Alemania). Compositor y pianista húngaro. Animado por su padre, un talentoso músico aficionado, Liszt desarrolló un interés precoz por la música y comenzó a componer a la edad de ocho años. Estudió piano con Karl Czerny y composición con Antonio Salieri en Viena, donde debutó en 1822. Después de triunfar en París en 1823, viajó por Europa, pero la muerte prematura de su padre (1828) y un desastroso lance amoroso lo llevaron a desear renunciar a la música para dedicarse al sacerdocio. Cuando oyó tocar al violinista Niccoló Paganini en 1831, Liszt se sintió estimulado para desarrollar su propia técnica hasta lo sumo y componer sus primeras piezas maduras, como *Transcendental études* (1837) y *Paganini études* (1839). Del romance con la condesa Marie d'Agoult nació su hija, Cosima (n. 1837–m. 1930), quien se casaría con su amigo, el compositor Richard Wagner. El esplendor y el éxito de Liszt estaban en su cenit en la década de 1840, cuando viajó por Europa como virtuoso, ganando gran adulación por su desenvoltura y su técnica asombrosa. A fines de la década de 1840 dejó de dar conciertos para dedicarse a la composición y al fomento de la obra de compositores progresistas. En la década de 1850 escribió varias de sus obras más ambiciosas, entre ellas la sinfonía *Fausto* (1854) y la *Sonata en si menor* (1853). En 1865 recibió las órdenes menores en la Iglesia católica, aunque nunca se hizo sacerdote. Su producción tardía es notable por haber prefigurado muchas novedades del s. XX; p. ej., su desarrollo de la armonía cromática influyó en la música atonal.

Franz Liszt, litografía de Joseph Kriehuber, 1846.
GENTILEZA DEL MUSEO TEATRALE ALLA SCALA, MILÁN, ITALIA

Litani, río Río del sur del Líbano. Nace al oeste de Baalbek y fluye hacia el sudoeste entre las cordilleras del Líbano y del Antilíbano, para desembocar en el mar Mediterráneo al sur de Sidón. Su curso inferior se conoce con el nombre de Qāsimīyah.

Aunque sólo tiene 145 km (90 mi) de extensión, es la fuente de regadío del valle de la Bekaa, una de las regiones más extensamente cultivadas de ese país.

Litchi, fruto del árbol *Litchi chinensis*.
DONALD P. WATSON—EB INC.

litchi Fruto del árbol *Litchi chinensis* (familia Sapindaceae), que se supone originario de China meridional y regiones adyacentes, pero que hoy se cultiva también en otras partes. Ha sido fruta favorita de los habitantes de Cantón desde tiempos antiguos y es un postre típico en los restoranes de comida china. La pulpa fresca tiene un sabor almizcleño; cuando se seca, es agria y muy dulce. El árbol, hermoso, presenta una copa de follaje compacta, con hojas compuestas verde brillante todo el año. Los racimos de florecillas discretas dan pequeños frutos rojos y ovalados.

literario, magazín Cualquiera de las distintas publicaciones periódicas menores, generalmente vanguardistas, dedicadas a la difusión y el análisis de la literatura poco conocida. El término denota sobre todo a medios cuya edición, administración y financiamiento no es comercial. Este tipo de publicaciones surgieron c. 1880 y duraron gran parte del s. XX; florecieron en Inglaterra y EE.UU., a pesar de que las obras de escritores alemanes y franceses también se difundieron en sus páginas. Las publicaciones más destacadas entre los magazines literarios fueron dos estadounidenses, *Poetry*, y la más errática y en ocasiones espectacular, *Little Review* (1914–29); las inglesas *Egoist* (1914–19) y *Blast* (1914–15), y la francesa *Transition* (1927–38).

literatura infantil Conjunto de obras escritas con el fin de entretener o instruir a los niños. El género abarca un amplio abanico de obras, desde clásicos reconocidos de la literatura mundial, libros ilustrados e historias de lectura fácil, hasta cuentos de hadas, canciones de cuna, fábulas, cantos tradicionales y demás materiales, primordialmente de transmisión oral. La literatura infantil emergió como una forma literaria definida e independiente sólo en la segunda mitad del s. XVIII y floreció en el s. XIX. Gracias a la alfabetización casi universal en las naciones más desarrolladas en el s. XX, la diversidad de libros infantiles llegó casi a rivalizar con la literatura popular para adultos.

literatura inglesa de la Restauración Conjunto de obras de la literatura inglesa escritas después de la Restauración de la monarquía en 1660, tras el período de la república de Cromwell. Algunos historiadores de la literatura identifican esta era con el reinado de Carlos II (1660–85), mientras otros le agregan el reinado de Jacobo II (1685–88). Muchas de las formas literarias modernas características (p. ej., novela, biografía, textos históricos, crónicas de viajes y prensa escrita) comenzaron a desarrollarse durante la Restauración. Florecieron también los panfletos y la poesía (donde destaca la obra de John Dryden); sin embargo, la época es recordada principalmente por comedias costumbristas brillantes, críticas y a menudo obscenas de comediógrafos como George Etherege, Thomas Shadwell, William Wycherly, John Vanbrugh, William Congreve y George Farquhar.

literatura patrística Cuerpo de literatura que comprende las obras escritas por cristianos antes del s. VIII (excluido el Nuevo Testamento). Se refiere a las obras de los padres de la Iglesia. La mayor parte de la literatura patrística está escrita en griego o latín, pero una porción no desdeñable sobrevive en siriaco y otras lenguas del Medio Oriente. Las obras de los padres apostólicos constituyen la primera literatura patrística. A mediados del s. II, los cristianos escribieron para justificar su fe ante el gobierno romano y refutar el gnosticismo. En los s. IV–V, san Agustín y otros sentaron las bases de la mayor parte del pensamiento cristiano medieval y moderno. Entre los autores patrísticos importantes se cuentan san Justino Mártir, Orígenes, Tertuliano, Eusebio de Cesarea, san Atanasio, san Basilio el Grande, san Gregorio Nacianceno, san Gregorio de Nisa, san Juan Crisóstomo, san Ambrosio, Efraín Siro (n. ¿306?–m. 373), San Jerónimo, Teodoro de Mopsuesto, San Cirilo de Alejandría (n. circa 375–m. 444), san Máximo el Confesor (n. circa 580–m. 662) y el papa san Gregorio I.

litiasis renal *o* **cálculo renal** Precipitados de minerales y materias orgánicas que pueden formarse en el riñón. La orina contiene numerosas sales en solución, y si el volumen de líquido es bajo o la concentración de minerales es alta, estas sales pueden precipitar y acumularse formando cálculos. Los cálculos grandes pueden bloquear el flujo de orina, causar infecciones o producir cólicos renales (espasmos dolorosos). Pueden obstruir el sistema urinario en diferentes puntos. La terapia consiste en solucionar cualquier problema subyacente (p. ej., infección u obstrucción), disolver los cálculos con medicamentos o ultrasonido (litotripsia), o extirpar los más grandes.

lítica, industria Conjunto de artefactos que da cuenta de las primeras tecnologías usadas por los seres humanos. Ha perdurado un gran número de estos instrumentos líticos, que ahora sirven como medio principal para determinar las actividades de los homínidos. Los arqueólogos han clasificado las diferentes industrias líticas según su estilo y sus usos, y las han designado con el nombre del lugar donde fueron identificadas originalmente. Las principales son (en orden cronológico) la industria de Olduvai, la achelense, la musteriense, la auriñaciense, la solutrense y la magdaleniense.

litificación Proceso complejo mediante el cual granos sueltos de sedimento son convertidos en ROCA. La litificación puede ocurrir en el momento en que se deposita un sedimento o con posterioridad. La CEMENTACIÓN es uno de los principales procesos involucrados, en particular para piedra arenisca y conglomerados. Además, ocurren reacciones entre varios minerales de sedimento y entre minerales y fluidos atrapados en los poros; estas reacciones pueden formar nuevos minerales o añadirse a otros ya presentes en el sedimento.

litio ELEMENTO QUÍMICO, el METAL alcalino más liviano, símbolo químico Li, número atómico 3. Suave, blanco, lustroso y muy reactivo, forma compuestos en los cuales tiene VALENCIA 1. El metal se emplea en ciertas ALEACIONES, como líquido de refrigeración en reactores nucleares, y (por su reactividad) como reactivo, depurador y combustible de cohetes. El HIDRURO de litio es utilizado como fuente de hidrógeno; el hidróxido de litio es empleado como aditivo en baterías de almacenamiento y para absorber dióxido de carbono. Los haluros (ver HALÓGENO) de litio son usados como absorbentes de humedad, y los JABONES de litio, como espesantes en grasas para lubricar. El carbonato de litio es una droga importante para tratar la DEPRESIÓN y el TRASTORNO BIPOLAR.

litografía Proceso de IMPRESIÓN que hace uso de la propiedad de inmiscibilidad del aceite y el agua. Aloys Senefelder de Praga (n. 1771–m. 1834) explotó las propiedades de una piedra con base de carbonato de calcio y una superficie fina y porosa, y perfeccionó su sistema de impresión en 1798. En el proceso de Senefelder, el diseño se dibujaba sobre la piedra con crayón o tinta grasa y luego la piedra se mojaba con agua; después de varios pasos de grabado y protección, la piedra se escobillaba con tinta aceitosa. Sólo el diseño retenía la tinta. La superficie entintada se imprimía directamente sobre papel por medio de una prensa especial (como en la mayoría de las IMPRESIONES de obras de arte), o sobre un cilindro de caucho y luego en papel (como en la imprenta comercial). La preparación de piedras para impresión manual, aún hoy el método de litografía preferido por los artistas, ha cambiado muy poco. La impresión litográfica comercial moderna en prensas rotativas de IMPRESIÓN OFFSET puede producir impresiones muy detalladas de alta calidad a gran velocidad y reproducir cualquier material que pueda ser fotografiado en el proceso de clisado. Más del 40% de los impresos, envases y publicaciones se realiza hoy con este sistema, superando a otros procesos de impresión.

litografía offset ver IMPRESIÓN OFFSET

litosfera Capa exterior de la Tierra, rígida y rocosa, constituida por la CORTEZA y la parte superficial del MANTO. Se extiende a una profundidad aprox. de 100 km (60 mi), dividida en alrededor de una docena de bloques rígidos separados denominados placas (ver TECTÓNICA DE PLACAS). Se piensa que la causa del movimiento lateral de las placas (y de los continentes que se encuentran sobre ellas), a una velocidad de varios centímetros por año, se debe a las corrientes de convección lentas y profundas dentro del manto, generadas por calentamiento radiactivo del interior.

Little Bighorn, batalla de (25 jun. 1876). Batalla en el río Little Bighorn, Territorio de Montana, EE.UU., entre tropas federales lideradas por el teniente coronel GEORGE ARMSTRONG CUSTER y una banda de SIOUX y CHEYENES. El gobierno estadounidense había ordenado a las tribus de las planicies del norte que retornaran a las reservas designadas y para hacer cumplir la orden envió tropas al mando del gral. Alfred H. Terry. Este esperaba rodear un campamento indígena en la boca del río Little Bighorn, pero un grupo de unos 200 soldados dirigidos por Custer lanzó un primer ataque y fueron masacrados. Las tropas del gobierno se abalanzaron luego sobre la región y forzaron a los indígenas a rendirse.

Little League *español* **Liga pequeña** Organización internacional de béisbol para niños y jóvenes, fundada en 1939 en Williamsport, Pa., por Carl E. Stotz y los hermanos Bert y George Bebble. Al principio, la liga correspondía sólo a niños de 8 a 12 años, las niñas se sumaron en 1974. En la actualidad existen dos divisiones superiores, para jóvenes de 13 a 15 años y de 16 a 18. En la división menor se juega en una cancha equivalente a dos tercios de los diamantes profesionales. Las temporadas comprenden cerca de 15 partidos. La organización se expandió rápidamente después de la segunda guerra mundial; en la década de 1990 tenía alrededor de 2,5 millones de jugadores en unos 30 países. Las Series Mundiales de la Little League se juegan todos los años, en agosto, en Williamsport.

Little Missouri, río Río en el noroeste de EE.UU. Nace en el nordeste del estado de Wyoming y discurre en esa dirección, atravesando el extremo sudoriental de Montana y el extremo noroccidental de Dakota del Sur. Continúa al norte y luego se desvía al este para desembocar en el río MISSOURI, después de un curso de 900 km (560 mi). A lo largo de sus riberas se encuentra el parque nacional THEODORE ROOSEVELT, en el estado de Dakota del Norte.

Vista del río Little Missouri y de las llanuras erosionadas de los Badlands.
FOTOBANCO

Little Richard *orig.* **Richard Wayne Penniman** (n. 5 dic. 1932, Macon, Ga., EE.UU.). Cantante y pianista de RHYTHM AND BLUES estadounidense. Nacido en el seno de una familia religiosa estricta, cantó y tocó el piano en la iglesia, pero más tarde fue expulsado de casa por su padre, según se dice por tener un comportamiento homosexual. Trabajó en clubes nocturnos, viajó con un grupo de charlatanes y grabó como artista de blues desde principios de la década de 1950. Su primer éxito de importancia vino con "Tutti Frutti" (1956), una interpretación vigorosa que, con su predilección por lo extravagante, estableció un estándar para el emergente estilo característico del rock. Siguieron éxitos similares, como "Long Tall Sally", "Lucille" y "Good Golly, Miss Molly". En 1957 experimentó una conversión religiosa y más tarde fue ordenado ministro. Pronto volvió a la música, convirtiéndose en una atracción regular en Las Vegas y siguió haciendo giras y apareciendo en películas con mucho éxito. Fue uno de los artistas originales incorporados al Salón de la Fama del rock and roll.

Little Rock Ciudad (pob., 2000: 183.133 hab.) y capital del estado de Arkansas, junto al río ARKANSAS, EE.UU. En 1722, Bernard de la Harpe, explorador francés, denominó el lugar como La Petite Roche debido a una formación rocosa que había en la ribera del río. Se convirtió en capital de Arkansas en 1821. Al estallar la guerra de SECESIÓN mantuvo una decidida postura en contra de la Unión. Las tropas federales ocuparon la ciudad en 1863. Se ha convertido en el centro comercial de esta región agrícola y eje del transporte ferroviario y fluvial. En 1957 se enviaron tropas federales al lugar para impedir que las autoridades del estado interfirieran con la integración racial en la Central High School. Es la ciudad más grande del estado y cuenta con muchas instituciones de educación superior, entre las que se incluye la Universidad de Arkansas en Little Rock (1927).

little theatre Movimiento de teatro estadounidense cuyo fin fue liberar las formas dramáticas y los métodos de producción de las limitaciones impuestas por los grandes teatros comerciales mediante el establecimiento de pequeños centros experimentales de teatro. Jóvenes dramaturgos, diseñadores teatrales y actores fueron influenciados por la vitalidad del teatro europeo de fines del s. XIX, en especial por las teorías de MAX REINHARDT, lo que los impulsó a fundar teatros comunitarios como el Little Theatre, en Nueva York (1912), el Little Theatre, en Chicago (1912) y el Toy Theatre, en Boston (1912). Algunas de estas salas se convirtieron en importantes teatros comerciales como el Washington Square Players (1915), que más tarde se transformó en el Theatre Guild (1918). Las primeras obras de dramaturgos como EUGENE O'NEILL, GEORGE S. KAUFMAN y MAXWELL ANDERSON se estrenaron en estos teatros comunitarios.

Little Turtle (inglés: "Tortuguita") (c. 1752, cerca de Fort Wayne, Ind., EE.UU.–14 jul. 1812, Fort Wayne, Ind.). Líder indio norteamericano. Jefe de la tribu MIAMI, a comienzos de la década de 1790 encabezó incursiones en el Territorio del Noroeste. Fue derrotado por el gral. Anthony Wayne en la batalla de FALLEN TIMBERS (1794) y tuvo que firmar el tratado de Greenville (1795), que cedía a EE.UU. buena parte de Ohio y parte de Illinois, Indiana y Michigan. Luego abogó por la paz e impidió que los miamis se unieran a la confederación shawnee de TECUMSEH.

Littleton, Sir Thomas (1422, probablemente en Frankley, Worcestershire, Inglaterra–23 ago. 1481, Frankley). Jurista británico. En una época turbulenta desempeñó varios altos cargos, entre ellos el de juez del Tribunal de ACCIONES CIVILES (a partir de 1466). Su *Littleton on Tenures* [Littleton analiza las formas de tenencia] (1481 ó 1482) fue el primer tratado de derecho inglés que se imprimió. Durante mucho tiempo fue la principal fuente en materia de derecho inglés de bienes reíces.

LITUANIA

▸ **Superficie:** 65.300 km²
(25.212 mi²)

▸ **Población:** 3.413.000 hab.
(est. 2005)

▸ **Capital:** VILNA

▸ **Moneda:** litas lituano

Lituania *ofic.* **República de Lituania** País de Europa nororiental. Los lituanos constituyen cerca del 80% de la población y existen pequeños grupos de rusos, polacos y belarusos. Idiomas: lituano (oficial), ruso, polaco y belaruso. Religión: catolicismo romano (mayoritaria). El territorio está compuesto de llanuras bajas que se alternan con zonas de colinas, regadas por ríos que discurren al oeste, hasta el mar Báltico. El sector manufacturero es el más importante de la economía, especialmente en el este y sur del país, y destacan la metalurgia, la madera elaborada y la industria textil. La agricultura se concentra en la crianza de ganado vacuno y porcino, y en el cultivo de cereales, lino, remolacha, patata y forraje. Lituania es una república unicameral; el jefe de Estado es el presidente y el jefe de Gobierno, el primer ministro. Las tribus lituanas se unificaron a mediados del s. XIII para enfrentar a los caballeros de la Orden TEUTÓNICA. Gediminas, uno de los gran duques, transformó Lituania en un imperio que dominó gran parte de

Europa oriental en los s. XIV–XVI. En 1386, el gran duque lituano fue coronado rey de Polonia, y durante los próximos 400 años ambos reinos se mantuvieron estrechamente asociados como resultado de la tercera partición de Polonia (ver particiones de POLONIA). Lituania pasó a formar parte de Rusia en 1795 y se unió al levantamiento polaco de 1863. Ocupada por Alemania durante la primera guerra mundial, declaró su independencia en 1918. En 1940 cayó bajo el control del Ejército Rojo y pronto fue incorporada a la Unión Soviética como la República Socialista Soviética de Lituania. Alemania la ocupó nuevamente a partir de 1941, pero el Ejército Rojo recuperó su control en 1944. Tras el colapso de la Unión Soviética, Lituania

Centro histórico de Vilna, Lituania.
FOTOBANCO

se proclamó independiente en 1990 y se independizó por completo en 1991. En la década de 1990 y comienzos del s. XXI intentó estabilizar su economía e integrarse a la UNIÓN EUROPEA. En 1997 firmó un tratado limítrofe con Rusia.

lituano Lengua BÁLTICA oriental hablada por más de cuatro millones de personas en la República de Lituania y en comunidades de la diáspora, con aproximadamente 70.000 hablantes en Norteamérica. Hay testimonios aislados del lituano antes de 1547, cuando se imprimió el primer libro en esa lengua. Los esfuerzos por desarrollar una lengua estándar a fines del s. XIX se centraron en los hablantes del alto lituano, dialecto empleado en Prusia oriental bajo dominio alemán. Jonas Jablonskis (n. 1860–m. 1930) logró que su ortografía (basada en el alfabeto LATINO con numerosos diacríticos) como también su gramática (1901) obtuvieran aceptación oficial cuando Lituania logró su independencia. Entre las lenguas INDOEUROPEAS vigentes, el lituano es reconocido por su arcaísmo.

litúrgico, movimiento Esfuerzos desplegados en los s. XIX–XX para alentar la participación activa de los laicos en la liturgia de las iglesias cristianas mediante la creación de ritos más simples en armonía con las tradiciones cristianas primitivas y más relevantes para la vida moderna. El movimiento comenzó en la Iglesia católica a mediados del s. XIX y se difundió a otras iglesias cristianas de Europa y EE.UU. El concilio VATICANO II (1962–65) demandó la traducción de las liturgias latinas a las lenguas vernáculas de cada país y la reforma de todos los ritos sacramentales. La Iglesia luterana revisó el *Libro luterano de culto* en 1978 y la Iglesia protestante episcopal adoptó una versión revisada del *Libro de plegarias comunes* en 1979.

Litvínov, Maxim (Maxímovich) *orig.* **Meir Vallaj** (17 jul. 1876, Bialystok, Polonia–31 dic. 1951, Moscú, Rusia, U.R.S.S.). Diplomático y comisario soviético para asuntos exteriores (1930–39). Se unió al PARTIDO OBRERO SOCIAL DEMÓCRATA RUSO (1898), fue arrestado por actividades revolucionarias (1901) y huyó a Gran Bretaña. En 1917–18 representó al gobierno soviético en Londres, luego regresó a su país, donde se integró al Comisariato de asuntos exteriores y encabezó las delegaciones soviéticas en las conferencias de desarme. Como comisario de asuntos exteriores, estableció relaciones diplomáticas con EE.UU. (1934), negoció tratados antialemanes con Francia y Checoslovaquia (1935) y exhortó a la SOCIEDAD DE NACIONES a que opusiera resistencia a Alemania (1934–38). Fue destituido antes de la firma del

Pacto de no agresión germano-soviético (1939). Fue embajador ante EE.UU. (1941–43).

Liu Shaoqi *o* **Liu Shao-ch'i** (24 nov. 1898, distrito de Ningxiang, provincia de Hunan, China–12 nov. 1969, Kaifeng, provincia de Henan). Presidente de la República Popular de China (1959–68) y principal teórico del PARTIDO COMUNISTA CHINO (PCCh). Sus antecedentes como activista político desde la década de 1920 le ayudaron a ascender dentro del PCCh en las décadas de 1930–40, mientras su excelente educación y estudios en la Unión Soviética lo convirtieron en un vocero eficaz del nuevo gobierno de China. Liu asumió como pdte. del partido tras la renuncia de Mao a causa del fracaso de su GRAN SALTO ADELANTE. Más tarde, Mao se opuso fuertemente a sus políticas para revitalizar la agricultura al permitir que los campesinos cultivaran las parcelas privadas y al proporcionarles incentivos monetarios. En 1968 fue removido del poder por su "revisionismo capitalista" y se nombró a LIN BIAO como sucesor de Mao. No fue hasta 1974 que su muerte, acaecida en 1969, se dio a conocer públicamente.

Liu Songnian *o* **Liu Sung-nien** (1174–1224, Qiantang, provincia de Zhejiang, China). Pintor chino de figuras y paisajes. Ingresó a la Academia de pintura Song del sur como estudiante en el período Chunxi (1174–89) y llegó a convertirse en un destacado pintor en el período Shaoxi (1190–94). Durante el reinado del emperador Ningzong (1195–1224) fue galardonado con el prestigioso cinturón de oro. Liu siguió la tradición de LI TANG. Por lo general, sus obras presentaban figuras relativamente grandes, con gran atención al detalle y ubicadas cerca del espectador en el plano pictórico. Las expresiones faciales de sus figuras son vívidas y los pliegues de sus vestiduras muy intrincados. Sus principales pinturas de paisaje muestran al ser humano en armonía con la naturaleza. Liu pavimentó el camino para un estilo académico que sería desarrollado más tarde por sus contemporáneos MA YUAN y XIA GUI.

Liverpool Ciudad (pob., 2001: 439.476 hab.) del noroeste de Inglaterra, en el estuario del río MERSEY. Es el centro administrativo del condado metropolitano de MERSEYSIDE en el condado histórico de Lancashire. El rey JUAN (sin Tierra) le otorgó privilegios de ciudad en 1207. Creció con lentitud hasta el s. XVIII, época en que comenzó a prosperar gracias al comercio con América y las Antillas, llegando a ser el puerto más importante de Gran Bretaña después de LONDRES. El ferrocarril de Liverpool a Manchester (inaugurado en 1830) fue el primero en unir dos grandes ciudades dentro de Inglaterra. Los graves daños que sufrió durante la segunda guerra mundial le hicieron perder importancia como puerto y centro industrial en la posguerra. Es la cuna de The BEATLES y sede de la Universidad de Liverpool (1903).

2° conde de Liverpool, detalle de una pintura al óleo de Sir Thomas Lawrence; National Portrait Gallery, Londres.

GENTILEZA DE LA NATIONAL PORTRAIT GALLERY, LONDRES

Liverpool, Robert Banks Jenkinson, 2° conde de (7 jun. 1770, Londres, Inglaterra–4 dic. 1828, Fife House, Whitehall, Londres). Primer ministro británico (1812–27). Se integró a la Cámara de los Comunes en 1790 y se transformó en una gran figura TORY; ocupó los cargos de secretario de asuntos exteriores (1801–04), secretario del interior (1804–06, 1807–09) y secretario de guerra y colonias (1809–12). Durante su período como primer ministro tuvieron lugar la guerra ANGLO-ESTADOUNIDENSE (1812) y las campañas finales de las guerras NAPOLEÓNICAS. Abogó por la abolición de la trata de esclavos en el Congreso de Viena (1814–15). Aunque a veces fue eclipsado por sus colegas y por la capacidad militar del duque de WELLINGTON, llevó a cabo una acertada administración.

Living Theatre, The Compañía teatral de repertorio vanguardista. Fundada en Nueva York en 1947 por Julian Beck (n. 1925–m. 1985) y Judith Malina (n. 1926) con el objeto de representar obras experimentales, que a menudo abordaron temas controversiales. Su primer gran éxito fue *The Connection* (1959) de Jack Gelber, un drama sobre la adicción a las drogas. El siguiente suceso fue *The Brig* (1963) de Kenneth Bown, que retrató una inhumana disciplina militar. Después de enfrentar problemas con las autoridades del servicio de impuestos estadounidense, la compañía se instaló en Europa (1965–68). Posteriormente regresó a Nueva York para presentar la confrontacional *Paradise now* (1968), cuya intención era despertar una conciencia de revolución. El grupo se dispersó en 1970.

Livingston, Robert R. (27 nov. 1746, Nueva York, N.Y., EE.UU.–26 feb. 1813, Clermont, N.Y.). Abogado y diplomático estadounidense. Fue miembro del Congreso continental y colaboró en la redacción de la Declaración de INDEPENDENCIA. Fue el primer canciller del estado de Nueva York (1777–1801) y en tal calidad tomó juramento del cargo al pdte. GEORGE WASHINGTON (1789). En 1781–83 fue secretario de asuntos exteriores; representante diplomático en Francia en 1801–04, participó en el cierre de la adquisición de LUISIANA. Más adelante, en sociedad con ROBERT FULTON, recibió el monopolio de los barcos de vapor en aguas de Nueva York; el primer vapor que navegó por el río Hudson (1807) se llamó *Clermont*, en recuerdo del hogar ancestral de su familia.

Livingston, William (30 nov. 1723, Albany, N.Y, EE.UU.–25 jul. 1790, Elizabeth, N.J.). Político estadounidense. Perteneció al poder legislativo de Nueva York (1759–60), escribió panfletos políticos y artículos de prensa, y colaboró en la preparación de un compendio de las leyes de Nueva York del período 1691–1756. En 1772 se mudó a Nueva Jersey y representó a esa colonia ante el Congreso continental (1774–76). En calidad de primer gobernador de Nueva Jersey (1776–90), asistió como delegado a la CONVENCIÓN CONSTITUCIONAL y llevó a su estado a la pronta ratificación de la constitución de EE.UU.

David Livingstone, pintura al óleo de F. Havill.

GENTILEZA DE LA NATIONAL PORTRAIT GALLERY, LONDRES

Livingstone, David (19 mar. 1813, Blantyre, Escocia–1 may. 1873, Chitambo, Barotseland [actual Zambia]). Misionero y explorador escocés de África. De origen obrero, estudió teología y medicina en Glasgow antes de ser ordenado (1840) y de decidirse a trabajar en África para explorar el interior con fines colonizadores, difundir el Evangelio, y abolir el comercio de esclavos. En 1842 había llegado más al norte de la frontera de la Colonia de El Cabo que cualquier otro hombre blanco. Fue el primer europeo en llegar al lago NGAMI (1849) y el primero en arribar a LUANDA desde el interior (1854). Descubrió y bautizó a las cataratas VICTORIA (1855), viajó a través del continente hasta el este de Mozambique (1856, 1862), exploró la región del lago MALAWI (1861–63), descubrió los lagos MWERU y BANGWEULU (1867), y llegó más al este del lago Tanganyika (o Tanganica) que cualquier expedición anterior (1871). Su intento de descubrir la fuente del Nilo (1867–71) no tuvo éxito. Cuando fue hallado por HENRY MORTON STANLEY en 1871, su salud estaba quebrantada; rehusó irse, y en 1873 fue encontrado muerto por sus ayudantes africanos. Compiló un conjunto de material científico –geográfico, técnico, médico y social– que tomó décadas examinar. Durante su vida estimuló por doquier la imaginación de los pueblos anglohablantes y fue exaltado como una de las grandes figuras de la civilización británica.

Livonia Región histórica en la costa oriental del mar Báltico, al norte de Lituania. Habitada originalmente por los livonios, pueblo ugrofinés, se fue expandiendo hasta incluir casi la totalidad de las actuales Letonia y Estonia. En el s. XIII fue conquistada y evangelizada por la Orden de los Caballeros Portaespadas y fue organizada en Confederación de Livonia. Una invasión rusa hizo estallar la guerra de Livonia (1558–82), durante la cual Rusia, Polonia y Suecia se apoderaron de partes de la región, después de lo cual Suecia ganó el control de la mayoría de ella, pero la cedió a Rusia en 1721. En 1918, la zona norte pasó a formar parte de la Estonia independiente y la zona sur se unió a la Letonia independiente.

Livorno *inglés* **Leghorn** Ciudad (pob., est. 2001: 148.143 hab.) de la región de TOSCANA, junto al mar de Liguria, en el centro de Italia. Originalmente un pueblo de pescadores, en 1421 la ciudad perteneció a Florencia. COSME DE MÉDICIS inició la construcción del puerto de los Médicis en el s. XVI, y en tiempos de Fernando I de Toscana (1549–1609) la ciudad se convirtió en un centro para refugiados. En el s. XVIII, Leopoldo II amplió el puerto y otorgó privilegios a los mercaderes extranjeros. En 1860, Livorno se integró al Reino de Italia. Es uno de los puertos más grandes del país, desarrolla extensas actividades comerciales y tiene un gran astillero naval. Entre los lugares de interés histórico se encuentran una catedral y un fuerte del s. XVI.

lixiviación En geología, pérdida de sustancias solubles y coloides de la capa superior del suelo por percolación de la precipitación. Los materiales se infiltran en el suelo y generalmente son redepositados en una capa inferior. Este transporte da origen a una capa superior porosa y abierta y una capa inferior densa y compacta. En zonas de extensa lixiviación, el remanente de cuarzo y de hidróxidos de hierro, manganeso y aluminio forma la LATERITA y BAUXITA. En dichas áreas la rápida acción bacteriana tendrá como resultado la ausencia de HUMUS en el suelo, debido a que el material vegetal caído es oxidado y los productos del proceso desaparecen por lixiviación.

Ljubljana *alemán* **Laibech** Ciudad (pob., est. 2002: 257.338 hab.) y capital de ESLOVENIA. Situada a orillas del río Ljubljanica, está rodeada por los ALPES dináricos septentrionales. Antigua ciudad romana de Emona en el s. I AC, fue destruida en el s. V DC y reconstruida por los eslavos con el nombre de Luvigana. En el s. XII pasó a manos de Carniola y en 1277 quedó en poder de los HABSBURGO. Conquistada por los franceses en 1809, se convirtió en la sede administrativa de las provincias de ILIRIA, hasta 1813, y en capital del reino de Iliria desde 1816 hasta 1849. Durante el reinado austríaco fue el centro del nacionalismo esloveno, y en 1918 pasó a formar parte del Reino de los serbios, croatas y eslovenos (más tarde Yugoslavia). Continuó siendo la capital del país después de la independencia de Eslovenia, en 1992. Es un centro ferroviario y comercial, y sede de la Universidad de Ljubljana (fundada en 1595).

Llama (*Lama glama*).
© ENCYCLOPÆDIA BRITANNICA, INC.

llama Camélido sudamericano domesticado (ver ALPACA), criado en manadas en Bolivia, Perú, Ecuador, Chile y Argentina. La llama (*Lama glama*) se usa principalmente como animal de carga, pero también como fuente de alimento, lana, cuero, sebo para velas y estiércol seco para combustible. Una llama de 113 kg (250 lb) puede llevar una carga de 45–60 kg (100–130 lb) y viajar 25–30 km (15–20 mi) diariamente. Puede subsistir con poca agua y una amplia variedad de materias vegetales. Aunque suele ser blanca, puede ser completamente negra o marrón, y también blanca con manchas color negro o marrón. Es mansa, pero cuando se la sobrecarga o maltrata, sisea, escupe, patea y rehúsa moverse. No se la conoce en estado salvaje y parece haber sido criada a partir del GUANACO durante la civilización incásica (ver INCA) o antes.

llamarada solar Brillo intenso y repentino de una pequeña parte de la superficie del SOL, a menudo cerca de un grupo de MANCHAS SOLARES. Las llamaradas se desarrollan en unos pocos minutos y pueden durar varias horas, liberando intensos rayos X y corrientes de partículas energéticas. Parecen tener relación con los cambios en los campos magnéticos del Sol durante el CICLO SOLAR. Las partículas expulsadas demoran un día o dos en alcanzar la proximidad de la Tierra, donde pueden perturbar las comunicaciones radiales y producir AURORAS, y también pueden representar un riesgo de radiación nociva para los astronautas.

Llandrindod Wells Ciudad (pob., 1991: 4.362 hab.) y centro administrativo del condado de Powys, condado histórico de Radnorshire, en el este de Gales. Gracias a sus aguas medicinales descubiertas c. 1696, en el s. XIX se convirtió en un famoso balneario. Este decayó después de la segunda guerra mundial y cerró en la década de 1960, pero lo reinauguraron en 1983. Hacia el noroeste se encuentran las ruinas de un fuerte romano.

Llano Estacado Meseta en el sudeste del estado de Nuevo México, en el oeste de Texas y el noroeste de Oklahoma, EE.UU. Ocupa una superficie de aprox. 78.000 km² (30.000 mi²) y es una altiplanicie semiárida con uno que otro charco formado por agua lluvia. Su suelo admite pastoreo, cultivo de secano de granos y cultivo de regadío para la producción algodonera. También es importante la explotación de petróleo y gas natural. LUBBOCK y AMARILLO son las ciudades más importantes del estado de Texas.

Vista del lago Llanquihue, rodeado de bosques frondosos, Chile.
FOTOBANCO

Llanquihue, lago Lago de la región de Los Lagos, en el sur de Chile. Uno de los más extensos del país con una superficie de 860 km² (330 mi²), tiene 35 km (22 mi) de largo y 40 km (25 mi) de ancho. A la distancia se elevan algunos volcanes, como el Osorno, y detrás de ellos, en la frontera con Argentina, se encuentra el monte Tronador (3.554 m [11.660 pies]). En sus costas hay balnearios y otros sitios de interés, destacando las ciudades de Puerto Varas y Frutillar.

llantén *o* **plantago** Cualquiera de unas 265 especies de MALEZAS del género *Plantago* de la familia Plantaginaceae, comunes en jardines, prados y a la vera de los caminos. Se caracterizan por las hojas que carecen de un limbo propiamente tal. Lo que parece ser el limbo es un pecíolo ensanchado (tallo foliar), con varios nervios paralelos, que sale de la base del tallo. Tiene florecillas que se dan en espigas o cabezuelas en el ápice de largos tallos áfilos. El llantén mayor (*P. major*) da espigas con semillas que se usan como alimento para pájaros.

El llantén menor (*P. lanceolata*) y el mediano (*P. media*) son malezas problemáticas. Algunas especies han sido útiles en medicina (p. ej., como ingrediente en laxantes).

llanura abisal ver PLANICIE ABISAL

Llanura, la *francés* **la Plaine**
En la REVOLUCIÓN FRANCESA, los diputados de centro en la CONVENCIÓN NACIONAL. Constituyeron la mayoría de la asamblea y fueron decisivos para la aprobación de cualquier medida. Su nombre provenía de su ubicación en el piso de la asamblea; encima de ellos se sentaban los miembros de la Montaña o MONTAÑESES. Dirigidos por EMMANUEL-JOSEPH SIEYÈS, la Llanura inicialmente votó junto a los moderados GIRONDINOS, pero más tarde se unió a los montañeses para aprobar la ejecución de LUIS XVI. En 1794 ayudaron a derrocar a MAXIMILIEN DE ROBESPIERRE y a otros jacobinos radicales (ver club de los JACOBINOS).

Llantén mayor (*Plantago major*).
© ENCYCLOPÆDIA BRITANNICA, INC.

llanuras, indio de las Miembro de varias tribus norteamericanas que antes habitaban las GRANDES LLANURAS de EE.UU. y el sur de Canadá. Considerados en la actualidad como los típicos indígenas norteamericanos, eran esencialmente cazadores de animales grandes, entre los cuales el búfalo era fuente fundamental de alimento, abrigo (vestimenta, vivienda) y herramientas. Desde el s. XVI en adelante y hasta ser sustituidos por los colonos blancos ocupaban extensas llanuras, entre el río Mississippi y las montañas Rocosas, en territorios de EE.UU. y Canadá. Es una vasta pradera que se extiende desde el norte de Alberta y Saskatchewan en Canadá hasta la frontera de Texas en el río Bravo, por el sur. Forman parte de este grupo los ARAPAJÓS, ASSINIBOINES, CHEYENES, COMANCHES, CREE de las llanuras, CROWS, HIDATSAS, KIOWAS, MANDANS, OSAGES, PAWNEES, PIES NEGROS y SIOUX.

llave ver CLAVE

llave de mecha Dispositivo para detonar la PÓLVORA en un arma, inventado en el s. XV. Fue el primer sistema detonante mecánico y representó un avance importante en la fabricación de armas portátiles. Consistía en un brazo con forma de S, llamado serpentín, que sujetaba una mecha, y un dispositivo de gatillo, que hacía descender al serpentín de modo que la mecha encendida inflamara la pólvora del cebo o polvorín de la cazoleta al costado del cañón. La llamarada en la cazoleta penetraba por un pequeño agujero en el cañón (el oído) y encendía la carga principal. A pesar de que su empleo era lento y un tanto torpe, la llave de mecha fue útil porque protegía todos los elementos operacionales en su interior y dejaba al usuario con la mano libre. Entre las armas más antiguas con llave de mecha figura el MOSQUETE.

llave de pedernal Sistema detonante de disparo de armas de fuego desarrollado a principios del s. XVI. Sustituyó a la LLAVE DE MECHA y a la LLAVE DE RUEDA, y permaneció en uso hasta mediados del s. XIX. Su versión más exitosa, la verdadera llave de pedernal, se inventó en Francia en el s. XVII. Cuando se apretaba el gatillo, una acción de resorte hacía que el rastrillo (pieza acerada y rayada) golpeara contra el pedernal esparciendo chispas sobre la cazoleta con el cebo o polvorín; la pólvora encendida del cebo inflamaba a su vez la carga principal en el ánima, impulsando la bala esférica.

llave de rueda Dispositivo para detonar la pólvora en armas de fuego como el MOSQUETE. Desarrollada c. 1515, la llave de rueda hacía saltar chispas para inflamar la pólvora del cebo de la cazoleta de un mosquete, mediante un sostenedor que mantenía presionada una lasca de pedernal, o una pieza de pirita de hierro, contra una rueda de acero de canto estriado; la rueda giraba y se desprendían chispas. El principio se usó en el diseño del encendedor de cigarrillos de pedernal y rueda. Ver también LLAVE DE PEDERNAL.

llave de tuerca Herramienta, a menudo operada en forma manual, para apretar tuercas y pernos. La llave de tuerca se compone básicamente de una palanca con una muesca en uno o en ambos extremos para agarrar la cabeza del perno o la tuerca de manera de hacerla girar aplicando sobre la palanca una fuerza en ángulo recto con los ejes de la palanca y del perno o tuerca. Las llaves de boca tienen extremos con muescas cuya forma calza con la pieza que se está apretando; las llaves con extremo cerrado rodean la tuerca y tienen forma de estrella con seis, ocho, 12 ó 16 puntas. La llave de tuerca de boca tubular es esencialmente un tubo corto con un agujero cuadrado o hexagonal en un extremo que calza con la tuerca y un mango fijo o removible.

Llewelyn ap Gruffydd (m. 11 dic. 1282, cerca de Builth, Powys, Gales). Príncipe de Gales (1258–77). A partir de 1255, príncipe de GWYNEDD en Gales del Norte; intentó extender su dominio por todo el país y se proclamó príncipe de Gales en 1258. Combatió a los señores feudales ingleses de Gales del Sur (1262) y se alió con SIMÓN DE MONTFORT, opositor de ENRIQUE III. Sin embargo, tras la muerte de Montfort, firmó un tratado donde reconoció a Enrique como su señor (1267). Se rebeló contra EDUARDO I, pero fue derrotado por este en 1277. Murió en una última rebelión en 1282 y pronto Gales quedó enteramente bajo dominio inglés.

Llewelyn ap Iorwerth *llamado* **Llewelyn el Grande** (m. 11 abr. 1240, Aberconway, Gwynedd, Gales). Príncipe de Gales. Nieto de un poderoso príncipe galés, cuando niño fue exiliado de GWYNEDD, en Gales del Norte, pero regresó en 1194 y depuso a su tío. En 1202 obtuvo el control de la mayor parte del norte de Gales. Aunque se casó con la hija del rey JUAN (sin Tierra), este invadió Gales cuando la autoridad de Llewelyn había llegado demasiado lejos (1211). Pronto recuperó sus territorios y se alió con los barones opositores a Juan. El rey ENRIQUE III de Inglaterra reconoció sus dominios en la mayor parte de Gales (1218), pero en 1223 Llewelyn fue obligado a retirarse al norte.

Lloyd George de Dwyfor, David Lloyd George, conde (17 ene. 1863, Manchester, Inglaterra–26 mar. 1945, Tynewydd, cerca de Llanystumdwy, Caernarvonshire, Gales). Primer ministro británico (1916–22). Ingresó al parlamento en 1890 como liberal y retuvo su escaño durante 55 años. Fue ministro de comercio (1905–08), luego canciller del Exchequer (ministro de hacienda) (1908–15). El rechazo a su controvertido "presupuesto popular" (que financiaría programas sociales con alza de impuestos) en 1909 por la Cámara de los Lores, llevó a una crisis constitucional y a la aprobación de la ley del PARLAMENTO DE 1911. Concibió la ley del seguro nacional de 1911, que sentó las bases del ESTADO BENEFACTOR británico. Como ministro de municiones (1915–16), utilizó métodos poco ortodoxos para asegurar que los pertrechos de guerra estuvieran disponibles durante la primera guerra mundial. En 1916 reemplazó a H.H. ASQUITH como primer ministro, con el apoyo de una coalición de gobierno que integró a los conservadores. Su pequeño gabinete de guerra aseguró rápidas decisiones. Desconfiado de la competencia del alto mando británico, permaneció constantemente enfrentado al gral. DOUGLAS HAIG. En las elecciones de 1918 su decisión de prolongar una coalición de gobierno dividió aún más al PARTIDO LIBERAL. Fue uno de los tres grandes estadistas responsables de la firma del tratado de VERSALLES en la conferencia de paz de PARÍS. Comenzó las negociaciones que culminaron en el tratado anglo-irlandés de 1921. Renunció en 1922 y con posterioridad encabezó un Partido Liberal debilitado (1926–31).

Lloyd Webber, Andrew *post.* **barón Lloyd Webber**
(n. 22 mar. 1948, Londres, Inglaterra). Compositor británico.
Estudió en Oxford y en el Royal College of Music. Su primera colaboración con el libretista Tim Rice (n. 1944), *Joseph and
the Amazing Technicolor Dreamcoat* (1968) fue seguida de la
"ópera rock" *Jesucristo superestrella* (1971), que mezcló formas clásicas con la música rock. Su última colaboración importante fue *Evita* (1978). Las obras eclécticas de Lloyd Webber,
basadas en el rock, contribuyeron a revitalizar el teatro musical. Tanto en Londres como en Nueva York, su musical *Cats*
(1981), basado en poemas de T.S. ELIOT, se convirtió en el musical que estuvo más tiempo en cartelera. Más tarde colaboró
en *Starlight Express* (1984), *El fantasma de la ópera* (1986) y
Sunset Boulevard (1993), entre otras obras escénicas. Se le otorgó el título de caballero en 1992 y fue ennoblecido en 1996.

Lloyd, Chris Evert ver Chris EVERT

Lloyd, Harold (20 abr. 1893, Burchard, Neb., EE.UU.–
8 mar. 1971, Hollywood, Cal.). Comediante de cine estadounidense. En 1913 comenzó a actuar en cortos cómicos y posteriormente, como parte del grupo de actores de MACK SENNETT,
sobresalió en las cómicas escenas
de persecución. Luego se unió a
la compañía cinematográfica de
HAL ROACH y creó el personaje
Lucky Luke, popular en películas
como *Just Nuts* (1915). En 1918
desarrolló su característico personaje de cara blanca con anteojos
redondos, y fue conocido por
transformar el riesgo físico en un
acontecimiento cómico. Además
ejecutó osadas acrobacias en sus
escenas, como cuando se colgó
a gran altura de las manecillas
de un reloj en *El hombre mosca*
(1923), o al recibir una embes-
tida de fútbol americano al suplir
un maniquí en *Estudiante novato*

Harold Lloyd.
FOTOBANCO

(1925). Durante la década de 1920 fue la estrella mejor pagada
y en 1952 obtuvo un premio especial de la Academia.

Lloyd's of London Asociación londinense comercializa-
dora de seguros y especializada en servicios de seguros de
alto riesgo. Su historia data de 1688, cuando comerciantes,
marineros y aseguradores de riesgos marítimos se reunían a
hacer negocios en una cafetería que Edward Lloyd poseía en
Londres. Finalmente, esos aseguradores formaron una asociación de seguros marítimos (se constituyó como sociedad en
1871). En 1911 se diversificó para incorporar otras formas de
seguros. Después de una serie de escándalos financieros, la
entidad fue reorganizada conforme a la ley Lloyd's de 1982.
Actualmente, Lloyd's está conformada por más de 20.000
miembros individuales organizados en varios cientos de agrupaciones representadas en Lloyd's por agentes aseguradores.
La responsabilidad por las pérdidas es asumida por los miembros individuales de cada una de las agrupaciones y no por la
sociedad. Antes de sufrir las pérdidas sin precedentes de las
décadas de 1980–90, que provocaron la bancarrota de algunos
de sus miembros, la responsabilidad que estos debían asumir
por los negocios que se realizaban en su nombre era ilimi-
tada, pero en 1993 se estableció que era limitada. Ver también
SEGURO, seguro de RESPONSABILIDAD CIVIL.

Llull, Ramon *español* **Raimundo Lulio** (1232/33, Ciudad
de Mallorca, Mallorca–1315/16, Túnez o cerca de Mallorca).
Místico, poeta y misionero español (catalán). Se formó en la
corte de Mallorca, donde escribió poesía trovadoresca lírica.
Viajó después extensamente para tratar de convertir a los musulmanes al cristianismo; se dice que fue apedreado hasta morir en Bejaia. Como filósofo, es conocido principalmente como

inventor del "arte de encontrar la verdad", el cual, concebido
primordialmente para apoyar a la Iglesia en su obra misionera,
podía prestarse también para unificar todas las ramas del conocimiento. En su obra principal, *Ars magna* (1305–08), Llull
intentó representar todas las formas del conocimiento, entre
ellas la teología, la filosofía y las ciencias naturales, como manifestaciones análogas de la esencia divina en el universo. Sus
escritos influyeron en el misticismo neoplatónico europeo a lo
largo del medievo e inicios de la era moderna. En la cultura
catalana, sus novelas alegóricas *Blanquerna* (c. 1284) y *Félix*
(c. 1288) gozan de gran popularidad; también es conocido por
un tratado sobre caballería, sus fábulas de animales y una enciclopedia del pensamiento medieval.

lluvia PRECIPITACIÓN de gotas de agua con diámetros mayores
que 0,5 mm (0,02 pulg.). Cuando las gotas son menores, la
precipitación es usualmente llamada llovizna. Las gotas de
lluvia se pueden formar por la unión de gotas de agua menores
o por el derretimiento de copos de nieve y otras partículas
de hielo a medida que caen a través del aire tibio cercano al
suelo. El monte Waialeale en Hawai es el punto más lluvioso
de la Tierra, con una precipitación anual, sobre un promedio
de 20 años, de 11.700 mm (460 pulg.); las áreas más secas
están en zonas desérticas donde nunca se ha observado lluvia
apreciable. Menos de 250 mm (10 pulg.) y más de 1.500 mm
(60 pulg.) por año representan los valores extremos de lluvia
aproximada para todos los continentes.

lluvia ácida Cualquier precipitación, incluida nieve, que
contenga una alta concentración de ácidos SULFÚRICO y NÍTRI-
CO. Esta forma de contaminación es un problema medioam-
biental serio en las grandes zonas urbanas e industriales de
Norteamérica, Europa y Asia. Los automóviles, ciertos procesos industriales y las plantas de energía eléctrica que queman
COMBUSTIBLES FÓSILES emiten gases dióxido de azufre y óxido
nítrico a la atmósfera, donde se combinan con vapor de agua
en las nubes para formar ácido sulfúrico y nítrico. La precipitación de muy elevada acidez de estas nubes puede contami-
nar lagos y arroyos, dañando peces y otras especies acuáticas;
perjudicar la vegetación, como cultivos agrícolas y árboles; y
corroer el exterior de edificios y otras estructuras (los monumentos históricos son especialmente vulnerables). Aunque a
menudo la lluvia ácida es más severa en grandes áreas urbanas
e industriales, también puede ocurrir a grandes distancias de la
fuente contaminante.

lluvia meteórica Entrada a la atmósfera terrestre de múltiples meteoroides (también llamados estrellas fugaces) (ver
METEORO), los cuales cruzan el cielo en trayectorias paralelas, por lo general durante varias horas o incluso días. La
mayoría de las lluvias meteóricas provienen de material liberado durante el paso de un COMETA cerca del Sol, y ocurren de
manera periódica cada vez que la Tierra atraviesa la trayectoria orbital del cometa. Las lluvias meteóricas se bautizan
normalmente con el nombre de la constelación o estrella de
donde parecen proceder (p. ej., Leonidas por la constelación
de Leo). La mayoría de las lluvias se ven como si fueran sólo
algunas decenas de meteoros por hora, pero en ocasiones la
Tierra cruza una concentración muy densa de meteoroides,
como la gran lluvia meteórica Leonidas de 1833, en la cual se
vieron cientos de miles de meteoros en una sola noche sobre
toda Norteamérica.

Loanda ver LUANDA

Lobachevski, Nikolái (Iványovich) (1 dic. 1792, Nizhny
Novgorod, Rusia–24 feb. 1856, Kazán). Matemático ruso.
Toda su vida giró en torno a la Universidad de Kazán, donde
estudió y enseñó desde 1816. En 1829 publicó su teoría pionera, una geometría que negaba el postulado de las PARALELAS
de EUCLIDES. Fue la solución final a un problema que había des-
concertado a los matemáticos durante 2.000 años. Lobachevski
también realizó un destacado trabajo en la teoría de la serie

infinita, especialmente en las series trigonométricas, así como también en CÁLCULO INTEGRAL, ÁLGEBRA y PROBABILIDADES. Fue en gran medida ignorado durante su vida; la aceptación de su nueva geometría ocurrió una década después de su muerte, aunque gran parte del crédito recayó en otros. Lobachevski es considerado el fundador de la GEOMETRÍA NO EUCLIDIANA, junto con János Bolyai de Hungría (n. 1802–m. 1860).

Lobamba Ciudad (pob. est., 1995: 10.000 hab.) y capital legislativa de Swazilandia. Situada cerca de MBABANE, es una zona rural muy poblada. Según las costumbres tradicionales SWAZI, es la residencia de la reina Madre y, por lo tanto, el hogar espiritual de la nación swazi. Alberga los edificios del parlamento y la residencia oficial del rey.

lobby Todo intento de un grupo o persona de influir en las decisiones del gobierno. El término tiene su origen en los esfuerzos que se hacían en el s. XIX para influir en el voto de los legisladores, generalmente en un pasillo (*lobby*) de la cámara legislativa. El procedimiento puede consistir en una apelación directa a la persona que toma las decisiones, ya sea en el ejecutivo o legislativo, o puede ser en forma indirecta (p. ej., tratando de influir en la opinión pública). Puede consistir en intentos orales o escritos de persuasión, aportes a las campañas políticas, campañas de relaciones públicas, estudios proporcionados a los comités legislativos, y un testimonio formal ante dichos comités. Las personas que hacen *lobby* pueden ser miembros de un grupo de interés, profesionales dispuestos a representar a un grupo cualquiera, o personas particulares. En EE.UU., la ley federal sobre regulación del *lobby* (1946) exige que las personas que hacen *lobby* y los grupos que representan se registren y den cuenta de sus aportes y gastos.

lobelia Cualquiera de varias especies perennes muy emparentadas del género *Lobelia*, familia de las LOBELIÁCEAS, originarias de Norte y Centroamérica. Todas dan espigas de flores escarlata y labiadas en tallos foliados que llegan a 1,5 m (5 pies) de altura. Las *L. cardinalis* y *L. splendens*, consideradas como una sola especie por algunos expertos, son más altas que

Lobelia escarlata (*L. cardinalis*).
© ENCYCLOPÆDIA BRITANNICA, INC.

la *L. fulgens*, originaria de Centroamérica, especie parental de la lobelia escarlata de jardín. La lobelia de Virginia (*L. siphilitica*) es más baja que las otras y tiene flores azules o blanquecinas.

Lobeliáceas Familia que contiene unas 750 especies de angiospermas repartidas en 25 géneros. Algunas se cultivan por sus atractivas flores bilabiadas. En zonas montañosas de África existen especies con forma de poste y de árboles vellosos. La familia incluye la lobelia escarlata (ver LOBELIA), lobelia de Virginia (*L. siphilitica*) y el tabaco indio (*L. inflata*). Usada otrora para fumar, hoy se considera venenosa por los ALCALOIDES eméticos de sus raíces.

Lobengula (c. 1836, Mosega, Transvaal–ene. 1894, cerca de Bulawayo, Rhodesia). Segundo y último rey de la nación sudafricana NDEBELÉ. Hijo del fundador del reino ndebelé, Mzilikazi, lo sucedió en el trono en 1870 tras un período de guerra civil. Intentó formar una alianza con los británicos, para lo cual les otorgó primero concesiones agrícolas (1886) y luego mineras (1888). No satisfecha con eso, la British South Africa Co., dirigida por CECIL RHODES, emprendió una expedición militar que destruyó el reino ndebelé en 1893. Ver también KHAMA III.

lobero irlandés ver LEBREL IRLNDÉS

lobo Cualquiera de tres especies vivientes de CÁNIDO. El lobo gris (*Canis lupus*) es el antepasado de todos los perros domésticos. Solía tener la distribución más amplia de todos los mamíferos a excepción del ser humano, pero ahora habita prin-

Lobo gris (*Canis lupus*).
© ENCYCLOPÆDIA BRITANNICA, INC

cipalmente en Canadá, Alaska, los Balcanes y Rusia. Los lobos son inteligentes y sociales. Predan básicamente venados, alces y caribúes, aunque también se alimentan de muchos animales pequeños. Los rancheros y granjeros los han perseguido por matar ganado. Un lobo gris macho puede medir 2 m (7 pies) de largo y pesar hasta 80 kg (175 lb); es el cánido salvaje viviente de mayor tamaño. Los lobos grises viven en manadas jerarquizadas, cuyos territorios cubren al menos 100 km² (38 mi²) y cazan mayormente de noche. El lobo rojo (*C. rufus*), mucho más pequeño, que solía tener una amplia presencia en el centro-sur de EE.UU., ha sido criado en cautiverio y reaclimatado. El lobo abisinio (*C. simensis*), de Etiopía, fue considerado otrora un chacal. Ver también LOBO TERRIBLE.

lobo de Tasmania MARSUPIAL extinto, esbelto y de cara zorruna (*Thylacinus cynocephalus*, familia Thylacinidae), de 100–130 cm (40–50 pulg.) de largo. Era marrón amarillento, con bandas oscuras en el lomo y la grupa. Cazaba al anochecer ualabis y aves. La hembra llevaba la cría en una marsupia poco profunda. Su distribución otrora incluía el continente australiano y Nueva Guinea, pero en épocas históricas la competencia con el DINGO lo hizo desaparecer del continente y lo confinó a Tasmania. Los habitantes europeos de Tasmania lo cazaron para proteger sus ovejas; el último ejemplar conocido murió en cautiverio en 1936.

lobo marino fino Cualquiera de nueve especies de FOCAS con pabellones auditivos, apreciadas por su pelaje, en especial la piel interna de color castaño. Los lobos marinos viven en grupos y se alimentan de peces y otros animales. Los cazadores de pieles casi los extinguieron y la mayoría de las especies está ahora protegida por ley. El lobo marino fino del norte (*Callorhinus ursinus*) es un habitante migratorio de los mares septentrionales. El macho es marrón oscuro, tiene una melena grisácea, crece hasta unos 3 m (10 pies) de largo y pesa unos 300 kg (650 lb). La hembra, gris oscura, es bastante más pequeña. Las ocho especies de lobos marinos finos del sur (género *Arctocephalus*) están presentes en el hemisferio sur y en la isla Guadalupe, México. De piel marrón o negro, promedian los 1,2–1,8 m (4–6 pies) de largo.

lobo terrible LOBO extinto (*Canis dirus*) que vivió durante el PLEISTOCENO (1,8 millones–10.000 años atrás), quizá el mamífero más común de los que se encuentran conservados en los fosos de alquitrán de LA BREA TAR PITS, Cal., EE.UU. Difería del lobo moderno por tener un tamaño mayor, cráneo más macizo, cerebro más pequeño (probablemente de menor inteligencia) y patas de relativa ligereza. La especie estaba muy difundida; se han encontrado restos de esqueletos en Florida y el valle del Mississippi, EE.UU., así como en el valle de México.

lobotomía Procedimiento quirúrgico por el cual se seccionan las vías nerviosas de uno o más lóbulos del ENCÉFALO, separándolos de otras zonas. Fue introducida en 1935 por ANTÓNIO EGAS MONIZ y Almeida Lima, aplicándose en pacientes con trastornos mentales graves. De aplicación preferente en pacientes que no respondían a la TERAPIA ELECTROCONVULSIVA, reducía la agitación, pero a menudo causaba mayor apatía y pasividad, incapacidad para concentrarse y merma de las respuestas emocionales. Se usó ampliamente hasta c. 1956, cuando aparecieron medicamentos más eficaces para calmar a los pacientes. Las lobotomías ya no se realizan; sin embargo, la psicocirugía (la extirpación quirúrgica de regiones cerebrales específicas) se emplea ocasionalmente para tratar pacientes cuyos síntomas no responden a todos los demás tratamientos.

Locarno, pacto de (1925) Tratado multilateral firmado en Locarno, Suiza, que tenía por propósito garantizar la paz en Europa occidental. Sus signatarios fueron Bélgica, Gran Bretaña, Francia, Alemania e Italia. Las fronteras de Alemania con Francia y con Bélgica según el tratado de VERSALLES fueron declaradas inviolables, no así sus fronteras orientales. Gran Bretaña prometió defender Bélgica y Francia. El tratado comprendió también pactos de defensa mutua entre Francia y Polonia y entre Francia y Checoslovaquia. El pacto de Locarno llevó a la salida de las tropas aliadas de RENANIA en 1930, cinco años antes de lo programado. Ver también pacto KELLOGG-BRIAND.

locha de playa ver DÓLAR DE ARENA

Lochner, Stefan (c. 1400, Meersburg am Bodensee, Obispado de Constanza–1451, Colonia). Pintor alemán. Se desconocen los inicios de su vida, pero puede haber estudiado en los Países Bajos antes de establecerse en Colonia c. 1430, dada la evidente influencia flamenca en la minuciosidad de sus detalles. La influencia de JAN VAN EYCK se observa en *La adoración de los magos*, su retablo para la gran catedral de Colonia. Sin embargo, Lochner agregó su propia observación naturalista y su magistral sentido del color y del diseño. Conocido por sus pinturas religiosas de elevado contenido místico, es considerado el principal representante de la escuela de Colonia.

Locke, John (29 ago. 1632, Wrington, Somerset, Inglaterra–28 oct. 1704, Oates, Essex). Filósofo inglés. Educado en Oxford, principalmente en medicina y ciencia, fue médico y consejero del futuro 3er conde de SHAFTESBURY (1667–72). Se trasladó a

John Locke, c. 1850.
FOTOBANCO

Francia, pero después de la caída de Shaftesbury en 1683 huyó a los Países Bajos, donde apoyó al futuro GUILLERMO III. Regresó a Inglaterra después de la REVOLUCIÓN GLORIOSA (1688), donde se lo nombró comisionado de apelaciones, cargo que mantuvo hasta su muerte. En su obra filosófica más importante, *Ensayo sobre el entendimiento humano* (1690), sostuvo que el conocimiento comienza en la sensación o introspección más que en las ideas innatas, como afirmaban los filósofos del RACIONALISMO. La mente recibe "ideas" de la sensación y la reflexión, ideas que son el material del conocimiento. Algunas ideas representan cualidades reales de los objetos (como tamaño, forma o peso) y otras, cualidades percibidas, que no existen en los objetos excepto en cuanto afectan al observador (como color, gusto u olor); Locke llamó a las primeras cualidades "primarias" y "secundarias" a estas últimas. Las ideas que son dadas directamente en la sensación o reflexión son simples, y las ideas simples pueden ser "compuestas" para formar ideas complejas. Locke no pudo dar una explicación clara acerca del origen de la idea de sustancia (es "un no-sé-qué") o de la idea de "yo", aunque su explicación de la identidad personal en términos de la memoria ejerció bastante influencia. En la filosofía del lenguaje, identificó el significado de las palabras con ideas en vez de cosas. En sus dos *Tratados sobre el gobierno civil* (1690), defendió una doctrina de los derechos naturales y una concepción de la autoridad política en cuanto limitada y dependiente del cumplimiento de la obligación del gobernante de servir el bien público. Formulación clásica de los principios del LIBERALISMO político, esta obra influyó en las revoluciones francesa y estadounidense y en la Constitución de los ESTADOS UNIDOS DE AMÉRICA. Locke es considerado fundador del EMPIRISMO británico.

Lockheed Martin Corp. Empresa estadounidense diversificada; una de las mayores fabricantes de la industria aeroespacial en el mundo. Se creó en 1995 por la fusión de la Lockheed Corp. (constituida en 1926 bajo la razón social Lockheed Aircraft Co.) y la Martin Marietta Corp. (constituida en 1961 por la fusión de Martin Co. y American-Marietta Co.). Durante la segunda guerra mundial, la Lockheed creó una división secreta ("Skunk Works") que se convirtió en líder en desarrollo de aviones militares (p. ej., el avión caza F-104, los aviones espías U-2 y SR-71, y el caza furtivo F-117A). A principios de la década de 1970, la empresa enfrentó problemas financieros asociados a la producción del reactor comercial TriStar L-1011, por lo que recibió una significativa ayuda del gobierno estadounidense para rescatarla de la bancarrota. Los trabajos de desarrollo de misiles de la Lockheed dieron origen a los sistemas de misiles balísticos Polaris, Poseidón y TRIDENT, lanzados desde submarinos. Entre sus actividades en el sector espacial estuvo la construcción e integración de los sistemas del telescopio espacial HUBBLE. A principios de la década de 1990, en sociedad con la BOEING CO., celebró un contrato para construir el caza furtivo F-22 Raptor (vuelo inaugural en 1997). El principal negocio de la empresa Martin Co. después de la segunda guerra mundial fue el desarrollo de cohetes (p. ej., el cohete TITÁN) y de sistemas electrónicos para el gobierno de EE.UU. Posteriormente, bajo la razón social Martin Marietta, construyó los vehículos VIKING que se posaron en Marte y la nave espacial Magallanes enviada a Venus. Además diseñó y fabricó el tanque externo de combustible del TRANSBORDADOR ESPACIAL. A mediados de la década de 1990, la Lockheed Martin Corp. y las firmas rusas ENERGÍA y Khrunichev formaron una sociedad en participación –International Launch Services– con el objeto de comercializar los servicios de lanzamiento espacial.

locomoción En los animales, acción y efecto de desplazarse de un punto a otro. Se clasifica como apendicular (lograda con apéndices especiales) o axial (conseguida por cambios de la forma corporal). Los protozoos acuáticos se mueven con apéndices flagelados o ciliados, o bien con pseudopodios, unos apéndices pediculados. Otras formas de locomoción acuática son ambulación con patas (algunos ARTRÓPODOS), reptación (por contracción de músculos corporales, fijación al sustrato y posterior extensión) y natación, ya sea por hidropropulsión (p. ej., AGUA VIVA) u ondulación (PECES). Los artrópodos y VERTEBRADOS terrestres se mueven por medio de apéndices articulados, las patas. Las serpientes y otros vertebrados ápodos reptan por medio de impulsos musculares contra el sustrato. El vuelo se logra por la propulsión de las ALAS.

locomotora Vehículo autopropulsado empleado para impulsar o arrastrar vagones por las vías férreas. A partir de 1803, RICHARD TREVITHICK fabricó locomotoras de vapor experimentales en Gales e Inglaterra. La primera locomotora de vapor útil, la *Rocket*, fue desarrollada en 1829 por GEORGE STEPHENSON, cuyo sistema de "chorro de vapor" hacía que el vapor proveniente de una caldera multitubo impulsara pistones conectados a un par de ruedas motrices provistas de pestaña. La primera locomotora de vapor estadounidense fue construida por JOHN STEVENS en 1825, y la primera locomotora de uso comercial, la *Tom Thumb*, en 1830, por PETER COOPER, en Baltimore. Mejoras posteriores han permitido que una locomotora arrastre hasta 200 vagones a 120 km/h (75 mi/h). La principal fuente de energía hasta mediados del s. XX fue el

Locomotora de vapor.
STOCKXPERT

vapor producido por quema de madera o carbón, a pesar de que la energía eléctrica había sido usada desde comienzos del s. XX, especialmente en Europa. Después de la segunda guerra mundial los MOTORES DIÉSEL reemplazaron al vapor por su mayor eficiencia y menor costo, aunque también se emplearon combinaciones diésel-eléctrica y turbina de gas-eléctrica.

Locria Antigua ciudad de la MAGNA GRECIA, en la costa oriental del extremo sudoeste de Italia. Fundada por los griegos c. 680 AC, fue la primera comunidad griega que contó con un código de leyes escritas, el código de Locri (c. 660 AC). Estableció colonias y se opuso a la intervención ateniense durante la guerra del PELOPONESO. Su inconstancia le significó ser conquistada por Roma en 205 AC y destruida por los musulmanes sicilianos en 915.

Perséfone llevada al averno, placa de terracota del santuario de Perséfone en Locria, primera mitad del s. V AC; Museo Nazionale di Taranto, Italia.
LEONARD VON MATT—EB INC.

Lodge, Henry Cabot (5 jul. 1902, Nahant, Mass., EE.UU.–27 feb. 1985, Beverly, Mass.). Político y diplomático estadounidense. Nieto del sen. HENRY C. LODGE, se desempeñó en el Senado (1937–44, 1947–52) y como representante de su país ante la ONU (1953–60). En 1960 fue el candidato republicano a la vicepresidencia con RICHARD NIXON. Durante la década de 1960 ocupó el cargo de embajador de EE.UU. en Vietnam del Sur y en la República Federal de Alemania. En 1969 fue el negociador principal de su país en las conversaciones de paz con Vietnam del Norte, en París. Más adelante fue enviado especial ante el Vaticano.

Lodge, Henry Cabot (12 may. 1850, Boston, Mass., EE.UU.–9 nov. 1924, Cambridge, Mass.). Político estadounidense. Recibió el primer grado de doctor en ciencia política que otorgó la Universidad de Harvard. Se desempeñó en la Cámara de Representantes y en el Senado entre 1893 y 1924. Apoyó la entrada de EE.UU. en la primera guerra mundial, pero se opuso a su participación en la SOCIEDAD DE NACIONES; en su calidad de presidente del comité de asuntos exteriores del Senado, demoró la aprobación del tratado de Versalles que establecía dicha Sociedad. Propuso modificaciones (las reservas Lodge) según las cuales se necesitaría la aprobación del Senado antes de que EE.UU. aceptara ciertas decisiones de la Sociedad. El pdte. WOODROW WILSON se negó a aceptar las modificaciones y el Senado rechazó el tratado.

Bancos de loess en la ribera del Huang He (o río Amarillo), China.
FOTOBANCO

Lodi, paz de (1454). Tratado entre Venecia y Milán que puso fin a la guerra de sucesión del ducado milanés en favor de FRANCESCO SFORZA. Reconoció a Sforza como gobernante de Milán y restituyó los territorios venecianos en la Italia septentrional, entre ellos Brescia y Bérgamo. También estipuló un pacto de defensa mutua durante 25 años para mantener las fronteras existentes y estableció una liga italiana. El tratado instauró un equilibrio de poder entre Venecia, Milán, Nápoles, Florencia y los Estados Pontificios y dio inicio a un período de relativa paz que perduró 40 años.

Łodz Ciudad (pob., est. 2001: 793.217 hab.) en el centro de Polonia. Situada al sudoeste de VARSOVIA, era una aldea en el s. XIV y se erigió como ciudad en 1423. El reino de Polonia, creado por el Congreso de Viena y gobernado por los rusos, la transformó en un centro de la industria textil en 1820, y hacia fines del s. XIX se había convertido en la principal ciudad polaca fabricante de telas de algodón. Fue ocupada por los alemanes durante la primera y la segunda guerra mundial. Actualmente es un centro cultural y la segunda ciudad más grande de Polonia.

loess Depósito no estratificado, geológicamente reciente, de material sedimentario y margoso de color ocre y tono amarillento, transportado principalmente por el viento. El loess es un depósito sedimentario compuesto en gran parte por granos del tamaño del limo, ligeramente cementados por carbonato de calcio. Por lo general es homogéneo y muy poroso; es atravesado por capilares verticales que permiten que el sedimento se fracture y forme farellones verticales.

Loesser, Frank (Henry) (29 jun. 1910, Nueva York, EE.UU.–28 jul.1969, Nueva York). Compositor libretista y poeta lírico estadounidense. Hijo de un profesor de piano, en 1936 se trasladó a Hollywood, donde trabajó con BURTON LANE, JULE STYNE, Jimmy McHughy y HOAGY CARMICHAEL. Sus canciones de la época de la segunda guerra mundial incluyen "Praise the Lord and Pass the Ammunition" y "What Do You Do in the Infantry?"; entre los éxitos de posguerra figuran "On a Slow Boat to China" y "Baby It's Cold Outside" (premio de la Academia en 1949). Su primer musical en Broadway fue *Where's Charley?* (1948; película, 1952). En 1950 montó *Guys and Dolls* (película, 1955), uno de los mejores musicales estadounidenses. Fue seguida de *The Most Happy Fella* (1956) y *How to Succeed in Business Without Really Trying* (1962, Premio Pulitzer). Entre sus obras para cine destaca la partitura de *Hans Christian Andersen* (1952).

Loewe, Frederick (10 jun. 1901, Berlín, Alemania–14 feb. 1988, Palm Springs, Cal., EE.UU.). Compositor estadounidense de origen alemán. Hijo de un tenor vienés, fue un niño prodigio del piano; a la edad de 13 años se convirtió en el solista más joven que se haya presentado con la Orquesta Filarmónica de Berlín. Estudió con FERRUCCIO BUSONI y Eugène d'Albert. Su canción "Katrina", escrita a la edad de 15 años, vendió más de un millón de copias. Al llegar a EE.UU. en 1924, compuso para revistas musicales de Broadway. En 1942 conoció a ALAN JAY LERNER; sus colaboraciones durante 18 años produjeron cinco comedias musicales clásicas. Las diferencias personales pusieron término a su asociación después de *Camelot* (1960), pero se reunieron para adaptar su película *Gigi* (1958) al teatro (1973) y para escribir canciones para la película *El principito* (1974).

Loewy, Raymond (Fernand) (5 nov. 1893, París, Francia–14 jul. 1986, Mónaco). Diseñador industrial estadounidense de origen francés. Luego de obtener un título avanzado en ingeniería eléctrica emigró, en 1919, a Nueva York, donde trabajó como ilustrador de modas y diseñador de vitrinas para tiendas por departamentos. Abrió su propia firma de diseño en 1929, y en las décadas de 1930–40 diseñó una variedad de productos domésticos con esquinas redondeadas y perfiles simplificados y "aerodinámicos". Un refrigerador que diseñó para Sears, Roebuck & Co. (1934) ganó el primer premio en la Exposición Internacional de París de 1937. En años posteriores, sus diseños altamente funcionales, aplicables a todo, desde locomotoras hasta dispensadores de gaseosas, ayudaron a configurar el diseño industrial estadounidense.

Löffler, Friedrich (August Johannes) (24 jun. 1852, Francfort del Oder, Prusia–9 abr. 1915, Berlín, Alemania). Bacteriólogo alemán. En 1884, en colaboración con Edwin Klebs (n. 1834–m. 1913), descubrió el organismo que causa la DIFTERIA. Simultáneamente con Émile Roux (n. 1853–m. 1933) y Alexandre Yersin (n. 1863–m. 1943), señaló la existencia de una toxina diftérica. Su demostración de que algunos animales son inmunes a la difteria fue fundamental para la labor de Emil von Behring en el desarrollo de las antitoxinas. Löffler descubrió también la causa de algunas enfermedades de porcinos e identificó, con Wilhelm Schütz, el organismo que produce la enfermedad equina de los muermos. Con Paul Frosch descubrió que la fiebre aftosa se debía a un virus (la primera vez que se descubrió que un virus era el agente de una enfermedad en los animales) y elaboró un suero contra él.

loft Espacio superior dentro de un edificio, a menudo abierto por un costado, usado para almacenaje u otros propósitos (p. ej., habitación, henil). El término también alude a uno de los pisos superiores de una fábrica, bodega o edificio, por lo general sin divisiones interiores y hoy en día convertido en residencia o estudio para artistas y gente joven. En los teatros, el *loft* es el sector situado encima y detrás del PROSCENIO.

Logan, James *orig.* **Tah-gah-jute** (c. 1725, probablemente en Shamokin, Pa., EE.UU.–1780, cerca del lago Erie). Jefe indio estadounidense. Hijo del jefe Shikellamy de los ONEIDAS, quien era amigo de James Logan (n. 1674–m. 1751), secretario de la colonia de Pensilvania. Se trasladó al valle del río Ohio, donde trabó amistad con los indios y los colonos blancos. En 1774, cuando su familia pereció masacrada por un traficante de la frontera, condujo incursiones indias a asentamientos blancos, en la guerra de LORD DUNMORE. No quiso participar en negociaciones de paz, sino que presentó sus quejas en un mensaje que fue conocido como el "Logan's Lament". Estuvo aliado con los británicos durante la guerra de la independencia de los Estados Unidos de América.

Logan, monte Pico de los montes SAN ELÍAS, en el sudoeste del Territorio del Yukón, Canadá, cerca del límite con Alaska. Alcanza los 5.951 m (19.524 pies) de altura y es la montaña más alta de Canadá y la segunda en Norteamérica, después del monte MCKINLEY. Se ubica en el parque nacional de Kluane, que ocupa una superficie de 22.000 km^2 (8.500 mi^2). Escalado por primera vez en 1925, debe su nombre a William Logan, fundador de la Geological Survey de Canadá.

logaritmo En matemática, potencia a la cual una base debe ser elevada para que el resultado sea un número dado (p. ej., el logaritmo en base 3 de 9, o log$_3$ 9, es 2, debido a que $3^2 = 9$). Se llama logaritmo común al logaritmo en base 10. Así, el logaritmo común de 100 (log 100) es 2, debido a que $10^2 = 100$. Los logaritmos en base e, de los cuales $e = 2.71828...$, llamados logaritmos naturales (ln), son especialmente útiles en cálculo. Los logaritmos fueron inventados para simplificar cálculos complicados, ya que los exponentes pueden sumarse o restarse para multiplicar o dividir sus bases. Estos procesos han sido simplificados con la incorporación de funciones logarítmicas en las calculadoras digitales y en las computadoras. Ver también JOHN NAPIER.

loggia Sala, galería o porche abierto a la intemperie por uno o más de sus costados. Evolucionó en las regiones costeras del Mediterráneo como una sala de estar, protegida del sol. Generalmente es una galería techada, con arcadas, situada en un piso alto con vista a un patio, aunque también puede ser una estructura independiente con arcadas o columnas. En la Italia medieval y renacentista se utilizó con frecuencia asociada con una plaza pública, como en la Loggia dei Lanzi de Florencia (comenzada en 1376).

lógica Estudio de inferencias y argumentos. Las inferencias pueden definirse como el paso gobernado por reglas desde una o más proposiciones, conocidas como premisas, a otra proposición, llamada conclusión. Una inferencia deductiva es aquella que postula ser válida, donde una inferencia válida es otra en que la conclusión debe ser verdadera si las premisas son verdaderas (ver DEDUCCIÓN; VALIDEZ). Todas las restantes inferencias son llamadas inductivas (ver INDUCCIÓN). En un sentido restringido, la lógica es el estudio de las inferencias deductivas. En un sentido aún más restringido, es el estudio de las inferencias que dependen de conceptos expresados por las "constantes lógicas", entre las cuales se cuentan: (1) conectivas proposicionales como "no" (simbolizado ¬), "y" (simbolizado ∧), "o" (simbolizado ∨), y "si-entonces" (simbolizado ⊃); (2) los cuantificadores existencial y universal, "(∃x)" y "(∀x)", a menudo expresados en la forma "Hay un *x* tal que..." y "Para cualquier (todo) *x*, ...", respectivamente; (3) el concepto de identidad (expresado por "= "), y (4) una noción de predicación. El estudio de las constantes lógicas en (1) se designa exclusivamente como CÁLCULO PROPOSICIONAL; el estudio desde (1) hasta (4) se conoce como CÁLCULO DE PREDICADO de primer orden con identidad. La forma lógica de una proposición es la entidad que resulta al remplazar por variables todos los conceptos no lógicos de la proposición. El estudio de las relaciones entre tales fórmulas no interpretadas recibe el nombre de lógica formal. Ver también LÓGICA DEÓNTICA; LÓGICA MODAL.

lógica deóntica Rama de la LÓGICA MODAL que estudia lo permitido, lo obligatorio y lo prohibido, caracterizados como modalidades deónticas (del griego, *deontos*: "de aquello que es obligatorio"). La lógica deóntica apunta a sistematizar las relaciones abstractas, puramente conceptuales, existentes entre las proposiciones de esta esfera, una de las cuales es la siguiente: si un acto es obligatorio, entonces su realización debe ser permitida y su omisión prohibida. En ciertas circunstancias, todo acto es tal que él o su omisión está permitido. La lógica modal deja a las disciplinas sustantivas como la ÉTICA y el DERECHO la cuestión concreta de determinar qué actos o estados de cosas específicos han de ser prohibidos, permitidos o lo uno y lo otro.

lógica difusa LÓGICA basada en el concepto de conjuntos difusos, en los cuales las membresías se expresan en probabilidades o grados de certeza variables, esto es, como un continuo de valores en el rango entre 0 (no ocurre) y 1 (definitivamente sucede). A medida que se recogen datos adicionales, algunos sistemas de lógica difusa son capaces de ajustar los valores de probabilidades asignados a diferentes parámetros. Dado que algunos de estos sistemas parecen capaces de aprender de sus errores, son a menudo considerados una forma primitiva de INTELIGENCIA ARTIFICIAL. El término y concepto datan de un artículo científico de Lofti A. Zadeh (n. 1921) escrito en 1965. Los sistemas de lógica difusa alcanzaron aplicaciones comerciales a inicios de la década de 1990. Por ejemplo, avanzadas lavadoras de ropa utilizan estos sistemas para detectar y adaptarse a patrones del movimiento de agua durante un ciclo del lavado, incrementando la eficiencia y reduciendo el consumo de agua. Otros productos que aplican la lógica difusa son grabadoras, hornos de microondas y lavavajillas. Otras aplicaciones comprenden SISTEMAS EXPERTOS, controles industriales autorregulados, y programas computarizados de reconocimiento de voz y escritura manual.

lógica, filosofía de la Estudio filosófico de la naturaleza y alcance de la LÓGICA. Ejemplos de problemas planteados en la filosofía de la lógica son: "¿En virtud de qué característica de la realidad son verdaderas las leyes de la lógica?"; "¿cómo conocemos las verdades de la lógica?"; y "¿pueden alguna vez las leyes de la lógica ser impugnadas por la experiencia?". La materia de estudio de la lógica ha sido caracterizada de diversos modos, entre ellos las leyes del PENSAMIENTO, "las reglas del razonamiento correcto", "los principios de la argumentación válida", "el uso de ciertas palabras llamadas constantes lógicas", o "las verdades basadas sólo en el significado de los términos que contienen".

lógica modal Sistema FORMAL que incorpora modalidades como NECESIDAD, posibilidad, imposibilidad, contingencia, IMPLICACIÓN estricta y otros conceptos íntimamente relacionados. La manera más directa de construir una lógica modal es agregar a un sistema de lógica no modal estándar un operador primitivo nuevo, destinado a representar una de las modalidades, definir otros operadores modales en términos de aquel y agregar axiomas y/o reglas de transformación que involucran esos operadores modales. Por ejemplo, se puede agregar el símbolo L, que significa "es necesario que", al CÁLCULO PROPOSICIONAL clásico; así, Lp se lee como "es necesario que p". El operador de posibilidad M ("es posible que") puede definirse en términos de L como Mp = ¬L¬p (donde ¬ significa "no"). Además de los axiomas y reglas de inferencia de la lógica proposicional clásica, tal sistema puede tener dos axiomas y una regla de inferencia propios. Algunos axiomas característicos de la lógica modal son: (A1) Lp ⊃ p y (A2) L(p ⊃ q) ⊃ (Lp ⊃ Lq). En este sistema la nueva regla de inferencia es la regla de necesitación: si p es un teorema del sistema, entonces también lo es Lp. Sistemas de lógica modal más fuertes pueden derivarse al agregar otros axiomas. Algunos añaden el axioma Lp ⊃ LLp; otros, el axioma Mp ⊃ LMp.

lógica polivalente Sistema FORMAL en que las fórmulas bien formadas se interpretan como capaces de adoptar valores distintos de los dos valores clásicos de verdad y falsedad. El número de valores posibles para fórmulas bien formadas en un sistema de lógica polivalente oscila entre tres y un número incontable.

logicismo En la filosofía de la MATEMÁTICA, la tesis de que todas las proposiciones matemáticas pueden ser expresadas como proposiciones de la LÓGICA pura o ser derivadas de estas. GOTTLOB FREGE intentó establecer la tesis en *Fundaciones de la aritmética* (1884) y otras obras; BERTRAND RUSSELL defendió el logicismo en *Los principios de la matemática* (1903) e intentó una prueba formal con ALFRED NORTH WHITEHEAD en *Principia Mathematica* (1910–13).

logística En ciencia militar, toda actividad de unidades de fuerzas armadas que actúan en apoyo de destacamentos de combate, como transporte, suministro, comunicaciones y servicio médico. El término, usado por primera vez por HENRI JOMINI, Alfred Thayer Mahan y otros, fue adoptado por las fuerzas armadas estadounidenses en la primera guerra mundial, y su uso se extendió a otras naciones en la segunda guerra mundial. La importancia de la logística creció en el s. XX con la complejidad cada vez mayor de la guerra moderna. La capacidad para efectuar movilizaciones a gran escala ha aumentado los requerimientos de suministros y provisiones, y una tecnología sofisticada ha incrementado los costos y complejidad del armamento, de los sistemas de comunicaciones y del cuidado médico, creando así la necesidad de una vasta red de sistemas de apoyo. En la segunda guerra mundial, por ejemplo, sólo alrededor de tres de cada diez soldados estadounidenses prestaron servicios en puestos de combate.

Logone, río Río del centro-norte de África. Afluente principal del río CHARI, situado en la cuenca del lago Chad en el África ecuatorial, el Logone recibe las aguas del nordeste de Camerún y Chad. Discurre hacia el noroeste a lo largo de 390 km (240 mi) hasta unirse con el Chari en N'DJAMENA, Chad. Según la estación del año, es navegable aguas abajo de Bongor por vapores pequeños.

logos (griego: "palabra", "razón", "plan"). En la filosofía y teología griegas, la razón divina que ordena el cosmos y le da forma y significado. El concepto se encuentra en los escritos de HERÁCLITO (s. VI AC), así como en los sistemas filosóficos y teológicos persas, indios y egipcios. Reviste gran importancia en la teología cristiana, donde se usa para describir el papel de JESÚS como el principio de Dios activo en la creación y el ordenamiento del cosmos y en la revelación del plan divino de salvación. Esto queda establecido con suma claridad en el evangelio de san JUAN EVANGELISTA, que identifica a Cristo como el Verbo (*logos*) hecho carne.

Logroño Ciudad (pob., 2001: 133.058 hab.), capital de la comunidad autónoma de La RIOJA, España. Sus orígenes se remontan a tiempos romanos; creció durante la Edad Media debido a su ubicación en la ruta de peregrinación a SANTIAGO DE COMPOSTELA. Es una antigua ciudad amurallada, que en la actualidad constituye el centro comercial de una región agrícola conocida por su vino de La Rioja.

Lohengrin Héroe caballeresco de las leyendas germánicas medievales. Era llamado el caballero del cisne porque llegó en un bote tirado por un cisne para socorrer a una noble dama en peligro. Se casó con ella, pero le hizo jurar no preguntar jamás por su origen; mas ella no cumplió su juramento y Lohengrin la abandonó para siempre. La primera versión de esta leyenda apareció c. 1210 en *Parzival* de WOLFRAM VON ESCHENBACH, en la que el caballero del cisne era el hijo y heredero de Parzival (PERCEVAL). La epopeya anónima del s. XV *Lorengel* sirvió de inspiración para la ópera *Lohengrin* (1850) de RICHARD WAGNER.

Torre del Castillo de los cisnes (Schwanenburg), Kleve, Alemania, vinculado con la leyenda de Lohengrin.
STIEF PICTURES, FRANCFORT

Loira, río *francés* **Loire** Río del sudeste de Francia. Es el más largo del país y fluye hacia el noroeste por 1.020 km (634 mi) hasta el golfo de VIZCAYA, al cual accede a través de un estuario cerca de Saint-Nazaire. Tiene diques que datan del s. XII y se utilizó en los siglos siguientes para transportar productos. El sistema de canales construido en los s. XVII y XVIII no es apto para embarcaciones modernas.

loka En el HINDUISMO, el universo o cualquier división particular de este. La división más común del universo es el *tri-loka* o tres mundos (cielo, Tierra y atmósfera, o cielo, mundo e inframundo), cada uno de los cuales está dividido en siete regiones. En ocasiones, en lugar del *tri-loka* se conciben 14 mundos: siete arriba de la Tierra y siete bajo ella. Cualquiera sea la división, ilustra el concepto hindú básico de los mundos ordenados jerárquicamente.

Loki En la mitología nórdica, timador que era capaz de cambiar de forma y sexo. Su padre era el gigante Fárbauti, pero figuraba entre los ASES, una tribu de dioses. Compañero de los grandes dioses ODÍN y THOR, colaboraba con sus ingeniosos planes, pero a veces los confundía. También aparecía como el enemigo de los dioses, entrando en sus banquetes sin invitación y exigiendo bebida. Después de causar la muerte del dios BALDR, fue atado a una roca como castigo. Creó una hembra, Angerboda, con quien engendró tres hijos malévolos: HEL, la diosa de la muerte; Jörmungand, la serpiente maligna que rodea el mundo; y Fenrir, el lobo.

Lo-lang ver NANGNANG

lolardos Seguidores de JOHN WYCLIFFE en Inglaterra durante el medievo tardío. La denominación peyorativa (del holandés medieval *lollaert*, "murmurador") se había aplicado anteriormente a los grupos europeos sospechosos de herejía. El primer grupo lolardo se circunscribió a algunos compañeros de Wycliffe en Oxford, encabezados por Nicolás de Hereford. En 1382, el arzobispo de Canterbury obligó a algunos lolardos de Oxford a renunciar a sus ideas, pero la secta continuó multiplicándose. El ascenso al trono de ENRIQUE IV en 1399 produjo una ola represiva. En 1414, ENRIQUE V aplastó rápidamente un levantamiento lolardo; esto produjo violentas represalias y marcó el fin de la abierta influencia política de este grupo. Resurgieron c. 1500, y en 1530 las antiguas fuerzas del movimiento lolardo y las nuevas del protestantismo comenzaron a unificarse. Su tradición predispuso favorablemente la opinión sobre la legislación anticlerical de ENRIQUE VIII. Fueron responsables de una traducción de la Biblia realizada por Nicolás de Hereford y entre sus enseñanzas centrales se encontraban el énfasis en la fe personal y la autoridad de la Biblia; además, rechazaban el celibato de los clérigos, la TRANSUSTANCIACIÓN y las INDULGENCIAS.

Lomax, John (23 sep. 1867, Goodman, Mississippi, EE.UU.–26 ene. 1948, Greenville, Miss.). Etnomusicólogo estadounidense. Estudió en la Universidad de Harvard y poco tiempo después comenzó a publicar colecciones de canciones vaqueras. En la década de 1930, él y su hijo adolescente Alan (n. 1915–m. 2002) coleccionaron canciones folclóricas del sudoeste y del este de EE.UU. JELLY ROLL MORTON, LEADBELLY y MUDDY WATERS fueron tal vez los más significativos entre sus varios descubrimientos importantes; el archivo de los Lomax con interpretaciones y narraciones de Morton fueron de una particular importancia. Ambos hombres realizaron una destacada labor en el Archivo de música folclórica de la Biblioteca del Congreso de EE.UU. Varios de sus libros y antologías estimularon el renacimiento de la MÚSICA FOLCLÓRICA en las décadas de 1950–60.

Lombard, Carole orig. **Jane Alice Peters** (6 oct. 1908, Fort Wayne, Ind., EE.UU.–16 ene. 1942, cerca de Las Vegas, Nev.). Actriz de cine estadounidense. Debutó en el cine en *A Perfect Crime* (1921) y desde 1925 actuó en cortometrajes cómicos. Protagonizó la clásica comedia burda *La comedia de la vida* (1934), que la consagró como una prominente actriz de comedias al develar una combinación única de encanto sofisticado con una sensual audacia. Actuó en una serie de populares comedias, como *Al servicio de las damas* (1936), *La reina de Nueva York* (1937), *Matrimonio original* (1941) y *Ser o no ser* (1942). En 1939 se casó con CLARK GABLE. Falleció en un accidente aéreo durante una gira que promocionaba la adquisición de bonos de guerra.

Carole Lombard, 1935.
FOTOBANCO

lombarda, Liga Liga italiana que durante los s. XII–XIII resistió los intentos de los emperadores del Sacro Imperio romano de restringir las libertades de las comunas lombardas en Italia septentrional. Fundada en 1167, tuvo el respaldo del papa ALEJANDRO III, quien la consideró una aliada contra el emperador FEDERICO I. Después de algunos reveses a manos de la liga, Federico fue obligado a garantizar la jurisdicción y las libertades comunales a las ciudades lombardas, en virtud de la paz de Constanza. La liga se renovó en 1226 y resistió los intentos de FEDERICO II de reafirmar el poder imperial en el norte de Italia.

Lombardi, Vince(nt Thomas) (11 jun. 1913, Brooklyn, N.Y., EE.UU.–3 sep. 1970, Washington, D.C.). Entrenador estadounidense de fútbol americano. Asistió a la Universidad Fordham, donde jugó en la famosa línea denominada "Siete bloques de granito". Como entrenador jefe y gerente general de los Green Bay Packers (1959–67), impuso un régimen de trabajo extenuante y condujo al equipo a cinco títulos de la NFL (1961, 1962, 1965, 1966 y 1967) y a la victoria en los Super Bowls I y II (1967 y 1968). Debido a su éxito, se convirtió en un símbolo nacional en cuanto a la determinación inclaudicable de vencer. En 1969, como técnico, gerente general y uno de los propietarios de los Washington Redskins, llevó a este equipo a su primera temporada victoriosa en 14 años.

Lombardía Región (pob., est. 2001: 8.922.463 hab.) septentrional de Italia. Limita al norte con Suiza y comprende varias cumbres alpinas y el fértil valle del río PO. Su capital es MILÁN. Habitada por los celtas desde el s. V AC, fue conquistada por Roma después de la segunda guerra PÚNICA y pasó a formar parte de la Galia cisalpina. En 568–774 DC fue el centro del reino de los lombardos. Durante la Edad Media, varias ciudades-estado formaron la Liga LOMBARDA en el s. XII y obtuvieron su autonomía al derrotar a FEDERICO I Barbarroja en 1176. Más tarde, la región fue gobernada por España (1535–1713), Austria (1713–96)

Limone, lago de Garda, Lombardía.
RAY RAINFORD/ROBERT HARDING WORLD IMAGERY/GETTY IMAGES

y Francia (1796–1814). En 1859, la Lombardía se integró a la recién unificada Italia. Es la región más poblada del país y abarca parte del triángulo industrial del norte donde se encuentran GÉNOVA, TURÍN y Milán.

lombardo Miembro de un pueblo germánico que desde 568 hasta 774 gobernó un reino situado en la región de LOMBARDÍA. Los lombardos, originalmente una tribu de pastores procedentes del noroeste de Germania, emigraron al sur y adoptaron un sistema militar imperial. En el s. VI se trasladaron al norte de Italia, donde conquistaron las ciudades indefensas después de la derrota infligida por el Imperio BIZANTINO a los OSTROGODOS. En el s. VIII, Liutprando, probablemente el más grande de los reyes lombardos, redujo en forma constante el territorio italiano que aún estaba en poder bizantino. Cuando los reyes lombardos invadieron los territorios pontificios, el papa Adriano I pidió ayuda a CARLOMAGNO. En 773 los francos sitiaron la capital lombarda y capturaron a su rey, Desiderio; Carlomagno se convirtió en rey de los lombardos y de los francos, poniendo fin al dominio lombardo en Italia.

Lombardo, Pedro (c. 1100, Novara, Lombardía–21/22 ago. 1160, París). Obispo y teólogo francés. Estudió en Bolonia y enseñó teología en la escuela de Notre-Dame, París. Fue consagrado obispo de París en 1159. Sus *Cuatro libros de sentencias* (1148–51), una recopilación sistemática de las enseñanzas de los padres de la Iglesia y las opiniones de algunos teólogos medievales, fueron el texto teológico clásico de la Edad Media. En esta obra, Pedro abordó todos los temas doctrinales, desde Dios y la Trinidad hasta las cuatro "cosas últimas" (muerte, juicio, infierno y cielo). Afirmó que los sacramentos son la causa y no solamente la señal de la gracia, y que los actos de los seres humanos pueden ser juzgados como buenos o malos, según su causa y propósito.

Lombok, isla Isla de Indonesia, una de las menores del archipiélago de la SONDA. El estrecho de Lombok la separa de BALI y el estrecho de Alas la separa de SUMBAWA. Tiene 115 km (70 mi) de extensión, 80 km (50 mi) de ancho y una superficie de 5.435 km² (2.098 mi²). La dividen dos cadenas montañosas; en la meridional se alza el monte Rindjani, el más alto del país (3.726 m [12.224 pies]). Fue gobernada por el sultán de Macasar en 1640. Más tarde, los balineses se apoderaron de Lombok y fundaron cuatro reinos; los holandeses gobernaron el reino de Mataram a partir de 1843 y a fines del s. XIX tomaron el control de toda la isla. Después de la segunda guerra mundial pasó a formar parte de Indonesia.

lombriz Cualquiera de más de 1.800 especies de GUSANOS terrestres, en particular los miembros del género *Lumbricus* (clase Oligochaeta del orden de los ANÉLIDOS). Las lombrices existen en todos los suelos del mundo con humedad y materia orgánica suficientes. La especie más común de EE.UU., *L. terrestris*, crece hasta unos 25 cm (10 pulg.), pero una especie australiana puede llegar a tener 3,3 m (11 pies) de largo. El cuerpo segmentado es ahusado en ambos extremos. Las lombrices comen organismos en descomposición y al hacerlo, ingieren tierra, arena y guijarros, lo que airea el suelo, facilita el drenaje y mejora el contenido de nutrientes edáficos para las plantas. Muchos animales comen lombrices.

Lomé Ciudad (pob., 1999: área metrop., 790.000 hab.), capital de Togo. Situada en el golfo de GUINEA, en el sudoeste de Togo, en 1897 fue escogida como la capital del protectorado alemán de Togolandia; desde entonces se desarrolló como centro administrativo y comercial. Su puerto de aguas profundas, modernizado en la década de 1960, es un importante centro de embarque transoceánico. En 1978 se inauguró en Lomé una refinería de petróleo. Es la sede de la Universidad de Benín (1965).

Loménie de Brienne, Étienne Charles de (9 oct. 1727, París, Francia–19 feb. 1794, Sens). Eclesiástico y ministro de finanzas francés (1787–88) antes de la REVOLUCIÓN FRANCESA. Incapaz de hacer frente a la creciente crisis financiera, renunció en favor de JACQUES NECKER. Nombrado arzobispo de Sens y luego cardenal (1788), fue uno de los pocos prelados que prestó juramento a la CONSTITUCIÓN CIVIL DEL CLERO (1790). Falleció en prisión durante el período del TERROR.

Lomond, lago Lago de Escocia en el extremo meridional de las Highlands (Tierras Altas). Es el más grande del país, con una extensión de 39 km (24 mi), entre 1,2 y 8 km (0,75 a 5 mi) de ancho y una superficie de 70 km² (27 mi²). Desagua a través del corto río Leven en el estuario de CLYDE, en Dumbarton. Su ribera oriental, cerca de Ben Lomond, es la región que hizo famosa el proscrito ROB ROY.

Mijaíl Vasílievich Lomonósov, detalle de una pintura al óleo; Museo M.V. Lomonósov, San Petersburgo.
PHOTO LAROUSSE

Lomonósov, Mijaíl Vasílievich (19 nov. 1711, cerca de Jolmogori, Rusia–15 abr. 1765, San Petersburgo). Científico, poeta y gramático ruso, considerado el primero de los grandes reformadores del idioma ruso. Educado en Rusia y Alemania, Lomonósov estableció los que serían los estándares del verso ruso en su *Carta sobre las reglas de la versificación rusa*. En 1745 se incorporó a la facultad de la Academia imperial de ciencias de San Petersburgo, donde realizó contribuciones sustanciales en el campo de las ciencias físicas. Posteriormente escribió una gramática rusa y colaboró en la sistematización del lenguaje literario ruso, que hasta entonces había sido una amalgama entre el eslavo eclesiástico y el ruso vernacular. Además, reorganizó la academia, fundó la Universidad de Moscú (que ahora lleva su nombre) y fue el creador de los primeros coloridos mosaicos de cristal en Rusia.

Lon Nol (13 nov. 1913, Prey Vêng, Camboya–17 nov. 1985, Fullerton, California, EE.UU.). Militar y líder político camboyano. Magistrado en el servicio colonial francés, fue en forma sucesiva jefe de la policía nacional (1951), jefe del estado mayor del ejército (1955) y comandante en jefe (1960). Se desempeñó como primer ministro en dos ocasiones (1966–67, 1969–70) durante el gobierno de NORODOM SIHANUK. En 1970 fue el artífice del golpe de Estado, respaldado por EE.UU., que depuso a Sihanuk. Abandonó la política de neutralidad de Sihanuk con respecto a la guerra de Vietnam y puso a Camboya del lado de EE.UU. y Vietnam del Sur. En 1972 asumió el poder total en Camboya; en 1975 huyó a EE.UU. cuando la toma del poder por parte del JMER ROJO era inminente.

lona Tela gruesa hecha a partir de CÁÑAMO y fibras de LINÁCEAS, que desde tiempos ancestrales se ha usado para la fabricación de velas de barco. Más recientemente también se ha elaborado de fibras de estopa, YUTE O ALGODÓN, o la combinación de estas. La lona linácea es de urdimbre (ver TEJEDURA) doble y siempre se emplea para trabajos duros. Entre los productos fabricados de lona figuran los bolsos para cámaras fotográficas y palos de golf, zapatillas, tiendas de campaña y bolsas para el correo. Las lonas alquitranadas se utilizan para proteger objetos o productos. Las telas para pintura artística son de una lona mucho más liviana que la de navegación; las lonas de mejor calidad están compuestas de fibra de lino blanqueada.

London Ciudad (pob., 2001: área metrop., 432.451 hab.) en el sudeste de Ontario, Canadá. Situada a orillas del río Thames, cercana a los GRANDES LAGOS, su nombre y ubicación fueron escogidos en 1792 para instalar la capital del Alto Canadá, pero ese proyecto no se concretó. Fundada primero en 1826, quedó establecida oficialmente como ciudad en 1855. Debido a su situación geográfica, se convirtió en un importante centro industrial y de transporte. Es la sede de la Universidad de Western Ontario.

London Company Empresa comercial británica creada en 1696 por concesión real de JACOBO I, con el fin de colonizar la costa del este estadounidense. Sus accionistas tenían su domicilio en Londres. Tres barcos con 120 colonizadores y JOHN SMITH a la cabeza llegaron a Virginia en 1607 y fundaron JAMESTOWN. La empresa amplió su territorio con nuevas concesiones (1609, 1612) y autorizó un poder legislativo de dos cámaras (1619), una de ellas la Cámara de los BURGUESES. La colonia prosperó, pero la empresa se dividió debido a conflictos internos, y en 1624 se disolvió, con lo que Virginia se convirtió en colonia real. Ver también PLYMOUTH COMPANY.

London, Jack *orig.* **John Griffith Chaney** (12 ene. 1876, San Francisco, Cal., EE.UU.–22 nov. 1916, Glen Ellen, Cal.). Novelista y cuentista estadounidense. Nacido en la pobreza, fue en gran medida un autodidacta, y ejerció diversos oficios y actividades: marinero, vagabundo, minero del oro en Alaska y militante socialista. Su primer libro, *El hijo del lobo* (1900), y el cuento "To Build a Fire" (1908) tuvieron gran aceptación del público. De ahí en adelante se dedicó por completo a la literatura. Entre sus más de 50 libros de ficción y no ficción, muchos de los cuales incluyen románticos retratos de la lucha elemental por la supervivencia así como opúsculos socialistas, destacan *El llamado de la selva* (1903), *El lobo de mar* (1904), *Colmillo blanco* (1906), *El talón de hierro* (1907), *Martin Eden* (1909), *Relatos de los mares del sur* (1911) y *John Barleycorn* (1918), obra autobiográfica sobre su batalla contra el alcoholismo. Aunque su obra le prodigó rique-

Jack London escribiendo *El lobo de mar*, 1904.

JACK LONDON STATE HISTORIC PARK, CALIFORNIA, EE.UU.

zas y fama, London se suicidó a los 40 años de edad, alcoholizado y agobiado por numerosas deudas.

Londonderry *históricamente* **Derry** Distrito (pob., 2001: 105.066 hab.) en el noroeste de Irlanda del Norte. También es el nombre de un antiguo condado, colonizado por los ingleses en 1609, que luego de la reorganización administrativa de 1973 se dividió en varios distritos, entre ellos Londonderry. Limita con la República de Irlanda y el lago Foyle, y se concentra en torno a la ciudad portuaria de LONDONDERRY. La antigua ciudad y la zona adyacente se fusionaron administrativamente en 1969, y en 1973 pasó a ser uno de los 26 distritos de Irlanda del Norte.

Londonderry *históricamente* **Derry** Puerto marítimo (pob., est. 1995: est.: 77.000 hab.) y capital del distrito de LONDONDERRY, Irlanda del Norte. En el s. VI, san COLUMBA estableció un monasterio en el poblado, pero este fue destruido repetidamente por los vikingos. En 1600, una fuerza inglesa tomó la ciudad y poco tiempo después JACOBO I de Inglaterra la cedió a los habitantes de Londres, quienes enviaron colonos protestantes. Fue así como adquirió oficialmente el nombre de Londonderry. La ciudad empezó a crecer en la década de 1850, gracias a la confección de camisas de lino, y la fabricación de prendas de vestir continúa siendo una industria de primera importancia. Sede de dos catedrales, una anglicana y otra católica, ha sido escenario de violencia terrorista. Por estar inmersa en la agitación política de la región, existe una controversia en torno al nombre de la ciudad. El gobierno británico se refiere oficialmente a la ciudad y al distrito como Londonderry, pero desde 1984 el concejo municipal, controlado por los nacionalistas, se denomina a sí mismo Derry City Council (Concejo municipal de Derry).

Londres *inglés* **London** Capital y principal ciudad (pob., 2001: 7.172.036 hab.) del Reino Unido, en el sudeste de Inglaterra, a orillas del TÁMESIS. Es el centro político, industrial, cultural y financiero del país. Designado oficialmente condado del Gran Londres (creado en 1965), cubre una superficie de 1.706 km² (659 mi²) y consta de dos regiones: los distritos urbanos interiores, que comprenden 13 de los 33 municipios londinenses (incluida la *City*, antigua ciudad de Londres), y los distritos urbanos exteriores, que abarcan los otros 20 municipios. El Gran Londres es una entidad administrativa, con su propio alcalde y concejo municipal. Los romanos fundaron la ciudad con el nombre de Londinium en el s. I DC y pasó a manos de los sajones en el s. VI. Sus fortificaciones fueron destruidas por los daneses, que invadieron Inglaterra en 865, pero más tarde se reconstruyeron. GUILLERMO I (el Conquistador) creó la parte central de la fortaleza conocida como Torre de LONDRES. Los reyes normandos eligieron Westminster como su sede de gobierno, y EDUARDO EL CONFESOR mandó edificar la iglesia conocida como la abadía de WESTMINSTER. La ciudad más grande de Europa al norte de los Alpes en

1085, fue azotada por la PESTE NEGRA en 1348–49. El comercio aumentó en forma significativa a mediados del s. XVI, impulsado por la creación del Imperio británico de ultramar. En 1664–65 la gran peste provocó la muerte de unos 70.000 londinenses y en 1666 el gran incendio de LONDRES consumió casi la totalidad de la *City*, que más tarde se reconstruyó (ver CHRISTOPHER WREN). Fue el centro del comercio mundial desde fines del s. XVII hasta 1914. Inauguró el primer tren eléctrico subterráneo del mundo en 1890. Resultó seriamente dañada por los bombardeos alemanes durante la batalla de INGLATERRA de la segunda guerra mundial, pero una vez más fue reconstruida y creció rápidamente en el período de posguerra. Algunos de sus sitios de interés son el palacio de BUCKINGHAM, la TATE GALLERY, la National Gallery, el MUSEO BRITÁNICO y el museo VICTORIA Y ALBERTO.

Londres, Bolsa de Valores de Mercado de VALORES de Londres. Fue creada en 1773 por un grupo de corredores de bolsa que hacía negocios de manera informal en cafeterías locales. En 1801, sus miembros reunieron dinero para la construcción de un edificio en Bartholomew Lane. Al año siguiente establecieron el reglamento de la Bolsa. En 1973 se fusionó con varias bolsas de valores regionales de Gran Bretaña. En 1991 reemplazó su consejo directivo por un directorio y se transformó en sociedad anónima en comandita.

Londres, conferencia naval de (21 ene.–22 abr. 1930). Conferencia llevada a cabo en Londres para debatir el desarme naval y examinar los tratados de la conferencia de WASHINGTON. Re-presentantes de Gran Bretaña, EE.UU., Francia, Italia y Japón acordaron regular la guerra submarina y establecer límites a la construcción de nuevos cruceros, destructores, submarinos y otras naves de guerra. No se firmó un tratado para limitar la dimensión de los acorazados, y los tratados renovados en 1935 se cancelaron al estallar la segunda GUERRA MUNDIAL.

Londres, gran incendio de (2–5 sep. 1666). El peor incendio en la historia de Londres. Destruyó gran parte de la ciudad: la mayoría de los edificios públicos, la catedral de SAINT PAUL, 87 parroquias y cerca de 13.000 viviendas. Comenzó en forma accidental en la residencia del panadero del rey en Pudding Lane, cerca del puente de Londres, cuando un viento del este avivó las llamas. Al cuarto día las viviendas fueron destruidas con pólvora para dominar el fuego. El Támesis se colmó de embarcaciones con personas que trataban de salvar sus bienes; algunos huyeron a las colinas de Hampstead y Highgate, pero la mayoría de los londinenses sin residencia se establecieron en Moorfields.

Londres, gran peste de (1664–66). Epidemia que devastó Londres y cobró la vida a más de 70.000 londinenses, de una población total estimada en 460.000 personas. Ya en 1625, 40.000 londinenses habían muerto a causa de la peste anterior, pero esta fue la peor y última de las epidemias. La mayor parte de la devastación se produjo en las afueras de la ciudad, en zonas densamente pobladas, donde los pobres vivían hacinados. Si bien la enfermedad se extendió a lo largo del país, entre 1667–79 aparecieron sólo casos esporádicos. La declinación de la peste se atribuye a varias causas, entre ellas al gran incendio de LONDRES. La descripción que hizo DANIEL DEFOE en su *Diario del año de la peste* (1722) ofrece un valioso cuadro de la época.

El Ojo de Londres, rueda gigante de 135 m de altura conmemorativa del segundo milenio.

ARCHIVO EDIT. SANTIAGO

Londres, puente de Cualquiera de las sucesivas construcciones que existieron para cruzar el Támesis. El antiguo puente de Londres, que dio origen a la canción de cuna, fue levantado por Peter de Colechurch entre 1176 y 1209, en reemplazo de un puente de madera. Debido a problemas en la construcción de las ataguías, la luz de los arcos varió entre 4,6 y 10,4 m (15 y 34 pies). Debido a esta estructura irregular, el puente requirió frecuentes reparaciones; aún así, sobrevivió más de 600 años. Su calzada estaba repleta de viviendas y tiendas, muchas de ellas sobresaliendo sobre el río. Fue demolido y reemplazado cerca de 1820 por el "puente nuevo de Londres", diseñado y construido por John Rennie padre (n. 1761–m. 1821) y su hijo del mismo nombre (n. 1794–m. 1874). En la década de 1960 fue reemplazado nuevamente. El puente de revestimiento de albañilería fue desarmado y vuelto a reedificar en Lake Havasu City, Ariz., EE.UU., como atracción turística.

El famoso puente de la Torre de Londres atraviesa el río Támesis en el centro de la ciudad, Inglaterra.
STOCKXPERT

Londres, Torre de Fortaleza real situada en la ribera septentrional del Támesis. El torreón central, conocido como la torre Blanca por su piedra caliza, fue comenzado c. 1078 por GUILLERMO I en los intramuros de la ciudad romana. Durante los s. XII–XIII las fortificaciones se extendieron en los extramuros, y la torre Blanca se convirtió en el núcleo de una serie de defensas concéntricas. La única entrada por tierra se encuentra en la esquina surponiente; cuando el río era una gran vía de comunicación, la compuerta del s. XIII se usaba constantemente. Su apodo, Puerta de los traidores, proviene de los prisioneros que la atravesaron para ser llevados a la torre, utilizada por mucho tiempo como prisión estatal; muchos fueron asesinados o ejecutados allí.

Londres, tratado de (abril de 1915). Tratado secreto entre Italia (por entonces neutral) y las fuerzas aliadas de Francia, Gran Bretaña y Rusia para incorporar a Italia a la primera guerra mundial. Los aliados deseaban la participación italiana debido a sus fronteras con Austria. Se le prometió la devolución de Trieste, Tirol meridional, Dalmacia septentrional y otros territorios a cambio del compromiso de entrar a la guerra en el plazo de un mes. A pesar de la oposición de la mayoría de su población, favorable a la neutralidad, Italia se unió a la guerra contra Austria-Hungría en mayo.

Londres, Universidad de Federación de más de 50 instituciones británicas de educación superior, ubicada principalmente en Londres, Inglaterra. Fue fundada en 1828 por disidentes liberales y religiosos y admitía católicos, judíos y otros no anglicanos. Los primeros dos *colleges* (colegios universitarios) fueron el University College y el King's College. A partir de 1849, un estudiante inscrito en cualquier universidad del Imperio británico podía obtener un título en la Universidad de Londres tras rendir un examen. A comienzos del s. XX, muchas instituciones se habían afiliado a la universidad, incluidos el Bedford College, la primera universidad británica en aceptar estudiantes de sexo femenino; la London School of Economics and Political Science, actualmente un centro de estudios de ciencias sociales de prestigio internacional, y otras tres instituciones que más tarde se transformaron en el Imperial College of Science and Technology.

Long Beach Ciudad (pob., 2000: 461.522 hab.) en el sudoeste del estado de California, EE.UU. Originalmente un campamento de intercambio comercial indígena, durante el s. XVIII era parte de haciendas españolas. Diseñada con el nombre de Willmore City en 1881, se constituyó legalmente en 1888; debe su nombre actual a su playa de 13,5 km (8,5 mi). En 1921, el descubrimiento de petróleo en una zona cercana condujo a un rápido crecimiento. En 1933 un terremoto provocó grandes daños. Está conectada al puerto de LOS ÁNGELES por el canal Cerritos y en el lugar hay un apostadero y un astillero. El transatlántico británico *Queen Mary* se encuentra atracado en el puerto desde 1969.

Long Island Isla (pob., 2000: 7.448.618 hab.) en el sudeste de Nueva York, EE.UU. Se ubica entre el estrecho de LONG ISLAND y el océano Atlántico. Tiene cuatro condados: Kings, Queens, Nassau y Suffolk. El condado de Kings (distrito de BROOKLYN) y el condado de Queens (distrito de QUEENS) forman parte de la ciudad de NUEVA YORK. En su extremo occidental se encuentra separada del BRONX y MANHATTAN por el EAST RIVER y de STATEN ISLAND por el río Narrows. Con una extensión de 190 km (118 mi), y 19–37 km (12–23 mi) de ancho, ocupa una superficie de 3.629 km² (1.401 mi²). Su parte oriental tiene muchas playas y es un área recreacional. Su costa meridional surcada por bancos de arena (ver FIRE ISLAND) contiene varias ensenadas, como la bahía de JAMAICA. Originalmente estuvo habitada por indígenas (principalmente delaware), y fue parte de una concesión otorgada a la PLYMOUTH CO. Fue colonizada por holandeses e ingleses, pero en 1664 la isla completa pasó a ser parte de la colonia británica de Nueva York. En ella se libró la batalla de Long Island (27 ago. 1776), una de las derrotas estadounidenses en la guerra de independencia de los ESTADOS UNIDOS DE AMÉRICA.

Long Island, estrecho de Masa de agua entre la ribera meridional del estado de Connecticut y la ribera septentrional de LONG ISLAND, Nueva York, EE.UU. Conecta con el East River y el estrecho de Block Island. Ocupa una superficie de 3.056 km² (1.180 mi²) y tiene una extensión de 145 km (90 mi) por 5–32 km (3–20 mi) de ancho. En sus orillas se sitúan condominios residenciales y centros vacacionales.

Long, Huey (Pierce) (30 ago. 1893, cerca de Winnfield, La., EE.UU.–10 sep. 1935, Baton Rouge, La.). Político estadounidense. Pese a que se crió en la pobreza, logró recibir educación suficiente como para titularse de abogado en 1915. Con ambiciones políticas, a los 25 años de edad fue elegido comisionado de ferrocarriles del estado. Exigió una reglamentación estadual de los servicios públicos y atacó a la Standard Oil Company, alcanzando una gran popularidad. Como gobernador (1928–31) de Luisiana, se hizo célebre en todo el país por su oratoria encendida y su comportamiento informal; su apodo de Kingfish fue muy conocido. Ejecutó proyectos de obras públicas y de reforma educacional, pero empleó métodos autocráticos para controlar el gobierno federal. Elegido al Senado de EE.UU. (1932–35), procuró alcanzar preponderancia nacional con un programa de riqueza compartida. En 1935 lo asesinó Carl A. Weiss, a cuyo padre había difamado.

Huey Long.
UPI

Algún tiempo después, su hermano Earl K. Long (n. 1895–m. 1960) fue también gobernador (1939–40, 1948–52, 1956–60).

Long, Richard (n. 2 jun. 1945, Bristol, Inglaterra). Artista británico. Estudió en el West of England College of Art y en el St. Martin's School of Art. En la década de 1960 inició una serie de esculturas en diversos materiales y comenzó a desarrollar sus característicos *earthworks*, donde vinculó la naturaleza con el arte. Estas obras se basaban en la idea de la fugacidad, tema que se convirtió en el motivo central de su obra posterior. La obra de Long se caracteriza por utilizar grandes extensiones de terreno al aire libre, constituyéndose como uno de los principales representantes del LAND ART. También emplea elementos de la naturaleza en forma metafórica –como piedras o palos recolectados durante sus caminatas–, para construcciones en general circulares colocadas directamente sobre el suelo o los muros de los espacios de exhibición.

Longfellow, Henry Wadsworth (27 feb. 1807, Portland, Mass., EE.UU.–24 mar. 1882, Cambridge, Mass.). Poeta estadounidense. Se graduó en Bowdoin College y viajó por Europa antes de incorporarse a las facultades de lenguas modernas de Bowdoin (1829–35) y Harvard (1836–54). Con su libro *Voces de la noche* (1839), que incluye "El salmo de la vida" y "La luz de las estrellas", comenzó su popularidad. *Baladas* (1841), que incluye "El naufragio del Hésperos" y "El guerrero del pueblo", tuvo un éxito apoteósico en todo el país, el que se repitió con su largo poema *Evangeline* (1847). Gracias a *Hiawatha* (1855), *La petición de mano de Miles Standish* (1858) y *Cuentos de una hostería* (1863), que incluye "El viaje de Paul Revere", se convirtió en el poeta más popular de EE.UU. durante el s. XIX. Luego tradujo la *Divina Comedia* de DANTE (1867) y publicó una trilogía sobre el cristianismo, *Christus* (1872), pretendida obra maestra del autor. Su lírica sobresale por la simplicidad, la dulzura y una visión idealizada del mundo.

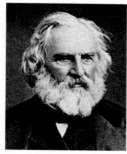

Henry Wadsworth Longfellow.
HISTORICAL PICTURES SERVICE, CHICAGO, EE.UU.

Longhi, Pietro orig. **Pietro Falca** (1702, Venecia–8 may. 1785, Venecia). Pintor italiano. Hijo de un orfebre veneciano, estudió pintura en Bolonia, y de ahí en adelante se hizo conocido por sus escenas de la vida cotidiana de la clase alta y la burguesía de Venecia. Sus pinturas, populares por su encanto y aparente ingenuidad, tienen un sentido ROCOCÓ de lo íntimo, y expresan el interés por la observación social, característico de la ILUSTRACIÓN. También pintó paisajes y retratos.

longitud ver LATITUD Y LONGITUD

longitud, área y volumen Medidas dimensionales de los objetos geométricos de una, dos o tres dimensiones, respectivamente. Las tres son magnitudes que representan el "tamaño" de un objeto. La longitud es el tamaño de un segmento de RECTA (ver FÓRMULA DE DISTANCIA), el área representa el tamaño de una región cerrada en el plano, y el volumen corresponde al tamaño de un sólido. Las fórmulas para el área y el volumen se basan en longitudes. Por ejemplo, el área de un CÍRCULO es igual a π veces el cuadrado de la longitud de su radio, y el volumen de una caja rectangular es el producto de sus tres dimensiones lineales: longitud, ancho y altura.

longitud de onda Distancia entre puntos correspondientes a la misma fase en dos ciclos consecutivos de una onda periódica. "Puntos correspondientes" se refiere a dos puntos o partículas que han completado fracciones idénticas de su MOVIMIENTO PERIÓDICO. En particular, en ondas elásticas (vibración de un medio elástico) transversales, la longitud de onda se puede medir de máximo a máximo o de mínimo a mínimo.

En las longitudinales elásticas se puede medir de compresión a compresión o de rarefacción a rarefacción. La longitud de onda, λ, es igual a la velocidad *v* de propagación de la onda en un medio, dividida por su FRECUENCIA *f*, o $\lambda = v/f$.

longitud de una curva Concepto geométrico tratado por el CÁLCULO INTEGRAL. Los métodos para calcular longitudes exactas de segmentos rectos y arcos de círculos se conocen desde tiempos antiguos. La GEOMETRÍA ANALÍTICA permite que ellos sean enunciados como fórmulas que involucran coordenadas (ver sistema de COORDENADAS) de puntos y medidas de ángulos. El CÁLCULO proveyó una manera de encontrar la longitud de una curva, descomponiéndola en segmentos rectos o arcos de círculos cada vez más pequeños. El valor exacto de la longitud de la curva se encuentra al combinar dicho proceso con la idea de LÍMITE. El procedimiento completo se resume en una fórmula que involucra la INTEGRAL de la función que describe a la curva.

Longmen, grutas de Serie de esculturas budistas talladas en la roca de varias grutas situadas entre dos montañas y cruzadas por el río Yi, al sur de Luoyang, en la provincia de HENAN, China. Su construcción comenzó a fines de la dinastía WEI DEL NORTE (386 DC–535) y continuó en forma esporádica en el s. VI y con la dinastía TANG. Tallados delicadamente para crear efectos etéreos en la piedra, los templos contienen imágenes de BUDA vestido como un sabio chino. Los trabajos en Longmen culminaron en 672–675 con la construcción de un templo monumental conocido como Fengxian Si, que contiene un Buda sentado que mide más de 10,7 m. (35 pies) de alto.

Longshan, cultura de o **cultura de Lung-shan** (2500–1900 AC). Cultura neolítica del valle del HUANG HE (Amarillo), China. Se han descubierto grandes sitios arqueológicos con muros de barro. La alfarería de Longshan típica era cuidadosamente elaborada y de contornos muy delgados, como las copas de color negro, finas como una cáscara de huevo, y los tazones pulidos de color negro. Son conocidos los huesos de oráculo para la adivinación; también se han encontrado artefactos de jade y vestigios de metalurgia. Los hallazgos de esta cultura revelan una sociedad estratificada.

Longstreet, James (8 ene. 1821, Edgefield District, S.C., EE.UU.–2 ene. 1904, Gainesville, Ga.). Oficial de ejército estadounidense. Egresó de West Point, pero se retiró del ejército de EE.UU. cuando Carolina del Sur se separó. En el ejército de la Confederación alcanzó el grado de brigadier general y combatió en las batallas de BULL RUN, ANTIETAM y FREDERICKSBURG. Fue el segundo de ROBERT E. LEE en la batalla de GETTYSBURG y su tardanza en atacar determinó la derrota de la Confederación. Más tarde dirigió el ataque confederado a CHICKAMAUGA. Quedó gravemente herido en la batalla de WILDERNESS, pero luego retomó el

James Longstreet.
GENTILEZA DE LOS ARCHIVOS NACIONALES, WASHINGTON, D.C.

mando. Se rindió junto con Lee en APPOMATTOX COURT HOUSE. Posteriormente se desempeñó como representante diplomático estadounidense en Turquía y como comisionado de ferrocarriles del Pacífico (1898–1904).

Lonsdale, Dame Kathleen orig. **Kathleen Yardley** (28 ene. 1903, Newbridge, cond. de Kildare, Irlanda–1 abr. 1971, Londres, Inglaterra). Cristalógrafa británica de origen irlandés. En 1929, con sus técnicas en cristalografía de rayos X, demostró la disposición hexagonal regular de los átomos de carbono en las moléculas de los compuestos del benceno. Desarrolló una técnica con la cual midió (con siete cifras significativas) la distancia entre los átomos de carbono en el diamante. Aplicó también técnicas cristalográficas a problemas médicos, en particular al estudio de cálculos en la vejiga y de ciertas drogas. En 1945 se convirtió en la primera mujer elegida para integrar la Royal Society de Londres y en 1956 se le otorgó el título de *Dame* del Imperio británico.

Loos, Adolf (10 dic. 1870, Brno, Moravia, Austria-Hungría– 23 ago. 1933, Kalksburg, Viena, Austria). Arquitecto austríaco. Estudió en Dresde, Alemania, ejerció en Viena, aunque pasó largos períodos en EE.UU. y París. Se opuso tanto al ART NOUVEAU como al historicismo del Beaux-Arts. En 1898 anunció en forma anticipada su intención de evitar el uso de ornamentos innecesarios. La casa Steiner en Viena (1910) ha sido consignada por algunos historiadores de la arquitectura como el primer edificio completamente moderno; la fachada principal (posterior) es una composición de rectángulos, simétrica, hábilmente balanceada. Sus ensayos de este período, censurando el ornamento y la decoración, fueron tan influyentes como sus obras. Su obra más conocida es el edificio Goldman & Salatsch (1910), en Viena, en el cual cantidades pequeñas de detalles clásicos son contrarrestados por grandes superficies de mármol blanco pulido. Después de la primera guerra mundial, su trabajo fue muy influyente en los arquitectos modernistas europeos.

Loos, Anita (26 abr. ¿1893?, Sissons, Cal., EE.UU.– 18 ago. 1981, Nueva York, N.Y.). Novelista y guionista estadounidense. Actriz desde niña, también a temprana edad colaboró con artículos y relatos breves para diversos periódicos. A la edad de 20 años fue guionista profesional de películas de cine mudo. Se consagró con su primera novela, *Los caballeros las prefieren rubias* (1925), la que le trajo fama tanto a ella como a su personaje principal, la ingenua cazafortuna Lorelei Lee. La versión en comedia musical (1949) fue protagonizada por Carol Channing (n. 1921) y la película (1953) por MARILYN MONROE. Entre los guiones posteriores de Loos destacan *De corazón a corazón* (1941) y *I Married an Angel* (1942). Además escribió dos memorias, *Una chica como yo* (1966) y *Adiós a Hollywood con un beso* (1974).

Lopez (Knight), Nancy (n. 6 ene. 1957, Torrance, Cal., EE.UU.). Golfista estadounidense. Dejó la Universidad de Tulsa (Oklahoma) después de cursar segundo año ' convertirse en jugadora profesional. En su primera temporada completa, en 1978, obtuvo un récord de nueve torneos, cinco de ellos consecutivos. Ganó tres veces el Campeonato de la Ladies' Professional Golf Association (LPGA) (en 1978, 1985 y 1989) y cuatro veces el premio a la Jugadora del Año de la LPGA. Su personalidad y sus triunfos contribuyeron a rejuvenecer el golf femenino.

López (Michelsen), Alfonso (n. 30 de jun. 1913, Bogotá, Colombia). Presidente de Colombia (1974–78). Hijo de un ex presidente, fue senador, gobernador y ministro del exterior antes de que en 1974 obtuviera una arrolladora victoria en las primeras elecciones presidenciales competitivas en 16 años. De tendencia liberal, subió los impuestos a los ingresos altos y adoptó medidas para detener la inflación, pero la eliminación de algunos subsidios a los consumidores y el aumento del desempleo provocaron el descontento de los trabajadores, la toma de tierras por los campesinos y la actividad guerrillera. En 1982 fue derrotado en otra elección presidencial.

López Portillo (y Pacheco), José (n. 16 jun. 1920, Ciudad de México, México–17 feb. 2004, Ciudad de México). Presidente de México (1976–82). Fue profesor antes de entrar a los gobiernos de Gustavo Díaz Ordaz y Luis Echeverría. Como presidente, hizo hincapié en la inversión extranjera, las concesiones tributarias para estimular el desarrollo industrial, la creación de empleos no agrícolas y la explotación del petróleo y el gas natural. Su más importante reforma política fue el incremento de la participación de los partidos

minoritarios, lo que generó posteriores desafíos al PARTIDO REVOLUCIONARIO INSTITUCIONAL. La mayor parte de la riqueza lograda por la expansión de las exportaciones de petróleo fue derrochada o robada por funcionarios gubernamentales y sindicales. Su administración fue desacreditada por la inmensa deuda externa que generó y por cargos de corrupción. Ver también PEMEX.

Lord Canciller *inglés* **Lord Chancellor** Funcionario británico que encabeza el poder judicial y preside la CÁMARA DE LOS LORES. Hasta el s. XIV, el canciller sirvió como capellán real y secretario del rey. El cargo adquirió un carácter más judicial en el reinado de Eduardo III (1327–77). La mayor parte de las atribuciones del cargo, ejemplificadas en las administraciones de santo THOMAS BECKET (m. 1170) y el cardenal THOMAS WOLSEY (m. 1530), dejaron de existir hace siglos. La labor judicial de los actuales cancilleres está restringida a la Cámara de los Lores y el CONSEJO PRIVADO DEL MONARCA. Como presidente de la Cámara de los Lores, le corresponde formular las preguntas y participar en los debates.

Lord Chamberlain's Men ver CHAMBERLAIN'S MEN

Lord Dunmore, guerra de (1774). Ataque de la milicia de Virginia contra los SHAWNEES en Kentucky, EE.UU. Los milicianos capturaron Fort Pitt, en la frontera occidental, y le cambiaron el nombre en honor del gobernador real, Lord Dunmore, que había ordenado atacar a los shawnees, a quienes se percibía como una amenaza para los colonos blancos que estaban ocupando los lugares de caza de los indios. Derrotados en la batalla de Point Pleasant, los shawnees firmaron un tratado en que entregaban sus cazaderos. Es probable que se haya iniciado la guerra con el fin de distraer a los virginianos de sus desavenencias con los administradores reales; con ese carácter, se la ha llamado la primera batalla de la guerra de independencia de los ESTADOS UNIDOS DE AMÉRICA.

Lorelei Gran peña o roca a orillas del RIN, cerca de Sankt Goarshausen, Alemania. Produce un eco y se asocia con la leyenda de una hermosa doncella que se suicidó ahogándose por causa de un amante infiel. Fue convertida en una SIRENA que seducía a los pescadores llevándolos a su muerte. CLEMENS BRENTANO afirmó haber creado los elementos esenciales de la leyenda. El poema de HEINRICH HEINE sobre Lorelei ha sido musicalizado por más de 25 compositores.

Loren, Sophia *orig.* **Sofía Villani Scicolone** (n. 20 sep. 1934, Roma, Italia). Actriz de cine italiana. Después de una infancia azotada por la pobreza y con Nápoles devastada por la guerra, se convirtió en modelo y extra de cine en Roma. Guiada por el productor Carlo Ponti (más tarde su marido), en 1950 comenzó a actuar en películas italianas como *El oro de Nápoles* (1954). Entre sus filmes posteriores, en los que se hizo conocida por su belleza escultural y su natural femineidad, se encuentran *Orquídea negra* (1959), *El Cid* (1961), *Dos mujeres* (1961, premio de la Academia), *Boccaccio '70* (1962), *Ayer, hoy y mañana* (1964), *Matrimonio a la italiana* (1964) y *Un día muy particular* (1977).

Sophia Loren en *Boccaccio '70*.
BROWN BROTHERS

Lorena *o* **Lotaringia** Región medieval en el nordeste de la Francia actual. Por el tratado de VERDÚN (843) pasó a formar parte del reino de LOTARIO I. La heredó su hijo Lotario y se transformó en el reino de Lotaringia. Tras la muerte de Lotario, fue disputada por Alemania y Francia, quedando bajo control alemán en 925.

Lorena Ducado histórico de Europa occidental y región administrativa de Francia. Conocida inicialmente como Alta Lorena y más tarde, simplemente como Lorena, se formó en 959 mediante la división de LORENA (Lotaringia) en dos ducados. Alta Lorena, en la región de los ríos MOSA y MOSELA, fue gobernada por una familia ducal entre los s. XI y XV. En 1552, Francia capturó METZ, Toul y Verdún, que no estaban bajo el control de los duques. En 1766, Lorena quedó para siempre en manos de la corona francesa y en 1790 se dividió en departamentos. Tras la guerra FRANCO-PRUSIANA, una sección de Lorena fue cedida a Alemania como parte de ALSACIA-LORENA. La actual región administrativa de Lorena (pob., 1999: 2.310.376 hab.) cubre 23.547 km² (9.092 mi²), lo que a grandes rasgos equivale a la extensión de la región histórica. Su capital es Metz.

Lorena, Claudio de *orig.* **Claude Gellée** *francés* **Claude Lorrain** (c. 1600, Chamagne, Francia–23 nov. 1682, Roma). Pintor francés. Nació en el ducado de Lorena. De joven partió a Roma, donde se formó con el pintor de paisajes y frescos Agostino Tassi y conoció la obra de NICOLAS POUSSIN. Se hizo famoso como maestro del paisaje ideal, una visión de la naturaleza más bella y armónica que la naturaleza misma; sus paisajes y escenas costeras contienen fragmentos arquitectónicos y figuras. En la década de 1630 ya era reconocido y tenía ilustres mecenas de la aristocracia francesa e italiana. Su obra influenció a los pintores holandeses de Roma en las décadas de 1630–40, así como a la mayoría de los paisajistas europeos. Se conservan unas 250 pinturas y más de 1.000 dibujos de su autoría.

Lorentz, Hendrik Antoon (18 jul. 1853, Arnhem, Países Bajos–4 feb. 1928, Haarlem). Físico holandés. Enseñó en la Universidad de Leiden (1878–1912) y posteriormente dirigió el Instituto Teyler de Haarlem. En 1875 perfeccionó la teoría de la radiación electromagné-

Hendrik Antoon Lorentz.
GENTILEZA DE LA NOBELSTIFTELSEN

tica de JAMES MAXWELL de manera que explicara la reflexión y refracción de la luz. Con la intención de desarrollar una sola teoría para explicar la relación de la electricidad, el magnetismo y la luz, sugirió más tarde que los átomos podrían estar constituidos por partículas cargadas que oscilan y así irradian luz. En 1896 su estudiante Pieter Zeeman (n. 1865–m. 1943) demostró este fenómeno (ver efecto ZEEMAN), y en 1902 se les otorgó a ambos el segundo Premio Nobel de Física. En 1904, Lorentz desarrolló las transformaciones de Lorentz (incluida la así llamada contracción Lorentz-FitzGerald), fórmulas matemáticas que relacionan las medidas de espacio y tiempo de un observador con las de un segundo observador en movimiento relativo respecto al primero. Estas transformaciones constituyeron la base de la teoría especial de la RELATIVIDAD de ALBERT EINSTEIN.

Lorentz, transformaciones de En la física de la RELATIVIDAD, conjunto de ecuaciones desarrollado por HENDRIK ANTOON LORENTZ, en 1904, que relaciona las coordenadas de espacio y tiempo de dos sistemas de referencia que se mueven a velocidad constante uno respecto del otro. Necesarias para describir fenómenos que se aproximan a la velocidad de la LUZ, estas transformaciones expresan que el espacio y el tiempo no son absolutos; que la longitud, tiempo y masa dependen del movimiento relativo del observador y que la velocidad de la luz en el vacío es constante e independiente del movimiento del observador o de la fuente.

Lorentz-FitzGerald, contracción de *o* **contracción espacial** En la física de la RELATIVIDAD, el acortamiento de la longitud de un objeto en la dirección de su movimiento relativo al observador. Las dimensiones en otras direcciones no se contraen. Este concepto fue propuesto por el físico irlandés George F. FitzGerald (n. 1851–m. 1901) en 1889 y posteriormente desarrollado de manera independiente por HENDRIK ANTOON LORENTZ. La contracción es significativa sólo si las velocidades se aproximan a la de la LUZ, y se produce debido a las propiedades del espacio y del tiempo, no por una compresión, enfriamiento u otro cambio físico Ver también DILATACIÓN TEMPORAL.

Lorenz, Edward (Norton) (n. 23 may. 1917, West Hartford, Conn., EE.UU.). Meteorólogo estadounidense. Después de graduarse en matemática en el Dartmouth College y la Universidad de Harvard, en 1942 se dedicó al pronóstico meteorológico en el Cuerpo aéreo del ejército de EE.UU. Tras la segunda guerra mundial ingresó al MIT (Instituto Tecnológico de Massachusetts) como investigador, obtuvo su doctorado en meteorología (1948) y permaneció como profesor. A comienzos de la década de 1960 descubrió que las condiciones meteorológicas exhibían un fenómeno no lineal, conocido como dependencia sensible de las condiciones iniciales (ver teoría del CAOS). Explicó este fenómeno, que hace imposible pronosticar el clima a largo plazo, como el "efecto mariposa": una mariposa bate sus alas en China, produciendo cambios impredecibles días después en el clima de EE.UU.

Lorenz, Konrad (Zacharias) (7 nov. 1903, Viena, Austria–27 feb. 1989, Altenberg). Zoólogo y fundador (con NIKOLAAS TINBERGEN) de la ETOLOGÍA moderna. Ya de niño cuidaba animales enfermos en el zoológico del vecindario. En 1935 fue el primero en elucidar y demostrar el fenómeno de la IMPRONTA en patos pequeños y ansarinos. Posteriormente examinó las raíces de la agresión humana (en el *best seller* *Sobre la agresión*, 1963) y la naturaleza del pensamiento humano. Sus otras obras importantes son *Hablaba con las bestias, los peces y los pájaros* (1949) y *Cuando el hombre encontró al perro* (1950). En 1973 compartió el premio Nobel con Tinbergen y KARL VON FRISCH.

Lorenzetti, Pietro y Ambrogio (c. 1280/90, ¿Siena?, República de Siena–c. 1348, Siena) (c. 1290, Siena, República de Siena–c. 1348, Siena). Pintores italianos. Posiblemente ambos hermanos fueron discípulos de DUCCIO di Buoninsegna, cuya influencia se observa en el retablo de Pietro ubicado en el Pieve di Santa Maria en Arezzo y en las primeras obras de Ambrogio. Las obras de Ambrogio revelan un realismo individualista y una preocupación por el espacio y la forma tridimensional, evidente en su serie de frescos del Palazzo Pubblico de Siena (1338–39). Estos frescos, los más importantes de Siena, lo revelan como un explorador de la perspectiva y un filósofo político y moral. Los dramáticos frescos de Pietro en la basílica inferior de San Francisco en Asís (c. 1315) muestran su relación con el arte de GIOTTO, aun cuando se distancia de él en su atención por los detalles. *El nacimiento de la Virgen* de Pietro y *La presentación en el templo* de Ambrogio, encargadas para la catedral de Siena (1342), destacan por su notable manejo de la perspectiva. Junto con SIMONE MARTINI, los hermanos fueron los principales exponentes del arte sienés de los años anteriores a la PESTE NEGRA, a consecuencia de la cual se presume que ambos murieron.

Lorenzo el Magnífico ver Lorenzo de MÉDICIS

Lorenzo Monaco *orig.* **Piero di Giovanni** (c. 1370/71, Siena, República de Siena–c. 1425, Florencia, República de Florencia). Pintor italiano. Tomó los votos de la orden camaldolesa en Florencia en 1391 (Monaco significa "monje"), pero en 1402 fue inscrito en el gremio de pintores de Florencia con su nombre secular y vivió fuera del monasterio. Su obra combinaba las líneas graciosas y la inspiración decorativa de la escuela sienesa con las tradiciones de la escuela florentina. Su *Coronación de la Virgen* (1413) revela su predilección por los drapeados ondulantes y las formas rítmicas y curvilíneas, así como su comprensión de la luz. Sus últimos frescos en la capilla Bartolini de la iglesia de Santa Trinitá en Florencia lo establecieron como un maestro del arte gótico.

Lorenzo, san (m. 258, Roma; festividad: 10 de agosto). Mártir romano. Fue uno de los siete diáconos de Roma durante el papado de Sixto II. Cuando el papa fue ejecutado durante la persecución de los cristianos bajo Valeriano, las autoridades le pidieron que entregara los tesoros de las iglesias al Estado, a lo cual respondió distribuyendo el dinero entre los pobres, por lo que fue condenado a muerte. Su conducta intrépida durante su ejecución indujo muchas conversiones; según la leyenda, fue asado en la parrilla hasta morir, advirtiéndoles a sus torturadores: "Estoy cocido de ese lado, voltéenme y coman".

Lorestán, bronces de ver BRONCES DE LURISTÁN

Loris (*L. gracilis*).
© ENCYCLOPÆDIA BRITANNICA, INC.

loris Cualquiera de tres especies de PRIMATES arborícolas y nocturnos de la familia Lorisidae. Los loris tienen pelaje gris claro o marrón, ojos enormes rodeados de manchones oscuros y cola rudimentaria. Se mueven con lentitud y a menudo se cuelgan de los pies, dejando las manos libres para agarrar ramas o alimento. El loris esbelto (*Loris tardigradus*), de India y Sri Lanka, tiene 20–25 cm (8–10 pulg.) de largo; come insectos y animales pequeños. Los loris perezosos (género *Nycticebus*), del Asia meridional y de la península malaya, se alimentan de insectos, animales pequeños, fruta y plantas. El *Nycticebus pygmaeus* mide unos 20 cm (8 pulg.) de largo; el *N. coucang*, 27–38 cm (10,5–15 pulg.) de largo. La degradación del hábitat y su caza han reducido drásticamente las poblaciones de estos primates.

Loris-Mélikov, Mijaíl (Tariélovich), conde (1 ene. 1826, Tiflis (actual Tbilisi), Rusia–24 dic. 1888, Niza, Francia). Estadista y oficial militar ruso. Comandó un cuerpo de ejército a notables victorias en la guerra RUSO-TURCA de 1877–78, por las cuales fue nombrado conde. Como gobernador general de las provincias de Rusia central (1879) recomendó reformas administrativas y económicas para aliviar el descontento social. Impresionado, ALEJANDRO II lo nombró ministro del interior (1880) y apoyó sus esfuerzos por liberalizar la autocracia rusa, pero el zar fue asesinado antes de que las reformas fueran promulgadas. Renunció cuando ALEJANDRO III rechazó sus reformas.

loro Cualquiera de unas 300 especies de aves de la familia Psittacidae. Existen unas 220 especies de loros genuinos (subfamilia Psittacinae) en las regiones cálidas de todo el mundo (ver PERICO). Muchos tienen colores vivos. Poseen una lengua roma y comen semillas, brotes y alguna fruta e insectos. Su aparato vocal permite que muchas especies imiten el habla humana con gran precisión. La cotorra africana o loro yaco (*Psittacus erithacus*) es inteligente y platica particularmente

bien; mide unos 33 cm (13 pulg.) de largo y es gris, a excepción de la cola roja y la cara blanca; puede vivir hasta 80 años. Las 26 especies de loros amazónicos (género *Amazona*), también son buenos imitadores; tienen 25–40 cm (10–16 pulg.) de largo y son preponderantemente verdes. Otras cinco subfamilias se distribuyen sobre todo en Nueva Zelanda y Australia. Ver también CACATÚA; GUACAMAYO; INSEPARABLES; KEA; LORO NINFA.

Perico soberbio (*Polytelis swainsonii*).
STOCKXPERT

loro ninfa *o* **loro carolina** LORO de Australia, gris, crestado y pequeño (*Nymphicus hollandicus*). Tiene cabeza amarilla, manchones color rojo en las orejas y un pico pesado para cascar nueces. El loro ninfa está en la misma subfamilia (Cacatuinae) que la CACATÚA, de mayor tamaño. De unos 32 cm (13 pulg.) de largo, vive en áreas abiertas y come semillas de hierbas. Es uno de los loros más usados como mascota y se cría en muchas variedades de colores.

Lorre, Peter *orig.* **László Loewenstein** (26 jun. 1904, Rózsahegy, Hungría–23 mar. 1964, Hollywood, Cal., EE.UU.). Actor de cine estadounidense de origen húngaro. Interpretó pequeños papeles en un grupo teatral alemán antes de alcanzar fama mundial como el asesino psicótico de la película alemana *M, el vampiro de Dusseldorf* (1931). Dejó Alemania en 1933 e interpretó su primer rol en inglés en *El hombre que sabía demasiado* (1934). Posteriormente se mudó a Hollywood, donde encarnó a personajes malévolos en *Amor loco* (1935), *El halcón maltés* (1941), *Casablanca* (1942) y *La bestia con cinco dedos* (1946). También protagonizó una serie de ocho filmes de crimen en el papel del detective Mr. Moto (1937–39). Tiempo después dirigió y protagonizó la película alemana *Der Verlonere* (1951).

Los Álamos Localidad (pob., 2000: 11.909 hab.) en el centro-norte del estado de Nuevo México, EE.UU. Se ubica en la meseta de Pajarito de las montañas Jemez, al noroeste de SANTA FE. El gobierno de EE.UU. escogió el lugar en 1942 como sede del proyecto MANHATTAN, el que desarrolló la primera BOMBA ATÓMICA. Después de la segunda guerra mundial, el Laboratorio Científico de Los Álamos creó la primera bomba de FUSIÓN NUCLEAR. La localidad se construyó para dar vivienda a los empleados del laboratorio y todavía se encuentra ahí una importante instalación de investigación nuclear.

Los Ángeles Ciudad (pob., 2000: 3.694.820 hab.) en el sur del estado de California, EE.UU. Es la segunda ciudad más grande del país y se ubica entre las montañas de San Gabriel y el océano Pacífico. Dividida por las montañas de Santa Mónica, que separan los distritos de HOLLYWOOD, BEVERLY HILLS y Pacific Palisades del valle de SAN FERNANDO, se encuentra cerca de la falla de SAN ANDRÉS, por lo que los sismos son frecuentes. Comenzó como una misión española en 1771 y en 1781 se estableció la ciudad con el nombre de El Pueblo de Nueva Señora la Reina de los Ángeles. Las fuerzas estadounidenses la conquistaron durante la guerra MEXICANO-ESTADOUNIDENSE y prosperó a partir de la FIEBRE DEL ORO de 1849. Se constituyó legalmente como ciudad en 1850 y creció en forma dinámica después de la llegada del ferrocarril en 1876 y 1885. En 1913 se construyó un acue-

Vista aérea de Los Ángeles, California, la segunda ciudad más grande de EE.UU.
ARCHIVO EDIT. SANTIAGO

ducto para el suministro de agua proveniente de las laderas de la SIERRA NEVADA. Fue azotada por un gran terremoto en 1994. Entre los sitios de interés destacan las primeras misiones españolas, el Museo J. Paul GETTY, el Museo de Arte del condado de Los Ángeles y el Museo de Arte Contemporáneo. Entre las instituciones educacionales se cuentan la Universidad de CALIFORNIA DEL SUR, el Occidental College y la Universidad de CALIFORNIA, en Los Ángeles.

Los Angeles Times Diario matutino estadounidense. Fundado en 1881, fue comprado en 1884 por Harrison Grey Otis (n. 1837–m. 1917) e incorporado a The Times-Mirror Co. (el guión fue borrado del nombre después). El periódico prosperó y se transformó en un poderoso actor dentro de los círculos políticos conservadores de California. Durante mucho tiempo fue controlado por la familia Chandler, dominio que comenzó con el yerno de Otis, Harry Chandler, en 1917. Después de que Otis Chandler se transformó en su director, variaron las políticas editoriales del diario, y este cambió de un periódico conservador regional a un modelo de periodismo moderado y equilibrado, por lo que comenzó a ser reconocido como uno de los mejores diarios del mundo. The Times-Mirror Co. fue adquirida en junio de 2000 por la Tribune Company of Chicago, gracias a lo cual la familia Chandler se transformó en accionista de la Tribune Company. (Ver CHICAGO TRIBUNE.)

Los Glaciares, parque nacional Parque nacional del sudoeste de Argentina. Está situado en la cordillera de los ANDES, en la frontera con Chile. Instaurado en 1937, cubre un territorio de 1.618 km² (625 mi²). Abarca dos regiones diferentes: bosques y pastizales en la zona oriental, y picos, lagos y glaciares en la zona occidental. Su cumbre más alta es el monte Fitz Roy (3.405 m [11.171 pies]).

Lot Sobrino de ABRAHAM. Emigró con Abraham de Ur a CANAÁN y se estableció en Sodoma, una ciudad tan malvada que Dios decidió destruirla. Prevenido por los ángeles del inminente desastre, huyó de la ciudad con su familia. Su esposa desobedeció las órdenes de Dios de no volver la vista a la ciudad en llamas y fue convertida en una estatua de sal. Más tarde tuvo hijos con sus propias hijas, quienes fueron los fundadores de las naciones moabita y ammonita, enemigos de Israel. Ver también SODOMA Y GOMORRA.

Lot, río Río del sur de Francia. Fluye hacia el oeste por 480 km (300 mi) hasta unirse al GARONA, cerca de Aiguillon. En su curso pasa por Cahors, antigua capital de QUERCY. Pese a que algunos sectores son navegables, tiene poco movimiento.

lota Pez alargado (*Lota lota*), único representante dulceacuícola de la familia Gádidos (ver BACALAO). Vive en ríos y lagos fríos de Europa, Asia y Norteamérica. Es

Lota (*L. lota*).
© ENCYCLOPÆDIA BRITANNICA, INC.

un pez bentónico, jaspeado, de color verdoso o marrón, que desciende hasta los 200 m (700 pies) de profundidad. Puede crecer hasta 1,1 m (3,6 pies) aprox. de largo. Tiene escamas diminutas e incrustadas, una aleta anal larga y dos aletas dorsales. En algunas partes su carne es muy estimada.

Lotaringia ver LORENA

Lotario I *alemán* **Lothar** (795–29 sep. 855, abadía de Prüm, Germania). Emperador de los francos. Hijo mayor de LUIS I (el Piadoso), fue coronado rey en Baviera (814) y coemperador con Luis (817). Debido a los intentos del emperador por alterar el plan de sucesión participó en la rebelión contra Luis en 830; regresó a Italia después del fracaso de esta. Dirigió un segundo levantamiento contra su padre y lo destituyó (833), pero Luis recuperó el poder el año siguiente y

debió restringir el dominio de Lotario a Italia. A la muerte de su padre (840) intentó obtener el control absoluto de los territorios de los francos, pero sus hermanos, Luis el Germánico y CARLOS II (el Calvo) lo derrotaron (841). El tratado de VERDÚN le otorgó la zona central de los dominios francos (desde el mar del Norte hasta Italia) y el título de emperador.

Lotario I, miniatura de su salterio, s. IX.
REPRODUCIDO CON AUTORIZACIÓN DE LA BIBLIOTECA BRITÁNICA

Lotario II *alemán* **Lothar** (jun. 1075–3/4 dic. 1137, Breitenwang). Rey germánico (1125–37) y emperador del Sacro Imperio romano (1133–37). Fue el noble más poderoso de Sajonia y participó en la rebelión (1112–15) contra el rey germánico Enrique V. Fue elegido soberano a la muerte de Enrique y libró una guerra contra la dinastía HOHENSTAUFEN que pretendía el trono (1125–29); su victoria significó el triunfo de la monarquía electiva sobre la sucesión hereditaria. Fue coronado emperador en recompensa por apoyar al papa Inocencio II (1133). Hizo las paces con los Hohenstaufen (1135), pero atacó a ROGER II de Sicilia, expulsándolo del sur de Italia (1136–37).

lotería Juego de azar que premia a los ganadores de entre las personas que han comprado un boleto. La lotería es una modalidad de juego de APUESTAS, cuya versión moderna se remontaría a la Europa del s. XV. El Congreso continental de 1776 acordó crear una lotería a fin de recaudar fondos para la guerra de independencia de EE.UU. A mediados del s. XIX, debido a los abusos cometidos por los organizadores privados, los estados comenzaron a aprobar leyes contra la lotería. En 1878, la Corte Suprema estadounidense sostuvo que las loterías tenían "un efecto desmoralizador sobre la población", y en la década de 1890 habían sido prácticamente eliminadas. A mediados de la década de 1960 comenzó el resurgimiento: varios estados de EE.UU., en busca de ingresos, instituyeron loterías sancionadas oficialmente y auditadas por organismos independientes. En la mayoría de estos juegos, el apostador compra un boleto numerado o elige y marca por su cuenta los números elegidos; luego se realiza el sorteo y los ganadores se identifican para cobrar su premio. El monto de los premios depende de la magnitud del pozo que resta después de deducir los gastos y el porcentaje que percibe el estado. La suma que recibe el ganador suele estar afecta a impuestos. El primer premio puede llegar a decenas de millones de dólares, y a medida que el pozo aumenta, suele desatarse un frenesí de apuestas, aunque la probabilidad de ganar sea ínfima.

Loti, Pierre *orig.* **Louis-Marie-Julien Viaud** (14 ene. 1850, Rochefort, Francia–10 jun. 1923, Hendaya). Novelista francés. Como oficial de la marina, visitó el Medio Oriente y Asia oriental, territorios que le brindaron las exóticas ambientaciones para sus novelas y reminiscencias. Su primera novela, *Aziyadé* (1879), fue un éxito de crítica y de público. Otras novelas destacadas son *Pescador de Islandia* (1886), *Madame Crisantemo* (1887) y *Las desencantadas* (1906). Entre sus temas recurrentes cabe mencionar el amor, la muerte y la desesperanza ante la transitoriedad de la vida sensual. Su postura compasiva queda de manifiesto en obras como *El libro de la piedad y de la muerte* (1890). Sus temas preludiaron algunas de las preocupaciones de la literatura francesa de entreguerras.

loto Cualquiera de varias plantas diferentes cuyas flores tienen un significado simbólico para muchas culturas. El loto de los antiguos griegos es el *Ziziphus lotus* (familia Rhamnaceae), arbusto originario de Europa meridional; se suponía que el vino hecho de su fruto producía contentamiento y olvido. El loto

Loto hindú (*Nelumbo nucifera*).
FOTOBANCO

egipcio es un NENÚFAR blanco (*Nymphaea lotus*). El loto sagrado hindú es una planta acuática (*Nelumbo nucifera*) con flores color blanco o rosa; el loto del este de Norteamérica es *Nelumbo pentapetala*, planta similar con flores amarillas. El loto es un adorno común en arquitectura y desde la antigüedad ha sido símbolo de fecundidad, pureza, sexualidad, nacimiento y resurrección.

Loto Blanco Movimiento budista chino milenarista perseguido a menudo por estar vinculado a sublevaciones. Se originó en el culto religioso al Buda AMITABHA del s. IV, que inspiró a Mao Ziyuan para formar la Sociedad del Loto Blanco, un devoto grupo vegetariano de monjes y laicos. En el s. XIV se había convertido en una secta milenarista que creía en el Buda MAITREYA y en el MANIQUEÍSMO y que participaba activamente en las rebeliones de fines de la dinastía YUAN. Esta sociedad adquirió importancia debido al papel que desempeñó en la rebelión del Loto Blanco (1786–1804), sublevación a gran escala en China central que contribuyó a la caída de la dinastía Qing y que con el tiempo fue sofocada por campesinos organizados en milicias locales de autodefensa. En gobiernos chinos posteriores se utilizó el término Loto Blanco para referirse a todos los grupos milenaristas ilegales. En opinión de algunos observadores, tanto la rebelión NIAN de 1852 como la sociedad secreta que estaba detrás de la rebelión de los bóxers, fueron nuevas manifestaciones de la Sociedad del Loto Blanco.

Lotto, Lorenzo (c. 1480, Venecia–1556, Loreto, Estados Pontificios). Pintor italiano. Trabajó en varias ciudades, excepto Venecia, y desarrolló un estilo muy personal. Sus últimas obras, de estilo renacentista, exhiben una preferencia por los colores exuberantes y talento para la pintura narrativa. Su temperamento nervioso resulta evidente en obras como la *Crucifixión* en Monte San Giusto (c. 1530), por su intenso misticismo y su composición recargada. Hacia el final de su vida (1554) se convirtió en hermano laico de la Santa Casa, en Loreto, para escapar de sus críticos y de sus deudas. Aunque fue un pintor principalmente religioso, hoy en día es conocido sobre todo por sus retratos de agudeza psicológica.

Louganis, Greg(ory Efthimios) (n. 29 ene. 1960, San Diego, Cal., EE.UU.). Clavadista estadounidense considerado el mejor de la historia en este deporte. Desde pequeño tuvo entrenamiento en danza, gimnasia y acrobacia. Durante su carrera de clavadista ganó la cifra sin precedentes de 47 títulos nacionales y 13 mundiales, entre ellos dos medallas de oro olímpicas en 1984 y una de plata en 1976. En 1982 se convirtió en el primer clavadista en conseguir el puntaje perfecto de diez y al año siguiente recibió 99 puntos en una competencia de trampolín. Fue conocido por su estilo natural y lleno de gracia para saltar. En 1995 reveló que era portador del virus del sida.

Louis, Joe *p. ext.* **Joseph Louis Barrow** (13 may. 1914, Lafayette, Ala., EE.UU.–12 abr. 1981, Las Vegas, Nev.). Boxeador estadounidense. Provenía de una familia de medieros campesinos y sólo comenzó a boxear cuando sus padres se mudaron a Detroit. Ganó el título de la Unión Atlética Amateur de EE.UU. en 1934, y ese mismo año se convirtió en profesional. Durante su carrera venció a seis rivales que habían sido o serían posteriormente campeones mundiales de la categoría peso pesado: Primo Carnera, Max Baer, Jack Sharkey, James J. Braddock, Max Schmeling y Jersey Joe Walcott. Apodado "el bombardero moreno", Louis ganó el título mundial de los pesados en 1937 al derrotar a Braddock, y mantuvo la corona hasta 1949. Dos de las peleas más famosas de Louis, contra el alemán Max Schmeling, fueron investidas de connotaciones nacionalistas y racistas, debido a que Schmeling era considerado, injustamente, la encarnación del Partido Nazi y de la doctrina nazi sobre la raza aria. Louis perdió ante Schmeling en 1936, pero en 1938 lo derrotó en el primer *round*, lo que provocó gran júbilo entre los estadounidenses, especialmente los afroamericanos. Antes de retirarse en 1949, defendió 25 veces su título: ganó todos los combates, 21 de ellos por *knock out*. Durante la segunda guerra mundial prestó servicio en el ejército de EE.UU., lo cual sin duda lo privó de defender mayor número de veces su título. Hizo dos intentos infructuosos de volver, uno contra Ezzard Charles en 1950, y el otro contra Rocky Marciano en 1951.

Louis, Morris *orig.* **Morris Louis Bernstein** (24 nov. 1912, Baltimore, Md., EE.UU.–7 sep. 1962, Washington, D.C.). Pintor estadounidense. Estudió pintura en el Maryland Institute y trabajó como pintor de caballete para el WPA Federal Art Project. Inspirado en la técnica de teñido con color de HELEN FRANKENTHALER, inició en 1954 una serie de pinturas tituladas *Velos*, que presentaban olas verticales de color. Estas obras poseían una cualidad impersonal, no pictórica. Durante este período se asoció a la escuela del EXPRESIONISMO ABSTRACTO de Nueva York. Su obra posterior se caracterizaba por chorros de color paralelos y diagonales, que fluían a través de las esquinas inferiores del plano pictórico. En su última serie, *Bandas*, las bandas verticales y rectas de color aparecen rodeadas de tela vacía.

Louisiade, archipiélago de la Archipiélago de Papúa y Nueva Guinea, al sudeste de NUEVA GUINEA. Se extiende a lo largo de más de 160 km (100 mi) y ocupa 26.000 km² (10.000 mi²) en el océano Pacífico sur. Está formado por casi 100 islas; las mayores son Misima, Tagula y Rossel. Visitado por navegantes españoles en 1606, en 1776 recibió su nombre en honor del rey LUIS XV de Francia. Ocupado en 1942 por fuerzas japonesas, el archipiélago se ubica cerca del lugar en que se libró la batalla del mar de CORAL.

Louisville Ciudad (pob., 2000: 256.231 hab.) en el centro-norte del estado de Kentucky, EE.UU. Ubicada junto al río OHIO, se estableció en 1778 en Corn Island y al año siguiente se expandió cuando los colonizadores se trasladaron a la orilla del río. Recibió su nombre en honor a LUIS XVI de Francia y se convirtió en un importante centro de comercio fluvial; se constituyó como ciudad en 1828. Durante la guerra de SECESIÓN sirvió como cuartel general de la Unión y como depósito de suministros. Es la ciudad más grande del estado de Kentucky y encabeza la producción de *bourbon* y de cigarros. En la ciudad se encuentra la Universidad de Louisville (fundada en 1798) y el Churchill Downs, donde se celebra el Derby de KENTUCKY.

Loup, río Río en el centro-este del estado de Nebraska, EE.UU. Corre en dirección este hasta confluir con el río PLATTE. Tiene 485 km (300 mi) de largo y se destina a la producción hidroeléctrica. Su nombre deriva de una palabra francesa (que significa "lobo") usada para designar a los indios skidi.

Lourdes Lugar de PEREGRINACIÓN en el sudoeste de Francia. Situada al pie de los Pirineos, al sudoeste de Toulouse, la ciudad y su fortaleza formaban una plaza estratégica en tiempos medievales, pero su importancia data de 1858, cuando una niña de 14 años de edad tuvo visiones reiteradas de la Virgen MARÍA (ver santa BERNARDITA DE LOURDES). En 1862, las visiones fueron declaradas auténticas por el papa PÍO IX. Se declaró que el manantial subterráneo de la gruta donde Bernardita tuvo sus visiones poseía propiedades milagrosas y desde entonces el lugar se ha convertido en uno de los destinos principales de los peregrinos católicos. Casi tres millones lo visitan anualmente, muchos de ellos enfermos o discapacitados que esperan ser sanados. En 1876 se construyó una basílica sobre la gruta y en 1958 se agregó una gran iglesia subterránea.

Lourenço Marques ver MAPUTO

Louvois, François-Michel Le Tellier, marqués de (bautizado 18 ene. 1639, París, Francia–16 jul. 1691, Versalles). Secretario de guerra francés (1677–91) bajo el reinado de LUIS XIV y el más influyente de sus ministros. Hijo de Michel Le Tellier (n. 1603–m. 1685), uno de los más poderosos funcionarios de Francia, fue preparado por su padre para reemplazarlo como secretario de guerra. Brillante administrador, llevó a cabo las reformas militares de su padre y transformó al ejército francés en uno de los más formidables de Europa. Cómplice de la política militar que condujo a la revocación del edicto de NANTES (1685), también fue responsable de la destrucción del Palatinado (1688), que derivó en la guerra de la LIGA DE AUGSBURGO.

Louvre, Museo del Museo y galería de arte nacional de Francia con sede en París. Fue construido como residencia real e iniciado en 1546 bajo las órdenes de FRANCISCO I en el sitio de un fuerte del s. XII. Dejó de ser usado como palacio cuando la corte se trasladó a Versalles en 1682. En el s. XVIII se hicieron planes para convertirlo en museo público. En 1793, el gobierno revolucionario inauguró la Gran Galería; Napoleón construyó el ala norte y Napoleón III terminó e inauguró dos importantes alas al oeste. El Louvre terminado comprendía un vasto complejo de edificios, los que formaban dos cuadriláteros principales que circundaban dos grandes patios. En 1989 se inauguró una polémica entrada de vidrio y acero en forma de pirámide, diseñada por IEOH MING PEI. La colección de pintura, que representa todos los períodos del arte europeo hasta el IMPRESIONISMO, es una de las más ricas del mundo. Su colección de pintura francesa de los s. XV–XIX no ha sido superada.

Fachada principal del Museo del Louvre, París, Francia.
STOCKXPERT

Lovaina, Universidad Católica de Cualquiera de las dos universidades belgas constituidas en 1970, ambas provenientes de una universidad de renombre fundada en 1425 en Lovaina. A comienzos del s. XVI, la universidad original contaba entre sus alumnos a ERASMO DE ROTTERDAM, Justus Lipsius y GERARDUS MERCATOR. La universidad moderna fue reorganizada en unidades separadas luego de los desórdenes estudiantiles y las revueltas gubernamentales ocurridos en 1969. En la Katholieke Universiteit te Leuven, el idioma utilizado es el neerlandés. En la Université Catholique de Louvain, situada en Louvain-la-Neuve, la instrucción se imparte en francés.

Love Canal Barrio en las cataratas del NIÁGARA, N.Y., y lugar donde ocurrió el peor desastre ambiental con desechos químicos en la historia de EE.UU. Primero fue un canal abandonado que en las décadas de 1940–50 se convirtió en vertedero donde se descargaron aprox. 22.000 toneladas de desechos químicos. Posteriormente el canal se rellenó y se construyeron viviendas sobre él. En 1978 se detectó la fuga de sustancias químicas tóxicas hacia el interior de las casas y se descubrió que existía una alta incidencia de daño cromosómico entre los habitantes. Después de su evacuación, 1.300 vecinos obtuvieron una compensación de 20 millones de dólares de la empresa responsable y de la ciudad. A principios de la década de 1990, el estado de Nueva York finalizó la limpieza del lugar y declaró algunas zonas aptas para la construcción de residencias.

Lovelace, (Augusta) Ada King, condesa de orig. **Lady Augusta Ada Byron** (10 dic. 1815, Londres, Inglaterra–29 nov. 1852, Londres). Matemática inglesa. Su padre fue el poeta Lord BYRON. En 1835 se casó con William King, 8° barón King; se convirtió en condesa cuando su marido fue nombrado conde, en 1838. Ya en 1833 se interesó por las máquinas analíticas de CHARLES BABBAGE y en 1843 tradujo un artículo acerca de ellas escrito por Luigi Federico Menabrea. Como creadora de un programa para el prototipo Babbage de computadora digital, se la considera pionera en la programación computacional. El lenguaje ADA es llamado así en su nombre.

Lovell, Sir (Alfred Charles) Bernard (n. 31 ago. 1913, Oldland Common, Gloucestershire, Inglaterra). Radioastrónomo británico. Se doctoró en la Universidad de Bristol, trabajó para el ministerio de aviación durante la segunda guerra mundial y fue profesor en la Universidad de Manchester después de la guerra. Construyó el primer RADIOTELESCOPIO gigante (1957) en Jodrell Bank, cerca de Manchester, Inglaterra, con una antena de 76 m (250 pies) de diámetro, instrumento que se utiliza para la investigación astronómica, y para el seguimiento y la comunicación con vehículos espaciales.

Lowell Ciudad (pob., 2000: 105.167 hab.) en el nordeste del estado de Massachusetts, EE.UU. Fue colonizada en 1653 con el nombre de East Chelmsford y en el s. XIX se convirtió en un centro importante de la industria textil algodonera. Fue rebautizada en honor al industrial FRANCIS LOWELL y en 1836 se constituyó como ciudad. En el s. XX comenzó a perder terreno en la industria del ramo frente a los estados del sur y se diversificó hacia otras áreas. El Lowell National Historical Park (creado en 1978) conmemora la Revolución industrial en EE.UU. Es el lugar de nacimiento del artista JAMES MCNEILL WHISTLER y sede de la Universidad de Massachusetts-Lowell.

Lowell, Amy (9 feb. 1874, Brookline, Mass., EE.UU.–12 may. 1925, Brookline). Poetisa y crítica estadounidense. Nacida en el seno de la distinguida familia Lowell de Boston, se dedicó por completo a la poesía desde los 28 años de edad; sin embargo, no publicó nada hasta 1910. Su primer libro, *Una cúpula de vidrios multicolores* (1912), fue seguido de *Hojas de espada y semillas de amapola* (1914), que contenía sus primeros poemas compuestos en verso libre y en lo que ella llamó "prosa polifónica". Fue una líder del IMAGINISMO y destacó además por su intensa y fuerte personalidad, así como por su desprecio por el comportamiento convencional. Entre sus demás obras cabe mencionar *Six French Poets* (1915), *Tendencies in Modern American Poetry* (1917) y *John Keats*, 2 vol. (1925).

Lowell, Francis Cabot (7 abr. 1775, Newburyport, Mass., EE.UU.–10 ago. 1817, Boston). Empresario estadounidense. Nacido en el seno de una familia prominente de Massachusetts, estudió muy de cerca la industria textil británica en una visita a Gran Bretaña. Junto con Paul Moody diseñó un eficiente TELAR mecánico. Su Boston Manufacturing Co., en Waltham (1812–14), fue probablemente la primera fábrica del mundo en que se realizaban todas las operaciones requeridas para convertir el ALGODÓN en bruto en tela terminada. Su ejemplo estimuló con fuerza el desarrollo de la industria de Nueva Inglaterra. La ciudad de Lowell, Mass., lleva su nombre.

James Russell Lowell.
GENTILEZA DE LA BIBLIOTECA DEL CONGRESO, WASHINGTON, D.C.

Lowell, James Russell (22 feb. 1819, Cambridge, Mass., EE.UU.–12 ago. 1891, Cambridge). Poeta, crítico, editor y diplomático estadounidense. Se tituló de abogado en Harvard; sin embargo, jamás ejerció como tal. En la década de 1840 escribió profusamente en contra de la esclavitud, como en los *Biglow Papers* [Los cuadernos de Biglow] (1848), versos satíricos en dialecto yanqui. Otras obras de gran importancia son *The Vision of Sir Launfal* (1848), extenso poema acerca de la fraternidad humana, y *A Fable for Critics* [Una fábula para críticos] (1848), ingenioso análisis de autores contemporáneos. Después de la muerte de su esposa en 1853, escribió principalmente ensayos acerca de literatura, historia y política. Fue un hombre de letras muy influyente en su época. Fue docente en Harvard, director de *The Atlantic Monthly* y *The North American Review*, y cónsul en España y embajador en Gran Bretaña.

Lowell, Percival (13 mar. 1855, Boston, Mass., EE.UU.–12 nov. 1916, Flagstaff, Ariz.). Astrónomo estadounidense. Nacido en el seno de una familia distinguida de Boston, en la década de 1890 construyó un observatorio privado en Flagstaff, para estudiar el planeta MARTE. Fue el más decidido partidario de la teoría, hoy abandonada, de que marcianos faltos de agua habrían construido un sistema planetario de regadío. Pensó que los llamados canales de MARTE eran bandas cultivadas con vegetación que dependían de este regadío. La teoría de Lowell, que encontró una dura oposición durante mucho tiempo, fue finalmente descartada por imágenes recibidas desde la sonda espacial estadounidense MARINER. Su predicción de la existencia de un planeta más allá de Neptuno fue corroborada cuando Plutón fue descubierto en 1930.

Lowell, Robert *orig.* **Robert Traill Spence Lowell, Jr.** (1 mar. 1917, Boston, Mass., EE.UU.–12 sep. 1977, Nueva York, N.Y.). Poeta estadounidense. Lowell fue descendiente de una distinguida familia que contaba entre sus miembros a JAMES RUSSELL LOWELL y AMY LOWELL. Aunque renegó de su legado puritano, este es el tema de gran parte de su poesía. Su primera obra de peso, *El castillo de Lord Weary* (Premio Pulitzer 1946), contiene *The Quaker Graveyard in Nantucket* [El cementerio cuáquero de Nantucket]; *Estudios en directo* (1959) compuesto por un ensayo autobiográfico y 15 poemas confesionales complejos, basados principalmente en su historia familiar y experiencia personal, marcada por estadías en instituciones psiquiátricas. Su activismo en pro de causas liberales en la década de 1960 inspiró sus tres volúmenes siguientes, entre los que destaca *Por los muertos por la Unión* (1964). Entre sus poemarios tardíos cabe mencionar *El delfín* (Premio Pulitzer 1973).

Lowry, (Clarence) Malcolm (28 jul. 1909, Birkhead, Cheshire, Inglaterra–27 jun. 1957, Ripe, Sussex). Novelista, cuentista y poeta británico. En su juventud se rebeló contra su crianza convencional y se embarcó a China como grumete. Posteriormente vivió en Francia, EE.UU., México, Canadá e Italia. Su reputación descansa en la novela *Bajo el volcán* (1947), donde narra los pormenores del desesperado último día de vida de un desencantado y alcohólico ex cónsul británico en México. La yuxtaposición de imágenes de decadencia social y autodestrucción fue interpretada como una visión simbólica de Europa en el umbral de la segunda guerra mundial. Aunque alabada por la crítica, la novela sólo recibió el reconocimiento del público después de la muerte de Lowry a los 47 años de edad, producto probablemente de su alcoholismo.

Loy, Myrna *orig.* **Myrna Williams** (2 ago. 1905, Radersburg, Mont., EE.UU.–14 dic. 1993, Nueva York, N.Y.). Actriz de cine estadounidense. Obtuvo papeles pequeños en películas de Hollywood antes de interpretar a la exótica amante en la versión de *Ben-Hur* de 1925, con la que consagró su imagen cinematográfica de mujer fatal. Llegó a ser elogiada por su interpretación de la ingeniosa y sofisticada Nora Charles en *La cena de los acusados* (1934) y sus continuaciones, y también por otras películas como *Los mejores años de nuestra vida* (1946), *Los Blandings ya tienen casa* (1948), *Trece por la docena* (1950) y *Lonely Hearts* (1958). Durante su apogeo fue apodada la "reina de Hollywood", e impuso un trato igualitario en un negocio dominado por hombres. Llegó a ser considerada la mujer ideal por el público masculino, gracias a su belleza e inteligencia. Durante la segunda guerra mundial trabajó para la Cruz Roja en EE.UU. y tiempo después desempeñó funciones para la UNESCO.

loyalist ver REALISTA

Loyola, Universidad de Universidad privada ubicada en Chicago, Ill., EE.UU. Afiliada a los JESUITAS, es una de las universidades católicas más grandes del país. Fue fundada en 1870 como St. Ignatius College y su nombre actual data de 1923. Además de sus dos campus en Chicago, cuenta con sedes en los barrios residenciales de Wilmette y Maywood y una en Roma, EE.UU. Ofrece doctorados en más de 30 disciplinas y varios títulos profesionales. Su centro médico fue precursor en la cirugía a corazón abierto y el primero en crear una unidad de cuidados cardíacos intensivos.

loza ALFARERÍA cocida a baja temperatura y levemente más porosa y gruesa que la CERÁMICA DE GRES y la PORCELANA. Se suele barnizar con fines prácticos y decorativos. Se piensa que la alfarería conocida más antigua, una loza lisa excavada en un poblado neolítico en Turquía, data de alrededor de 9.000 años atrás. La loza se usa aún ampliamente para cocinar, congelar y servir alimentos. Ver también loza de COLOR CREMA.

Jarrón en loza y esmalte de plomo, París, s. XV; Musée National de la Céramique, Sèvres, Francia.
GENTILEZA DEL MUSÉE NATIONAL DE LA CÉRAMIQUE, SÈVRES

lozi *o* **rotsé** *o* **barotsé** Conjunto de 25 pueblos de habla bantú, divididos en seis grupos culturales, que se concentran en la región antes conocida como Barotseland, en el oeste de Zambia. Con una población superior a 700.000 habitantes, los lozi se desplazan entre dos conjuntos de aldeas debido a las inundaciones anuales. Su economía se basa en la agricultura, crianza de animales domésticos y pesca. Su sociedad está estratificada en aristócratas, plebeyos y siervos.

LSD Dietilamida del ácido lisérgico, droga alucinógena de alta potencia. Es un compuesto orgánico que puede ser obtenido de los ALCALOIDES ergotamina y ergonovina, que se encuentran en los hongos del CORNEZUELO, pero la mayoría del LSD es producido en forma sintética. Puede bloquear la acción del NEUROTRANSMISOR SEROTONINA y produce desviaciones pronunciadas en las percepciones normales y en el comportamiento que duran entre ocho y diez horas, o incluso más tiempo. Cambia el estado de ánimo, distorsiona el tiempo y el espacio, y el comportamiento impulsivo puede progresar a paranoia y agresión. Las recurrencias de alucinaciones inducidas por LSD pueden ocurrir años más tarde. El LSD no es una droga aprobada y no se han encontrado usos clínicamente valiosos para ella.

Lu Estado vasallo de la antigua China originado durante los ZHOU occidentales, que adquirió importancia en el período de los ESTADOS GUERREROS de los Zhou orientales. Se conoce como el lugar de nacimiento de CONFUCIO. El CHUNQIU ("Anales de primavera y otoño"), uno de los clásicos confucianos, registra los principales sucesos ocurridos en la corte de Lu entre 722 y 481 AC.

Lu Xiangshan *o* **Lu Hsiang-shan** *o* **Lu Jiuyuan** (1139, Kiangsi, China–10 ene. 1193, China). Filósofo neoconfuciano chino de la dinastía SONG del sur. Funcionario público y profesor, fue rival del gran racionalista neoconfuciano ZHU XI. Lu enseñaba que el conocimiento supremo del camino (TAO) proviene de la constante reflexión interior y el autoexamen. En este proceso, uno desarrolla o recupera la bondad fundamental de la propia naturaleza. Sus escritos fueron publicados póstumamente y su pensamiento fue revisado tres siglos más tarde por WANG YANGMING, quien estableció la escuela Xinxue de NEOCONFUCIANISMO, a menudo llamada escuela Lu-Wang.

Lu Xun *orig.* **Zhou Shuren** (25 sep. 1881, Shaoxing, provincia de Zhejiang, China–19 oct. 1936, Shanghai). Escritor chino. Se relacionó con el naciente movimiento literario chino de 1918 (parte del masivo movimiento del CUATRO DE MAYO), cuando publicó su cuento "Diario de un loco", una condena de la cultura tradicional confuciana, y el primer relato de estilo occidental escrito totalmente en chino. Aunque es más conocido por sus ficciones, incursionó con igual maestría en la prosa ensayística, la que utilizó especialmente en las postrimerías de su vida. Nunca se afilió al Partido Comunista; sin embargo, reclutó a muchos de sus compatriotas en el comunismo y llegó a ser considerado un héroe revolucionario.

Lualaba, río Río de África central. Es el afluente principal del río CONGO, y la totalidad de sus 1.800 km (1.100 mi) de extensión discurren por entero en la República Democrática del Congo. Se aprovecha en diversos puntos su potencial para la generación de energía eléctrica.

Luan He, río Río de la provincia de HEBEI, en el nordeste de China. Nace en la región oriental de MONGOLIA INTERIOR, discurre en dirección norte y se desvía luego hacia el sudeste. Cruza la GRAN MURALLA y se divide en varios ríos menores hasta desembocar en el golfo del BOHAI, después de un curso de 877 km (545 mi). Más abajo de la localidad de Chengde es navegable.

Luanda *ant.* **Loanda** Ciudad (pob., est. 1999: 2.555.000 hab.), capital de Angola. Situada en la costa atlántica, es la mayor ciudad de Angola y el segundo puerto más activo. Fundada en 1576 por Paulo Dias de Novais, en 1627 se transformó en el centro administrativo de la colonia portuguesa de Angola. Hasta el s. XIX fue un importante puerto del tráfico de esclavos hacia Brasil. En la actualidad es una zona comercial e industrial, donde destacan las refinerías de petróleo. Es la sede de la Universidad de Luanda; la antigua fortaleza de São Miguel se encuentra al otro lado del puerto. Luanda sufrió daños durante la persistente guerra civil angoleña que terminó en 2002.

Luang Pradist Manudharm ver PRIDI PHANOMYONG

luba *o* **baluba** Conjunto de pueblos de habla bantú, que suman unos 5,6 millones de personas y comparten una historia política común en torno a los estados LUBA-LUNDA. Habitan en la sabana y la selva; se dedican a la caza, recolección, agricultura y ganadería de subsistencia; también pescan en forma intensiva en el río Congo y sus afluentes. Constituyen asociaciones para la caza, magia y

medicina; cuentan con una tradición oral muy desarrollada que incluye ciclos épicos. Dos de estos grupos son célebres por sus esculturas en madera.

luba-lunda, estados Conjunto de estados que florecieron en el centro de África entre los s. XVI–XIX. A fines del s. XV, un pequeño grupo de cazadores de marfil fundó un estado en

torno al cual proliferaron varios estados satélites; en el s. XVII se extendieron hacia el sur de la cuenca del río Congo y en la actual Zambia y el oeste de Angola. La parte nororiental estaba habitada por los luba, y la sudoccidental por los lunda. Estos grupos vendían esclavos y marfil a los portugueses a cambio de telas y otros bienes. En el s. XVIII algunos emigraron y fundaron el reino de Kazembe, más al sudeste; este floreció hasta fines del s. XIX, cuando fue colonizado por los británicos.

Lubbock Ciudad (pob., 2000: 199.564 hab.) del noroeste del estado de Texas, EE.UU. Ubicada al sur de AMARILLO, recibió su nombre en honor a Tom S. Lubbock, uno de los signatarios de la declaración de independencia de Texas. Se formó en 1890 a partir de Old Lubbock y Monterrey, y creció como centro de hacendados; fue constituida legalmente en 1909. En 1970, un

Estatua ancestral femenina de la etnia luba tallada en madera; Musée de l'Homme, París.
GENTILEZA DEL MUSÉE DE L'HOMME, PARÍS

tornado provocó serios daños. Es uno de los principales mercados de algodón de la nación y centro de una región agrícola e industrial diversificada. También es sede de la Universidad Tecnológica de Texas (1923).

Lübeck Ciudad (pob., est. 2002: 213.486 hab.) en el norte de Alemania. Fundada en 1143 sobre un asentamiento eslavo, se desarrolló como centro comercial. Fue declarada ciudad libre en 1226 y sede de la Liga HANSEÁTICA en 1358. Decayó después del s. XVI y el comercio declinó durante las guerras NAPOLEÓNICAS, pero resurgió gracias a la construcción del canal Elba-Lübeck en 1900. Su independencia política terminó en 1937, cuando los nazis integraron la provincia prusiana de SCHLESWIG-HOLSTEIN. Es uno de los puertos bálticos más grandes de Alemania. Entre sus sitios de interés histórico se cuentan una catedral del s. XII y varias iglesias góticas.

Lubitsch, Ernst (28 ene. 1892, Berlín, Alemania–30 nov. 1947, Hollywood, Cal., EE.UU.). Director de cine germanoestadounidense. Actuó en la compañía de teatro alemana de MAX REINHARDT (1911–14) como también en cortometrajes cómicos. Luego se dedicó a dirigir películas dramáticas de época, que fueron los primeros largometrajes alemanes exhibidos en el extranjero. Entre ellos

La Puerta de Holstein y parte de la antigua ciudad amurallada en Lübeck, Alemania.
VEGA/TAXI/GETTY IMAGES

se cuentan *Madame Du Barry* (1919), *Ana Bolena* (1920) y *La mujer del faraón* (1921). Asimismo dirigió comedias como *La muñeca* (1919) y *La princesa de las ostras* (1919). En 1923 se trasladó a Hollywood, donde desarrolló un estilo que se caracterizó por un ingenio sofisticado y un uso certero del ritmo narrativo –el famoso "toque Lubitsch"– que se expresó en exitosas comedias como *Los peligros del flirt* (1924), *El desfile del amor* (1929), *Un ladrón en la alcoba* (1932), *Ninotchka* (1939), *El bazar de las sorpresas* (1940), *Ser o no ser* (1942) y *El diablo dijo no* (1943).

Lublin Ciudad (pob., est. 2000: 355.803 hab.) del este de Polonia, ubicada a orillas del río Bystrzyca. El asentamiento fundado a fines del s. IX como un fuerte, adquirió la condición de ciudad en 1317. En 1795 pasó a manos de Austria y en 1815, a Rusia. En 1918 fue proclamado en Lublin el primer gobierno temporal independiente polaco. Durante la segunda guerra mundial, en uno de sus suburbios se creó el CAMPO DE CONCENTRACIÓN nazi de Majdanek. Tras la guerra, la ciudad fue por un tiempo sede del gobierno nacional. En la actualidad es un centro industrial y cultural del sudeste de Polonia.

lubricación Introducción de sustancias (lubricantes) entre superficies que se deslizan una sobre otra para reducir el desgaste y ROZAMIENTO. Los lubricantes también cumplen otras funciones, como controlar la corrosión, regular la temperatura, aislar eléctricamente, eliminar contaminantes, o absorber impactos. Los pueblos prehistóricos usaron barro o cañas como lubricantes para deslizar rastras, troncos o rocas. La grasa animal lubricó los ejes de los primeros carros y continuó usándose ampliamente hasta que fue reemplazada por el ACEITE mineral. El petróleo ha sido la base de los lubricantes específicos empleados en automóviles, aviones, locomotoras y toda clase de maquinaria. Hay tres tipos básicos de lubricación: hidrodinámica (en el cual las superficies deslizantes se mantienen separadas completamente por una película de fluido); de capa límite (en el cual la fricción entre las superficies está determinada por sus propiedades y las del lubricante, distintas de su VISCOSIDAD); y sólida (usada cuando el lubricante líquido no tiene la resistencia adecuada para las cargas o temperaturas extremas). Los principales lubricantes son líquidos, materiales oleosos (basados en petróleo o sintéticos, e incluidas grasas), sólidos (como grafito, disulfuro de molibdeno, algunos metales blandos, ceras y plásticos) y gaseosos.

Lubumbashi *ant. (hasta 1966)* **Elisabethville** Ciudad (pob., est. 1994: 851.381 hab.) de la República Democrática del Congo. Fundada en 1910 por colonos belgas cerca de la frontera con Zambia, creció hasta transformarse en el centro de uno de los complejos de extracción y fundición de cobre más grandes del mundo. A comienzos de la década de 1960, fue centro de operaciones del movimiento de secesión de la provincia de Katanga.

Luca da Cortona ver Luca (d'Egidio di Ventura de') SIGNORELLI

Lucas (Huyghszoon) van Leyden (1489/94, Leiden, Países Bajos–8 ago. 1533, Leiden). Pintor y grabador neerlandés. Fue formado por su padre pintor, pero volcó su gran

"The Betrothed Couple" (La promesa de matrimonio) de Lucas van Leyden, s. XVI.
FOTOBANCO

talento en el grabado. Ya sus primeras impresiones, como *Muhammad y el monje Sergio* (1508), revelan gran destreza técnica. En 1510, bajo la influencia de ALBERTO DURERO, realizó dos obras maestras del grabado, *La lechera* y *Ecce Homo*; este último muy admirado por REMBRANDT. Se piensa que desarrolló la técnica del aguafuerte sobre planchas de cobre (en vez de hierro). La maleabilidad del cobre le permitió combinar el aguafuerte y el grabado con líneas en una misma impresión. También estuvo entre los primeros que incorporó la PERSPECTIVA AÉREA en el grabado. Aun cuando sus pinturas logran rara vez la fuerza de sus grabados, se cuenta entre los pintores holandeses sobresalientes de su época. *El Juicio Final* (1526–27) es su pintura más celebrada.

Lucas, George (n. 14 may. 1944, Modesto, Cal., EE.UU.). Director y productor de cine estadounidense. Estudió cine en la Universidad de California del Sur. *THX 1138* (1971), fue su primera película y obtuvo un sorprendente éxito con su siguiente trabajo, *American Graffiti* (1973). Escribió y dirigió el inmensamente popular filme de ciencia ficción *La guerra de las galaxias* (1977), que impuso innovadores efectos computarizados. Posteriormente formó su propia compañía productora, Lucasfilms (1978), la división de efectos especiales Industrial Light and Magic, y produjo las continuaciones de *La guerra de las galaxias*, *El imperio contraataca* (1980) y *El regreso del Jedi* (1993). También produjo *En busca del arca perdida* de STEVEN SPIELBERG (1981) y regresó a la dirección en la segunda trilogía de *La saga,* compuesta por *La amenaza fantasma* (1999), *El ataque de los clones* (2002) y *La venganza de los Sith* (2005).

Lucas, Robert E., Jr. (n. 15 sep. 1937, Yakima, Wash., EE.UU.). Economista estadounidense. Estudió en la Universidad de Chicago y empezó a impartir clases en esa misma universidad en 1975. Cuestionó la influencia de JOHN MAYNARD KEYNES en MACROECONOMÍA y la eficacia de la intervención gubernamental en asuntos internos. Criticó la curva de PHILLIPS por no haber contemplado las deprimentes expectativas de empresas y trabajadores en una economía inflacionaria. Su teoría de las expectativas racionales, que sugiere que los individuos pueden modificar los supuestos resultados de la política fiscal nacional mediante la toma de decisiones económicas privadas sobre la base de resultados previstos, lo hizo acreedor al Premio Nobel en 1995. Ver también ECONOMETRÍA; INFLACIÓN.

Lucas, san (c. siglo I DC; festividad: 18 de octubre). En la tradición cristiana, el autor del tercer EVANGELIO y de los Hechos de los Apóstoles. Escribió en griego y es considerado el más literario de los escritores del NUEVO TESTAMENTO. Según su propio relato, no fue un testigo ocular del ministerio de JESÚS. Fue compañero de san PABLO, quien lo llamó el "querido médico", y se cree que acompañó a Pablo en viajes misioneros a Macedonia y Roma. Aunque se sabe poco de su vida, la tradición sostiene que era un gentil nativo de Antioquía (Siria) y que murió martirizado.

Luce, Clare Boothe *orig.* **Ann Clare Boothe** (10 mar. 1903, Nueva York, N.Y., EE.UU.–9 oct. 1987, Washington, D.C.). Política, dramaturga y figura de la sociedad estadounidense. Nacida en la pobreza, fue hija natural. En 1930–34 trabajó como redactora en las revistas *Vogue* y *Vanity Fair*. En esta última publicó breves bocetos satíricos sobre la sociedad neoyorquina; algunos fueron compilados en el libro *Stuffed Shirts* [Presumidos] (1931). En 1935 se casó con Henry R. Luce, editor de la revista *Time* y luego de la revista *Life*. Tres de sus ingeniosas obras de teatro se adaptaron para películas: *The Women* (1936), *Kiss the Boys Goodbye* [Despidan a los muchachos con un beso] (1938) y *Margin for Error* [Margen de error] (1939). En 1939–40 fue corresponsal de guerra de *Life* y relató sus experiencias en

Clare Boothe Luce.
CAMERA PRESS

Europe in the Spring [Europa en primavera] (1940). Como miembro de la Cámara de Representantes (1943–47), influyó en la política del Partido Republicano. En 1953–56 fue embajadora en Italia; apoyó públicamente a BARRY GOLDWATER en la década de 1960 y en las dos décadas siguientes perteneció a la junta asesora en materia de inteligencia extranjera, de los presidentes Nixon, Ford y Reagan. En 1983 se le otorgó la Medalla presidencial de la libertad. Se la recuerda por su temperamento batallador y su ingenio ácido que desplegaba en aforismos citados con frecuencia, como "No good deed goes unpunished" (Ninguna buena acción queda impune).

Lucerna *francés* **Lucerne** *alemán* **Luzern** Ciudad (pob., 2000: 59.496 hab.) en el centro de SUIZA. Está situada al sudoeste de ZURICH, en la desembocadura del río Reuss, a orillas del lago de los CUATRO CANTONES. Se desarrolló en torno de un monasterio del s. VIII y en 1332 se unió a la Confederación Suiza. Plaza fuerte del catolicismo durante la REFORMA, más tarde participó en la guerra de SONDERBUND. Es un centro turístico gracias a sus muros y torres medievales y a sus puentes cubiertos. Entre sus numerosos sitios de interés destaca el famoso *León de Lucerna*, tallado directamente en la roca, monumento a los miembros de la Guardia suiza que murieron defendiendo el palacio de las Tullerías en PARÍS, en 1792.

Lucerna, lago ver lago de los CUATRO CANTONES

lucha Deporte en que dos rivales luchan cuerpo a cuerpo y tratan de derribarse, supervisados por un árbitro que aplica las reglas del deporte. Se practica en varios estilos, entre ellos, la lucha libre, en que los competidores pueden hacer llaves por arriba y por debajo de la cintura, y la LUCHA GRECORROMANA, que sólo permite llaves por encima de la cintura. El sambo es un estilo de origen ruso que utiliza técnicas del yudo. Las luchas de SUMO son una variante especializada de origen japonés. En EE.UU., la lucha profesional es hoy uno de los deportes-espectáculo más populares, pese a que se basa principalmente en una exagerada y rimbombante teatralidad, con movimientos poco habituales como las patadas en la cabeza del rival, que serían mortales si fueran reales.

lucha grecorromana Estilo de LUCHA en que se prohíbe el uso de las piernas para derribar al rival y el hacer llaves por debajo de la cintura. Se originó en Francia a principios del s. XIX, donde se tomó como modelo el deporte practicado en la antigüedad grecorromana. Más tarde se expandió a muchos otros países y fue, hasta la admisión de la lucha libre a fines del s. XX, el único estilo practicado en los Juegos Olímpicos y en competencias internacionales *amateurs*.

Lu-cheu ver HEFEI

Luciano *latín* **Lucianus** (c. 120 AD, Samosata, Commagene, Siria–después de 180, Atenas). Retórico, folletista y satírico de la antigua Grecia. Durante su juventud recibió una educación literaria griega mientras viajaba por Asia Menor occidental. Fue orador antes de volcarse a redactar ensayos. Sus trabajos, que destacan por su mordaz ingenio, son una crítica sofisticada de las imposturas y disparates de la literatura, filosofía y vida intelectual de su época. En obras como *Caronte el cínico*, *Diálogos de los muertos*, *La historia verídica* y *Nigrinus*, satirizó prácticamente todos los aspectos del comportamiento humano. Su mejor trabajo de crítica literaria es *Cómo debe escribirse la historia*.

Luciano, Lucky *orig.* **Salvatore Lucania** *luego* **Charles Luciano** (11 nov. 1896, Lercara Friddi, Sicilia, Italia–26 ene. 1962, aeropuerto de Capodicino, Nápoles). Gángster estadounidense de origen italiano. Emigró con su familia a Nueva York en 1906 y pronto cayó en la delincuencia. En 1916 conspiró con Frank Costello, Meyer Lansky y con otros jóvenes gángsters, y se ganó el apodo de "Lucky" (Suertudo) por evadir los arrestos y ganar a los dados. En 1920 se incorporó a la banda criminal de Joe Masseria y al poco tiempo estaba a la cabeza de sus negocios ilícitos en la prostitución, narcóticos y contrabando de licores. En 1931 mandó a asesinar tanto a Masseria como a su rival, Salvatore Maranzano; en 1934 era el "jefe de todos los jefes" en un consorcio nacional del crimen. Encarcelado por extorsión en 1936, siguió dirigiendo operaciones criminales desde su celda. En 1946 se conmutó su condena y fue deportado a Italia, donde se dedicó al tráfico de drogas y a dirigir la entrada ilegal de extranjeros a EE.UU.

luciérnaga Cualquiera de los COLEÓPTEROS nocturnos y luminiscentes de la familia Lampyridae, que comprende unas 1.900 especies que viven en regiones tropicales y templadas (el GUSANO FOSFORESCENTE común, inclusive). Los adultos tienen 5–25 mm (0,2–1 pulg.) de largo y órganos luminiscentes en la parte inferior del abdomen. El cuerpo es blando, aplanado, de color marrón oscuro o negro y a menudo tiene manchas de color naranja o amarillo. Algunas luciérnagas adultas no comen; otras se alimentan de polen y néctar. La mayoría produce pulsos luminiscentes, cortos y rítmicos, en un patrón que es característico de la especie y una señal importante para la cópula.

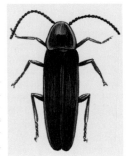
Luciérnaga (*Photinus pyralis*).
© ENCYCLOPÆDIA BRITANNICA, INC.

Lucifer En la mitología clásica, el lucero del alba (el planeta VENUS al amanecer), personificado como una figura masculina. Lucifer (latín: "portador de la luz") llevaba una antorcha y servía como heraldo del amanecer. En tiempos cristianos fue considerado como el nombre de Satanás antes de su caída; así lo empleó JOHN MILTON en *El paraíso perdido*.

lucio Cualquiera de varios peces voraces de agua dulce (familia Esocidae, orden Salmoniformes) con cuerpo esbelto, escamas pequeñas, cabeza larga, morro espatulado, boca grande, dientes fuertes, y con aletas dorsal y anal muy desplazadas hacia la cola. El lucio septentrional (*Esox lucius*), de Norteamérica, Europa y Asia septentrional, puede llegar a 1,4 m (4,5 pies) de largo y pesar 20 kg (45 lb). Cazador solitario, yace inmóvil o acecha entre las algas, arremetiendo bruscamente para atrapar un pez o invertebrado que se aproxima. Las especies grandes también atrapan aves acuáticas y mamíferos pequeños. Ver también GRAN LUCIO, LUCIO PEQUEÑO.

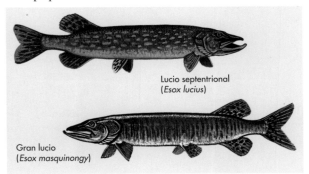
Lucio septentrional (*Esox lucius*)
Gran lucio (*Esox masquinongy*)
Especies de lucio.
© ENCYCLOPÆDIA BRITANNICA, INC.

lucio pequeño Cualquiera de varios LUCIOS de Norteamérica (familia Esocidae), que se distinguen del lucio septentrional y el GRAN LUCIO por su menor tamaño, mejillas y opérculos totalmente escamosos y marcas rayadas o eslabonadas. El lucio pequeño reticular (*Esox niger*) crece hasta 0,6 m (2 pies) aprox. y llega a un peso cercano a 1,4 kg (3 lb). El americano (*E. americanus*) y el vermiculado (*E. vermiculatus*) alcanzan un peso máximo de 0,5 kg (1 lb) aprox.

lucioperca americana Especie (*Stizostedion vitreum*) de lucioperca (familia Percidae), pez carnívoro, de mesa y pesca deportiva, distribuido en los lagos y ríos, claros y fríos del este de Norteamérica. Son esbeltos, tienen un jaspeado oscuro y dos aletas dorsales. Normalmente pesan menos de 4,5 kg (10 lb), aunque algunos pueden llegar hasta 11 kg (24 lb). Llegan a medir 90 cm (35 pulg.) de largo. No son LUCIOS genuinos.

Lucioperca americana (*Stizostedion vitreum*).
© ENCYCLOPÆDIA BRITANNICA, INC.

lucioperca canadiense Especie (*Stizostedion canadense*) de lucioperca (familia Percidae), pez carnívoro, de mesa y pesca deportiva, distribuido en ríos y lagos legamosos del este de Norteamérica. Son esbeltos, tienen un jaspeado oscuro y dos aletas dorsales. Pocas veces sobrepasan los 30 cm (12 pulg.) de largo y 1 kg (2 lb) de peso.

Lucite *o* **Plexiglas** *o* **Perspex** Nombres de marca comercial del compuesto orgánico metacrilato de polimetilo, un POLÍMERO sintético de metacrilato de metilo. Incoloro y muy transparente, el material sólido tiene una alta estabilidad dimensional y buena resistencia al desgaste y a los golpes. Es utilizado en cubiertas y ventanas de aeronaves, en los parabrisas de botes y como una alternativa general al vidrio en muchas aplicaciones. Un objeto hecho de Lucite tiene la propiedad inusual de conservar un rayo de luz reflejado dentro de su superficie y llevarlo alrededor de curvas y esquinas; por consiguiente, la Lucite es utilizada en dispositivos para iluminar órganos interiores durante la cirugía, como también para ornamentos, medallones y lentes.

Lucknow Ciudad (pob., est. 2001: 2.207.340 hab.) y capital del estado de UTTAR PRADESH, en el norte de India. Está situada a orillas del río Gomati, al sudeste de DELHI. En 1528 fue capturada por el gobernante mogol BĀBER y durante el dominio de su nieto AKBAR pasó a formar parte de la provincia de OUDH. En 1775 se convirtió en capital de Oudh. En la actualidad es un importante centro ferroviario, con fábricas de papel y otras actividades industriales. Entre sus sitios de interés destacan la Gran Imambara (tumba) de uno de los nababes de Oudh, la residencia donde los británicos estuvieron sitiados durante la rebelión de los CIPAYOS de 1857, y la Universidad de Lucknow.

El Rumi Darwaza o Puerta turca, en Lucknow, Uttar Pradesh, India.
© ANN & BURY PEERLESS—SLIDE RESOURCES & PICTURE LIBRARY

Lucrecio *p. ext.* **Tito Lucrecio Caro** (c. siglo I AC). Poeta y filósofo latino. Es conocido por su extenso poema *De la naturaleza de las cosas*, la más completa declaración existente de la teoría física de EPICURO. Lucrecio estableció los principios fundamentales del ATOMISMO y refutó las teorías rivales de HERÁCLITO, EMPÉDOCLES y ANAXÁGORAS; demostró la estructura atómica y la mortalidad del alma; describió la mecánica de la percepción sensible, el pensamiento y ciertas funciones corporales, como asimismo la creación y funciones del mundo y de los cuerpos celestes y la evolución de la vida y la sociedad humana.

Lúculo, Lucio Licinio (c. 117–57/56 AC). General romano que ocupó el cargo de CÓNSUL en 74 AC. Luchó al lado de SILA y fue el único oficial que participó en la marcha de este sobre Roma. Tras la muerte de Sila, mantuvo su poder por medio de intrigas. Comandó las legiones que hicieron retroceder a MITRÍDATES desde Bitinia y Ponto hasta Armenia; después invadió Armenia y derrotó al rey Tígranes. Varios motines impidieron que su victoria fuese completa, y fue reemplazado por POMPEYO, a quien se opuso en el Senado. Su hedonismo y amor desmedido por el lujo se hicieron legendarios, por lo cual su nombre pasó a ser sinónimo de "derrochador".

Lucy Apodo asignado a un esqueleto femenino de HOMÍNIDO notablemente íntegro (intacto en un 40%). Fue encontrado en 1974 por Donald Johanson en Hadar, Etiopía, y data de c. 3,2 millones de años. El espécimen suele clasificarse como *Australopithecus afarensis* (ver AUSTRALOPITHECUS). Por sus brazos largos, piernas cortas, pecho y mandíbula de tipo simiesco, y un cerebro pequeño pero una pelvis relativamente similar a la del ser humano, se piensa que el bipedismo precedió al desarrollo de un cerebro de mayor tamaño (más parecido al humano) en la evolución de los homínidos. Lucy medía cerca de 109 cm (3 pies 7 pulg.) y pesaba unos 27 kg (60 lb). Ver también restos de HADAR; huellas de LAETOLI; STERKFONTEIN.

Ludendorff, Erich (9 abr. 1865, Kruszewnia, cerca de Posnania, Polonia prusiana–20 dic. 1937, Munich, Alemania). General alemán. En 1908 se integró al estado mayor general del ejército alemán y trabajó bajo las órdenes de HELMUTH VON MOLTKE en la revisión del plan SCHLIEFFEN. En la primera guerra mundial fue nombrado jefe del estado mayor de PAUL VON HINDENBURG, y ambos obtuvieron una espectacular victoria en la batalla de TANNENBERG. En 1916, a los dos generales se les otorgó control militar supremo. Intentaron dirigir una guerra total mediante la movilización de todas de las fuerzas civiles del país, y en 1917, Ludendorff aprobó una guerra submarina sin restricciones contra Gran Bretaña, que provocó el ingreso de EE.UU. al conflicto. En 1918, tras el fracaso de su ofensiva en el frente occidental, pidió un ARMISTICIO, pero con posterioridad insistió en continuar la guerra al darse cuenta de las duras condiciones del mismo. Los líderes políticos se opusieron a él y renunció a su cargo. Insistió en que había sido traicionado, y durante los siguientes 20 años llevó una vida extraña; se convirtió en líder de movimientos políticos reaccionarios y participó en el *putsch* de KAPP (1920) y en el de la CERVECERÍA DE MUNICH (1923). Fue elegido al parlamento como nacionalsocialista (1924–28) y desarrolló la creencia de que los "poderes supranacionales"–el judaísmo, el cristianismo y la masonería– le habían impedido a él y a Alemania triunfar en la primera guerra mundial.

Erich Ludendorff, c. 1930.
ARCHIV FUR KUNST UND GESCHICHTE, BERLÍN, ALEMANIA

lúdica, conducta En zoología, acciones que tienen todos los elementos de una conducta deliberada, pero que se realizan sin ninguna razón aparente. La conducta lúdica sólo ha sido documentada entre mamíferos y aves. Es más común entre animales inmaduros, pero los animales adultos también juegan. Los caballos, el ganado bovino y otros ungulados corren y dan coces con sus patas traseras, incluso cuando no están huyendo de sus predadores ni en defensa propia. Los perros adoptan una postura agresiva para engatusar a otros a unírseles en un combate fingido. Las nutrias son muy conocidas por deslizarse en el barro. Las aves macho pueden emitir espontáneamente sus cantos territoriales, aun cuando no haya rivales intrusos.

ludita *inglés* **luddite** Miembro de grupos organizados de artesanos ingleses de comienzos del s. XIX, que destruían subrepticiamente máquinas textiles al considerar que serían reemplazados en su trabajo. El movimiento comenzó en Nottingham, en 1811, y se extendió hacia otras regiones en 1812. Los luditas, o *"ludds"*, fueron denominados así debido a un líder, Ned Ludd, probablemente ficticio. Actuaban de noche y a menudo encontraban apoyo local. Las duras medidas represivas del gobierno incluyeron un juicio masivo en York, en 1813,

Lago Lugano, cerca del balneario homónimo, en la Riviera suiza.
R.G. EVERTS–RAPHO/PHOTO RESEARCHERS

que concluyó con varias ejecuciones en la horca y destierros. Con posterioridad, el término ludita fue usado para describir a cualquiera persona opuesta a un cambio tecnológico.

Ludovico Pío ver LUIS I

Ludwig I ver LUIS I

Ludwig II ver LUIS II

Ludwig, Carl F(riedrich) W(ilhelm) (29 dic. 1816, Witzenhausen, cerca de Kassel, Hesse-Kassel–23 abr. 1895, Leipzig, Alemania). Médico alemán. Inventó instrumentos para registrar los cambios de la presión sanguínea arterial, medir el flujo sanguíneo y liberar los gases disueltos en la sangre (con lo que definió su papel en la purificación sanguínea). Fue el primero en conservar la vitalidad de órganos animales extracorpóreos. Su artículo sobre la secreción de orina postulaba, en 1844, que el riñón tenía la función de filtro. Casi 200 de sus alumnos llegaron a ser científicos prominentes, y se lo considera el fundador de la escuela fisicoquímica de fisiología.

Lueger, Karl (24 oct. 1844, Viena, Austria–10 mar. 1910, Viena). Político austríaco. Fue elegido al consejo de la ciudad de Viena (1875) y al Parlamento austríaco (1885), y cofundó el Partido Social Cristiano (1889). Para potenciar sus objetivos políticos usó en forma efectiva las corrientes del nacionalismo alemán y del antisemitismo predominantes en Viena. Fue elegido alcalde de Viena en 1895 y transformó la capital austríaca en una moderna ciudad, con tranvías, electricidad y gas bajo el control del gobierno municipal. También construyó parques, escuelas y hospitales. Fue importante su participación en la introducción del sufragio universal en Austria (1907).

Lufthansa *p. ext.* **Deutsche Lufthansa AG** Aerolínea líder en el transporte de pasajeros y carga, con oficinas centrales en COLONIA, Alemania. En 2002 operaba en 90 países y tenía más de 300 destinos.

Lugano, lago Lago en la frontera italosuiza, situado entre los lagos MAYOR y de COMO. Tiene una superficie de 49 km² (19 mi²) y una profundidad máxima de 288 m (945 pies). Entre Melide y Bissone el lago es tan poco profundo, que lo atraviesa un dique de piedra sobre el cual corre la línea férrea de San Gotardo. El balneario de Lugano, en la Riviera suiza es concurrido por turistas.

Lugard, F(rederick) (John) D(ealtry) *post.* **barón Lugard (de Abinger)** (22 ene. 1858, Fort St. George, Madrás, India–11 abr. 1945, Abinger, Surrey, Inglaterra). Administrador colonial británico. En Nigeria se desempeñó como alto comisionado (1900–06), y gobernador general (1912–19). Combatió como oficial en campañas británicas en Asia y África del norte antes de aceptar cargos en la British East Africa Company, la Royal Niger Company y otras empresas privadas. Adelantándose a los franceses, estableció rutas comerciales en BUGANDA, Níger central y Bechuanalandia. Como principal funcionario de gobierno en Nigeria, unificó los dispares distritos septentrionales y meridionales e influyó considerablemente en la adopción de las políticas coloniales británicas, al ejercer el control en forma centralizada por medio de gobernantes nativos y respetar los sistemas legales y las costumbres locales.

Lugdunensis *o* **Galia Lugdunense** Provincia romana, una de las tres divisiones administrativas de la GALIA. Se extendía hacia el noroeste desde su capital, Lugdunum (actual LYON), y comprendía las tierras entre los ríos SENA y LOIRA hasta BRETAÑA y la costa atlántica. Fue conquistada por JULIO CÉSAR durante la guerra de las GALIAS y se convirtió en una provincia romana en 27 AC bajo AUGUSTO.

luge Deporte de invierno, que se practica con un pequeño trineo donde el competidor va acostado de espaldas, con los pies hacia adelante. El trineo, llamado luge, se maneja con los pies y con movimientos sutiles de los hombros. Sus orígenes se remontan al s. XV. En Austria es uno de los deportes tradicionales de invierno, y también se practica en otros países. La pista es similar a la del BOBSLEIGH; no es raro alcanzar velocidades de más de 145 km/h (90 mi/h). En 1964 se convirtió en deporte oficial de los Juegos Olímpicos de Invierno.

Lugones, Leopoldo (13 jun. 1874, Villa María del Río Seco, Córdoba, Argentina–19 feb. 1938, Buenos Aires). Poeta, crítico y embajador cultural argentino. En un comienzo trabajó como periodista, pero se consideraba sobre todo un poeta. Sus primeros poemas, recogidos en volúmenes como *Las montañas de oro* (1897), muestran su afinidad estilística con el MODERNISMO. Posteriormente abrazó ideas políticas conservadoras, mientras su poesía y su prosa abordaron temas de manera realista. Fue director del Consejo Nacional de Educación de 1914 a 1938, produjo textos históricos de la Argentina y ensayos y traducciones de literatura clásica griega. Ejerció gran influencia sobre los escritores más jóvenes, como JORGE LUIS BORGES.

Lugosi, Bela *orig.* **Blasko Béla Ferenc Dezsö** (20 oct. 1882, Lugos, Hungría–16 ago. 1956, Los Ángeles, Cal., EE.UU.). Actor de cine estadounidense de origen húngaro. Fue actor del Teatro Nacional en Budapest (1913–19) y después actuó en películas alemanas. En 1921 se mudó a EE.UU., donde dirigió y protagonizó la obra de teatro *Drácula* (1927) en Nueva York. Revivió el rol,

Bela Lugosi en el rol de conde Drácula.
CULVER PICTURES

que se ajustaba perfectamente a su modo aristocrático y marcado acento, en la película *Drácula* (1931). Entre sus otros filmes de terror se cuentan *Satanás* (1934), *La marca del vampiro* (1935), *La sombra de Frankenstein* (1939), *Frankenstein contra el hombre lobo* (1943) y *Ladrón de cadáveres* (1945). Posteriormente arruinado, cayó en el olvido; aceptó roles esporádicos en películas independientes de bajo presupuesto. Fue sepultado vistiendo la negra y larga capa que utilizó en *Drácula*.

luhía Conjunto de pueblos del oeste de Kenia de habla bantú estrechamente emparentados entre sí. Constituyeron un grupo coherente hacia 1945, cuando era políticamente ventajoso poseer una identidad étnica más numerosa. En la actualidad, con una población cercana a 3,8 millones de personas, los luhía son el segundo grupo étnico más grande de Kenia. Cultivan maíz, algodón y caña de azúcar como productos comerciales, y mijo, sorgo y hortalizas como cultivos básicos de subsistencia; también crían ganado. Muchos se han trasladado a las áreas urbanas en busca de trabajo.

Luini, Bernardino (c. 1480/85–1532, Milán). Pintor italiano que trabajó en Milán. Se sabe muy poco de su vida. Las obras que se conservan de su primera etapa son un políptico ubicado en una iglesia cerca de Como (c. 1510) y un fresco, *Madona y el Niño* (1512), que se encuentra en el monasterio cisterciense de Chiravalle, cerca de Milán. Trabajó en estilo renacentista y fue un importante seguidor de LEONARDO DA VINCI en la Lombardía. Muchos de los frescos y retablos de Luini se conservan en iglesias de la región. También pintó temas mitológicos, entre los que sobresalen *Europa* y *Céfalo y Procris* (c. 1520), creados en un principio para un palacio milanés.

Luis I *o* **Ludovico Pío** *llamado* **Luis el Piadoso** (6 abr. 778, Chasseneuil, cerca de Poitiers, Aquitania–20 jun. 840, Petersau, cerca de Ingelheim). Emperador franco (814–840), hijo de CARLOMAGNO. Fue coronado coemperador en 813, junto a su padre, y se convirtió en emperador, a la muerte de este en 814. Como tal, implementó importantes reformas culturales y religiosas y formalizó la relación de los carolingios con el papa. También introdujo un plan de sucesión que buscaba preservar la integridad del imperio y a la vez respetar la tradición germánica de dividir el reino entre todos los herederos. El nacimiento del futuro rey CARLOS II (Carlos el Calvo) concebido con su segunda esposa, Judith, y la alteración del plan de sucesión sirvió de excusa a sus hijos mayores y a algunos obispos para la rebelión. Sus hijos lo depusieron dos veces y en ambas ocasiones recobró el trono (830, 834) pero, a su muerte, los hijos que le sobrevivieron se entregaron a una sangrienta guerra civil, que desorganizó el Imperio carolingio.

Luis I *o* **Ludwig I** (25 ago. 1786, Estrasburgo, Francia–29 feb. 1868, Niza). Rey de Baviera (1825–48). Hijo de MAXIMILIANO I JOSÉ, ganó respaldo como liberal y nacionalista alemán, pero tras su ascenso al trono luchó contra la Dieta y desconfió de todas las instituciones democráticas. En 1837, el gobierno reaccionario de Baviera comenzó a socavar la constitución liberal de 1818 que Luis se había empeñado en establecer. Destacado benefactor de las artes, coleccionó obras que hoy llenan los museos de Munich y transformó esa ciudad en el centro artístico de Alemania. Bajo su planificación se creó el actual trazado y estilo clásico de la misma. Causó escándalo su aventura amorosa con LOLA MONTEZ. Al iniciarse las REVOLUCIONES DE 1848 abdicó en favor de su hijo MAXIMILIANO II JOSÉ.

Luis II *o* **Ludwig II** (25 ago. 1845, palacio de Nymphenburg, Munich–13 jun. 1886, Starnberger See, Baviera). Rey de Baviera (1864–86). Hijo de MAXIMILIANO II JOSÉ, apoyó a Prusia en la guerra FRANCO-PRUSIANA (1870–71). Incorporó sus territorios al recién creado Imperio alemán en 1871, pero se preocupó sólo en forma intermitente de los asuntos del Estado, pues prefirió una vida de reclusión y creciente morbosidad. Benefactor del

compositor RICHARD WAGNER durante toda su vida, se desarrolló en él la obsesión de llevar a cabo exorbitantes proyectos de construcción; la más fantástica, NEUSCHWANSTEIN, fue una castillo de cuento de hadas decorado con escenas de las óperas de Wagner. Se suicidó ahogándose, tres días después de ser declarado oficialmente demente.

Luis IV *llamado* **Luis de Baviera** (1283, Munich, Alemania–11 oct. 1347, Munich). Rey germánico (1314–47) y emperador del Sacro Imperio romano sin corona (1328–47). Como candidato de los Luxemburgo para emperador, se enfrentó al candidato de los Habsburgo, Federico III de Austria. Ambos fueron elegidos y coronados reyes en 1314; sus fuerzas derrotaron al ejército de Federico en 1322. El conflicto con el papa JUAN XXII sobre el nombramiento del vicario imperial en Italia terminó en su excomunión (1324). Para aplacar a sus opositores, acordó gobernar en conjunto con Federico, acuerdo que continuó hasta la muerte de este (1330). Aceptó la corona imperial del pueblo romano en lugar de recibirla del papa (1328) y respaldó el nombramiento de un ANTIPAPA. En 1346, el papa CLEMENTE VI consiguió la elección de un rey rival, Carlos de Moravia. Luis falleció de un ataque cardíaco antes de finalizar los preparativos de guerra.

Luis VI *llamado* **Luis el Gordo** (1081–1 ago. 1137). Rey de Francia (1108–37). Gobernó eficazmente mucho antes de que su padre, Felipe I, muriera en 1108, y dedicó mucho tiempo a someter a los barones franceses rebeldes. Luchó contra ENRIQUE I de Inglaterra (1104–13, 1116–20) e impidió que el emperador Enrique V cumpliera su amenaza de invasión (1124). Murió un mes después de acordar el casamiento de su hijo con LEONOR DE AQUITANIA, tras lo cual su hijo lo sucedió como LUIS VII.

Luis VII *llamado* **Luis el Joven** (c. 1120–18 sep. 1180, París). Rey de Francia (1137–80). Fue uno de los reyes CAPETOS y se casó con LEONOR DE AQUITANIA en 1137, extendiendo así temporalmente su reino a los Pirineos. Inseguro de la fidelidad de Leonor, anuló su matrimonio en 1152 y, tras la muerte de su segunda esposa, se casó con Alix de Champagne, quien le dio un hijo y heredero, FELIPE II Augusto. Leonor se casó con el futuro ENRIQUE II de Inglaterra, quien tomó el control de Aquitania, con lo que se inició una larga rivalidad entre ambos (1152–74), que se caracterizó por constantes guerras e intrigas. Emprendió la segunda CRUZADA (1147–49) junto con CONRADO III, la que fracasó en todos sus objetivos.

Luis IX *o* **san Luis** (25 abr. 1214, Poissy, Francia–25 ago. 1279, cerca de Túnez; canonizado: 11 ago. 1297; festividad: 25 de agosto). Rey de Francia (1226–70). Heredó el trono a los 12 años de edad. Su madre fue regente hasta 1234 y contribuyó a someter a los barones rebeldes y los herejes albigenses (ver CÁTARO). Dirigió una CRUZADA (1248–50) con la esperanza de recuperar Jerusalén y Damasco, pero sus tropas fueron totalmente derrotadas por los egipcios. A su regreso, reorganizó el sistema de administración real y estandarizó la acuñación de moneda. Construyó la extraordinaria Sainte-Chapelle para albergar una reliquia religiosa que, según se creía, era la corona de espinas de Jesús. Hizo las paces con los ingleses a través del tratado de PARÍS (1259), y permitió a ENRIQUE III conservar Aquitania y los territorios vecinos, pero lo obligó a declararse su vasallo. Falleció de peste durante una cruzada. Fue el más querido de los reyes CAPETOS; su reputación de justo y piadoso llevó a que los franceses lo veneraran como santo aun antes de su canonización en 1297.

Luis XI (3 jul. 1423, Bourges, Francia–30 ago. 1483, Plessis-les-Tours). Rey de Francia (1461–83). Conspiró contra su padre, Carlos VII, y fue exiliado al DELFINADO (1445), que gobernó como estado soberano hasta que Carlos se aproximó a sus fronteras con un ejército (1456). Luego huyó a los Países Bajos, y regresó a Francia para convertirse en rey tras la muerte de su padre en 1461. Combatió a los príncipes franceses rebeldes (1465) e hizo concesiones a CARLOS EL TEMERARIO (1468). Con el objeto de fortalecer y unificar Francia, acabó con el poder de los borgoñones en 1477. Recuperó el control de Boulonnais, Picardía y Borgoña; tomó posesión del Franco Condado y Artois (1482); anexó Anjou (1471) y recibió en herencia Maine y Provenza (1481).

Luis XII (27 jun. 1462, Blois, Francia–1 ene. 1515, París). Rey de Francia (1498–1515). Se convirtió en rey a la muerte de su primo CARLOS VIII. Anuló su matrimonio para casarse con la viuda de Carlos, ANA DE BRETAÑA, y así fortalecer la unión de dicho ducado con Francia. Continuó la participación de Francia en las guerras ITALIANAS, a menudo con resultados desastrosos. Conquistó Milán en 1499, que luego perdió, pero con posterioridad fue reconocido como duque de Milán por el emperador MAXIMILIANO I. Concluyó un tratado con FERNANDO II que dividió Nápoles (1500), pero ambos se enfrentaron en una guerra en la cual Luis perdió la totalidad de Nápoles (1504). En 1508 consolidó la Liga de CAMBRAI, pero fue disuelta en 1510 y sus miembros se unieron a Inglaterra en una Liga Santa contra Francia, que la invadieron en varias ocasiones. A pesar de sus fracasos, fue muy popular entre los franceses, quienes lo llamaban "padre del pueblo".

Luis XIII (27 sep. 1601, Fontainebleau, Francia–14 may. 1643, Saint-Germain-en-Laye). Rey de Francia (1610–43). Hijo de ENRIQUE IV y MARÍA DE MÉDICIS. Su madre fue regente hasta 1614, pero continuó gobernando hasta 1617; planificó el matrimonio de Luis con la española ANA DE AUSTRIA, en 1615. Celoso del poder de su madre, la exilió, pero el cardenal RICHELIEU, su principal consejero, los reconcilió en 1620. En 1624 nombró a Richelieu su principal ministro, y ambos cooperaron estrechamente para hacer de Francia una importante potencia europea, consolidando la autoridad del rey y luchando por romper el predominio de los Habsburgo austríacos y españoles en la guerra de los TREINTA AÑOS. Grupos de fanáticos católicos prohispanos, encabezados por María de Médicis, le solicitaron que rechazara la política de Richelieu de apoyar a los estados protestantes, pero mantuvo a su ministro, y su madre marchó al exilio. Francia declaró la guerra a España en 1635 y a la muerte de Richelieu, en 1642, había obtenido importantes victorias. Fue sucedido por su hijo LUIS XIV.

Luis XIII, estilo Estilo de las artes decorativas producidas en Francia durante el reinado de LUIS XIII, incluida la regencia de su madre, MARÍA DE MÉDICIS, quien introdujo gran parte del arte de su Italia natal. El MANIERISMO italiano y flamenco fue tan influyente que no pudo desarrollarse un verdadero estilo francés hasta mediados del s. XVII, cuando el influjo de CARAVAGGIO fue asimilado por GEORGES DE LA TOUR y los hermanos LE NAIN, y la ascendencia de los hermanos CARRACCI se extendió por medio de SIMON VOUET, quien formó a los pintores académicos de la generación siguiente. La escultura del período no fue muy notable. El área artística más prolífica fue la arquitectura, en la que también se observa la influencia italiana, como en el palacio de justicia de Rennes y el palacio de Luxemburgo de París, ambos diseñados por Salomon de Brosse, y en la capilla de la Sorbona en París, diseñada por Jacques Lemercier. El mobiliario del período es por lo general macizo, construido sólidamente y a menudo decorado con querubines, ornamentación de volutas, guirnaldas de frutas y flores, y grotescas máscaras.

Luis XIII, grabado de Jaspar Isac, 1633.

GENTILEZA DE LA BIBLIOTHÈQUE NATIONALE, PARÍS, FRANCIA

Luis XIV *llamado* **el Rey Sol** (5 sep. 1638, Saint-Germain-en-Laye, Francia–1 sep. 1715, Versa-

lles). Rey de Francia (1643–1715), gobernante durante uno de los períodos más gloriosos de Francia y símbolo de la monarquía absoluta de la época neoclásica. Sucedió a su padre, LUIS XIII, a la edad de cuatro años, y quedó bajo la regencia de su madre, ANA DE AUSTRIA. En 1648, los nobles y el Parlamento de París, quienes odiaban al primer ministro, el cardenal MAZARINO, se levantaron contra la corona y dieron inicio a La FRONDA. En 1653, victorioso sobre los rebeldes, Mazarino obtuvo el poder absoluto, a pesar de que el rey ya tenía la edad requerida para gobernar. En 1660, el monarca se casó con María Teresa de Austria (n. 1638–m. 1683), hija de FELIPE IV de España. Al morir Mazarino en 1661, asombró a sus ministros al informarles que pretendía asumir la responsabilidad del gobierno del reino. Partidario de la monarquía absoluta por derecho divino, se vio a sí mismo como representante de Dios en la Tierra. Fue apoyado por ministros competentes, JEAN-BAPTISTE COLBERT y el marqués de LOUVOIS. Debilitó el poder de los nobles haciéndolos dependientes de la corona. Benefactor de las artes, protegió a los escritores y se dedicó a la construcción de espléndidos palacios, entre ellos el fastuoso palacio de VERSALLES, donde mantuvo a la mayor parte de la nobleza bajo su atenta mirada. En 1667 invadió los Países Bajos españoles en la guerra

Luis XIV, el Rey Sol.
FOTOBANCO

de DEVOLUCIÓN (1667–68) y nuevamente en 1672, en la guerra de Holanda. El Rey Sol estaba en su cénit; había extendido las fronteras oriental y septentrional de Francia y era reverenciado en su corte. En 1680 un escándalo que involucró a su amante, la marquesa de Montespan (n. 1641–m. 1707), lo hizo temer por su reputación, y renunció abiertamente a los placeres. La reina falleció en 1683, y en forma secreta se casó con la piadosa marquesa de MAINTENON. Tras intentar convertir por la fuerza a los protestantes franceses, revocó el edicto de NANTES en 1685. El temor a su expansionismo llevó al surgimiento de alianzas contra Francia durante la guerra de la LIGA DE AUGSBURGO (1688–97) y la guerra de sucesión ESPAÑOLA (1701–14). Falleció a los 77 años, y su reinado fue el más largo de la historia europea.

Luis XIV, estilo Estilo de las artes decorativas producidas en Francia durante el reinado de LUIS XIV. En 1648, CHARLES LE BRUN fundó la Real academia de escultura y pintura, que dictaba rígidamente los estilos para el resto del reino. El artista más influyente fue NICOLAS POUSSIN, quien abrió el camino al clasicismo francés (ver CLASICISMO Y NEOCLASICISMO). La escultura alcanzó un nuevo apogeo con las obras de FRANÇOIS GIRARDON y PIERRE PUGET. A través de la fábrica Gobelin (ver GOBELINOS) evolucionó un estilo nacional en las artes decorativas. El mobiliario era enchapado en taracea, extremadamente dorado, y a menudo decorado con conchas, sátiros, guirnaldas, héroes mitológicos y delfines. El estilo se asocia particularmente a ANDRÉ-CHARLES BOULLE. En arquitectura, JEAN-BAPTISTE COLBERT controló en forma estricta las obras del palacio de VERSALLES, cuyos jardines fueron diseñados por el paisajista ANDRÉ LE NÔTRE.

Luis XV (15 feb. 1710, Versalles, Francia–10 may. 1774, Versalles). Rey de Francia (1715–74). Huérfano desde los tres años de edad, sucedió en el trono a su bisabuelo LUIS XIV, tras su muerte en 1715, y quedó bajo la regencia de Felipe II, duque de Orleans (n. 1674–m. 1723). En 1725, su matrimonio con la princesa Marie Leszczynska de Polonia (n. 1703–m. 1768) llevó a que Francia participara en la guerra de sucesión POLACA (1733–38). Eligió a ANDRÉ-HERCULE DE FLEURY como su principal ministro en 1726, y su propia influencia se hizo perceptible sólo tras la muerte de Fleury en 1744. Sus amantes, en particular la marquesa de POMPADOUR, mantuvieron una considerable influencia política. Condujo a Francia a la guerra de sucesión AUSTRÍACA (1740–48) y a la guerra de los SIETE AÑOS (1756–63), por la cual el país perdió a favor de Gran Bretaña casi todas sus posesiones coloniales. Con la declinación de la autoridad política y moral de la corona, los parlamentos aumentaron su poder e impidieron una reforma fiscal. Murió odiado por sus súbditos.

Luis XV, estilo Estilo ROCOCÓ de las artes decorativas francesas durante el reinado de LUIS XV, época en que los artistas realizaron exquisitas decoraciones para los palacios y residencias de la realeza y nobleza. Se dio importancia al conjunto, de modo que pinturas y esculturas formaran parte de las artes decorativas. Se representó una gran variedad de técnicas decorativas: magníficos tallados, ornamentaciones en diferentes metales, trabajos en marquetería de maderas exóticas, metal, madreperla y marfil, y objetos en estilo CHINESCO laqueados exquisitamente y que rivalizaron con los productos de Asia oriental. Los diseños decorativos mezclaban temas de la fantasía con elementos de la naturaleza y de inspiración asiática. Entre los artistas y diseñadores destacados de este estilo se cuentan JEAN-HONORÉ FRAGONARD, FRANÇOIS BOUCHER y JEAN-BAPTISTE OUDRY.

Luis XVI (23 ago. 1754, Versalles, Francia–21 ene. 1793, París). Último rey de Francia (1774–92) de linaje borbónico que precedió a la REVOLUCIÓN FRANCESA. En 1770 se casó con MARÍA ANTONIETA, y en 1774, a la muerte de su abuelo, LUIS XV, accedió al trono. Inmaduro y sin carácter, fue incapaz de dar el necesario apoyo a sus ministros, entre ellos ANNE-ROBERT-JACQUES TURGOT y JACQUES NECKER, en sus esfuerzos orientados a equilibrar las inestables finanzas de Francia. La restauración de los parlamentos en 1774, desplazó el poder a la aristocracia. La oposición aristocrática a las reformas económicas de CHARLES-ALEXANDRE DE CALONNE forzaron a que en 1788 convocara a los Estados Generales, lo que dio inicio a la Revolución. Dominado por la facción cortesana reaccionaria, defendió los privilegios del clero y la nobleza. Destituyó a Necker en 1789 y rehusó sancionar los acuerdos de la ASAMBLEA NACIONAL. Su resistencia a las demandas populares fue una de las causas del traslado forzoso de la familia real, desde Versalles al palacio de las Tullerías en París. Perdió aún más credibilidad cuando intentó escapar de la capital en 1791; fue capturado en Varennes y regresado a París. A partir de entonces fue dominado por

Luis XVI, condenado a la guillotina.
FOTOBANCO

la reina, quien lo alentó a que, por medio de subterfugios, eludiera la puesta en vigor de la CONSTITUCIÓN DE 1791, que había jurado mantener. En 1792, el palacio de las Tullerías fue tomado por el pueblo y la milicia, y se proclamó la Primera República francesa. Cuando se descubrieron pruebas de sus intrigas contrarrevolucionarias con extranjeros, fue enjuiciado por traición. Condenado a muerte, fue guillotinado en 1793. En cierto modo, su reputación quedó compensada por la dignidad con que enfrentó el juicio y su ejecución.

Luis XVI, estilo Estilo de las artes decorativas producidas en Francia desde c. 1760 hasta la Revolución francesa. El estilo predominante en la pintura, arquitectura, escultura y artes decorativas fue el neoclasicismo; constituyó una reacción en contra de los excesos del estilo ROCOCÓ, una respuesta al llamado de JEAN-JACQUES ROUSSEAU hacia una virtud "natural" y un retorno a los principios de la antigüedad clásica (ver POMPEYA y HERCULANO). El pintor más destacado fue JACQUES-LOUIS DAVID, cuyas composiciones recordaban el estilo de NICOLÁS POUSSIN. El primer escultor de ese entonces fue JEAN-ANTOINE HOUDON. El estilo del mobiliario era clásico, aunque la factura era más compleja que en cualquier período anterior. JEAN-HENRI RIESENER y otros artesanos alemanes estuvieron entre los ebanistas más prominentes. Ver también CLASICISMO Y NEOCLASICISMO.

Luis XVII *orig.* **Louis-Charles** (27 mar. 1785, Versalles, Francia–8 jun. 1795, París). Rey nominal de Francia desde 1793. Segundo hijo de LUIS XVI y MARÍA ANTONIETA, se transformó en heredero al trono a la muerte de su hermano, poco después del estallido de la REVOLUCIÓN FRANCESA. En 1792 fue arrestado con el resto de la familia real. Cuando su padre fue decapitado en 1793, la NOBLEZA EMIGRADA francesa lo proclamó rey. Falleció en prisión a la edad de diez años, pero el secreto que rodeó sus últimos meses hizo surgir rumores de que no había muerto, y en las siguientes décadas más de 30 personas aseguraron ser Luis XVII. Los exámenes de ADN realizados en 2000 establecieron que el niño que falleció en 1795 fue realmente el hijo de Luis XIV y María Antonieta.

Luis XVIII *orig.* **Luis Estanislao Xavier, conde de Provenza** (17 nov. 1755, Versalles, Francia–16 sep. 1824, París). Rey nominal de Francia desde 1795 y de facto en 1814–24. Huyó del país en 1791, durante la Revolución francesa; en exilio editó manifiestos contrarrevolucionarios y organizó asociaciones de la NOBLEZA EMIGRADA. Se transformó en regente de su sobrino LUIS XVII tras la ejecución de LUIS XVI en 1793, y se proclamó rey a la muerte del delfín en 1795. Cuando los ejércitos aliados ingresaron a París en 1814, CHARLES-MAURICE DE TALLEYRAND negoció la restauración de la dinastía BORBÓN y Luis fue recibido con júbilo. Prometió una monarquía constitucional, y se promulgó la CARTA DE 1814; tras la interrupción de su reinado durante los CIEN DÍAS, cuando NAPOLEÓN I regresó de Elba, reasumió la monarquía constitucional. El parlamento incluía una fuerte mayoría derechista, y aunque se oponía al extremismo de los ULTRAS, estos ejercieron un control creciente e impidieron sus intentos de curar las heridas dejadas por la Revolución. A su muerte, le sucedió su hermano, CARLOS X.

Luis Felipe *llamado* **el Rey Ciudadano** (6 oct. 1773, París, Francia–26 ago. 1850, Claremont, Surrey, Inglaterra). Rey de Francia (1830–48). Hijo mayor del duque de ORLEANS, apoyó al nuevo gobierno al estallar la Revolución francesa y se integró al ejército revolucionario en 1792, pero desertó durante la guerra con Austria (1793) y vivió exiliado en Suiza, EE.UU. e Inglaterra. Regresó a Francia con la restauración de LUIS XVIII y se unió a la oposición liberal. Tras la REVOLUCIÓN DE JULIO (1830) y la abdicación de CARLOS X, fue proclamado el "Rey Ciudadano" por ADOLPHE THIERS y elegido por la legislatura. Durante la siguiente Monarquía de Julio, consolidó su poder siguiendo una política intermedia entre la derecha monárquica y los socialistas y otros republicanos, pero recurrió a medidas represivas debido a las numerosas rebeliones e intentos por asesinarlo. Fortaleció la posición de Francia en Europa y cooperó con Gran Bretaña para forzar a los neerlandeses a reconocer la independencia de los belgas. La creciente oposición de la clase media a su arbitrario gobierno y su incapacidad para obtener el apoyo de las nuevas clases surgidas del desarrollo industrial, causaron su abdicación en 1848 durante la REVOLUCIÓN DE FEBRERO.

Luis Napoleón ver NAPOLEÓN III

Luis, san ver LUIS IX

Luisiana *inglés* **Louisiana** Estado (pob., 2000: 4.468.976 hab.) meridional de EE.UU. Ubicado en el golfo de México, limita con los estados de Arkansas, Mississippi y Texas, y ocupa una superficie de 123.592 km² (47.719 mi²). Su capital es BATON ROUGE. Se puede dividir morfológicamente entre el delta y las planicies aluviales del río MISSISSIPPI y la llanura costera del golfo de México. Es el único estado de EE.UU. que se rige por el código de NAPOLEÓN. La ocupación por pueblos originarios de la zona probablemente se extendió por 16.000 años; en la época de la colonización europea, la región fue habitada por los CADDO y CHOCTAW. El explorador francés LA SALLE navegó por el río Mississippi en 1682 y reclamó toda la cuenca del río para Francia. En 1718 se fundó la ciudad de NUEVA ORLEANS, y en 1731 Luisiana se convirtió en colonia de la corona francesa. La colonización aumentó en la década de 1760 con la llegada de los acadianos de habla francesa (CAJUNES) desde Nueva Escocia. España controló el territorio entre 1762 y 1800; luego volvió a dominio francés. Las tierras que conforman el estado de Luisiana moderno fueron adquiridas por EE.UU. como parte de la llamada adquisición de LUISIANA; en 1803–04 se convirtió en el Territorio de Orleans. En 1812, Luisiana pasó a ser el 18° estado de EE.UU. Se separó de la Unión en 1861 al inicio de la guerra de SECESIÓN y fue readmitido en 1868. La economía, basada en plantaciones agrícolas, continuó bajo los hacendados que negaban la propiedad de la tierra, lo cual contribuyó a la ascensión del populista HUEY LONG en la década de 1920. Después de la segunda guerra mundial, Luisiana experimentó un desarrollo más rápido con la explotación de gas y petróleo mar adentro, siendo los principales recursos mineros. Entre los productos agrícolas destacan la soya y el algodón; también son importantes la industria forestal y la pesca del camarón.

Catedral de St. Louis Christian, Nueva Orleans, Luisiana.
GAVIN HELLIER/ROBERT HARDING WORLD IMAGERY/GETTY IMAGES

Luisiana, adquisición de *inglés* **Louisiana Purchase** Territorio adquirido por EE.UU. a Francia en 1803 por 15 millones de dólares. Se extendía desde el río MISSISSIPPI hasta las montañas ROCOSAS y desde el golfo de México hasta la América británica (Canadá). En 1762, Francia había cedido la parte de Luisiana ubicada al oeste del río Mississippi a España, pero esta nación la devolvió a Francia en 1800. Alarmado por el posible aumento del poderío francés, el pdte. THOMAS JEFFERSON amenazó con formar una alianza con los británicos. NAPOLEÓN I entonces vendió a EE.UU. todo el Territorio de Luisiana, aunque sus límites no quedaron muy claros; recién en 1818–19 las fronteras noroccidental y sudoccidental fueron establecidas. La adquisición duplicó la superficie de EE.UU.

Luisiana, Universidad del estado de Sistema universitario del estado de Luisiana, EE.UU., que consta de ocho universidades en diez campus distribuidos en cinco ciudades. Las principales son Louisiana State University y el Agricultural and Mechanical College con sede en Baton Rouge. La universidad se inició mediante una serie de donaciones del estado (la primera de ellas en 1806) para crear un seminario. Fue reconocida oficialmente en 1853 y abrió sus puertas en 1860. Administra cerca de 800 proyectos de investigación debidamente respaldados, y comprende el Center for Coastal, Energy, and Environmental Resources (Centro de recursos costeros, energéticos y medioambientales). Allí, ROBERT PENN WARREN y otros fundaron *The Southern Review* en 1935.

Lukács, György (13 abr. 1885, Budapest, Hungría–4 jun. 1971, Budapest). Filósofo y crítico húngaro. Nacido en el seno de una acaudalada familia judía, se afilió al Partido Comunista húngaro en 1918. En la obra *Historia y conciencia de clase* (1923) desarrolló una filosofía marxista de la historia y sentó las bases de su crítica literaria, al vincular el desarrollo de la forma en el arte con la historia de la lucha de clases. Fue una figura descollante durante el levantamiento húngaro de 1956, por lo que fue deportado, aunque se le permitió volver en 1957. Entre sus obras figuran la colección de ensayos *El alma y las formas* (1911) y *La novela histórica* (1955). Sus obras tempranas, especialmente *Teoría de la novela* (1920) e *Historia y conciencia de clase* (1923), son consideradas en la actualidad superior a sus críticas ulteriores influenciadas por el estalinismo, donde celebraba la política oficial soviética del REALISMO SOCIALISTA.

Lula da Silva ver Luíz Inácio da SILVA

Lully, Jean-Baptiste *orig.* **Giovanni Battista Lulli** (28 nov. 1632, Florencia–22 mar. 1687, París, Francia). Compositor francés de origen italiano. A los 13 años de edad, tras la muerte de su madre, quedó bajo tutela y fue enviado como criado a una residencia de nobles franceses. Allí aprendió a tocar guitarra, órgano, violín y a practicar el baile, y conoció al compositor Michel Lambert (n. 1610–m. 1696), quien lo presentó en sociedad y más tarde fue su suegro. Lully se convirtió en bailarín y músico del rey, y a los 30 años de edad fue director musical de la familia real. En la década de 1660 compuso la música incidental para comedias de MOLIÈRE, así como para obras de los grandes autores trágicos de Francia. A principios de la década de 1670 obtuvo el puesto de director de la Académie Royale de Musique y volcó su atención en la ópera. Compuso la serie de "tragedias líricas", la mayoría con libretos de Philippe Quinault (n. 1635–m. 1688), por las que se le conoce, como *Alceste* (1674), *Atys* (1676) y *Armide* (1686). La orquesta que formó fue una importante precursora de la orquesta moderna. Una herida en el dedo de un pie, autoinfringida al golpearse con su pesada batuta, le provocó la muerte. Su estilo de composición fue imitado en toda Europa.

Lumet, Sidney (n. 25 jun. 1924, Filadelfia, Pa., EE.UU.). Director de cine y televisión estadounidense. Fue actor desde pequeño en el Yiddish Theatre y prosiguió en Broadway. Combatió en la segunda guerra mundial; a su regreso dirigió obras de teatro y fue profesor de actuación. Dirigió más de 200 obras dramáticas para televisión en CBS (1951–57), entre las que se cuentan *Playhouse 90* y *Studio One*. Su debut como director cinematográfico fue con la aclamada *Doce hombres sin piedad* (1957), y continuó con dramas psicológicos que fueron éxitos de taquilla como *Piel de serpiente* (1960), *Punto límite* (1964), *Serpico* (1973), *Tarde de perros* (1975), *Network, un mundo implacable* (1976), *Veredicto final* (1982) y *La noche cae sobre Manhattan* (1997). En 2005, Lumet recibió un premio de la Academia, en honor a su destacada trayectoria como director.

Lumière, Auguste y Louis (19 oct. 1862, Besançon, Francia–10 abr. 1954, Lyon) (5 oct. 1864, Besançon, Francia–6 jun. 1948, Bandol). Inventores franceses. En 1882, Louis creó un método para elaborar placas fotográficas y en 1894 en la fábrica de los hermanos ya producía 15 millones de placas por año. Comenzaron a desarrollar el kinetoscopio, inventado por THOMAS ALVA EDISON, y en 1895 lograron patentar el cinematógrafo, aparato que era una combinación de cámara de cine y proyector. Ese mismo año, en París, exhibieron su película *Salida de los obreros de la fábrica Lumière*, ante un público que canceló una entrada, por lo que es considerada la primera película de la historia del cine. En 1896, con Louis a la cabeza, realizaron más de 40 filmes en que registraron escenas de la vida cotidiana francesa. Asimismo, fueron pioneros de los noticiarios, al enviar equipos por todo el mundo con el fin de registrar imágenes y exhibir sus películas. Louis dirigió numerosos largometrajes y además produjo alrededor de 2.000 cortos. Los hermanos Lumière también sentaron los fundamentos de la fotografía a color.

Auguste Lumière.
BOYER—H. ROGER-VIOLLET

luminiscencia Proceso mediante el cual un material tiene la propiedad de emitir luz, fenómeno no atribuible exclusivamente al aumento de temperatura. La EXCITACIÓN se alcanza a menudo con RADIACIÓN ULTRAVIOLETA, RAYOS X, SELECTRONES, partículas alfa, CAMPOS ELÉCTRICOS O ENERGÍA QUÍMICA. El color o longitud de onda de la luz emitida lo determina el material, mientras que la intensidad depende tanto del material como de la energía proporcionada. Ejemplos de luminiscencia son las emisiones de luz de las luminarias de neón, diales de relojes, pantallas de televisión y de computadoras, lámparas fluorescentes, así como las luciérnagas. Ver también BIOLUMINISCENCIA; FLUORESCENCIA; FOSFORESCENCIA.

luminismo Estilo pictórico que tiende a acentuar los efectos de la luz en una pintura o dibujo. Es característico de las obras de un grupo de pintores estadounidenses de fines del s. XIX, influenciados por la escuela del RÍO HUDSON. Por lo general, estas obras corresponden a paisajes o marinas donde el cielo ocupa casi la mitad de la composición. Las obras del luminismo se distinguen por los colores fríos y claros, y los objetos meticulosamente detallados y modelados por la luz. Los pintores más importantes fueron John Frederick Kensett, MARTIN JOHNSON HEADE y Fitz Hugh Lane.

Lumumba, Patrice (Hemery) (2 jul. 1925, Onalua, Congo Belga–ene. 1961, provincia de Katanga, República del Congo). Líder nacionalista africano y primer ministro (jun.–sep. 1960) de la actual República Democrática del CONGO. Se dedicó a organizar sindicatos antes de fundar, en 1958, el Movimiento Nacional Congoleño, primer partido político de alcance nacional. Ese mismo año se hizo notar por su nacionalismo militante en una importante conferencia del movimiento PANAFRICANO celebrada en Accra, Ghana. En 1960, en el curso de negociaciones en Bélgica, se le pidió formar el primer gobierno congoleño independiente. Inmediatamente después su rival, MOÏSE TSHOMBÉ, anunció la secesión de la provincia de Katanga. Cuando las tropas belgas llegaron para apoyar la secesión, Lumumba recurrió primero a la ONU y luego a la Unión Soviética. Fue destituido por el pdte. JOSEPH KASAVUBU y, poco después, fue asesinado por partidarios de Tshombé. Su muerte provocó un escándalo en toda África, donde era considerado un líder del panafricanismo.

Luna Cualquiera de las sondas lunares no tripuladas de la serie soviética del mismo nombre, lanzadas entre 1959 y 1976, y que fueron las "primeras" en varios temas relativos a la LUNA. El primer vehículo espacial en estrellarse sobre la superficie lunar fue Luna 2 (1959). Luna 3 (1959) fue el primero en orbitar ese satélite natural y tomó las primeras fotografías de su lado oscuro. Luna 9 (1966) realizó el primer alunizaje con éxito. Luna 16 (1970) fue la primera nave espacial no tripulada que trajo a la Tierra muestras del suelo lunar. Luna 17 (1970) alunizó un vehículo robótico de exploración; portaba también aparatos de televisión y envió a la Tierra imágenes en vivo de varios kilómetros de la superficie. Ver también PIONEER; RANGER; SURVEYOR.

Luna Único SATÉLITE natural de la Tierra que orbita de oeste a este a una distancia media de unos 384.400 km (238.900 mi). Su tamaño es un poco menor que un tercio del de la

Luna 9, primera sonda soviética en alunizar con éxito, el 31 ene., 1966.
AGENCIA NOVOSTI

Tierra, con un diámetro ecuatorial de unos 3.476 km (2.160 mi); la masa de la Tierra es 80 veces mayor que la de la Luna y su densidad media es cercana a dos tercios de la densidad terrestre. Su gravedad superficial es un sexto de la terrestre, siendo su fuerza gravitacional la principal responsable de las MAREAS en la Tierra. La Luna brilla por la luz reflejada del Sol, pero su ALBEDO es sólo el 7,3%. Rota sobre su eje en alrededor de 29,5 días, que es exactamente el mismo tiempo que tarda en orbitar la Tierra, de manera que la Luna muestra siempre la misma cara hacia la Tierra. Sin embargo, esa cara es iluminada por el Sol en ángulos diferentes a medida que la Luna gira en torno a la Tierra, por lo que muestra diferentes fases durante el mes, desde la llamada Luna nueva hasta la Luna llena. La mayoría de los astrónomos cree que la Luna se formó a partir de una nube detritos puestos en órbita terrestre por un cuerpo del tamaño de MARTE, que impactó la Tierra en su estado primitivo en los albores del sistema solar. Su superficie ha sido estudiada por medio del telescopio, desde que GALILEO la observó por primera vez en 1609, e *in situ* por un total de 12 astronautas estadounidenses, gracias a seis alunizajes exitosos del programa APOLO. El proceso que causa la erosión lunar son los impactos, tanto por el bombardeo de micrometeoritos, los cuales pulverizan fragmentos de roca, como por impactos de METEORITOS, los cuales produjeron en una época temprana, hace más de 4 mil millones de años, los cráteres tan comunes de la superficie lunar. Los mares (ver MAR LUNAR) son flujos de lava

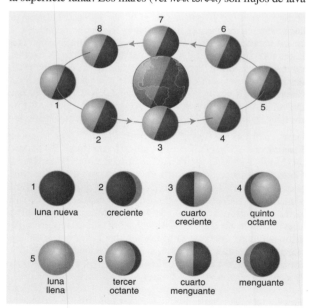

A medida que la Luna gira en torno a la Tierra, la fracción de su mitad iluminada que se ve desde la Tierra aumenta y disminuye lentamente (crece y mengua). El ciclo tarda alrededor de 29,5 días.
© 2006 MERRIAM-WEBSTER INC.

grandes y antiguos. A fines de la década de 1990, naves espaciales no tripuladas encontraron signos probables de agua congelada cerca de los polos lunares. En forma genérica, el término luna se usa para referirse a cualquier satélite natural que orbita un planeta u otro cuerpo no estelar.

Luna ver SELENE

Lunacharski, Anatoli (Vasílievich) (23 nov. 1875, Poltava, Ucrania, Imperio ruso–26 dic. 1933, Menton, Francia). Político y escritor ruso. Deportado en 1898 por sus actividades revolucionarias, se unió a los BOLCHEVIQUES en 1904 y difundió propaganda entre estudiantes rusos y refugiados políticos en países extranjeros. En 1917 se unió a VLADÍMIR LENIN en Rusia y fue designado comisario para la educación, función en la cual aportó mucho para asegurar la preservación de obras de arte durante la guerra civil RUSA. Fomentó innovaciones en el teatro y la educación, y editó piezas teatrales de su autoría.

Lunceford, Jimmie orig. **James Melvin Lunceford** (6 jun. 1902, Fulton, Miss., EE.UU.–12 jul. 1947, Seaside, Ore.). Músico y director de orquestas de JAZZ estadounidense. Fue un músico experimentado que ya tocaba el saxofón y enseñaba música antes de organizar una banda en 1929. En 1933, la incorporación del trompetista y arreglista Sy Oliver (n. 1910–m. 1988) aportó un sonido vigoroso de conjunto al estilo rítmico binario de la orquesta. Lunceford y su banda concitaron la atención nacional cuando sucedieron a CAB CALLOWAY en el COTTON CLUB de Harlem en 1934, y a partir de entonces fue considerada como una de las mejores y más grandes orquestas de la era del SWING, compitiendo en popularidad con las de DUKE ELLINGTON y COUNT BASIE.

lunda ver estados LUBA-LUNDA

Lundy, Benjamin (4 ene. 1789, cond. de Sussex, N.J., EE.UU.–22 ago. 1839, Lowell, Ill.). Abolicionista estadounidense y editor de periódicos. Trabajó en Virginia y Ohio, donde organizó la Union Humane Society (1815), una de las primeras sociedades antiesclavistas. En 1821 fundó un periódico, *Genius of Universal Emancipation*, que dirigió en diversas localidades hasta 1835, cuando comenzó a publicar otro, el *National Enquirer* (posteriormente, *Pennsylvania Freeman*), en Filadelfia. Viajó en busca de lugares para que se establecieran los libertos, como en Canadá y Haití.

Lung shan, cultura de ver cultura de LONGSHAN

Luni, río Río del estado de RAJASTHAN, India occidental. Nace en los montes Aravalli occidentales, donde se lo conoce con el nombre de Sagarmati, luego fluye hacia el sudoeste y entra en una zona desértica antes de disiparse en el Rann de KUTCH, después de un curso total de 530 km (330 mi). Su nombre en sánscrito es Lavanavari ("río salado"), que hace referencia a su alta salinidad. Es el principal río de la región y se aprovecha como fuente de riego.

Lunt, Alfred y Lynn Fontanne orig. **Lillie Louise Fontanne** (19 ago. 1892, Milwaukee, Wis., EE.UU.–3 ago. 1977, Chicago, Ill.) (6 dic. 1887, Essex, Inglaterra–30 jul. 1983, Genesee Depot, Wis.). Dúo actoral estadounidense. Lunt debutó en el teatro en Boston en 1912 y posteriormente protagonizó *Clarence* en Broadway (1919). Fontanne debutó como actriz en Londres en 1909 y un año después en Nueva York. Se casaron en 1922, y en 1924–29 fueron miembros del THEATRE GUILD. Actuaron juntos en más de 25 obras, entre las que se cuentan *La guardia* (1924) y *Un modelo de vida* (1933), obra escrita por NOËL COWARD para ellos. Fueron considerados la pareja teatral estadounidense más importante y obtuvieron elogios por la sutileza y la íntima complementación de sus interpretaciones, especialmente en las comedias de Coward y GEORGE BERNARD SHAW.

Lunyu *español* **Analectas** Uno de cuatro textos confucianos que, cuando fueron publicados juntos en 1190 por ZHU XI, formaron los CUATRO LIBROS. Los académicos lo consideran la fuente más confiable de la doctrina de CONFUCIO. Abarca casi todos los conceptos éticos básicos del CONFUCIANISMO; p. ej., JEN (benevolencia), *junzi* (el hombre superior), TIAN (cielo), *zhong yong* (doctrina del humilde), *li* (conducta apropiada) y *zheng ming* (rectificación de nombres). También contiene muchas citas directas de Confucio e impresiones personales del sabio, tal como fueron registradas por sus discípulos. Ver también NEOCONFUCIANISMO; ZHONG YONG.

luo Pueblo de las llanuras cercanas al lago Victoria, en el oeste de Kenia y el norte de Uganda. Sus miembros hablan una lengua de la familia NILOSAHARIANA. Con una población de 3,2 millones de personas, son el tercer grupo étnico más grande de Kenia. Dedicados preferentemente a la agricultura de subsistencia y a la crianza de ganado, muchos trabajan como peones agrícolas y en ocupaciones urbanas. Los luo son mayoritariamente cristianos. Ver también NILÓTICOS.

Lupercales Antigua festividad romana realizada cada 15 de febrero. Sus orígenes son inciertos, pero la probable derivación de su nombre de *lupus* (latín: "lobo") puede indicar un vínculo con una deidad pastoril primitiva que protegía a los rebaños de lobos o con la legendaria loba que amamantó a RÓMULO Y REMO. Las Lupercales comenzaban con el sacrificio de cabras y un perro; dos de sus sacerdotes (Luperci) eran luego conducidos al altar y sus frentes eran untadas con sangre. Después de que todos habían festejado, los Luperci cortaban tiras de las pieles de los animales sacrificados y corrían alrededor de la colina del Palatino golpeando a toda mujer que se les acercara; se suponía que un golpe otorgaba fecundidad.

lupino Cualquiera de unas 200 especies de plantas herbáceas o semileñosas que constituyen el género *Lupinus* de la familia de las Papilionáceas (ver LEGUMINOSA), repartidas por todo el Mediterráneo y especialmente en las praderas del oeste de Norteamérica. En EE.UU. muchas se cultivan como plantas ornamentales y unas pocas son útiles como cubierta vegetal o forraje. Las formas herbáceas, que crecen hasta una altura de 1,25 m (4 pies), tienen hojas bajas y divididas, y una espiga floral erguida; muchas se hibridan para su uso en jardines. El nombre viene de la palabra latina *lupus* porque otrora se creyó que estas plantas devoraban como lobos (agotaban) los minerales del suelo; en realidad, algunas especies mejoran la fertilidad del suelo mediante la fijación del NITRÓGENO.

Lupino (*Lupino perennis*).
© ENCYCLOPÆDIA BRITANNICA, INC.

Lupino, familia Familia británica dedicada a las artes escénicas. El primer miembro, Signor Luppino, surgió c. 1610, probablemente en Italia. Su descendiente George William Luppino (n. 1632–m. 1693), fue un maestro titiritero que emigró a Inglaterra como refugiado político. Un descendiente posterior, el artista escénico y bailarín Thomas Frederick Lupino (n. 1749–m. 1845), alteró la ortografía del apellido. Otro miembro de la familia, George Hook Lupino (n. 1820–m. 1902), tuvo 16 hijos, diez de los cuales fueron bailarines. Su hijo mayor, George Lupino (n. 1853–m. 1932), fue un famoso payaso; el hijo de este, Barry Lupino (n. 1884–m. 1962) se destacó como mimo y actor de comedias musicales. Otro hijo de Hook, Stanley Lupino (n. 1894–m. 1942), actuó en revistas cómicas, y su sobrino, Henry Lupino (n. 1892–m. 1959), fue conocido como Lupino Lane, un comediante que se caracterizó por utilizar el acento de los barrios bajos londinenses, y que creó la coreografía "Lambeth Walk" en la comedia musical *Me and My Girl* (1937). La hija de Stanley, Ida Lupino (n. 1916–m. 1995) se mudó en 1934 a EE.UU., donde protagonizó películas como *Pasión ciega* (1940), *El lobo de* *mar* (1941) y *The Hard Way* (1942). Fue una de las primeras directoras de cine, y se destacó por *The Hitch Hicker* (1953) y *El bígamo* (1953), y también dirigió varias obras dramáticas para televisión.

lúpulo Cualquiera de dos especies del género *Humulus*, trepadoras herbáceas, no leñosas, anuales o perennes, de la familia de las Cannabináceas (ver CÁÑAMO), originarias de las zonas templadas de Norteamérica, Eurasia y Sudamérica. En

la industria cervecera (ver CERVEZA) se usan los ramos secos de flores femeninas (CONOS) del lúpulo vulgar (*H. lupulus*), una planta perenne de larga vida con tallos ásperos y volubles. El lúpulo da un amargor suave y aroma delicado a las bebidas fermentadas y ayuda a conservarlas. El lúpulo japonés (*H. japonicus*) es una enredadera anual de crecimiento rápido que se usa de biombo natural.

Lúpulo vulgar (*Humulus lupulus*).
© ENCYCLOPÆDIA BRITANNICA, INC.

lupus eritematoso Una de dos enfermedades AUTOINMUNES inflamatorias, ambas más comunes en las mujeres. En el tipo discoide, que es una enfermedad cutánea, aparecen placas rojizas con escamas pardo grisáceas en los pómulos y el puente nasal (a menudo en patrón de mariposa), el cuero cabelludo, los labios y/o la parte interna de las mejillas. La luz solar lo empeora. Los medicamentos antipalúdicos pueden ser de utilidad. La segunda forma, el lupus eritematoso sistémico (diseminado), puede afectar cualquier órgano o estructura, especialmente la piel (con marcas como las del tipo discoide), riñones, corazón, sistema nervioso, membranas serosas lubricadas (p. ej., la sinovial de las articulaciones, el peritoneo y la pleura) y los ganglios linfáticos, con episodios agudos y remisiones. Los síntomas varían ampliamente. El compromiso de los riñones o del sistema nervioso central puede poner la vida en peligro. El tratamiento incluye alivio del dolor, control de la inflamación e intentos para limitar el daño de los órganos vitales.

Luria, A(lexandr) R(omanovich) (3 jul, 1902, Kazán, Rusia–1977). Neuropsicólogo soviético. Después de graduarse en psicología, educación y medicina, fue profesor de psicología en la Universidad estatal de Moscú y posteriormente director del departamento de neuropsicología. Influenciado por su ex maestro L.S. VIGOTSKI, estudió los trastornos del lenguaje y su rol en el desarrollo y el retardo mental. Durante la segunda guerra mundial logró avances en cirugía cerebral y en la restauración de funciones cerebrales dañadas por un trauma. También desarrolló teorías relativas al funcionamiento del lóbulo frontal y la existencia de zonas de células cerebrales que trabajan en forma concertada. Entre sus libros se cuentan *Las funciones corticales superiores del hombre* (1966), *El cerebro en acción* (1973) y *Problemas fundamentales de neurolingüística* (1976).

Luria, Isaac ben Solomon (1534, Jerusalén–5 ago. 1572, Safed, Siria). Místico judío y fundador de una escuela de la CÁBALA. Se crió en Egipto, donde siguió estudios rabínicos. Se dedicó al estudio de la Cábala con fervor mesiánico y en 1570 viajó a un centro del movimiento en Galilea. Murió dos años más tarde en una epidemia, dejando pocos escritos. La Cábala luriánica, colección de sus doctrinas registradas después de su muerte por un discípulo, ejerció gran influencia sobre el posterior misticismo judío y el HASIDISMO. Propone una teoría de la creación y posterior degeneración del mundo e insta a la restauración de la armonía original a través de la meditación ritual y las combinaciones secretas de palabras.

Luria, Salvador (Edward) (13 ago. 1912, Turín, Italia– 6 feb. 1991, Lexington, Mass., EE.UU.). Biólogo estadounidense de origen italiano. Huyó de su país natal a Francia en 1938 y llegó a EE.UU. en 1940. En 1942 obtuvo una microfotografía electrónica de partículas de fagos (virus bacteriófagos), que confirmaba las descripciones previas de ellos, compuestos de una cabeza redonda y una cola delgada. En 1943, junto con MAX DELBRÜCK, demostró que el material hereditario de los virus puede experimentar cambios permanentes. También, que la existencia simultánea de bacterias resistentes y sensibles a los fagos en un mismo cultivo, era consecuencia de la selección de mutantes bacterianas espontáneas. En 1945, junto con A.D. HERSHEY, demostró la existencia no sólo de tales mutantes bacterianas sino también de mutantes de fagos espontáneos. En 1969 estos tres científicos compartieron el Premio Nobel.

Luristán, bronces de ver BRONCES DE LURISTÁN

Lusaka Ciudad (pob., est. 1999: área metrop., 1.577.000 hab.) y capital de ZAMBIA. La región en que se asienta Lusaka fue capturada por la British South Africa Company en la década de 1890, durante la formación de RHODESIA del Norte; en 1935 pasó a ser su capital. Tras la creación de la Federación de Rhodesia del Norte y Rhodesia del Sur, ocurrida en 1953, fue una de las bases del movimiento de desobediencia civil que culminó en 1960 con el estado independiente de Zambia, con Lusaka como capital. Posee algo de industria liviana y es también un centro comercial para las zonas agrícolas aledañas. La Universidad de Zambia (fundada en 1965) se encuentra en los alrededores.

Lüshun o **Lü-shun** *ant.* **Port Arthur** Antigua ciudad que desde 1950 pasó a ser un distrito de la aglomeración urbana de DALIAN, provincia de LIAONING, en el nordeste de China. Ubicada en el extremo meridional de la península de LIAODONG, fue utilizada desde 2000 AC como zona de estacionamiento de tropas. Fortificada durante la dinastía MING, los MANCHÚES la capturaron en 1633 y sirvió de base a una unidad de defensa durante la dinastía QING. En 1878 se transformó en la base principal de la primera armada moderna de China. Arrendada a Rusia en 1898, fue capturada por los japoneses (1905) durante la guerra RUSO-JAPONESA, quienes la hicieron sede de un gobierno provincial. En virtud de un tratado de 1945, se transformó en una base militar chino-soviética; las fuerzas soviéticas se retiraron en 1955.

Lusitania Transatlántico británico hundido por un submarino alemán frente a la costa de Irlanda el 7 de mayo de 1915. El almirantazgo británico había advertido al *Lusitania* que evitara la zona usando la táctica evasiva del zigzagueo, pero la tripulación ignoró las recomendaciones. Aunque desarmada, la nave transportaba pertrechos para los aliados, y los alemanes habían advertido de que el barco sería hundido. La pérdida de vidas –1.198 personas ahogadas, entre ellas 128 ciudadanos estadounidenses– indignó a la opinión pública. EE.UU. protestó contra la acción germana y Alemania limitó su campaña submarina contra Gran Bretaña. Cuando el gobierno alemán reanudó las acciones submarinas sin restricciones, EE.UU. había ingresado a la guerra en abril de 1917.

lustre En mineralogía, aspecto de una superficie mineral en términos de sus cualidades de reflexión de luz. El lustre depende del índice de REFRACCIÓN del mineral, de su transparencia y de su estructura. Variaciones en estas propiedades producen diferentes tipos de lustre, desde metálico (p. ej., oro) a opaco (p. ej., tiza).

luteranismo Movimiento protestante fundado en la doctrina de MARTÍN LUTERO. El luteranismo surgió al comienzo de la REFORMA, después que Lutero fijara sus NOVENTA Y CINCO TESIS en Wittenberg. Se extendió por gran parte de Alemania y Escandinavia, donde fue establecido por ley. Se propagó por el Nuevo Mundo a través de los colonizadores de Nueva Holanda y NUEVA SUECIA y se extendió por la costa atlántica y el Medio Oeste de EE.UU. en los s. XVIII–XIX. Sus doctrinas están contenidas en los catecismos de Lutero y en la confesión de AUGSBURGO. La doctrina luterana enfatiza la SALVACIÓN sólo por la fe y la primacía de la BIBLIA como autoridad eclesiástica. El ministerio luterano es uno de servicio –sin estatus especial– y es descrito como el sacerdocio de todos los creyentes. Los luteranos aceptan dos sacramentos (bautismo y Eucaristía) y creen en la predestinación de la salvación. La Federación luterana mundial tiene su sede en Ginebra. Ver también PIETISMO.

Lutero, Martín *alemán* **Martin Luther** (10 nov. 1483, Eisleben, Sajonia–18 feb. 1546, Eisleben). Religioso y teólogo alemán que dio inicio a la REFORMA. Hijo de un minero, estudió filosofía y derecho antes de ingresar a un monasterio agustino en 1505. Fue ordenado dos años más tarde y continuó sus estudios teológicos en la Universidad de Wittenberg, donde llegó a ser profesor de estudios bíblicos. En un viaje que hizo a Roma en 1510 lo escandalizó la corrup-

Retrato de Martín Lutero, pintura de Lucas Cranach, el Viejo, 1533.
FOTOBANCO

ción del clero y más tarde se sintió afligido por las dudas centradas en el temor a la justicia divina retributiva. Su crisis espiritual se resolvió cuando dio con la idea de la JUSTIFICACIÓN por la fe, la doctrina de que la salvación es concedida como un don por la gracia de Dios. Instó la reforma de la Iglesia católica, protestando contra la venta de INDULGENCIAS y otros abusos, y en 1517 envió al arzobispo de Maguncia y a varios amigos y conocidos sus NOVENTA Y CINCO TESIS (según la leyenda, Lutero las clavó en la puerta de la iglesia del castillo de Wittenberg); las tesis cuestionaban la enseñanza católica y demandaban reformas. En 1521 fue excomulgado por el papa san LEÓN IX y declarado proscrito en la dieta de WORMS. Bajo la protección del elector de Sajonia, se refugió en Wartburg. Allí tradujo la Biblia al alemán; su magnífica y vigorosa traducción se ha considerado por largo tiempo como el principal hito en la historia del idioma ALEMÁN. Regresó a Wittenberg y en 1525 se casó con la ex monja Katherina von Bora, con quien crió seis hijos. Aunque su predicación fue la chispa decisiva que detonó la guerra de los CAMPESINOS (1524–25), su vehemente denuncia de los mismos contribuyó a su derrota. Su ruptura con Roma llevó a la fundación de la Iglesia luterana (ver LUTERANISMO); la confesión luterana de fe o confesión de AUGSBURGO fue elaborada, con su aprobación, por PHILIPP MELANCHTHON en 1530. Sus escritos comprenden himnos, una liturgia y muchas obras teológicas.

Luthuli, Albert (John Mvumbi) (1898, Rhodesia–21 jul. 1967, Stanger, Sudáfrica). Jefe ZULÚ y presidente del CONGRESO NACIONAL AFRICANO (ANC) (1952–60). Formado en una escuela misionera, fue docente y jefe de una pequeña comunidad antes de ser elegido presidente del ANC. Estuvo prisionero varias veces por sus actividades contra el *apartheid*. Expuso su pensamiento en *Let My People Go* [Deja partir a mi pueblo] (1962). En 1960 se convirtió en el primer africano en recibir el Premio Nobel de la Paz.

lutita Cualquier roca sedimentaria de grano fino formada por partículas del tamaño del limo o arcilla (menos que 0,06 mm, ó 0,0025 pulg. de diámetro) que provienen principalmente de rocas no marinas (continentales). Por lo general, las lutitas laminadas y las que se separan en capas con facilidad son llamadas PIZARRAS ARCILLOSAS. Otras lutitas son las arcillolitas, limolitas o lodolitas.

Lutosławski, Witold (25 ene. 1913, Varsovia, Polonia– 7 feb. 1994, Varsovia). Compositor polaco. Formado en Varsovia, fue conocido inicialmente como pianista. Su reputación internacional se consolidó con el estreno de su *Concierto para orquesta* (1954), lleno de color y basado en elementos folclóricos, y posteriormente de la *Música fúnebre* para orquesta de cuerdas (1958). Desde fines de la década de 1950 incorporó algunos efectos aleatorios (elementos de azar; ver MÚSICA ALEATORIA) en sus obras. Sus cuatro sinfonías brillantemente orquestadas, en particular la *Segunda* (1967) y la *Tercera* (1983), gozan de gran admiración, así como su *Livre pour orchestra* (1968) y su *Cuarteto de cuerdas* (1964).

Lutyens, Sir Edwin L(andseer) (29 mar. 1869, Londres, Inglaterra–1 ene. 1944, Londres). Arquitecto británico. Ganó reputación con el diseño de una casa de campo en Munstead Wood, Godalming, Surrey (1896), creada para GERTRUDE JEKYLL. En la serie de residencias diseñadas posteriormente, muchas en colaboración con Jekyll, adaptó estilos antiguos a la vida doméstica contemporánea de una manera exquisita y original. Proyectó la planificación de la nueva capital india en Nueva Delhi, basándose en una serie de hexágonos separados por avenidas anchas; su edificio más importante allí es el palacio del Virrey (1912–30), donde combina elementos de la arquitectura clásica con motivos indios. Después de la primera guerra mundial se convirtió en arquitecto de la Imperial War Graves Commission, para la cual diseñó un cenotafio en Londres (1919–20) y otros monumentos conmemorativos.

luxación ver DISLOCACIÓN

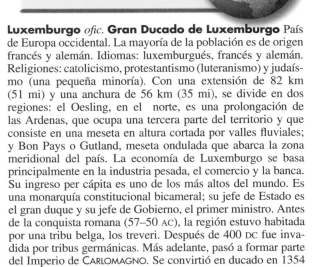

LUXEMBURGO

▸ **Superficie:** 2.586 km² (999 mi²)
▸ **Población:** 457.000 hab. (est. 2005)
▸ **Capital:** LUXEMBURGO
▸ **Moneda:** euro

Luxemburgo *ofic.* **Gran Ducado de Luxemburgo** País de Europa occidental. La mayoría de la población es de origen francés y alemán. Idiomas: luxemburgués, francés y alemán. Religiones: catolicismo, protestantismo (luteranismo) y judaísmo (una pequeña minoría). Con una extensión de 82 km (51 mi) y una anchura de 56 km (35 mi), se divide en dos regiones: el Oesling, en el norte, es una prolongación de las Ardenas, que ocupa una tercera parte del territorio y que consiste en una meseta en altura cortada por valles fluviales; y Bon Pays o Gutland, meseta ondulada que abarca la zona meridional del país. La economía de Luxemburgo se basa principalmente en la industria pesada, el comercio y la banca. Su ingreso per cápita es uno de los más altos del mundo. Es una monarquía constitucional bicameral; su jefe de Estado es el gran duque y su jefe de Gobierno, el primer ministro. Antes de la conquista romana (57–50 AC), la región estuvo habitada por una tribu belga, los treveri. Después de 400 DC fue invadida por tribus germánicas. Más adelante, pasó a formar parte del Imperio de CARLOMAGNO. Se convirtió en ducado en 1354 y fue cedido en 1441 a la casa de BORGOÑA y en 1477, a la dinastía HABSBURGO. A mediados del s. XVI se integró a los Países Bajos españoles. En 1815, el Congreso de VIENA transformó la región en gran ducado y la adjudicó a los Países Bajos. Luego de un levantamiento surgido en 1830, la parte occidental se integró a Bélgica y el resto se mantuvo dentro

Edificaciones medievales de Luxemburgo, capital del Gran Ducado homónimo.
ANDY CAULFIELD/PHOTOGRAPHER'S CHOICE/GETTY IMAGES

de los Países Bajos. En 1867, las potencias europeas garantizaron la neutralidad e independencia de Luxemburgo. A fines del s. XIX desarrolló una gran industria siderúrgica, a partir de la explotación de sus extensos depósitos de mineral de hierro. Alemania invadió y ocupó el ducado durante la dos guerras mundiales. Después de la segunda guerra mundial, abandonó su neutralidad al ingresar a la OTAN en 1949. Se integró a la UNIÓN ECONÓMICA DEL BENELUX en 1944 y a la COMUNIDAD EUROPEA DEL CARBÓN Y DEL ACERO, precursora de la UNIÓN EUROPEA, en 1952. Ratificó el tratado de MAASTRICHT sobre la Unión Europea en 1992 y adoptó el euro como su moneda oficial en 1999.

Luxemburgo Ciudad (pob., est. 2001: 76.833 hab.), capital de LUXEMBURGO. Un promontorio rocoso junto al río Alzette fue el lugar donde se emplazó un asentamiento romano y más tarde un castillo franco en torno al cual se desarrolló la ciudad medieval. Sigfrido, conde de Ardenas, adquirió este castillo e independizó el ducado de Luxemburgo en 963. Dada su posición estratégica al igual que GIBRALTAR, los prusianos lo transformaron en bastión defensivo de la CONFEDERACIÓN GERMÁNICA (1815–66), pero en 1867 un tratado ordenó su desmantelamiento. Aparte de su importancia tradicional como un nudo vial y ferroviario, la ciudad también es actualmente un centro industrial y financiero. Es la sede del Tribunal de Justicia de la UNIÓN EUROPEA (UE) y de varias oficinas administrativas.

Rosa Luxemburgo.
INTERFOTO—FRIEDRICH RAUCH, MUNICH, ALEMANIA

Luxemburgo, Rosa (5 mar. 1871, Zamość, Polonia, Imperio ruso–15 ene. 1919, Berlín, Alemania). Política radical, escritora e intelectual alemana de origen polaco. Como judía en la Polonia controlada por Rusia, pronto se vio arrastrada al activismo político clandestino. En 1889 huyó a Zurich, Suiza, donde obtuvo un doctorado. Participó en el movimiento socialista internacional, y en 1892 cofundó lo que se convertiría en el Partido Comunista de Polonia. La REVOLUCIÓN RUSA DE 1905 la convenció de que la revolución mundial comenzaría en Rusia. Defendió la huelga masiva como el instrumento más importante del proletariado. Encarcelada en Varsovia por agitadora, se trasladó luego a Berlín a enseñar y escribir (1907–14). A principios de la primera guerra mundial cofundó la Liga Espartaco (ver ESPARTAQUISTAS), y en 1918 supervisó su transformación en el Partido Comunista alemán; fue asesinada durante la Rebelión de Espartaco menos de un mes después. Creía en un tránsito democrático al socialismo luego de la revolución mundial que derribaría al capitalismo y se opuso a lo que ella reconoció como la dictadura emergente de VLADÍMIR LENIN.

luxemburgués Dialecto del ALEMÁN hablado exclusivamente en LUXEMBURGO. Dialecto franconio del Mosela del grupo alemán centro-occidental, enriquecido con muchas palabras y locuciones del francés, el luxemburgués lo hablan todas las clases sociales. La población de Luxemburgo es, por lo general, bilingüe o trilingüe. El luxemburgués se emplea principalmente en forma oral, el francés en el gobierno y en los tribunales de justicia, y el alemán en los diarios. En las escuelas se utilizan las tres lenguas.

Luxor *árabe* **Al-Uqşur** Ciudad (pob., 1996: 360.503 hab.) del Alto Egipto. Luxor está situada en lo que fue la mitad meridional de la antigua TEBAS. En el centro de Luxor, en la ribera oriental del NILO, se levanta el gran templo de AMÓN, cuya construcción fue iniciada en el s. XIV AC por el faraón AMENOFIS III. TUTANKAMÓN y Horemheb completaron el templo, y RAMSES II lo amplió. Entre sus ruinas están los pilares y las plazoletas del templo original, así como los restos de iglesias coptas y de una mezquita. Además de centro turístico, la ciudad actual sirve de mercado para el distrito agrícola circundante. Ver también KARNAK.

luz La parte del ESPECTRO ELECTROMAGNÉTICO que es visible para el ojo humano. El rango del espectro visible va desde el rojo en un extremo hasta el violeta en el otro, con longitudes de onda desde 700 hasta 400 nanómetros y frecuencias desde $4,3 \times 10^{14}$ hasta $7,5 \times 10^{14}$ Hz, respectivamente. Como toda RADIACIÓN ELECTROMAGNÉTICA, la luz se propaga a través del espacio vacío a una velocidad de 300.000 km/s (186.000 mi/s) aprox. A mediados del s. XIX, la luz fue descrita por James Clerk Maxwell en términos de ondas electromagnéticas, pero los físicos del s. XX demostraron que también presenta propiedades de partículas; el FOTÓN es su partícula portadora. La luz es la base para el sentido de la vista y para la percepción del COLOR. Ver también DUALIDAD ONDA-PARTÍCULA; ÓPTICA.

luz de calcio Antiguo método de iluminación teatral. En 1816, Thomas Drummond inventó la luz de calcio incandescente, que se utilizó por primera vez en un teatro en 1837. Durante la década de 1860 su uso era masivo y la luz suave y brillante que proyectaba facilitó concentrar el haz sobre el escenario, además de crear efectos de iluminación que simulaban luz de día o noches de luna. A fines del s. XIX este método fue reemplazado por la iluminación eléctrica.

luz zodiacal Banda de luz muy débil en el cielo nocturno. Se cree que es luz solar reflejada por partículas de polvo interplanetario, ubicados principalmente en el plano del ZODÍACO, o ECLÍPTICA. Se observa hacia el oeste después del ocaso y hacia el este antes del amanecer; se puede ver de manera más clara en los trópicos, donde la eclíptica es casi perpendicular al horizonte. En las latitudes medias del hemisferio sur se observa más fácilmente durante los atardeceres entre septiembre y octubre, y durante los amaneceres entre febrero y marzo (viceversa para las latitudes medias del hemisferio norte). La luz se observa a todo lo largo desde el horizonte hasta un punto situado a unos 90° del Sol. Continúa en la región opuesta al Sol, donde se hace visible un pequeño aumento del brillo, llamado GEGENSCHEIN.

Luzón, estrecho de Paso entre el norte de la isla de Luzón en Filipinas y el sur de Taiwán. Conecta el mar de CHINA meridional por el oeste con el mar de Filipinas por el este. Tiene una extensión de 320 km (200 mi) y forma parte de una importante ruta naviera. Salpicado por las islas de los grupos Batan y BABUYAN, el estrecho está constituido por una serie de canales.

Luzón, isla Isla (pob., 2000: 37.909.589 hab.) de FILIPINAS. Es la más grande del país, con una superficie de 104.688 km² (40.420 mi²); allí se ubican las ciudades de QUEZÓN CITY y MANILA, capital de la nación. Situada en el norte del archipiélago de Filipinas, limita con los mares de Filipinas, de Sibuyan y de CHINA meridional; el estrecho de LUZÓN la separa de

TAIWÁN. Representa un tercio del territorio del país y en ella habita la mitad de su población. Gran parte de su relieve es montañoso; en 1991, la erupción del monte PINATUBO modificó la geografía de la isla. Es el principal centro industrial y agrícola del país.

Lvov Ciudad (pob., 2001: 733.000 hab.) de Ucrania occidental. Fundada c. 1256 por el príncipe Daniel de Galitzia, en 1349 cayó bajo dominio polaco. Lvov se convirtió en una de las grandes ciudades comerciales del medievo y cambió de manos en numerosas oportunidades. En 1648 fue capturada por los COSACOS y en 1704 por los suecos. Cedida a Austria en 1772, se convirtió en la capital de la provincia austríaca de Galitzia. En 1919 pasó a manos de Polonia, luego de un intento frustrado de los ucranianos por establecer una república (1918). Los soviéticos tomaron la ciudad en 1939 y la anexaron a la U.R.S.S. en 1945, una vez finalizada la ocupación alemana. Actualmente es un centro de la cultura ucraniana y sede de una universidad (fundada en 1661).

Lvov, Gueorgui (Yevguénievich), príncipe (2 nov. 1861, Popovka, cerca de Tula, Rusia–7 mar. 1925, París, Francia). Político ruso, jefe del primer gobierno provisional que se estableció durante la REVOLUCIÓN RUSA DE 1917. En 1905 se integró al PARTIDO DEMÓCRATA CONSTITUCIONAL de orientación liberal y fue elegido a la primera Duma (1906). Se transformó en presidente de la Unión rusa de zemstvos (asambleas provinciales) (1914) y se ganó el respeto de los políticos liberales y los comandantes del ejército. En marzo de 1917 se transformó en primer ministro, pero fue incapaz de satisfacer las crecientes demandas radicales de las masas. Renunció en julio en favor de ALEXANDR KERENSKI, tras una gran manifestación izquierdista. Cuando los BOLCHEVIQUES tomaron el poder fue arrestado, escapó y se estableció en París.

Lyallpur ver FAISALABAD

Lyautey, Louis-Hubert-Gonzalve (17 nov. 1854, Nancy, Francia–21 jul. 1934, Thorey). Militar francés y primer administrador colonial del protectorado francés de Marruecos (1912–56). En los comienzos de su carrera sirvió en Indochina francesa, Madagascar y Argelia. Como general permanente de Marruecos (1912–24), pacificó la colonia y defendió el principio de gobierno indirecto.

lyceum, movimiento Forma de educación adulta muy difundida en EE.UU. a mediados del s. XIX. Los *lyceums* eran asociaciones locales voluntarias que auspiciaban conferencias y debates sobre temas de interés común. El primero de ellos fue fundado en 1826 y ya en 1834 existían cerca de 3.000 en las regiones del nordeste y del Medio Oeste del país. Atrajeron a oradores del nivel de RALPH WALDO EMERSON, FREDERICK DOUGLASS, HENRY DAVID THOREAU, DANIEL WEBSTER, NATHANIEL HAWTHORNE y SUSAN B. ANTHONY. El movimiento empezó a declinar tras el estallido de la guerra de Secesión y con el tiempo se mezcló con el movimiento de CHAUTAUQUA de posguerra. En sus días de apogeo, los *lyceums* contribuyeron a la ampliación de los planes de estudio de las escuelas y al desarrollo de museos y bibliotecas locales.

Sir Charles Lyell, detalle de una reproducción en óleo de L. Dickinson, 1883.
GENTILEZA DE LA NATIONAL PORTRAIT GALLERY, LONDRES

Lyell, Sir Charles (14 nov. 1797, Kinnordy, Forfarshire, Escocia–22 feb. 1875, Londres, Inglaterra). Geólogo escocés. Mientras estudiaba leyes en la Universidad de Oxford, se interesó por la geología y más adelante conoció a geólogos notables como ALEXANDER VON HUMBOLDT y GEORGES CUVIER. Lyell llegó a creer que existían explicaciones naturales (como contraposición a sobrenaturales) para todos los fenómenos geológicos, posición que apoyó con muchos ejemplos en su libro de tres volúmenes, *Principios de geología* (1830–33). Un líder reconocido en su campo, se ganó la amistad de otros hombres de ciencia famosos, como la familia HERSCHEL y CHARLES DARWIN, cuyo *Origen de las especies* (1859) lo persuadió a aceptar la evolución. Lyell fue en gran medida responsable por la aceptación general en geología del concepto de UNIFORMITARIANISMO.

Lyly, John (¿1554?, Kent, Inglaterra–nov. 1606, Londres). Escritor inglés. Formado en Oxford, cobró fama en Londres gracias a dos romances en prosa, *Euphues* (1578) y *Euphues y su Inglaterra* (1580). Las novelas inspiraron el *eufuismo*, estilo literario extravagante y ampuloso de la época isabelina, e hizo de Lyly el primer estilista en prosa en dejar una huella duradera en el idioma inglés. También contribuyó al desarrollo de los diálogos en prosa en la comedia inglesa, género al que se dedicó de manera casi exclusiva a contar de 1580. *Endimión* (estrenada en 1588) es considerada su mejor obra de teatro.

Lyme, enfermedad de Enfermedad bacteriana transmitida por garrapatas. Fue identificada en 1975 y denominada así por la localidad de Old Lyme, Conn., EE.UU. Es causada por una ESPIROQUETA, *Borrelia burgdorferi*, transmitida por GARRAPATAS, que la extraen de la sangre de animales infectados, especialmente ciervos. Los seres humanos pueden ser picados por garrapatas en lugares con hojarasca o hierbas altas. La enfermedad de Lyme tiene tres etapas: una erupción en forma de diana (de blanco), a menudo con síntomas de gripe; otra con dolores artríticos migratorios y síntomas neurológicos (trastornos de la memoria, visión o locomoción); y la tercera con artritis incapacitante, cuyos síntomas son parecidos a los de la esclerosis múltiple y, a veces, parálisis facial, meningitis o pérdida de la memoria. La mayoría de los casos no pasa más allá de la primera etapa, pero algunos llegan a la tercera etapa en un plazo de dos años. La prevención implica evitar las picaduras de garrapatas. El diagnóstico puede ser difícil, especialmente si no se advierte la erupción inicial. El tratamiento precoz con antibióticos puede impedir su progreso. En los casos avanzados se requieren antibióticos más potentes aunque, a pesar de su empleo, los síntomas pueden recidivar.

Lynch, David (n. 20 ene. 1946, Missoula, Mont., EE.UU.). Director de cine estadounidense. Con formación académica en bellas artes, luego estudió en Europa, y a fines de la década de 1960 comenzó a experimentar en el cine. En 1977 dirigió su primer largometraje *Eraserhead*, espeluznante y grotesca película de culto. Luego realizó *El hombre elefante* (1980), que fue aclamada por la crítica, la película de ciencia ficción *Duna* (1984) y el bizarro filme de misterio *Terciopelo azul* (1986). Célebre por su inquietante y oscura visión de la vida, entre sus últimas películas se cuentan *Corazón salvaje* (1990, Palma de oro), *Carretera perdida* (1997), *Una historia sencilla* (1999) y *El camino de los sueños* (2001). Además, creó la poco convencional serie de televisión *Twin Peaks* (1990–91).

Lynd, Robert (Staughton) y Lynd, Helen orig. **Helen Merrell** (26 sep. 1892, New Albany, Ind., EE.UU.–1 nov. 1970, Warren, Conn.) (17 mar. 1894, La Grange, Ill., EE.UU.–30 ene. 1982, Warren, Ohio). Sociólogos estadounidenses. Durante varias décadas Robert Lynd fue docente en la Universidad de Columbia y Helen, en el Sarah Lawrence College. Su trabajo conjunto en los estudios titulados *Middletown* (1929) y *Middletown in Transition* (1937), clásicos de la literatura sociológica y obras de gran difusión, los convirtió en los primeros especialistas que aplicaron los métodos de la ANTROPOLOGÍA CULTURAL al estudio de una ciudad occidental moderna (Muncie, Ind., EE.UU.).

Lynn, Loretta *orig.* **Loretta Webb** (n. 14 abr. 1935, Butcher Hollow, Ky., EE.UU.). Cantante de música COUNTRY estadounidense. Hija de un minero del carbón, se casó a la edad de 13 años y al año siguiente tuvo al primero de seis hijos. En 1960 lanzó su primer disco sencillo, "Honky Tonk Girl", que fue un gran éxito. En 1962 se incorporó al GRAND OLE OPRY y a mediados de la década de 1960 obtuvo éxitos como "Don't Come Home A-Drinkin" que la convirtieron en una de las estrellas de *country* más grandes del país. En 1970 lanzó su canción más típica, "Coal Miner's Daughter", que dio pie al título de una autobiografía de gran éxito de ventas y de una película popular (1980). Su media hermana, Crystal Gayle (n. 1951) también tuvo una carrera discográfica exitosa.

Lyon Ciudad (pob., 1999: ciudad, 445.452 hab.; área metrop., 1.348.932 hab.) del centro-este de Francia. Situada en la confluencia de los ríos RÓDANO y SAONA, fue fundada en 43 AC como la colonia militar romana de Lugdunum (ver LORENA) y se convirtió en la ciudad más importante de la Galia. En 1032 pasó a formar parte del Sacro Imperio romano y en 1312, del reino de Francia. En el s. XV experimentó una gran prosperidad económica y en el s. XVII era el centro europeo de fabricación de seda. Durante la segunda guerra mundial, fue el centro del movimiento de RESISTENCIA francesa. Lyon es un importante puerto fluvial, con una economía diversificada que comprende industrias textiles, metalúrgicas y de imprenta. Entre sus numerosos edificios antiguos figuran un teatro romano, una catedral gótica del s. XII y un palacio del s. XV.

Lyon, concilios de XIII y XIV concilios ecuménicos de la Iglesia católica. El primer concilio de Lyon fue convocado por el papa INOCENCIO IV en 1245 después que huyó a esa ciudad desde la sitiada Roma; el papa destituyó al emperador, FEDERICO II, y exhortó apoyar a Luis IX en la séptima CRUZADA. En el segundo concilio de 1274, el papa GREGORIO X reunificó nominalmente las Iglesias oriental y occidental, pero pronto el clero griego se negó a reconocer la unificación.

Lyssenko, Trofim (Denísovich) (29 sep. 1898, Karlovka, Ucrania, Imperio ruso–20 nov. 1976, Kíev, Ucrania, U.R.S.S.). Biólogo y agrónomo soviético. Durante las hambrunas soviéticas de la década de 1930 propuso técnicas para mejorar el rendimiento de los cultivos, descartando la GENÉTICA mendeliana ortodoxa sobre la base de experimentos no confirmados, con lo que consiguió gran popularidad. Como director del Instituto de Genética de la Academia de Ciencias soviéticas (1940–65), se convirtió en el controvertido "dictador" de la biología estalinista, afirmando, entre otras cosas, que las plantas de trigo podían producir semillas de centeno si se cultivaban en el medio adecuado; prometió rendimientos mayores, más rápidos y menos costosos de lo que otros biólogos creían posible. Finalmente, su sistema de rotación de cultivos en "dehesas" fue desechado en favor de los cultivos con fertilizantes minerales, y se aplicó un programa de desarrollo del maíz híbrido basado en el ejemplo estadounidense. En 1964, las doctrinas de Lyssenko fueron desacreditadas oficialmente y se desplegaron grandes esfuerzos por restablecer la genética ortodoxa en la Unión Soviética.

Trofim Lyssenko, 1938.
SOVFOTO

M16, fusil *o* **AR-15** RIFLE DE ASALTO adoptado en 1967 como arma de reglamento por el ejército de EE.UU. El M16, diseñado por Eugene M. Stoner en la década de 1950 para la división ArmaLite de la Fairchild Engine and Airplane Corp., tiene capacidades tanto semiautomáticas como automáticas. Pesa menos de 3,6 kg (9 lb) cuando está equipado con el cargador de 30 tiros, mide 99 cm (39 pulg.) de largo y dispara una munición de alta velocidad de 5,56 mm (.223 pulg.). Se le puede ajustar un lanzagranadas de 40 mm. La M4 es una versión CARABINA compacta del M16. Ver también rifle SPRINGFIELD; AK-47.

M31 ver galaxia ANDRÓMEDA

Ma Yo-Yo (n. 7 oct. 1955, París, Francia). Violonchelista estadounidense de origen francés. Hijo de padres chinos y nacido en Francia, a los cinco años de edad hizo su debut como violonchelista. Estudió en la Juilliard School y después en la Universidad de Harvard. Alabado por su técnica extraordinaria y su rico sonido, Ma ha tocado y grabado el repertorio clásico del violonchelo y ha recibido un gran número de encargos de parte de compositores contemporáneos. Se lo conoce por sus múltiples grabaciones con el pianista Emanuel Ax (n. 1949), por sus colaboraciones con una insólita gama de músicos y artistas y por su eficaz trabajo en beneficio de programas musicales para jóvenes y su participación en diferentes causas internacionales. En 1998 fundó el Silk Road Project, una organización artística que explora el intercambio histórico y actual de ideas entre las culturas asiática y occidental.

Ma Yuan *o* **Ma Yüan** (c. 1160/65, Qiantang, provincia de Zhejiang–1225). Pintor paisajista chino. Nacido en el seno de una familia de pintores de la corte, inició su carrera durante el reinado del emperador Xiaozong. Se convirtió en *daizhao* ("pintor de turno") bajo el reinado del emperador Guangzong, y recibió el más alto honor, el cinturón de oro, bajo el Imperio de Ningzong. Aparte de estos hechos, se sabe muy poco de su vida. Ocasionalmente pintó temas de flores y figuras, pero fue en la pintura paisajista donde volcó su genio. Realizó una serie de grandes biombos con paisajes, de los que no se conserva ninguno. También pintó largos rollos colgantes donde figuraban empinadas montañas con arroyos, cascadas y pinos presentados de un modo vigoroso y a la vez elegante. En muchas de sus obras, las montañas se agrupan a un lado, creando una composición de "una esquina", y entre las distantes montañas y rocas en primer plano, donde suele haber un sabio sentado, existe una extensión de espacio vacío que sugiere neblina o agua. Su estilo fue popular entre los pintores de fines de la dinastía Song y resulta difícil distinguir entre sus obras y las de sus seguidores. El estilo de paisaje romántico propio de Ma y su contemporáneo XIA GUI inspiró una escuela de pintura que se hizo conocida como la escuela Ma-Xia, que se caracterizó por sus composiciones asimétricas de tonos de tinta simplificados y pinceladas angulosas.

Maastricht, tratado de *ofic.* **Tratado de la Unión Europea** Acuerdo que creó la UNIÓN EUROPEA (UE) como sucesora de la COMUNIDAD EUROPEA (CE). Concedió la ciudadanía de la UE a todos los nacionales de sus estados miembros, dispuso la introducción de un sistema bancario central y una moneda común (ver EURO), y comprometió a los estados miembros a trabajar en aras de una política exterior y de seguridad común. Firmado en 1991, fue ratificado y entró en vigor en 1993. Ver también PARLAMENTO EUROPEO, tratados de ROMA, TRIBUNAL DE JUSTICIA DE LA UNIÓN EUROPEA.

Maat En la antigua religión egipcia, la personificación de la verdad, la justicia y el orden cósmico. Hija de RA, el dios sol, estaba de pie en la proa de la barca de su padre cuando esta surcaba el cielo y el otro mundo. También se la asociaba con

TOT, el dios de la sabiduría. Se creía que el juicio de los muertos estaba determinado por el peso del corazón del fallecido en una balanza que ella equilibraba. En un sentido abstracto, *maat* era el orden divino establecido en la creación y reafirmado en la ascensión al trono de cada nuevo rey de Egipto.

Mabinogion Colección de 11 cuentos galeses medievales basados en la mitología, el folclore y las leyendas heroicas. De múltiples autores, corresponde a versiones de historias contadas y recontadas a través de los siglos. Entre los mejores figuran cuatro relatos conocidos como "Las cuatro ramas del Mabinogi," escritos a fines del s. XI. Algunos muestran influencias céltica, normanda y francesa; "Peredur, hijo de Efrawg", por ejemplo, tiene un paralelo en *Perceval* de CHRÉTIEN DE TROYES. Otros cuatro cuentos denotan una escasa influencia del continente: "Kulhwch y Olwen", "Lludd y Llefelys", "El sueño de Macsen" y "El sueño de Rhonabwy".

Mabuse, Jan ver Jan GOSSART

Macabeos (florecieron s. II AC). Familia sacerdotal judía que organizó una exitosa rebelión contra ANTÍOCO IV EPÍFANES en Palestina y reconsagró el profanado templo de JERUSALÉN. La rebelión comenzó bajo el liderazgo del sacerdote Matatías, después de que Antíoco intentara erradicar el judaísmo, prohibiendo todas sus prácticas y profanando el templo (167 AC). Cuando Matatías murió (c. 166 AC), su hijo JUDAS MACABEO recapturó Jerusalén y reconsagró el templo, hecho celebrado en la festividad de HANUKÁ. Tras la muerte de Judas, la guerra continuó a intervalos bajo sus hermanos Jonatán y Simón. Los Macabeos fundaron la dinastía de los ASMONEOS.

macabí Pez marino de pesca deportiva (*Albula vulpes*), que vive en las aguas litorales e insulares de los mares tropicales, admirado por los pescadores de caña por su rapidez y resistencia. Su largo y peso máximos son 76 cm (30 pulg.) y 6,4 kg (14 lb), respectivamente. Tiene una aleta caudal (cerca de la cola) con una muesca profunda y una boca pequeña bajo un morro puntiagudo y suiforme. Escarba el fondo en busca de gusanos y otros alimentos.

macaco Cualquiera de unas 12 especies de MONOS, principalmente asiáticos, omnívoros y diurnos (género *Macaca*), con abazones para almacenar alimento. Algunas especies son colilargas, otras colicortas y algunas acaudadas. Los machos miden 41–70 cm (16–28 pulg.) de largo (sin la cola) y pesan 5,5–18 kg (12–40 lb). Viven en bandas en las montañas, en tierras bajas, y a lo largo de las playas. El MACACO RHESUS (*M. mulatta*) ha sido importante para investigaciones médicas y psicológicas. Los malayos adiestran a los macacos cola de cerdo (*M. nemestrina*) para recoger cocos. Ver también MACACO CORONADO; MACACO DE GIBRALTAR; MACACO NEGRO DE LAS CÉLEBES.

Macaco japonés (*Macaca fuscata*).
PINTURA DE AL P. NIELSEN

macaco coronado MACACO ágil (*Macaca radiata*) de India, llamado así por su copete de pelo largo que forma una gorra o "bonete" en la coronilla. Es marrón grisáceo y de cara rosada y lampiña. Tiene un largo de 35–60 cm (14–24 pulg.), excluyendo la cola de 50–70 cm (20–28 pulg.), y pesa 3–9 kg (7–20 lb). A veces incursiona en jardines o despensas.

macaco de Gibraltar Mono terrestre acaudado (*Macaca sylvana*) distribuido en grupos en Argelia y Marruecos, y en el peñón de Gibraltar. Mide unos 60 cm (24 pulg.) de largo; tiene un pelaje marrón amarillento y una cara rosada, clara y lampiña. A menudo mal llamado simio, por la ausencia de cola, este MACACO es el único mono salvaje de Europa y puede haber llegado allí en el medievo, introducido en Occidente durante la expansión musulmana. Según la leyenda, el dominio británico sobre Gibraltar finalizará cuando los macacos abandonen el peñón.

macaco negro de las Célebes MONO rabón y arbóreo (*Macaca nigra*) que habita los bosques lluviosos de Sulawesi (Célebes), Bacan, y otras islas aledañas. Como este MACACO es rabón, a menudo se lo ha confundido erróneamente con un simio. Tiene arcos superciliares sobresalientes, cara negra y lampiña, y un hocico largo y plano. Mide 55–65 cm (22–26 pulg.) de largo, sin considerar el rabo de 1–2 cm (0,4–0,8 pulg.) y posee un pelaje marrón oscuro o negro. El macho, en especial, presenta una cresta de pelo en la coronilla. Pasa la mayor parte del tiempo en los árboles, donde se alimenta de frutas. Algunos pueblos lo consideran su antepasado.

macaco rhesus MACACO de color arenoso (*Macaca mulatta*) distribuido ampliamente en los bosques del sur y sudeste de Asia. Los macacos rhesus miden 43–64 cm (17–25 pulg.) de largo, sin considerar la cola peluda de 20–30 cm (8–12 pulg.), y pesan 4,5–11 kg (10–24 lb). Comen frutas, semillas, raíces, hierbas e insectos. En algunas partes de India son considerados animales sagrados. Resistentes en cautiverio, muy inteligentes y vivaces, son buenas mascotas cuando jóvenes, pero pueden tener mal carácter cuando adultos. Se han usado frecuentemente en la investigación médica. La determinación del factor Rh (de rhesus) en la sangre humana implica una reacción con la sangre de esta especie. Ver también sistema de grupos sanguíneos RH.

macadamia Cualquiera de unas diez especies de árboles ornamentales siempreverde de la familia Proteaceae, y sus NUECES de intenso sabor que se usan para postres. Las macadamias se originaron en los bosques lluviosos y matorrales costeros del noroeste de Australia. Aquellas que se explotan con fines comerciales en Hawai y Australia pertenecen principalmente a dos especies: la macadamia de

Macadamia de cáscara lisa (*Macadamia integrifolia*).
WALTER DAWN

cáscara lisa, *Macadamia integrifolia*, y la rugosa, *M. tetraphylla*. También se cultivan en forma apreciable en partes de África y de América Central y del Sur. De propagación difícil y lentos en fructificar, los árboles crecen sólo en suelos ricos con buen drenaje, en zonas con precipitaciones anuales de 130 cm (50 pulg.). Los árboles con inflorescencias fragantes de flores color rosado o blanco, hojas grandes, brillantes y coriáceas, producen racimos de 1–20 frutos. Las nueces son muy ricas en grasa, y constituyen una buena fuente de minerales y vitamina B.

macadán Tipo de PAVIMENTO inventado por JOHN MCADAM, quien concibió un pavimento de dos capas: un subsuelo compactado de granito o diorita machacado, diseñado para soportar el peso, y una cubierta de piedra liviana para absorber el desgaste y escurrir el agua hacia las cunetas de drenaje. En la construcción moderna del macadán se esparce roca triturada o grava sobre una base compactada y aglomerada con mástique de ASFALTO o alquitrán caliente. Luego se aplica una tercera capa para llenar los huecos, la que se apisona. En ocasiones se usa lodo de cemento y arena como aglomerante.

Macao *chino* **Aomen** *portugués* **Macau** Región administrativa especial (pob., est. 2002: 438.000 hab.) de China meridional. Ubicada en la costa del mar de CHINA meridional, está compuesta de una pequeña península, que se proyecta desde la provincia de GUANGDONG, y dos pequeñas islas, situadas a unos 64 km (40 mi) al oeste de HONG KONG. Ocupa una superficie total de 21,6 km² (8,3 mi²). La ciudad de Macao es el centro administrativo de la provincia. Los mercaderes portugueses llegaron por primera vez a Macao en 1513; pronto se transformó en el principal centro comercial entre China y Japón. En 1849 fue declarada colonia de Portugal y en 1951, territorio de ultramar de este país. En 1999, Portugal la entregó a dominio chino. El turismo y los casinos son los pilares de su economía.

MacArthur, Charles (Gordon) (5 nov. 1895, Scranton, Pa., EE.UU.–21 abr. 1956, New York, N.Y.). Periodista, dramaturgo y guionista estadounidense. Trabajó como reportero en periódicos de Chicago y Nueva York (1914–26) antes de colaborar con Edward Shelden en la obra de teatro *Lulu Belle* (1926). Junto con BEN HECHT coescribió los éxitos de Broadway *Primera plana* (1928; película, 1931) y *La comedia de la vida* (1932; película, 1934) y diversas obras posteriores que fueron conocidas por sus diálogos gráficos y agudos. Entre sus guiones como dupla se cuentan las adaptaciones de sus propias obras, además de *Cumbres borrascosas* (1939), y de varias otras películas que también dirigieron como *Crime without Passion* (1934), *The Scoundrel* (1935) y *Soak the Rich* (1936). MacArthur estuvo casado con la actriz HELEN HAYES.

MacArthur, Douglas (26 ene. 1880, Little Rock, Ark., EE.UU.– 5 abr. 1964, Washington, D.C.). General estadounidense. Hijo del gral. Arthur MacArthur (n. 1845– m. 1912), egresó de West Point y más tarde fue su director (1919–22). Ascendió hasta llegar a general en la primera guerra mundial y jefe del estado mayor del ejército

Douglas MacArthur, 1945.
GENTILEZA DEL BUREAU OF ARCHIVES, MACARTHUR MEMORIAL; FOTOGRAFÍA, U.S. SIGNAL CORPS

(1930–35). En 1932 estuvo al mando de las tropas que dispersaron a los participantes en la protesta de los veteranos. En 1937 tomó el mando de las fuerzas armadas filipinas. Al inicio de la segunda guerra mundial, volvió al servicio activo y estuvo al mando de las fuerzas combinadas filipino-estadounidenses hasta la invasión japonesa de aquellas islas (1942). Desde Australia estuvo a la cabeza de las fuerzas de EE.UU. en el Pacífico sur y dirigió la recuperación de islas estratégicas; en 1944 regresó, como lo había prometido: "I shall return" (volveré), a liberar las Filipinas. Ascendió al mayor rango del generalato y aceptó la rendición japonesa (2 sep. 1945). Después de la guerra, como comandante aliado de la ocupación de JAPÓN (1945–51), dirigió la restauración de la economía nacional y la redacción de una constitución democrática. En 1950, al mando de soldados de la ONU en la guerra de COREA, detuvo el avance de las tropas norcoreanas. El pdte. HARRY TRUMAN denegó su solicitud para bombardear China y, cuando hizo pública la disputa, Truman le quitó el mando por insubordinación. Regresó a EE.UU. donde se le recibió como héroe, aunque muchos lamentaron su egotismo. En dos ocasiones (1948, 1952), su nombre se consideró seriamente para la candidatura presidencial republicana.

MacArthur-Forrest, proceso de ver proceso de CIANURACIÓN

Macaulay, Thomas Babington, barón Macaulay de Rothley (25 oct. 1800, Rothley Temple, Leicestershire, Inglaterra–28 dic. 1859, Campden Hill, Londres). Político, historiador y poeta inglés. Mientras ejercía su cátedra en la

Universidad de Cambridge, publicó el primero de sus ensayos sobre JOHN MILTON (1825), con el que alcanzó la fama en forma casi inmediata. Después de ingresar al parlamento en 1830, cobró renombre como un destacado orador. A partir de 1834 trabajó en el Consejo Supremo de India, apoyó la igualdad de europeos e indios ante la LEY, e inauguró un sistema nacional de educación. A su regreso en Inglaterra, en 1838, volvió a ingresar al parlamento. Publicó *Leyes de la Roma antigua* (1842) y *Ensayos de crítica e historia* (1843) antes de retirarse de la vida pública y de empezar su magnífica *Historia de Inglaterra*, 5 vol. (1849–61), que cubre el período 1688–1702, estableciendo una interpretación WHIG (liberal) de la historia inglesa que influiría en generaciones posteriores.

Thomas Macaulay, detalle de una pintura al óleo de J. Partridge, 1840.
GENTILEZA DE LA NATIONAL PORTRAIT GALLERY, LONDRES

MacBride, Séan (26 ene. 1904, París, Francia–15 ene. 1988, Dublín, Irlanda). Estadista irlandés. Nacido en el seno de una familia de patriotas irlandeses –su madre fue la bienamada Maud Gonne (n. 1866–m. 1953) de WILLIAM BUTLER YEATS y su padre fue el mayor John MacBride, ejecutado por su participación en el levantamiento de Pascua de 1916– se convirtió en jefe del estado mayor del EJÉRCITO REPUBLICANO IRLANDÉS (IRA) a la edad de 24 años, pero finalmente aceptó el hecho de la partición de Irlanda y la inutilidad de la guerra. En 1936 fundó el Partido Republicano Irlandés; fue parlamentario (1947–58) y ministro de asuntos exteriores (1948–51), y se desempeñó como primer presidente de AMNISTÍA INTERNACIONAL (1961–75). También fue comisario de la ONU para Namibia (1973–77). En 1974 obtuvo el Premio Nobel de la Paz por sus esfuerzos en favor de los derechos humanos.

Macchiaioli Grupo de pintores toscanos del s. XIX que reaccionó contra las academias de arte reglamentadas, y se volcó a la naturaleza como medio de aprendizaje. Los Macchiaioli pensaban que las manchas (*macchia*) de color eran el aspecto más significativo de la pintura. Creían que el efecto de una pintura sobre el espectador debía derivar de la misma superficie pintada y no de un mensaje o texto ideológico. Los Macchiaioli utilizaron la técnica del bosquejo para registrar sus primeras impresiones de la naturaleza, generalmente vistas desde la distancia, por medio del color y de la luz. Su teoría, similar a la de los artistas del IMPRESIONISMO francés, se centró sobre todo en el uso experimental del color. El artista más destacado del grupo fue el florentino Giovanni Fattori.

MacDiarmid, Alan G. (n. 14 abr. 1927, Masterson, Nueva Zelanda). Químico estadounidense. Obtuvo doctorados en química en la Universidad de Wisconsin en Madison (1953) y en la Universidad de Cambridge (1955), EE.UU. A continuación, comenzó la carrera docente en la Universidad de Pensilvania, y en 1988 fue profesor de la cátedra Blanchard de química. Junto con ALAN J. HEEGER y SHIRAKAWA HIDEKI demostró que ciertos plásticos pueden ser alterados químicamente para ser casi tan conductores como los metales. El descubrimiento condujo a los científicos a desarrollar otros polímeros conductores, lo cual contribuyó al creciente campo en ascenso de la electrónica molecular. En 2000 obtuvo junto con Heeger y Shirakawa el Premio Nobel de Química.

MacDiarmid, Hugh orig. **Christopher Murray Grieve** (11 ago. 1892, Langholm, Dumfriesshire, Escocia–9 sep. 1978, Edimburgo). Poeta escocés. En 1922 fundó el *Scottish Chapbook*, de salida mensual, en el que publicó sus poemas y el cual dio inicio al renacimiento de la literatura escocesa. Como radical de izquierda no aceptó el inglés y desenmascaró la sociedad moderna en versos escritos en "escocés sintético", una amalgama de varios dialectos. Una de sus obras destacadas es la extensa rapsodia *A Drunk Man Looks at the Thistle* [Un ebrio mira el cardo] (1926). Posteriormente volvió a usar el inglés estándar en volúmenes como *A Kist of Whistles* [Una caja de silbatos] (1947) e *In Memoriam James Joyce* (1955). Es considerado el poeta escocés más importante de comienzos del s. XX.

MacDonald, (James) Ramsay (12 oct. 1866, Lossiemouth, Moray, Escocia–9 nov. 1937, en alta mar en viaje a Sudamérica). Político británico, primer miembro del PARTIDO LABORISTA que ocupó el cargo de primer ministro de Gran Bretaña, (1924, 1929–31, 1931–35). Ingresó al partido precursor del Partido Laborista en 1894 y se desempeñó como su secretario desde 1900 hasta 1911. Fue miembro de la Cámara de los Comunes (1906–18), donde alcanzó el liderazgo del Partido Laborista (1911–14), antes de ser obligado a renunciar después de oponerse a la participación británica en la primera guerra mundial. Reelegido al parlamento en 1922, lideró la oposición laborista. Se convirtió en primer ministro en 1924 con el apoyo del Partido Liberal, pero se vio forzado a renunciar ese mismo año cuando los conservadores recuperaron la mayoría. En 1929, los laboristas obtuvieron la mayoría y regresó como primer ministro. En 1931 ofreció su renuncia durante la gran depresión, pero a cambio decidió permanecer en el cargo como líder de una coalición nacional hasta 1935, cuando STANLEY BALDWIN asumió como primer ministro. MacDonald permaneció en el gobierno como lord presidente del consejo hasta 1937.

Macdonald, Dwight (24 mar. 1906, Nueva York, N.Y., EE.UU.–19 dic. 1982, Nueva York). Escritor y crítico cinematográfico estadounidense. Se graduó en la Universidad de Yale. Durante la segunda guerra mundial fundó la revista *Politics*, en la cual se publicaron obras de escritores como ANDRÉ GIDE, ALBERT CAMUS y MARIANNE MOORE. Uno de los primeros críticos cinematográficos serios, fue escritor de planta en *The New Yorker* (1951–71) y reseñó películas para la revista *Esquire* (1960–66). En lo político pasó del estalinismo al trotskismo y del anarquismo al pacifismo. Durante la guerra de Vietnam instó a los jóvenes a resistirse al reclutamiento. Su colección de ensayos más conocida es *Against the American Grain* [Contra los principios americanos] (1963).

Macdonald, Sir John (Alexander) (11 ene. 1815, Glasgow, Escocia–6 jun. 1891, Ottawa, Ontario, Canadá). Político canadiense, el primero que ocupó el cargo de primer ministro del Dominio de Canadá (1867–73, 1878–91). Inmigró a Norteamérica cuando niño y a partir de 1836 ejerció como abogado en Kingston, Alto Canadá (hoy Ontario). En 1844–54 se desempeñó en la asamblea de la provincia de Canadá. En 1854 fue uno de los cofundadores del Partido Conservador-Liberal (ver PARTIDO CONSERVADOR PROGRESISTA DE CANADÁ) y en 1857 se desempeñó como primer ministro de la provincia de Canadá. Partidario de una confederación, ayudó a lograr la aprobación de la BRITISH NORTH AMERICA ACT, que creó el Dominio de Canadá (1867). Como primer ministro apoyó el proteccionismo comercial y colaboró en la finalización del ferrocarril del Pacífico. Ante ataques posteriores contra la unidad canadiense, abogó por la lealtad a la Commonwealth británica y por independizarse de EE.UU.

Macdonnell, sierras Sistema montañoso en el centro-sur del Territorio del Norte de Australia. Se extiende al este y oeste de ALICE SPRINGS a lo largo de unos 400 km (250 mi); su cumbre más alta es el monte Ziel (1.510 m [4.954 pies]). Las sierras fueron exploradas por primera vez en 1860 por John McDouall Stuart; su nombre recuerda a Richard Macdonnell, gobernador de Australia Meridional.

Macdonough, Thomas (31 dic. 1783, The Trap, Del., EE.UU.–10 nov. 1825, en alta mar, en trayecto del mar Mediterráneo a Nueva York). Oficial naval estadounidense.

Ingresó a la marina en 1800 y estuvo bajo las órdenes de STEPHEN DECATUR en la guerra de Trípoli. En la guerra ANGLO-ESTADOUNIDENSE (1812) recibió órdenes de recorrer los lagos entre Canadá y EE.UU. Cuando las tropas británicas amenazaron Plattsburg, N.Y., sede del cuartel general del ejército de EE.UU. en la frontera del norte, salió con su flota de 14 buques al encuentro del escuadrón británico, de 16 unidades, en el lago Champlain. Su victoria (11 sep. 1814) salvó a los estados de Nueva York y Vermont de ser invadidos.

MacDowell, Edward (Alexander) *orig.* **Edward Alexander McDowell** (18 dic. 1860, Nueva York, N.Y., EE.UU.–23 ene. 1908, Nueva York). Compositor estadounidense. A los ocho años de edad comenzó a tomar lecciones de piano. Mientras permanecía en Alemania para profundizar sus estudios, llamó la atención del compositor Joachim Raff (n. 1822–m. 1882), quien lo estimuló para que escribiera un concierto para piano (1882) y más tarde lo presentó a FRANZ LISZT, que apoyó a MacDowell con ejecuciones y publicaciones de sus obras. En 1888 regresó con su esposa a EE.UU., y en 1896 se convirtió en el primer catedrático de música en la Universidad de Columbia. Después de 1904, una parálisis le impidió seguir tocando y componiendo; cayó en la demencia y falleció a los 47 años de edad. Tras su muerte, su granja en Peterborough, N.H., se transformó en la Colonia MacDowell para artistas. Sus obras más populares son el *Segundo concierto para piano en re menor* (1886), *Suite india* (1895) y colecciones para piano como *Woodland Sketches* (1896) y *Sea Pieces* (1898).

MACEDONIA

▸ **Superficie:** 25.713 km² (9.928 mi²)

▸ **Población:** 2.034.000 hab. (est. 2005)

▸ **Capital:** SKOPJE

▸ **Moneda:** denar macedonio

Macedonia *ofic.* **Ex República Yugoslava de Macedonia** País del sur de la región balcánica en Europa sudoriental. Alrededor del 65% de la población se compone de eslavos macedonios, y cerca del 20% son albaneses. Idiomas: macedonio y albanés. Religiones: ortodoxa serbia e Islam. Situada en una meseta alta donde alternan valles, colinas y montañas, Macedonia posee escasos recursos minerales y es uno de los países más pobres de Europa. Su economía se basa en la actividad agrícola y sus principales productos son: tabaco, arroz, frutas, hortalizas y vino. También son importantes la ganadería ovina y la producción lechera. Es una república unicameral; el jefe de Estado es el presidente, y el jefe de Gobierno, el primer ministro. Macedonia está habitada desde 7000 AC. Los romanos incorporaron parte del territorio a la provincia de MESIA en 29 DC. Fue colonizada por tribus eslavas a mediados del s. VI DC y evangelizada durante el s. IX. Los búlgaros ocuparon Macedonia en 1185 y perteneció al Imperio otomano entre 1371 y 1912. El año siguiente, Serbia anexó el norte y centro de la región que en 1918 pasó a integrar el Reino de los SERBIOS, CROATAS Y ESLOVENOS (más tarde YUGOSLAVIA). Luego de la partición de Yugoslavia por las POTENCIAS DEL EJE, la Macedonia yugoslava fue ocupada principalmente por Bulgaria. En 1946 se convirtió nuevamente en una república yugoslava. Después de que Croacia y Eslovenia se separaron de Yugoslavia, el temor al dominio serbio impulsó a los macedonios a declarar su independencia en 1991. A diferencia de Grecia que posee una región conocida tradicionalmente

Balnerio de Ohrid, a orillas del lago homónimo, en el sudoeste de Macedonia.
FOTOBANCO

como Macedonia, el país adoptó el nombre oficial de Ex República Yugoslava de Macedonia y normalizó sus relaciones con Grecia en 1995. Los conflictos étnicos hicieron peligrar la estabilidad de la nación, como sucedió en 2001 cuando en el norte las fuerzas rebeldes pro albanesas, cerca de la frontera de KOSOVO, emprendieron los ataques de guerrilla contra las fuerzas gubernamentales.

macedónicas, guerras Tres guerras que enfrentaron a FILIPO V de Macedonia y a su sucesor, PERSEO, contra Roma (215–205, 200–197, 171–167 AC). La primera guerra, librada en el contexto de la segunda guerra PÚNICA, terminó en forma favorable para los macedonios. Roma salió victoriosa en las dos guerras siguientes. Las fuerzas macedonias fueron apoyadas por CARTAGO y la dinastía SELÉUCIDA, mientras que Roma fue asistida por la Liga ETOLIA y PÉRGAMO. Tras la victoria romana en la batalla de PIDNA (168), el territorio macedonio se dividió en cuatro repúblicas. Otro conflicto, que se desarrolló en 149–148, puede ser considerado la cuarta guerra macedónica, y terminó en una victoria romana decisiva, que se tradujo en que Macedonia se convirtiera en la primera provincia del Imperio.

Macfadden, Bernarr *orig.* **Bernard Adolphus McFadden** (16 ago. 1868, Mill Spring, Mo., EE.UU.–12 oct. 1955, Jersey City, N.J.). Editor y promotor de la salud física. Huérfano a los 11 años de edad y enfermizo, McFadden desarrolló su fuerza física en la adolescencia como un acto de rebeldía. En 1899 comenzó a publicar la revista *Physical Culture*, en la que promovió sus ideas sobre ejercicios, dietas y ayunos. Se destacó por su incomparable pasión en fomentar la salud física de la mujer, desaprobaba el uso de corsés, zapatos de tacón y ropa incómoda. En las décadas siguientes construyó un imperio editorial, y lanzó la primera revista de casos de la vida real, *True Story* (1919), seguida de *True Romances* (1923), *True Detective Mystery Magazine* (1925) y otras publicaciones periódicas. Sus intentos por alcanzar la presidencia, el senado estadounidense y el cargo de gobernador de Florida resultaron infructuosos. Bien conservado físicamente hasta su ancianidad, saltó en paracaídas sobre París el día que cumplió 84 años.

Mach, Ernst (18 feb. 1838, Chirlitz-Turas, Moravia–19 feb. 1916, Haar, Alemania). Físico y filósofo austríaco. Después de obtener un doctorado en física en 1860, ejerció la docencia en las universidades de Viena y Graz, así como en la Universidad Charles de Praga. Interesado en la psicología y la fisiología de la sensación, en la década de 1860 descubrió el fenómeno fisiológico conocido como bandas de Mach, la tendencia del ojo humano a ver bandas brillantes u oscuras cerca de los límites entre zonas iluminadas marcadamente diferentes. Luego estudió el movimiento y la aceleración y desarrolló técnicas ópticas y fotográficas para medir las ondas sonoras y la propagación de las ondas. En 1887 estableció los principios de la supersónica y el número de Mach, la razón entre la velocidad de un objeto y la velocidad del sonido. También propuso la teoría de la inercia conocida como principio de Mach. En *Contribución al análisis de las sensaciones* (1886) afirmó que todo conocimiento deriva de la experiencia sensorial u observación.

Mach, principio de Hipótesis que propone que las fuerzas inerciales que actúan sobre un cuerpo en movimiento acelerado se encuentran determinadas por la cantidad y distribución de la MATERIA en el universo. ALBERT EINSTEIN encontró que la conexión sugerida por el principio de Mach entre la geometría y la materia le era útil para la formulación de su teoría general de la RELATIVIDAD. Desconociendo que GEORGE BERKELEY había propuesto una idea similar en el s. XVIII, le atribuyó la idea a ERNST MACH. Abandonó el principio cuando se dio cuenta de que la INERCIA está incluida en la ecuación geodésica del movimiento (ver GEODESIA) y no necesita de la existencia de materia en alguna parte del universo.

Machado de Assis, Joaquim Maria (21 jun. 1839, Río de Janeiro, Brasil–29 sep. 1908, Río de Janeiro). Poeta, novelista y cuentista brasileño. Empezó a escribir en su tiempo libre mientras trabajaba como aprendiz de tipógrafo. En 1869 ya era un conocido hombre de letras. Ingeniosas y pesimistas, sus obras están enraizadas en las tradiciones culturales de Europa. Entre ellas se destacan la excéntrica narración en primera persona *Memórias póstumas de Brás Cubas* (1881) y las novelas *Quincas Borba* (1891) y *Dom Casmurro* (1899), esta última, su obra maestra. Considerado el maestro clásico de la literatura brasileña, fue el primer presidente de la Academia brasileña de letras en 1896.

Machado, Antonio (26 jul. 1875, Sevilla, España–22 feb. 1939, Collioure, Francia). Escritor español, miembro de la llamada GENERACIÓN DE 1898. En su obra destacan los poemarios *Soledades, galerías y otros poemas* (1907), de corte todavía romántico y subjetivista; *Campos de Castilla* (1912), en que se acentúa la búsqueda de un reencuentro con las raíces populares y con la objetividad del paisaje, y *Nuevas canciones* (1917–30), que recoge textos de tema filosófico y conceptual, junto a expresiones de dolor por la muerte de su esposa. De su obra en prosa destaca *Juan de Mairena. Sentencias, donaires, apuntes y recuerdos de un profesor apócrifo*, en que atribuye a un personaje de su invención opiniones sobre diversos temas filosóficos y estéticos.

Machaut, Guillaume de o Guillaume de Machault (c. 1300, Machault, Francia–1377, Reims). Poeta y compositor francés. Luego de recibir posiblemente una educación universitaria y de tomar los hábitos religiosos, viajó por toda Europa como secretario del rey de Bohemia. En 1337 fue nombrado canónigo de la catedral de Reims. Tras la muerte del rey, Machaut fue apoyado por varios mecenas de la realeza, entre ellos, el duque de BERRY y el rey CARLOS V. Aparte de 14 poemas narrativos que incorporan versos breves, escribió más de 400 poemas líricos independientes. Escribió decenas de composiciones musicales en cada uno de los géneros de las FORMES FIXES. También compuso la primera adaptación completa de la misa para cuatro voces y fue la figura más sobresaliente del ARS NOVA. Su poesía se destaca principalmente por sus innovaciones técnicas. *El libro de la duquesa* de GEOFFREY CHAUCER muestra la influencia de Machaut.

Machaut, detalle de una miniatura de la edición Oeuvres de Guillaume de Machaut, c. 1370–80; Bibliothèque Nationale (Ms. Fr. 1584).
GENTILEZA DE LA BIBLIOTHÈQUE NATIONALE, PARÍS

Machu Picchu Antigua ciudadela fortificada de los INCAS en la cordillera de los ANDES, centro-sur del Perú. Enclavada cerca de CUZCO, en una angosta depresión entre dos picos agudos, a una altura de 2.350 m (7.710 pies), la ciudadela no fue detectada por los españoles; sólo era conocida por los pobladores de la zona. En 1911 recién se supo de su existencia gracias al explorador estadounidense Hiram Bingham. Es uno de los pocos centros urbanos precolombinos que se han encontrado prácticamente intactos; cubre una superficie de unos 13 km² (5 mi²) que albergan

Alturas de Machu Picchu, Perú.
MAYES–FPG

un templo y una ciudadela. No se sabe con certeza en qué período fue ocupada por los incas. En 1983, la UNESCO la declaró PATRIMONIO DE LA HUMANIDAD. La ciudadela constituye una popular atracción turística.

MacIver, Robert M(orrison) (17 abr. 1882, Stornoway, Hébridas Exteriores, Escocia–15 jun. 1970, Nueva York, N.Y., EE.UU.). Sociólogo y cientista político estadounidense de origen escocés. Fue docente en la Universidad de Aberdeen, Escocia, y después en universidades canadienses y estadounidenses, especialmente en la Universidad de Columbia (1915–26). Creía en la compatibilidad del individualismo y la organización social y consideraba que las sociedades evolucionaban desde estadios muy comunitarios hasta otros en que las funciones individuales y las afiliaciones grupales eran extremadamente especializadas. Algunas de sus obras son *The Modern State* [El estado moderno] (1926), *Leviathan and the People* [Leviatán y el pueblo] (1939) y *The Web of Government* [La red del gobierno] (1947).

Macizo Central ver macizo CENTRAL FRANCÉS

Mackenzie Antiguo distrito administrativo de Canadá. Ocupaba una superficie de 1.366.199 km² (527.490 mi²) y comprendía la mayor parte del territorio continental del norte de Canadá que va desde el Territorio del YUKÓN hasta el distrito de Keewatin, y la mayor parte del valle del MACKENZIE, el GRAN LAGO DEL OSO y el GRAN LAGO DEL ESCLAVO. Fue creado en 1895 y estuvo bajo la administración de EDMONTON; dejó de existir en 1979.

Mackenzie, Alexander (28 ene. 1822, Logierait, Perth, Escocia–17 abr. 1892, Toronto, Ontario, Canadá). Político canadiense de origen escocés, el primer liberal que ocupó el cargo de primer ministro de Canadá (1873–78). Emigró a Canadá Occidental (actual Ontario) en 1842. En 1852 se convirtió en director de un periódico local liberal y entabló amistad con GEORGE BROWN, líder del Partido Reformista. Cuando se creó el Dominio de Canadá en 1867, Mackenzie fue elegido a la Cámara de los Comunes, donde lideró la oposición liberal. Como primer ministro, en sus esfuerzos encaminados a establecer una renovada reciprocidad con EE. UU. no se abordaron los aspectos económicos y su gobierno fue derrotado en 1878. Renunció como líder de la oposición, pero conservó un escaño en el parlamento hasta su muerte.

Mackenzie, río Sistema fluvial en los Territorios del Noroeste de Canadá. Discurre en dirección norte desde el GRAN LAGO DEL ESCLAVO hacia el mar de Beaufort, en el océano Ártico. Su cuenca, con una superficie de 1.805.200 km² (697.000 mi²), es la más grande de Canadá. Mide 1.650 km (1.025 mi) de largo por 1,5–3 km (1–2 mi) de ancho. Junto al río Finlay, su afluente principal más lejano, todo el sistema tiene 4.241 km (2.635 mi) de longitud, convirtiéndolo en el segundo río más extenso de Norteamérica. Fue descubierto por el explorador SIR ALEXANDER MACKENZIE en 1789.

Mackenzie, Sir Alexander (¿1755?, Stornoway, Lewis and Harris, Hébridas Exteriores, Escocia–11 mar. 1820, cerca de Pitlochry, Perth). Explorador canadiense de origen escocés. De joven emigró a Canadá y en 1779 se incorporó a una firma que comerciaba pieles. En 1788 instaló un puesto comercial, Fort Chipewyan, en el lago Athabasca. Desde allí organizó una expedición (1789) que siguió el curso del río Mackenzie desde el Gran Lago del Esclavo hasta el océano Ártico. En 1793 salió de Fort Chipewyan, cruzó las montañas Rocosas y llegó a la costa del Pacífico, con lo que se convirtió en el primer europeo que realizó un cruce transcontinental más allá del norte de México.

Mackenzie, Sir (Edward Montague) Compton (17 ene. 1883, West Hartlepool, Durham, Inglaterra–30 nov. 1972, Edimburgo, Escocia). Novelista y dramaturgo británico. Educado en la Universidad de Oxford, abandonó sus estudios de derecho para terminar su primera obra de teatro, *The Gentleman in Grey* [El caballero de gris] (1906). Durante la primera guerra mundial dirigió el Servicio egeo de inteligencia en Siria; cuando escribió acerca de su experiencia en *Greek Memories* [Recuerdos griegos] (1932), fue enjuiciado bajo la Britain's Official Secrets Act (ley de secretos oficiales). En 1923 fundó la revista *Gramophone*, que dirigió hasta 1962. Fue rector de la Univerdidad de Glasgow (1931–34) y crítico literario en el periódico *Daily Mail* de Londres; escribió más de 100 novelas, obras de teatro, biografías y diez volúmenes de memorias.

Mackenzie, Sir James (12 abr. 1853, Scone, Perthshire, Escocia–26 ene. 1925, Londres, Inglaterra). Cardiólogo escocés. Obtuvo su título de médico en la Universidad de Edimburgo y practicó la profesión en Lancashire durante 25 años antes de trasladarse a Londres. En su clásico *The Study of the Pulse* [El estudio del pulso] (1902) describió un instrumento llamado polígrafo, que registraba simultáneamente los pulsos arterial y venoso, de modo que podían ser correlacionados con el latido cardíaco para distinguir entre irregularidades inocuas y peligrosas. Pionero del estudio de las arritmias cardíacas, también comprobó la eficacia de la digitalina en su tratamiento.

Mackinac, estrecho de Canal que comunica el lago MICHIGAN con el lago HURÓN, EE.UU. Este estrecho forma un importante paso entre las penínsulas superior e inferior del estado de Michigan y mide 48 km (30 mi) de largo por 6 km (4 mi) de ancho en su punto más angosto. Se puede atravesar por el puente Mackinac, una estructura colgante de 1.158 m (3.800 pies) construida en 1957.

Mackinac, isla Isla en el estrecho de MACKINAC, en el sudeste de la península superior del estado de Michigan, EE.UU. Tiene una extensión de 5 km (3 mi). Cuando los británicos construyeron un fuerte en el lugar en 1780, era un antiguo cementerio indio llamado Michilimackinac. Después de que EE.UU. tomara posesión en 1783, se instaló la oficina central de la AMERICAN FUR CO. Los británicos la ocuparon durante la guerra ANGLO-ESTADOUNIDENSE y la isla volvió a manos de EE.UU. en 1815. Constituye un parque estatal desde 1895 y el tránsito vehicular en la isla está prohibido. Destino turístico muy concurrido, se emplaza en el lugar el Grand Hotel (1887), uno de los más grandes del mundo.

Mackintosh, Charles Rennie (7 jun. 1868, Glasgow, Escocia–10 dic. 1928, Londres, Inglaterra). Arquitecto, diseñador de muebles y artista escocés. Uno de los grandes del ARTS AND CRAFTS MOVEMENT, es reconocido especialmente por su edificio para talleres en mampostería de piedra y vidrio en la Glasgow School of Art (1896–1909), lugar donde él había asistido a clases. En la década de 1890 se consagró mundialmente por la creación de carteles, objetos artesanales y muebles poco ortodoxos. Considerado el primer diseñador en Gran

Bretaña de la verdadera arquitectura ART NOUVEAU, creó obras de incomparable elegancia, ligereza y originalidad, ejemplo de las cuales son los cuatro notables salones de té que diseñó en Glasgow (1896–1904). En 1914 se dedicó por completo a la acuarela. A fines del s. XX renació el interés por su trabajo y la reproducción de sus sillas y sofás, los que se caracterizaban por líneas austeras y simples.

MacLaine, Shirley *orig.* **Shirley McLean Beaty** (n. 24 abr. 1934, Richmond, Va., EE.UU.). Actriz de cine estadounidense.

Shirley MacLaine, 1959.
FOTOBANCO

Trabajó como bailarina en Broadway y en *The Pajama Game* (1954), tras sustituir a una actriz lesionada. Fue descubierta por un productor, que la llevó a debutar en el cine en *Pero... ¿quién mató a Harry?* (1955) de ALFRED HITCHCOCK. Conocida por sus hábiles retratos de personajes encantadoramente excéntricos, más tarde interpretó roles cómicos y dramáticos en *Como un torrente* (1959), *El apartamento* (1960), *Irma la dulce* (1963), *Noches en la ciudad* (1969), *Paso decisivo* (1977), *La fuerza del cariño* (1983, premio de la Academia), *Madame Sousatzka* (1988) y *Con cariño desde el cielo* (1996). Tam-bién escribió varios *best sellers*, que a menudo abordan sobre sus experiencias místicas, como *Bailando en la luz* (1983) y *Dentro de mí* (1989). Es hermana de WARREN BEATTY.

Maclean's Revista semanal de noticias publicada en Toronto, la revista de mayor importancia en Canadá. Entrega cobertura de los asuntos internos del país y de las noticias del mundo desde una perspectiva canadiense. Fundada por John Bayne Maclean con el nombre de *The Business Magazine* en 1905, su formato tabloide presentaba artículos y relatos de ficción que reflejaban una visión conservadora de la vida y los valores canadienses, al tiempo que adquirió prestigio por su excelente fotografía. En 1911 la revista adoptó su nombre actual. Luego de experimentar pérdidas en 1960, *Maclean's* redujo el tamaño de las páginas y dejó de ser una publicación quincenal para circular mensualmente en 1970; periodicidad que mantuvo hasta que las finanzas de la revista se reactivaron. En 1978 pasó a ser el principal semanario de Canadá.

MacLeish, Archibald (7 may. 1892, Glencoe, Ill., EE.UU.–20 abr. 1982, Boston, Mass.). Poeta, dramaturgo, profesor y funcionario público estadounidense. Ejerció la abogacía antes de partir a Francia en 1923 a perfeccionar su oficio poético. Sus primeros poemas, *Ars Poetica* (1926) y *You, Andrew Marvell* (1930), aparecen con frecuencia en antologías. Posteriormente manifestó su preocupación por los ideales democráticos en versos "públicos", como *Conquistador* (1932, Premio Pulitzer) y *Public Speech* [Discurso público] (1936). Entre otras obras de su autoría destacan *Collected Poems* [Poesías completas] (1952, Premio Pulitzer) y la obra dramática en verso *J.B.* (1958, Premio Pulitzer). Se desempeñó como bibliotecario en la Biblioteca del Congreso (1939–44) y como vicesecretario de Estado (1944–45); más tarde dictó clases en Harvard (1949–62).

Macleod, J(ohn) J(ames) R(ickard) (6 sep. 1876, Cluny, cerca de Dunkeld, Perth, Escocia–16 mar. 1935, Aberdeen). Fisiólogo escocés. Enseñó en universidades de EE.UU., Canadá y Escocia, sobresaliendo por su trabajo acerca del metabolismo de los carbohidratos. Junto con FREDERICK GRANT BANTING y CHARLES BEST descubrió la insulina, logro por el cual compartió con Banting el Premio Nobel en 1923.

Mac-Mahon, (Edme-Patrice-) Maurice, conde de *post.* **duque de Magenta** (13 jul. 1808, Sully, Francia–17 oct. 1893, castillo de La Forêt). Militar francés y segundo presidente (1873–79) de la TERCERA REPÚBLICA. Descendiente de una familia jacobita irlandesa, comenzó su carrera militar en 1827 y se distinguió en la guerra de Crimea y en la campaña italiana, en la batalla de MAGENTA (1859), tras lo cual fue designado mariscal de Francia y duque de Magenta. Se desempeñó como gobernador general de Argelia (1864–70) y luego comandante en la guerra franco-prusiana. Fue nombrado jefe del ejército de Versalles, que derrotó a la comuna de PARÍS en 1871. Tras la renuncia de ADOLPHE THIERS resultó electo presidente. Durante su período se promulgaron las leyes CONSTITUCIONALES DE 1875. Mac-Mahon renunció después de una crisis constitucional que se resolvió en favor del control parlamentario del gobierno. De ahí en adelante, el cargo de presidente de la Tercera República se convirtió en gran medida en honorífico.

Macmillan, Harold *por ext.* **Maurice Harold Macmillan, 1ᵉʳ conde de Stockton, vizconde Macmillan de Ovenden** (10 feb. 1894, Londres, Inglaterra–29 dic. 1986, Birch Grove, Sussex). Primer ministro británico (1957–63). Miembro de la Cámara de los Comunes (1924–29, 1931–64), ocupó cargos en el gobierno de coalición de tiempo de guerra de WINSTON CHURCHILL. Después de la guerra se desempeñó como ministro de vivienda (1951–54), ministro de defensa (1954), ministro de asuntos exteriores (1955) y canciller del Exchequer (ministro de hacienda) (1955–57). En 1957 se convirtió en primer ministro y líder del PARTIDO CONSERVADOR. Trabajó para mejorar las relaciones con EE.UU. y visitó al líder soviético NIKITA JRUSCHOV en 1959. Internamente, Macmillan apoyó los programas sociales de posguerra. Su gobierno comenzó a perder popularidad en 1961 debido a una congelación de los salarios y otras medidas deflacionarias, y un escándalo de espionaje soviético que involucró a John Profumo, ministro de guerra. Abogó por el ingreso en la COMUNIDAD ECONÓMICA EUROPEA (CEE), aunque la solicitud británica fue vetada en 1963 por CHARLES DE GAULLE. Las exigencias en favor de un nuevo líder del partido provocaron su renuncia en 1963. Escribió una serie de memorias (1966–75) y fue director (1963–74) de la casa editorial de propiedad de su familia, Macmillan & Co.

MacMillan, Sir Kenneth (11 dic. 1929, Dunfermline, Fife, Escocia–29 oct. 1992, Londres, Inglaterra). Bailarín y coreógrafo británico. Estudió en la escuela de ballet del Sadler's Wells y bailó en sus compañías desde 1946. Su primera coreografía fue *Somnambulism*, en 1953, seguida de *Danses concertantes* (1955). Su ballet *Romeo y Julieta* (1965) causó impacto a nivel mundial. Trabajó como director del ballet de la Ópera de Berlín (1966–69). En 1970 fue nombrado director del ROYAL BALLET, cargo al que renunció en 1977 para ser su coreógrafo principal. Entre sus otros ballets conocidos destacan *Anastasia* (1971), *Manon* (1974) e *Isadora* (1981).

Sir Kenneth MacMillan, director del Royal Ballet (1970–77), durante el ensayo de su ballet *Gloria*.
FOTOBANCO

Louis MacNeice.
CAMERA PRESS

MacNeice, Louis (12 sep. 1907, Belfast, Irlanda–3 sep. 1963, Londres, Inglaterra). Poeta y dramaturgo británico. Publicó su primer libro de poesía, *Blind Fireworks* (1929), mientras estudiaba en Oxford. Durante la década de 1930, se hizo conocido como uno de los jóvenes poetas socialmente comprometidos, entre los que figuraban W.H. AUDEN, C. DAY-LEWIS y STEPHEN SPENDER. Entre sus volúmenes se cuentan *Autumn Journal* [Diario de otoño] (1939) y *The Burning Perch* [La alcándara en llamas] (1963). Escribió y produjo radioteatro en verso para la BBC, particularmente *The Dark Tower* [La torre oscura] (1947), con música de BENJAMIN BRITTEN. Entre sus obras en prosa se destacan *Letters from Iceland* [Cartas de Islandia] (1937; con Auden) y *The Poetry of W.B. Yeats* (1941).

Macon Ciudad (pob., 2000: 97.255 hab.) en el centro del estado de Georgia, EE.UU. Cerca de este lugar se construyó un fuerte y en 1806 se levantó un asentamiento en torno a él. En 1823 se trazó la ciudad al otro lado del río y en 1829 se anexó el asentamiento; recibió su nombre en honor de NATHANIEL MACON. Durante la guerra de SECESIÓN, fue un depósito de suministros de los Confederados. Es un centro de distribución en esta región agrícola y sede de diversas instituciones de enseñanza superior, así como de la Robins Air Force Base. Es también el lugar de nacimiento del poeta Sidney Lanier (n. 1842–m. 1881).

Macon, Dave *orig.* **David Harrison Macon** (7 oct. 1870, Smart Station, cond. de Warren, Tenn., EE.UU.–22 mar. 1952, Readyville, Tenn.). Cantante de música COUNTRY e intérprete de banjo estadounidense. Criado en Nashville, donde sus padres administraban un hotel que abastecía a los músicos itinerantes, durante veinte años se dedicó al negocio de las carretas hasta que la industria camionera lo sacó del mercado, por lo que decidió hacerse músico profesional. Se presentaba como *Uncle Dave Macon* (tío Dave Macon) y entretenía al público con sus joviales canciones folclóricas como "Go Long Mule" y su histrionismo vigoroso. Se lo considera el primer artista que se convirtió en estrella del GRAND OLE OPRY y desde mediados de la década de 1920 hasta su muerte fue artista regular de ese programa radial.

Macon, Nathaniel (17 dic. 1758, Edgecombe, N.C., EE.UU.–29 jun. 1837, cond. de Warren, N.C.). Político estadounidense. Combatió en la guerra de independencia de EE.UU. (1781–85) y trabajó como miembro del poder legislativo de Carolina del Norte. Fue elegido para integrar la Cámara de Representantes (1791–1815), donde se desempeñó como presidente (1801–07); en el Senado (1815–28) se destacó como ANTIFEDERALISTA, siguió apoyando los DERECHOS DE LOS ESTADOS y se opuso a las leyes que buscaban reforzar el gobierno central.

Macphail, Agnes Campbell (24 mar. 1890, cond. de Grey, Ontario, Canadá–13 feb. 1954, Toronto). Política canadiense. Después de desempeñarse como maestra de escuela, ingresó a la política para representar a los granjeros de su región. En 1921, el primer año en que las mujeres canadienses tuvieron derecho a voto en las elecciones nacionales, fue elegida para ocupar un escaño en la Cámara de los Comunes, transformándose de esta manera en la primera integrante femenina; permaneció en el cargo hasta 1940. Abogó por la reforma carcelaria y los derechos de la mujer, además de un arancel proteccionista. Fue la primera mujer delegada, en representación de Canadá, ante la SOCIEDAD DE NACIONES. Resultó elegida para integrar el poder legislativo de Ontario (1943–45, 1948–51), donde patrocinó la primera ley de igualdad salarial de esa provincia.

Macquarie Harbour Ensenada del océano Índico, en el oeste de TASMANIA, Australia. Tiene 32 km (20 mi) de longitud y 8 km (mi) de ancho. Visitada en 1815 por el capitán James Nelly, recibió su nombre en honor de Lachlan Macquarie, gobernador de Nueva Gales del Sur. En 1821–33 existía en sus costas una colonia penal.

Macquarie, Lachlan (31 ene. 1761, Ulva, Argyllshire, Escocia–1 jul. 1824, Londres, Inglaterra). Militar británico y gobernador colonial. Sirvió en el ejército británico en Norteamérica, Europa, Antillas e India; en 1809 fue nombrado gobernador de Nueva Gales del Sur, Australia, donde reemplazó las unidades militares corruptas que habían derrocado al anterior gobernador, WILLIAM BLIGH. Comenzó un programa de construcción de obras públicas y planificación urbana que dio oportunidades a los "emancipistas" (ex presidiarios), estableció una moneda de la colonia y fomentó la exploración y colonización. Su política en favor de que los "emancipistas" se dedicaran a la agricultura disgustó a los grandes terratenientes y ovejeros ("exclusivistas"), y fue removido en 1821.

Macready, William (Charles) (3 mar. 1793, Londres, Inglaterra–27 abr. 1873, Cheltenham, Gloucestershire). Actorempresario británico. Debutó en el teatro en 1810 y ya en 1820 era famoso por sus interpretaciones de Hamlet, el rey Lear y Macbeth. Fue director artístico de los teatros londinenses COVENT GARDEN (1837–39) y DRURY LANE (1841–43), donde impuso reformas como ensayos extensos, vestuarios y decorados con fidelidad histórica y la restitución de los textos originales de Shakespeare en las puestas en escena. Realizó giras por EE.UU. en 1826, 1843 y la última durante 1848–49, que finalizó con el motín Astor Place, provocado por los partidarios del actor Edwin Forrest. Se retiró de los escenarios en 1851, y escribió un diario que revisa la vida teatral del s. XIX.

macrobiótica Práctica dietética basada en la filosofía china de balancear o equilibrar el yin y el yang (ver YIN-YANG). Insiste en evitar los alimentos que son clasificados como marcadamente yin (p. ej., BEBIDAS ALCOHÓLICAS) o yang (p. ej., CARNE) y en que se confíe principalmente en los alimentos cercanos a neutros, como los cereales. Adicionalmente, los alimentos que crecen en forma natural en la zona climática donde habita la persona deberían ser el pilar de su dieta. La macrobiótica fue articulada primero en Asia, en la década de 1930, y se extendió por Europa y EE.UU. en la década de 1960. Sus adherentes sostienen que no sólo puede mejorar la calidad de vida, sino que permite curar enfermedades serias, como el cáncer; sus críticos replican que intentos desinformados de practicar dicha dieta pueden llevar a una MALNUTRICIÓN.

macrocomputadora COMPUTADORA DIGITAL diseñada para el procesamiento de datos a alta velocidad con uso masivo de unidades de entrada/salida, como discos e impresoras de gran capacidad. Han sido utilizadas para aplicaciones como cálculos de planillas de pago, contabilidad, transacciones comerciales, recuperación de información, reservas de pasajes en líneas aéreas y cálculos científicos y de ingeniería. Los sistemas de macrocomputadoras, con terminales "tontas" remotas, han sido desplazados en muchas aplicaciones por la arquitectura CLIENTE-SERVIDOR.

macroeconomía Estudio de la economía en su conjunto sobre la base de la cantidad total de bienes y servicios producidos, total de ingresos generados, nivel de empleo de los recursos productivos y comportamiento general de los precios. Hasta la década de 1930, la mayor parte del análisis económico se centraba en empresas e industrias específicas. Como consecuencia de la GRAN DEPRESIÓN y del desarrollo de las estadísticas de ingreso y producción nacional, surgió un nuevo interés por la macroeconomía. Los objetivos de la política macroeconómica son el CRECIMIENTO ECONÓMICO, la estabilidad de PRECIOS y el pleno empleo. Ver también CUENTAS NACIONALES; MICROECONOMÍA.

macromolécula Cualquier MOLÉCULA muy grande, compuesta por cantidades mucho mayores (centenares o miles) de ÁTOMOS que las moléculas comunes. Algunas macromoléculas son entidades individuales que no pueden ser subdivididas sin perder su identidad (p. ej., ciertas PROTEÍNAS con PESOS MOLECULARES de varios millones). Otras (POLÍMEROS) son múltiplos de un elemento constitutivo iterativo (MONÓMERO) en cadenas o redes (p. ej., PLÁSTICOS, CELULOSA). La mayoría de las macromoléculas están en el rango de tamaño típico de los COLOIDES.

macular, degeneración ver DEGENERACIÓN MACULAR

macumba Religión afrobrasileña caracterizada por el sincretismo de las religiones AFRICANAS tradicionales, el ESPIRITISMO brasileño y el CATOLICISMO ROMANO. De las diversas sectas macumba en Brasil, las más importantes son el CANDOMBLÉ y el umbanda. Los elementos africanos comprenden un sitio ceremonial al aire libre, sacrificio de animales (p. ej., gallos), ofrendas a los espíritus (p. ej., velas y flores) y bailes. Los ritos son conducidos por médiums, quienes caen postrados en trance y se comunican con espíritus sagrados. Entre los elementos católicos están la cruz y el culto a los santos, quienes reciben nombres africanos.

Macy & Co. *p. ext.* **R.H. Macy & Co., Inc.** Importante cadena estadounidense de TIENDAS POR DEPARTAMENTOS. Su casa matriz, establecimiento comercial de 11 pisos que ocupa toda una manzana en Herald Square en Nueva York, fue por muchos años la tienda más grande del país. Rowland H. Macy (n. ¿1822?–m. 1877) fundó la empresa en 1858 y utilizó como marca comercial una estrella roja que tenía tatuada. En 1887, la familia STRAUS adquirió una participación en la empresa y en 1896 asumió su control total y la expandió mediante la compra o construcción de sucursales en todo el país. En 1992, Macy's se vio forzada a declararse en quiebra y en 1994 acordó fusionarse con la empresa Federated Department Stores, Inc.

MADAGASCAR

▶ **Superficie:** 587.051 km² (226.662 mi²)

▶ **Población:** 18.606.000 hab. (est. 2005)

▶ **Capital:** ANTANANARIVO

▶ **Monedas:** franco malgache y ariary

Madagascar *ofic.* **República de Madagascar** País insular frente a la costa sudoriental de África. La isla es la cuarta más grande del mundo, con cerca de 1.570 km (976 mi) de longitud y 571 km (355 mi) de ancho. El canal de Mozambique separa la isla de la costa africana. Casi la totalidad de la población pertenece a unos 20 grupos malayoindonesios. Idiomas: malgache y francés. Religiones: religiones tradicionales, cristianismo (catolicismo, protestantismo) e Islam. La empinada meseta central de Madagascar se eleva 2.876 m (9.436 pies) en el macizo volcánico de Tsaratanana; en el pasado, la isla estuvo cubierta por densos bosques, que todavía ocupan 25% de su superficie. La economía es predominantemente agrícola, con el arroz y la mandioca entre los cultivos de consumo interno, y el café, el clavo de olor y la vainilla, entre los de exportación. Es una república unicameral; el presidente es el jefe de Estado y el jefe de Gobierno, el primer ministro. Los indonesios emigraron a Madagascar c. 700 DC. El primer europeo que llegó a la isla fue el navegante portugués Diogo Dias, en 1500. A comienzos de s. XVII, el comercio de esclavos y de armas permitió el desarrollo de diversos reinos malgaches y uno de ellos, el merina, pasó a ser el dominante en el s. XVIII; con apoyo británico, obtuvo el control de gran parte de Madagascar a comienzos del s. XIX. En 1868, dicho reino firmó un tratado que otorgaba a Francia el control de la costa noroccidental y en 1895 las tropas francesas se apoderaron de la isla. En 1946, Madagascar pasó a ser territorio de ultramar de Francia. En 1958, el país galo estuvo de acuerdo en que el territorio decidiera su propio destino; en 1960 obtuvo su independencia, con el nombre de República Malgache. Rompió sus vínculos con Francia en la década de 1970 y en 1975 adoptó su denominación actual. En 1992 se promulgó una nueva constitución.

Madani, Abbasi al- (n. 1931, Sidi Okba, Argelia). Cofundador del FRENTE ISLÁMICO DE SALVACIÓN (FIS) argelino, junto con ALÍ BELHADJ. Después de obtener un doctorado en Londres, regresó a Argelia y se desempeñó como catedrático en la Universidad de Argel, donde se convirtió en líder de los estudiantes religiosos. Viajó a través del país con otros predicadores itinerantes, intercambió ideas y divulgó las líneas generales del movimiento político religioso. Fue arrestado después de la primera vuelta de las elecciones legislativas de 1991–92. En 1999 apoyó un acuerdo de paz impulsado por el presidente argelino, Abdelaziz Buteflika, entre el FIS y el gobierno.

Madariaga y Rojo, Salvador de (23 jul. 1886, La Coruña, España–14 dic. 1978, Locarno, Suiza). Escritor, diplomático e historiador español. Abandonó la carrera de ingeniería por la de periodismo y se incorporó a la Secretaría de la Liga de las Naciones en 1921 como encargado de prensa; ejerció como embajador en EE.UU. y en Francia, y fue el delegado permanente de España en la Liga (1931–36). Al estallar la guerra civil española en 1936 se trasladó a Inglaterra y sólo regresó después de la muerte de FRANCISCO FRANCO. Escribió prolíficamente en inglés, alemán, francés y español. Entre sus obras sobresalen *Ingleses, franceses, españoles* (1928), *España* (1942), *El auge y el ocaso del imperio español en América* (1945) y sus novelas basadas en la historia hispanoamericana.

Madeira, islas Archipiélago (pob., est. 2001: 242.603 hab.) y región autónoma de Portugal en el océano Atlántico norte. En Madeira, la más grande de las islas, se encuentra FUNCHAL, la capital de la región. Con una extensión de 55 km (34 mi) de longitud y 22 km (14 mi) de ancho, Madeira posee hondonadas profundas y montañas escarpadas. Pese a que probablemente los antiguos FENICIOS sabían de su existencia, fue redescubierta por el navegante portugués João Gonçalves Zarco, quien fundó Funchal en 1421. Supuestamente tuvo la primera plantación de caña de azúcar del mundo. El vino de Madeira ha sido un importante producto de exportación desde el s. XVII. También lo es el turismo.

Madeira, río Río en el oeste de Brasil. Uno de los principales afluentes del AMAZONAS, se forma por la confluencia de los ríos MAMORÉ y BENI en Bolivia; discurre en dirección norte siguiendo el límite entre Bolivia y

Río Madeira cerca de Porto Velho, estado de Rondônia, Brasil.
PLESSNER INTERNATIONAL

Brasil. En este último país sigue un curso sinuoso en dirección nordeste hasta unirse con el Amazonas al este de MANAUS. Medido desde el nacimiento del Mamoré, tiene una extensión de 3.352 km (2.082 mi).

Madeleine, islas de la *francés* **Îles de la Madeleine** Grupo de islas del este de Quebec, Canadá. Se ubica en el golfo de SAN LORENZO entre la isla del Príncipe Eduardo y Terranova.

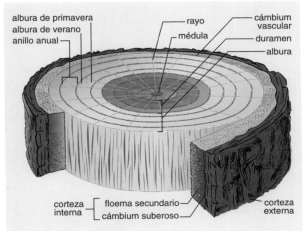
Corte transversal del tronco de un árbol. La madera se forma por la acumulación de xilema secundario, producido por el crecimiento tisular del cámbium vascular. Cada capa de crecimiento está definida por dos elementos: la albura temprana, o de primavera, compuesta por células grandes de paredes delgadas, que se producen durante la primavera, cuando el agua suele ser abundante; y la albura tardía, o de verano, más densa y compuesta por células pequeñas de paredes gruesas. Los anillos de crecimiento varían de anchura, como resultado de las diferentes condiciones climáticas: en las zonas templadas, un anillo es equivalente a un año de crecimiento. El duramen oscuro está compuesto de xilema, que ha sido infiltrado por gomas y resinas y ha perdido la capacidad de conducir agua, a diferencia de la albura que funciona activamente. Ciertas células conductoras forman rayos que transportan lateralmente agua y sustancias disueltas por el xilema. La corteza está compuesta de tejidos situados en la periferia del cámbium vascular y que comprenden el floema secundario, las células del súber y las células suberíficas (cámbium suberoso). La corteza externa, compuesta de tejido muerto, protege a la región interna contra lesiones, enfermedades y desecación.
© 2006 MERRIAM-WEBSTER INC.

El grupo comprende varias islas e islotes con una superficie total de 229 km² (88 mi²); entre las más grandes se encuentran Havre-Aubert (Amherst) y Cap-aux-Meules (Grindstone). Las islas, descubiertas por JACQUES CARTIER en 1534, se encuentran habitadas principalmente por canadienses de origen francés.

madera Material duro y fibroso que se forma por la acumulación del XILEMA secundario generado por el CÁMBIUM vascular. Es el tejido de refuerzo principal de los tallos y raíces de ÁRBOLES y ARBUSTOS. La madera se forma en torno a un núcleo central (médula) en una serie de capas concéntricas llamadas ANILLOS DE CRECIMIENTO. Una sección transversal de la madera ilustra la diferencia entre el duramen y la albura (capa blanda). El duramen, la parte central, es más oscuro y compuesto de células del xilema inactivas en los procesos vitales del árbol. La albura, área más clara que rodea el duramen, contiene células xilemáticas que conducen nutrientes activamente. La madera es uno de los materiales naturales más abundantes y versátiles de la Tierra y, en contraste con el carbón, los minerales metálicos y el petróleo, es renovable si se maneja adecuadamente. Las maderas más usadas provienen de dos grupos de árboles: el de las CONÍFERAS, o MADERAS BLANDAS (p. ej., ABETO, PINO y especies del género PICEA), y el de los árboles de hoja ancha o MADERAS DURAS (p. ej., ROBLE, NOGAL y especies de la familia de las ACERÁCEAS). Los árboles clasificados como maderas duras no son necesariamente más duros que las maderas blandas (p. ej., la BALSA, una madera dura, es una de las más blandas). La densidad y contenido de humedad afectan la resistencia de la madera; además de la capacidad de carga, otros factores que se ensayan a menudo son la elasticidad y dureza. La madera es un aislante térmico y eléctrico y posee propiedades acústicas propicias. Algunas características físicas distintivas de la madera son el color, el olor, la textura y la hebra (dirección de las fibras). Existen alrededor de 10.000 productos de madera diferentes disponibles en el comercio, que van desde maderos y contrachapados hasta papel, o desde muebles finos hasta mondadientes. Los productos químicos derivados de la madera o de sus residuos son el celofán, carbón vegetal, anilinas, explosivos, lacas y aguarrás. La madera también se emplea como combustible en muchas partes del mundo.

madera, armazón de ver ARMAZÓN DE MADERA

madera aserrada Término genérico para designar la madera cortada, ya sea como rollizos, grandes maderos o elementos como los utilizados en la construcción de marcos livianos. La madera aserrada se clasifica en dura y blanda (ver MADERA). El término se refiere generalmente a los productos que se obtienen en un aserradero. La transformación de troncos en madera aserrada es un proceso que implica el descorteza-miento, el corte en tablas o planchas, un nuevo aserrado para obtener tablas más delgadas de diversos tamaños, el acabado de los bordes, el escuadrar las aristas y eliminar las imper-fecciones, la clasificación del producto en grados, según su resistencia y aspecto, y el secado al aire libre o en hornos. El secado bajo el nivel de saturación de la fibra causa la contrac-ción de las piezas, y por lo general crea mayor resistencia, dureza y densidad, dejando la madera mejor preparada para darle un acabado. A menudo se aplican preservantes para prevenir el deterioro y la putrefacción de la madera

madera blanda Madera que se obtiene de las coníferas, prin-cipalmente de la familia de las Abietáceas (ver PINO y ABETO). A excepción del ALERCE, CIPRÉS CALVO y tamarack, los árboles de madera blanda son SIEMPREVERDE. La madera blanda se obtiene en su mayoría del mar Báltico, los países escandinavos y América del Norte, que tienen cerca del 80% de la producción mundial. El término designa a veces con cierta imprecisión a todas las maderas blandas y duras que se usan para la construc-ción en regiones templadas. Las maderas blandas del pino de agujas largas, el PINO DE OREGÓN y el TEJO son mecánicamente bastante más resistentes que muchas MADERAS DURAS.

madera contrachapada Tablero compuesto de tres o más láminas delgadas (chapas) de madera, encoladas una sobre otra. Cada chapa se dispone con su fibra en dirección perpendicular a la anterior. Tal como otros productos de madera encolada, la madera contrachapada proporciona una alternativa resis-tente y económica a la madera maciza. Es muy usada tanto en ebanistería (para cómodas, tocadores, roperos y mesas) como en la construcción de casas (para muros, cielos, bases de pisos, puertas y en moldes para hormigón).

madera dura Madera que se obtiene de árboles faneró-gamos de hoja ancha. Estos son ÁRBOLES DECIDUOS, excepto en las regiones más cálidas. El término, una clasificación de material, se aplicó al principio a maderas duras de Europa, como el haya y el roble, pero también incorpora algunas de las maderas más blandas. En la categoría figuran el ÉBANO, diversas caobas (ver familia de las MELIÁCEAS), el arce (ver familia de las ACERÁCEAS), la TECA y el NOGAL negro americano.

madera petrificada Fósil formado por la infiltración de minerales en cavidades entre las células de la madera natural, o al interior de ellas. El mineral suele ser SÍLICE (dióxido de sílice, SiO_2) o CALCITA (carbonato de calcio, $CaCO_3$). Con frecuencia este reem-plazo de tejido orgánico por depó-sitos minerales es tan preciso, que tanto la estructura interna como la forma externa quedan fielmente representadas; e incluso a veces hasta se puede determinar la estruc-tura celular.

Madero, Francisco (Indalecio o Ignacio) (30 oct. 1873, Parras, México–22 feb. 1913, Ciudad de México). Revolucionario mexicano y presidente (1911–13). Hijo de un rico terrateniente, en 1908 llamó a

Francisco Madero, c. 1910.
ARCHIVO CASASOLA

elecciones transparentes y con plena participación, y a termi-nar con la larga dictadura de PORFIRIO DÍAZ. Encarcelado por sedición y liberado bajo fianza, incitó una insurrección arma-da que llevó a la renuncia de Díaz. Fue elegido presidente en 1911. En situación de desventaja por su inexperiencia política y su excesivo idealismo, rápidamente se vio sobrepasado por las presiones de los conservadores y de los revolucionarios. Su gobierno terminó en una desgracia personal y nacional cuan-do fue asesinado en 1913. Ver también REVOLUCIÓN MEXICANA; PANCHO VILLA; EMILIANO ZAPATA.

Madhya Pradesh Estado (pob., est. 2001: 60.385.118 hab.) del centro de India. Limita con los estados de RAJASTHAN, UTTAR PRADESH, CHATTISGARH, MAHARASHTRA y GUJARAT. Con una super-ficie de 308.252 km² (119.016 mi²), es el segundo estado más grande de India. Su capital es BHOPAL. Allí nacen algunos de los ríos más importantes de India, entre ellos: NARMADA, TAPI, Mahanadi y Wainganga. Formó parte del Imperio Maurya de los s. IV–III AC y fue gobernado después por muchas otras dinastías. Bajo control islámico desde el s. XI, fue anexado por el Imperio mogol en el s. XVI. Bajo dominio marata en 1760, pasó a manos británicas a inicios del s. XIX. El estado propia-mente tal se formó después de que India obtuvo su indepen-dencia, en 1947; sus límites cambiaron en 1956. En 2000, la región oriental del estado se transformó en el nuevo estado de Chattisgarh. Aunque Madhya Pradesh es rico en recursos mine-rales, su principal soporte económico es la agricultura.

madhyamika Escuela de la tradición budista MAHAYANA. Su nombre significa "centro" y deriva de su posición inter-media entre el realismo de la escuela SARVASTIVADA y el idea-lismo de la escuela YOGACARA. Su pensador más renombrado fue NAGARJUNA.

Madison Ciudad (pob., 2000: 208.054 hab.), capital del estado de Wisconsin, EE.UU. Se ubica en el centro-sur del estado en un istmo entre los lagos Mendota y Monona. Fundada en 1836, recibió su nombre en honor de JAMES MADISON y se convirtió en capital del Territorio de Wisconsin ese mismo año. Se cons-tituyó como pueblo en 1846 y como ciudad en 1856. Tras la llegada del ferrocarril en 1854, experimentó un desarrollo sostenido. Es famosa por sus parques y por las orillas boscosas de los lagos; constituye el centro comercial de una región agrí-cola. Los servicios educacionales y gubernamentales tienen relevancia desde el punto de vista económico y es sede del campus central de la Universidad de WISCONSIN.

Madison, James (16 mar. 1751, Port Conway, Va., EE.UU.–28 jun. 1836, Montpelier, Va.). Cuarto presidente de EE.UU. (1809–17). Luego de egresar del College of New Jersey (hoy Universidad de Princeton), integró el poder legislativo de Virginia (1776–80, 1784–86). Durante la CONVENCIÓN CONS-TITUCIONAL (1787), su plan para Virginia, o de estado grande, proporcionó la estructura básica y los principios rectores de la constitución, lo que le mereció el título de "padre de la cons-titución". Con miras a promover la ratificación, colaboró con ALEXANDER HAMILTON y JOHN JAY en los DOCUMENTOS FEDERALISTAS, serie de artículos relativos a la carta fundamental y al gobier-no republicano publicados en la prensa en 1787–88 (escribió 29 de los 85 artículos). En la Cámara de Representantes (1789–97) patrocinó la aprobación de las primeras diez enmiendas a la constitución (ver BILL OF RIGHTS). Rompió con Hamilton por la existencia de una facultad parlamentaria implícita de crear un banco nacional; aunque negó dicha facultad más tarde, des-de la presidencia solicitó al congreso un banco nacional. En 1798, en protesta contra las leyes de EXTRANJERÍA Y SEDICIÓN, re-dactó una de las resoluciones de VIRGINIA Y KENTUCKY (THOMAS JEFFERSON redactó la otra). Entre 1801 y 1809 fue secretario de Estado de Jefferson. Fue elegido presidente en 1808 y de inme-diato encaró el problema del hostigamiento británico contra los barcos mercantes neutrales de EE.UU., que la ley de embargo

(1807) de Jefferson no había logrado desalentar. Convencido de que Gran Bretaña perseguía la eliminación permanente del comercio estadounidense, en 1810 proclamó la ruptura de relaciones con Gran Bretaña y, en 1812, firmó una declaración de guerra. En el curso de la consiguiente guerra ANGLO-ESTADOUNIDENSE, debió huir de Washington, D.C. junto a su familia, debido a que las tropas británicas en su avance incendiaron la residencia oficial de la presidencia y otros edificios públicos. Durante su segundo período (1813–17), se fundó el segundo Banco de los ESTADOS UNIDOS DE AMÉRICA y se impuso el primer arancel estadounidense proteccionista. Se retiró a su propiedad de Virginia, Montpelier, con su mujer, Dolley (n. 1768–m. 1849), cuya agudeza política siempre apreció. Tomó parte en la creación de la Universidad de Virginia, obra de Jefferson, y más tarde fue su rector (1826–36); escribió numerosos artículos y cartas sobre temas políticos.

Madona En el arte cristiano, representación de la Virgen MARÍA. Aunque con frecuencia aparece con el niño JESÚS, la Madona (del italiano Madonna: "Mi Señora") puede también ser representada sola. El arte bizantino fue el primero en desarrollar varios tipos como la Madona y el Niño entronizado, como intercesora, amamantando el Niño y otros. El arte occidental adaptó e hizo suyos los tipos bizantinos durante la Edad Media, y produjo imágenes de la Virgen que buscaban inspirar devoción a través de la belleza y la ternura. En los períodos del Renacimiento y el barroco, la imagen más popular de la Madona prefiguraba la CRUCIFIXIÓN, y mostraba a la Virgen con una mirada grave que desviaba del Niño juguetón.

"La Madona del Gran duque" pintura al óleo de Rafael, 1505; Palacio Pitti, Florencia.
SCALA—ART RESOURCE

Madonna *orig.* **Madonna Louise Ciccone** (n. 16 ago. 1958, Bay City, Mich., EE.UU.). Cantautora de música pop y actriz estadounidense. Estudió danza en la Universidad de Michigan y luego con MARTHA GRAHAM y ALVIN AILEY. Con su primera canción exitosa, "Holiday" (1983), forjó un alegre sonido "dance-club", que hasta 1991 la había hecho vender 70 millones de álbumes, entre ellos, *Like a Virgin* (1984). En sus vídeos musicales y conciertos deslumbró a sus seguidores y escandalizó a los críticos con su histrionismo sexualmente provocativo. Siempre en sintonía con las últimas tendencias, incorporó la música TECNO en *Music* (2000) y posteriormente editó los álbumes *American Life* (2003) y *Defying gravity* (2005). Entre sus filmes destacan *Desesperadamente buscando a Susana* (1985), *Dick Tracy* (1990) y *Evita* (1996). Pocas artistas han alcanzado tal nivel de poder y control en la industria de la música popular.

Madrás ver CHENNAI

Madrás y Tamizhagan ver TAMIL NADU

madrasa *o* **madraza** (árabe: "escuela"). En la antigüedad, escuela musulmana de estudios superiores contigua a una MEZQUITA. El término madrasa también se refiere a un tipo de construcción más moderna que la mezquita y que prosperó en la mayoría de las ciudades musulmanas hacia fines del s. XII. Las madrasas de Damasco mostraron una tendencia a seguir una planta común: una fachada muy decorada daba paso a un vestíbulo abovedado y luego a un patio, donde se impartía la enseñanza, con al menos una *eyvan* (sala abovedada) mirando sobre él. La madrasa de la mezquita Qalaun en El Cairo (1283–85) tiene una singular *eyvan* cruciforme sobre una *quibla* (pared que enfrenta a La Meca) ricamente tallada en un costado, y una *eyvan* más pequeña en el costado opuesto. Las celdas residenciales para los alumnos ocupan los otros dos costados.

Madre de Dios, río Río del sudeste del Perú y el noroeste de Bolivia. Nace en el Perú en la cadena más oriental de la cordillera de los ANDES y fluye hacia el este hasta la frontera con Bolivia. Allí se desvía hacia el nordeste y cruza la selva tropical del noroeste de Bolivia, donde se une con el río BENI después de completar un curso de más de 1.100 km (700 mi). Uno de los afluentes del AMAZONAS, es navegable en su curso superior y también aguas abajo, en el límite entre Perú y Bolivia.

madre de los dioses ver CIBELES

Madre Jones ver Mary Harris JONES

Madre, laguna Albufera larga y angosta del golfo de México en la costa meridional del estado de Texas, EE.UU., y el nordeste de México. Está protegida del golfo por cordones litorales paralelos a la costa, entre los que se cuentan la isla PADRE, y el delta del río Grande del Norte (ver río BRAVO) la divide en dos secciones: la parte estadounidense se extiende hacia el sur por 190 km (120 mi) desde la bahía de Corpus Christi, y la parte mexicana se prolonga hacia el norte por 160 km (100 mi) desde la desembocadura del río Soto la Marina. Por esta laguna pasa el CANAL INTRACOSTAL DEL GOLFO.

madreselva Cualquiera de muchas especies de enredaderas pertenecientes a diversas familias de angiospermas, especialmente la enredadera de Virginia (*Parthenocissus quinquefolia*, familia Vitaceae), procedente de Norteamérica, y la madreselva euroasiática (*Lonicera periclymenum*, de las CAPRIFOLIÁCEAS). La primera se fija a paredes, cercas y troncos de grandes árboles por medio de zarcillos terminados en pequeños discos; sus hojas exhiben espectaculares colores otoñales que van del amarillo al rojo-púrpura. La madreselva tiene hojas de color verdegrisáceo y flores blancoamarillento y fragantes

Madrid Ciudad (pob., 2001: ciudad, 2.938.723 hab.; área metrop., 5.086.635 hab.), capital de España y de la comunidad autónoma de MADRID. Situada en la meseta central de la península Ibérica, a 635 m (2.100 pies) sobre el nivel del mar, es una de las capitales con mayor altitud de Europa. El poblado original se desarrolló en torno al alcázar moro con vista al río Manzanares. El rey ALFONSO VI capturó la ciudad que estaba en manos de los musulmanes en 1083. FELIPE II trasladó la corte española a Madrid en 1561, y FELIPE III la declaró capital oficial en 1607. Fue ocupada por las tropas francesas durante las guerras NAPOLEÓNICAS, pero devuelta a España en 1812. Durante la guerra civil ESPAÑOLA (1936–39), Madrid estuvo bajo el control de los republicanos. Principal eje de transporte para las provincias interiores de España, constituye también un importante centro comercial, industrial y cultural. Entre sus instituciones destacan el Museo del PRADO y la Universidad de Madrid.

El Palacio de Comunicaciones, situado en una de las céntricas arterias de Madrid.
ARCHIVO EDIT. SANTIAGO

Madrid Comunidad autónoma (pob., 2001: 5.423.384 hab.) en el centro de España. Con una superficie de 8.028 km² (3.100 mi²), su capital es MADRID. La provincia se extiende a través de las laderas meridionales de la sierra de Guadarrama y coincide aprox. con la región drenada por los ríos Jarama, Henares y Manzanares. Fue escenario de varias batallas decisivas de la guerra civil ESPAÑOLA (1936–39). Todas las vías férreas nacionales convergen en la provincia. El paso Somo permite el acceso hacia el nordeste a través del Sistema Central.

madrigal Forma de música de cámara vocal, normalmente polifónica y sin acompañamiento instrumental, de los s. XVI–XVII. Se originó y se desarrolló en Italia, bajo la influencia de la CHANSON francesa y de la *frottola* italiana. Los madrigales, escritos a menudo para un grupo de tres a seis voces, llegaron a cantarse con profusión como una actividad social de los aficionados cultos, hombres y mujeres. Casi siempre los textos versaban sobre el amor; entre los poetas más prominentes a cuyas obras se les puso música destacan PETRARCA, TORQUATO TASSO y BATTISTA GUARINI. En Italia, ORLANDE DE LASSUS, LUCA MARENZIO, DON CARLO GESUALDO y CLAUDIO MONTEVERDI fueron algunos de los más grandes madrigalistas; THOMAS MORLEY, THOMAS WEELKES y JOHN WILBYE crearon un repertorio notable de madrigales ingleses.

madroño Cualquiera de unas 14 especies (género *Arbutus*) de arbustos o árboles de hoja ancha y SIEMPREVERDE de la familia de las ERICÁCEAS. Originarias del sur de Europa y el oeste de Norteamérica, se caracterizan por sus racimos florales sueltos de color blanco o rosa y sus bayas color rojo o naranjo. *A. menziesii* (conocido también como madroño del Pacífico y madroño de Oregón) y *A. unedo* (madroño) se cultivan como plantas ornamentales. El MADROÑO RASTRERO pertenece al género *Epigaea*.

madroño rastrero Planta rastrera siempreverde (*Epigaea repens*) de la familia de las ERICÁCEAS, originaria de los terrenos boscosos ácidos, arenosos o cenagosos del este de América del Norte. Sus hojas son oblongas y vellosas; sus flores color blanco, rosado o rosáceo crecen en racimos densos. Se cultiva en jardines de flores silvestres a la sombra y como cubresuelos en terrarios.

Madroño rastrero (*Epigaea repens*).
© ENCYCLOPÆDIA BRITANNICA, INC.

Madura, isla *holandés* **Madoera** Isla de la provincia de Java Timur, Indonesia, frente a la costa nororiental de la isla de JAVA. Su capital es Pamekasan. Con una superficie de 5.290 km² (2.042 mi²), en la zona oriental existen colinas que se elevan a más de 430 m (1.400 pies) de altura. A fines del s. XVII quedó bajo influencia holandesa. En 1885, Madura estuvo ligada a Java como residencia oficial de los gobernantes, y en 1949 pasó a formar parte de Indonesia. Las carreras de toros, que normalmente tienen lugar en septiembre, atraen a grandes multitudes.

Maekawa Kunio (14 may. 1905, Niigata-shi, Japón–27 jun. 1986, Tokio). Arquitecto japonés. Trabajó como dibujante para LE CORBUSIER en París y para ANTONIN RAYMOND en Tokio. En sus primeros trabajos, como los edificios públicos Hinamoto (1936) y Dairen (1938), trató de contrarrestar el estilo pomposo del régimen imperialista japonés. Durante la década de 1950 continuó trabajando principalmente en el estilo brutalista de Le Corbusier (ver BRUTALISMO). Edificios como el centro educacional en Fukushima (1955), el bloque de apartamentos Harumi y el centro comunitario Setagaya, estos últimos en Tokio (1959), reflejan sus esfuerzos por usar el hormigón de manera apropiada al material. Sus centros comunitarios influyeron en TANGE KENZO, quien comenzó en la oficina de Maekawa.

Maes, Nicolaes (1634, Dordrecht, Países Bajos–24 nov. 1693, Amsterdam). Pintor neerlandés. Nacido en Dordrecht, se trasladó a Amsterdam c. 1650 para estudiar con REMBRANDT, de quien aprendió el estilo BARROCO. Antes de regresar a Dordrecht, en 1653, pintó algunas escenas de género de tamaño natural al estilo Rembrandt. Entre 1655 y 1660 pintó escenas domésticas más pequeñas, por lo general de mujeres hilando, escuchando disimuladamente una conversación, leyendo la Biblia o cocinando. En 1673 se mudó en forma definitiva a Amsterdam y se dedicó a la pintura de retratos, reemplazando la intimidad y los colores profundos

"Niña en una ventana", detalle de una pintura al óleo de Nicolaes Maes, c. 1655.
RIJKSMUSEUM AMSTERDAM

y brillantes de Rembrandt por la elegancia y los tonos más fríos que evocaban a ANTHONY VAN DYCK. Fue un pintor prolífico y alcanzó gran fama con sus retratos.

Maestros, Torneo de *inglés* **Masters Tournament** Competencia anual de golf por invitación que se celebra desde 1934 en el campo del Augusta National Golf Club, en Augusta, Ga., EE.UU. Uno de los torneos más prestigiosos del mundo, comprende 72 hoyos en modalidad *stroke play* (juego de golpes), gana el que completa el recorrido con el menor número de golpes. El campo, famoso por su belleza y por la dificultad y velocidad de sus *greens*, fue diseñado por BOBBY JONES y Alister MacKenzie.

Maeterlinck, Maurice (Polydore-Marie-Bernard) *post.* **conde de Maeterlinck** (29 ago. 1862, Gante, Bélgica–6 may. 1949, Niza, Francia). Dramaturgo y poeta belga. Fue alumno de derecho en Gante, pero al poco tiempo se dedicó a escribir teatro y poesía. En 1892 creó *Peleas y Melisanda*, considerada la obra maestra del teatro SIMBOLISTA, la que posteriormente fue adaptada a ópera por CLAUDE DEBUSSY (1902) con el mismo título. En sus diversas obras simbolistas, Maeterlinck apeló al diálogo poético, la gestualidad, la iluminación, el decorado y una teatralidad ritualista para crear imágenes que reflejaran los dilemas y estados emocionales de sus personajes. Entre sus otras piezas literarias se cuentan *Invernaderos cálidos* (1899), una colección de poemas simbolistas y obras de teatro como *Mona Vanna* (1902), *El pájaro azul* (1908) y el *El burgomaestre de Stilmonde* (1918). Además fue reconocido por su enfoque simple de temas científicos en *La vida de las abejas* (1901) y *La inteligencia de las flores*. Obtuvo el Premio Nobel de Literatura en 1911.

Maffei I y II Dos GALAXIAS relativamente cercanas a la VÍA LÁCTEA, descubiertas a finales de la década de 1960 por Paolo Maffei, astrónomo italiano. Maffei I es una gran galaxia elíptica, mientras que Maffei II es una galaxia espiral. Aunque son de gran tamaño y cercanas, están ocultas por la llamada ZONA DE VACÍO de la Vía Láctea. Situadas a una distancia de alrededor de 10 millones de años-luz, parecen ser los miembros más importantes de uno de los grupos de galaxias más cercanos fuera del GRUPO LOCAL.

mafia Sociedad de delincuentes de origen principalmente italiano, sobre todo siciliano. La mafia surgió en Sicilia a fines de la Edad Media, posiblemente como organización secreta para derrocar a conquistadores extranjeros. Reclutó a sus miembros entre los pequeños ejércitos privados, o *mafie*, contratados por terratenientes para proteger sus propiedades. En 1900, las "familias" de la mafia de Sicilia occidental controlaban las economías locales. En la década de 1920, BENITO MUSSOLINI encarceló a la mayoría de sus miembros, pero fueron liberados por los aliados después de la segunda guerra mundial y reanudaron sus actividades. En la década de 1970 controlaban el tráfico de heroína, lo que provocó una feroz rivalidad entre los clanes, seguida en la década de 1980 por renovados esfuerzos gubernamentales encaminados a encarcelar a sus líderes. En EE.UU., entre los inmigrantes sicilianos había antiguos miembros de la mafia que organizaron operaciones delictuales similares. Sus actividades se expandieron desde el contrabando de licores en la década de 1920 hasta el juego, los narcóticos y la prostitución y la mafia o Cosa Nostra, convirtiéndose en el consorcio criminal estadounidense más grande. Cerca de 24 grupos o "familias" de la mafia controlaban las operaciones en EE.UU. Los jefes (o "dones") de las principales familias formaban una comisión cuya función principal era judicial y podía hacer caso omiso de la autoridad de un don. A principios del s. XXI, el poder de la mafia se encontraba debilitado considerablemente gracias a la condena de sus máximos cabecillas, las deserciones y las sanguinarias disputas internas. Ver también CRIMEN ORGANIZADO.

Mafikeng, sitio de Sitio de los bóers a un puesto de avanzada militar británico durante la guerra de los BÓERS en el poblado de Mafikeng (denominada Mafeking hasta 1980), en el noroeste de Sudáfrica, entre 1899 y 1900. La guarnición, al mando del cnel. ROBERT BADEN-POWELL, resistió a las fuerzas bóers, superiores en número, durante 217 días, hasta que lograron llegar los refuerzos. El júbilo en las ciudades británicas al llegar la noticia del rescate dio origen a la expresión inglesa *mafficking* que significa "celebración con gran bullicio y animación".

Magadha Antiguo reino de India, ubicado en los actuales estados de BIHAR y JHARKHAND, en el nordeste de India. Importante reino en el s. VII AC, absorbió el reino de Anga en el s. VI AC. Su capital era Pataliputra (PATNA). Su poderío creció bajo la dinastía NANDA; durante el imperio MAURYA (s. IV–II AC), abarcó casi la totalidad del subcontinente indio. Después declinó, pero resurgió en el s. IV DC bajo la dinastía GUPTA. A fines del s. XII lo conquistaron los musulmanes. Fue escenario de varios hechos importantes de la vida de BUDA.

Magadi, lago Lago del valle del RIFT, en el sur de Kenia, al este del lago VICTORIA. Con una superficie de 622 km² (240 mi²), tiene una extensión de 32 km (20 mi) y una anchura de 3 km (2 mi). El fondo del lago está constituido casi en su totalidad por depósitos de sosa, que tiñen las aguas de un color rosa intenso.

Magallanes, estrecho de Estrecho que comunica los océanos Atlántico y Pacífico, entre el extremo meridional de Sudamérica y TIERRA DEL FUEGO. Se extiende en dirección oeste desde el Atlántico entre el cabo Vírgenes y el cabo Espíritu Santo, y en el cabo Froward se curva en dirección noroeste para salir al Pacífico. Situado principalmente en aguas territoriales chilenas, tiene unos 560 km (350 mi) de longitud y 3–32 km (2–20 mi) de ancho. Recibió su nombre en honor del navegante portugués FERNANDO DE MAGALLANES, el primer europeo en cruzarlo (1520). Fue una ruta de navegación importante hasta la apertura del canal de PANAMÁ en 1914.

*Fernando de Magallanes.
FOTOBANCO

Magallanes, Fernando *o* **Hernando de** *portugués* **Fernão de Magalhães** (c. 1480, ¿Sabrosa o Porto?, Portugal–27 abr. 1521, Mactán, Filipinas). Navegante y explorador portugués. Nacido en la nobleza, participó desde 1505 en expediciones a las Indias Orientales y África. Después de solicitar en dos ocasiones sin éxito al rey MANUEL I un rango más alto, se trasladó a España en 1517 y ofreció sus servicios al rey Carlos I (luego emperador CARLOS V), proponiéndole navegar hacia el oeste hasta las Molucas

(islas de las Especias) para demostrar que estaban en territorio español más que portugués. En 1519 partió de Sevilla con cinco naves y 270 hombres. Navegó alrededor de América del Sur; tras reprimir un motín durante el viaje, descubrió el estrecho de MAGALLANES. Con sólo tres naves, cruzó el "mar del Sur", que más tarde llamó océano Pacífico debido a su apacible aspecto. Murió en Filipinas en combate con nativos, pero dos de sus naves llegaron a las Molucas, y una, la *Victoria*, comandada por Juan Sebastián Elcano (n. ¿1476?–m. 1526), continuó hacia el oeste hasta España, para completar la primera circunnavegación del mundo en 1522.

Magallanes, nubes de Cualquiera de las dos GALAXIAS irregulares vecinas a la VÍA LÁCTEA, llamadas así en honor a FERNANDO DE MAGALLANES, cuya tripulación las descubrió durante el primer viaje alrededor del mundo. Comparten una envoltura gaseosa y están separadas por unos 22°, cerca del polo sur celeste (ver ESFERA CELESTE). Son visibles a simple vista en el hemisferio sur, pero no pueden ser vistas des-

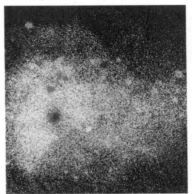

La gran nube de Magallanes, una de las dos galaxias irregulares cercanas a la Vía Láctea.
ARCHIVO EDIT. SANTIAGO

de latitudes septentrionales. La gran nube de Magallanes está situada a más de 150.000 años-luz de la Tierra; la pequeña nube de Magallanes está distante de la Tierra unos 200.000 años-luz. Dado que por su cercanía, es posible observar estrellas individuales de ellas, constituyen excelentes "laboratorios" para el estudio de la formación y evolución de las ESTRELLAS.

Magdalena, río Río que cruza el centro-sur y el norte de Colombia. Nace en los faldeos orientales de la cordillera de los ANDES en el sur de Colombia y fluye hacia el norte a lo largo de 1.530 km (950 mi) hasta desembocar en el mar Caribe cerca de Barranquilla. Ha sido una activa arteria comercial desde tiempos de la conquista española, aunque su importancia ha disminuido con el tiempo.

magdaleniense, cultura Industria LÍTICA y tradición artística del período PALEOLÍTICO superior europeo. Debe su nombre al sitio tipo de La Madeleine, en el sudoeste de Francia. Los magdalenienses vivieron hace unos 11.000–17.000 años, en una época en que renos, caballos salvajes y bisontes formaban grandes manadas. Al parecer, vivían de manera seminómada, rodeados de abundante alimento. Cazaban animales con lanzas, lazos y trampas y habitaban en cavernas, refugios de piedra y tiendas. La

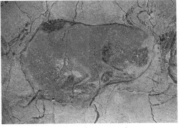

Pintura rupestre de un bisonte, cultura magdaleniense, Altamira, España.
A. HELD–J.P. ZIOLO, PARÍS

industria lítica magdaleniense comprende hojas, buriles (herramientas parecidas al cincel), raspadores, perforadores y puntas de proyectil. Entre sus herramientas de hueso, a menudo con imágenes de animales grabadas, se cuentan azuelas, martillos, puntas de lanza, arpones y agujas de coser. El arte rupestre del primer período se caracteriza por dibujos toscos de color negro, mientras que en el período tardío destacan figuras realistas policromas, hermosamente representadas, como las pinturas rupestres de ALTAMIRA, en España. La cultura magdaleniense desapareció a fines del cuarto período glacial (Würm) (c. 10.000 AC), cuando el clima se tornó más templado y comenzaron a escasear las manadas.

Magdeburgo Ciudad (pob., est. 2002: 229.755 hab.), capital del estado de Sajonia-Anhalt en el centro-este de Alemania. Situada a orillas del ELBA, es un antiguo asentamiento mercantil de comienzos del s. IX y miembro destacado de la Liga HANSEÁTICA en el s. XIII. Adhirió a la REFORMA en 1524 y la gobernaron arzobispos titulares protestantes. En 1631, durante la guerra de los TREINTA AÑOS, fue incendiada y saqueada. Durante las guerras NAPOLEÓNICAS fue tomada por los franceses, pronto pasó a manos de los prusianos, y en 1815 se convirtió en capital de la provincia de SAJONIA. Recibió intensos bombardeos durante la segunda guerra mundial. Es uno de los puertos fluviales más importantes de Alemania y un destacado nudo ferroviario. En esta ciudad nació el compositor GEORG PHILIPP TELEMANN.

Catedral de Magdeburgo, Alemania.
W. KRAMMISCH–BRUCE COLEMAN INC./EB INC.

Magen David ver ESTRELLA DE DAVID

Magenta, batalla de (4 jun. 1859). Batalla librada durante la guerra franco-piamontesa contra los austríacos en Lombardía, en el norte de Italia. La estrecha victoria francesa sobre los austríacos fue un importante paso hacia la independencia italiana, que llevó a muchos distritos y ciudades a liberarse del dominio austríaco y unirse a la causa de la unificación italiana.

Magherafelt Distrito (pob., 2001: 39.780 hab.) del centro de Irlanda del Norte. Limita con el río BANN, el lago Neaghon y los montes Sperrin. Solía formar parte del condado de LONDONDERRY, pero en 1973 se convirtió en un distrito aparte. La ciudad de Magherafelt, fundada originalmente por una compañía inglesa (colonización del Ulster), es la capital y centro comercial del distrito.

magia Uso de ciertos medios (como encantamientos o hechizos) con la creencia de que ejercen un poder sobrenatural sobre las fuerzas de la naturaleza. Constituye la esencia de varios sistemas religiosos y desempeña un papel crucial en muchas culturas sin escritura. La magia suele distinguirse de la RELIGIÓN por ser más impersonal y mecánica y por hacer hincapié en la técnica. Por lo general se estima que las técnicas mágicas constituyen medios para fines específicos (como derrotar al enemigo, invocar lluvia, etc.), pero algunos especialistas atribuyen a esta actividad un carácter más simbólico y expresivo. Por lo tanto, un ritual para invocar lluvia puede provocar el fenómeno y subrayar, al mismo tiempo, su importancia simbólica y las actividades agrícolas relacionadas con él. En torno al mago y al rito mágico existen comúnmente TABÚES, procedimientos de purificación y otras actividades que transportan a los participantes a la esfera de lo mágico. En la tradición occidental, algunos atisbos de magia, antiguamente asociada a herejes, alquimistas, brujas y hechiceros, persisten actualmente en las actividades de grupos satánicos y otros. El arte de entretener mediante la ejecución de actos aparentemente mágicos (prestidigitación) descansa en el uso de trucos manuales y otros medios. Ver también BRUJERÍA Y HECHICERÍA; CHAMÁN; VUDÚ.

magiar Miembro del grupo étnico predominante en Hungría. Los magiares hablan una de las lenguas UGROFINESAS. Emigraron en el s. IX desde su primer asentamiento, en la actual región de Bashkortostán (zona oriental de Rusia), hacia el sur, atravesando las estepas ucranianas hasta el norte de los Balcanes. Después de enfrentarse con los pueblos vecinos, cruzaron los Cárpatos y, a fines del s. IX, se asentaron en la cuenca media del Danubio, donde sometieron a los eslavos y a otros pueblos. Los magiares, jinetes diestros y crueles, emprendieron incursiones en el corazón de Europa durante el s. X y fueron muy temidos hasta que en 955 OTÓN I los derrotó en la batalla de LECHFELD. Abrazaron el cristianismo en el s. XI con el rey ESTEBAN I, fundador de Hungría, quien logró integrar el reino a la comunidad europea.

Maginot, André (-Louis-René) (17 feb. 1877, París, Francia–7 ene. 1932, París). Político francés. Fue elegido a la Cámara de Diputados (1910) y combatió en la primera guerra mundial, siendo gravemente herido. En dos ocasiones se desempeñó como ministro de guerra (1922–24, 1929–31) y propició con pasión que Francia se preparara militarmente contra Alemania. Dirigió el comienzo de la construcción de la barrera defensiva en el nordeste de Francia, que más tarde fue llamada la línea MAGIN OT en su honor.

Maginot, línea Compleja barrera defensiva construida en la década de 1930 en el norte de Francia. Llamada con el nombre de su principal creador, ANDRÉ MAGINOT, era una fortificación defensiva ultramoderna que se extendía a lo largo de la frontera franco-alemana. Construida con hormigón grueso y provista de pesados cañones, tenía barracones, almacenes y líneas férreas subterráneas. Sin embargo, terminaba en la frontera francobelga, la cual fue cruzada por las fuerzas alemanas en mayo de 1940. Los alemanes invadieron Bélgica (10 de mayo), cruzaron el río Somme, aplastaron el extremo norte de la línea (12 de mayo), y continuaron su avance ya que la línea no cubría la frontera franco-belga.

magma Roca fundida total o parcialmente de la cual se forman las ROCAS ÍGNEAS, con frecuencia compuesta por silicatos líquidos. El magma migra ya sea hacia la profundidad o hacia la superficie de la Tierra, donde es eyectado como LAVA. Las características del magma están determinadas por la interacción de varias propiedades físicas, como su composición química, viscosidad, contenido de gases disueltos y temperatura. Numerosos eventos que pueden ocurrir durante la cristalización influyen sobre la roca resultante: la separación de cristales tempranos del líquido impide reacciones entre estos; el magma se puede enfriar demasiado rápido para que ocurran reacciones, y la pérdida de sustancias volátiles puede remover ciertos componentes del magma.

Magna Grecia (latín: "Gran Grecia"). Grupo de antiguas ciudades griegas a lo largo de la costa meridional de Italia. Los eubeos fundaron las primeras colonias, entre ellas CUMAS, c. 750 AC, y con posterioridad los espartanos se asentaron en Tarentum (TARENTO); los aqueos en Metapontum, SYBARIS y Croton; los locrios en LOCRIA y los calcídicos en Rhegium (REGGIO DI CALABRIA). Fue un centro comercial de gran concurrencia, así como la sede de los sistemas filosóficos de PITÁGORAS y de la escuela del ELEATICISMO. Después del s. V AC, la mayor parte de las ciudades perdió importancia.

Magnani, Anna (7 mar. 1908, Roma, Italia–26 sep. 1973, Roma). Actriz de cine italiana. Hija ilegítima, se crió en la pobreza. Posteriormente, se hizo conocida como cantante de clubes nocturnos, donde interpretaba canciones populares subidas de tono. Después de actuar en una compañía de teatro itinerante, debutó en el cine con *La ciega de Sorrento* (1934), y se consagró internacionalmente por su rol en *Roma, ciudad abierta* de ROBERTO ROSSELLINI (1945). Se hizo famosa por sus poderosos retratos de mujer orgullosa de clase baja en películas como *L'amore* (1948), *Bellissima* (1951), *La rosa tatuada* (1955, premio de la Academia), *Piel de serpiente* (1960) y *Mamma Roma* (1962).

Magnesia del Sípilo Antigua ciudad de LIDIA, cerca de la actual Manisa en Turquía, que data del s. V AC. Situada cerca de las regiones asociadas con NIOBE y TÁNTALO, fue escenario de una famosa batalla en el invierno de 190–189 AC, en que los romanos, a las órdenes de ESCIPIÓN EL AFRICANO, derrotaron a los seléucidas conducidos por ANTÍOCO III (el Grande), forzándolos a batirse en retirada a través de los montes TAURUS. La ciudad sufrió grandes terremotos, en especial uno en 17 DC, y quedan escasos restos arqueológicos de ella.

magnesio ELEMENTO QUÍMICO, uno de los METALES ALCALINO-TÉRREOS, de símbolo químico Mg y número atómico 12. El METAL, blanco plateado, no se encuentra libre en la naturaleza, pero compuestos como el SULFATO (sales de Epsom), el ÓXIDO (magnesia) y el CARBONATO (magnesita) son conocidos desde hace mucho tiempo. El metal, que arde al aire emitiendo una luz blanca brillante, se utiliza en dispositivos fotográficos de flash, bombas, bengalas y pirotecnia; también es un componente de aleaciones ligeras utilizadas en aeronaves, naves espaciales, automóviles, maquinaria y herramientas. Los compuestos, en los cuales tiene VALENCIA 2, se utilizan como aislantes y materiales REFRACTARIOS, y en fertilizantes, cemento, caucho, plásticos, alimentos y productos farmacéuticos (como antiácidos, purgantes, LAXANTES). El magnesio es un elemento esencial en la nutrición humana; es el COFACTOR en las ENZIMAS del METABOLISMO de los carbohidratos, y en la CLOROFILA.

magnetismo Fenómeno asociado con los CAMPOS MAGNÉTICOS, los efectos de tales campos y el movimiento de CARGAS ELÉCTRICAS. Algunos tipos de magnetismo son el DIAMAGNETISMO, el PARAMAGNETISMO, el FERROMAGNETISMO y el FERRIMAGNETISMO. Los campos magnéticos ejercen fuerzas sobre cargas eléctricas en movimiento. Los efectos de tales fuerzas se manifiestan en la deflexión de un haz de electrones en un TUBO DE RAYOS CATÓDICOS y en la fuerza motriz sobre un CONDUCTOR por el que circula una corriente. Otras aplicaciones del magnetismo van desde una simple cerradura magnética hasta dispositivos de imaginología médica y electroimanes que se utilizan en ACELERADORES DE PARTÍCULAS de alta energía.

magnetita *o* **piedra imán** *o* **mena de hierro magnético** Mineral de ÓXIDO de hierro (Fe_3O_4), el principal miembro de una de las series del grupo espinel. Los minerales de esta serie forman octaedros de dureza metálica moderada y masas en rocas ígneas y metamórficas; y en pegmatitas graníticas, meteoritos rocosos y vetas de sulfuro de alta temperatura. Son materiales de apariencia metálica y color que va de negro a marrón. La magnetita, como lo indica su nombre, es fuertemente atraída por un imán. Es un constituyente común de las menas de hierro. La magnetita con un campo magnético intrínseco (imán natural) se conoce como piedra imán (inglés, *lodestone*).

magneto Generador de imán permanente para producir corriente eléctrica en el sistema de ENCENDIDO de varios tipos de MOTORES DE COMBUSTIÓN INTERNA, como aviones, embarcaciones, tractores y motocicletas. Las partes principales de un magneto son el rotor de imán permanente, la bobina primaria con pocas vueltas de alambre grueso, la bobina secundaria con un gran número de vueltas de alambre delgado, el interruptor de leva y el condensador. Cuando el rotor se hace girar produce una corriente en la bobina primaria que carga el condensador. La leva interrumpe el circuito, y el campo magnético alrededor de la bobina primaria desaparece. El condensador entrega la carga almacenada a la bobina primaria, produciendo un campo magnético invertido. La suspensión de la corriente primaria y la inversión del campo magnético producen una corriente en la bobina secundaria que es enviada a las BUJÍAS DE ENCENDIDO.

magnetófono *o* **grabador de cinta** Sistema de grabación que utiliza los fenómenos electromagnéticos para grabar y reproducir ondas de SONIDO sobre una cinta en movimiento. La cinta se compone de un soporte plástico recubierto con una delgada capa de diminutas partículas de polvo magnético. El cabezal de grabación consiste en un imán diminuto en forma de C con su abertura adyacente a la cinta en movimiento. La onda sonora entrante que ha sido convertida por un micrófono en una señal eléctrica, produce un campo magnético en la abertura de la C. Al pasar la cinta por el cabezal de grabación, se imanta el polvo de la cinta de manera tal que se va registrando en ella la forma de la onda del sonido que se está grabando.

magnetosfera Región que rodea un PLANETA (como la Tierra) o un satélite natural que posee un campo magnético (ver CAMPO GEOMAGNÉTICO), donde los fenómenos magnéticos y la alta conductividad atmosférica causados por IONIZACIÓN influyen fuertemente en el comportamiento de las partículas cargadas (ver CARGA ELÉCTRICA). El campo magnético de un planeta o luna, tal como ocurre con su campo gravitacional, se debilita al aumentar su distancia al cuerpo. El VIENTO SOLAR barre la magnetosfera del cuerpo en dirección contraria a la del Sol, produciendo una larga "cola" que se extiende tras el cuerpo.

magnitud En astronomía, una medida del brillo de las estrellas u otro objeto celeste. A mayor brillo, menor es el número asignado como magnitud. Antiguamente se usaban sólo seis magnitudes; la primera contenía las estrellas más brillantes (ver HIPARCO). En el sistema actual, la diferencia de una magnitud se define como una relación de brillo de 2,512 veces. Por lo tanto, una diferencia de cinco magnitudes corresponde a una relación de brillo de 100 a 1. La magnitud aparente es el brillo de un objeto visto desde la Tierra (p. ej., –26,7 para el Sol, alrededor de –11 para la Luna). La magnitud absoluta es el brillo de un objeto como sería visto desde una distancia de 10 PARSECS (32,6 años-luz; p. ej., 4,8 para el Sol). Ver también ALBEDO; FOTOMETRÍA.

magnolio Cualquiera de unas 80 especies de árboles y arbustos del género *Magnolia*, originarios de América del Norte y Central, los Himalaya y Asia oriental. Apreciada por sus flores fragantes y hojas hermosas, la *Magnolia* es uno de los 12 géneros de la familia Magnoliaceae, la cual comprende 210 especies. Las magnolias están entre las fanerógamas más prístinas, con rasgos primitivos como ejes florales largos, disposición helicoidal de las partes florales y células hidroconductoras simples.

Flor del magnolio (*Magnolia tripetala*).
© ENCYCLOPÆDIA BRITANNICA, INC.

Magnus, efecto Generación de una FUERZA lateral sobre un sólido giratorio cilíndrico o esférico inmerso en un fluido (líquido o gas) cuando se produce un movimiento relativo entre el cuerpo giratorio y el fluido. Lleva este nombre en honor a Heinrich Gustav Magnus (n. 1802–m. 1870), quien fue el primero en investigar el efecto experimentalmente en 1853. La trayectoria curva de una pelota de tenis o de golf (el *top-spin*) es un ejemplo del efecto Magnus. La trayectoria de un proyectil de artillería puede también verse modificada por este fenómeno.

Magnus VII Eriksson (1316, Noruega–1 dic. 1374, Suecia). Rey de Suecia (1319–63, como Magnus II) y Noruega (1319–55, como Magnus VII). Nieto de Haakon V de Noruega y sobrino del rey de Suecia, se convirtió en gobernante de ambos reinos. Pasó casi todo su tiempo en Suecia, por lo que los nobles noruegos acordaron que fuera su hijo quien sucediera a Haakon; Magnus abdicó en 1355. Se enemistó con numerosos nobles suecos al aumentar impuestos y refrenar el poder económico de la Iglesia y de la nobleza. En 1356 fue obligado a ceder la mitad de su reino sueco a su hijo Erik y comenzó a hacer concesiones a la nobleza. Cuando reanudó sus intentos por controlar a los nobles suecos, estos lo depusieron.

mago *o* **magii** Miembro de un antiguo clan persa especializado en actividades de culto. Los magos fueron una casta sacerdotal durante las dinastías SELÉUCIDA, de los partos y SASÁNIDA, y partes del AVESTA probablemente provienen de ellos. Se cree que su SACERDOCIO sirvió a diversas religiones, como el ZOROASTRISMO. Desde el s. I DC en adelante, la palabra mago en su forma siriaca (*magusai*) fue aplicada a magos y adivinos, principalmente de la región de BABILONIA. Mientras existió el Imperio persa, se distinguió entre los magos persas, con reputación de tener un profundo conocimiento religioso, y los magos babilónicos, con frecuencia considerados unos completos impostores. Ver también MAGOS.

Magos En la tradición cristiana, hombres sabios del Oriente que fueron a rendir homenaje al niño JESÚS. Según san Mateo 2:1–12, siguieron una estrella milagrosa que los guió hasta BELÉN y llevaron dones de "oro, incienso y mirra". HERODES les pidió que le informaran del lugar del nacimiento de Jesús cuando viajaran de regreso, pero un ángel les previno de sus malas intenciones. Posteriormente, en la tradición cristiana se afirmó que eran reyes y recibieron los nombres de Melchor, Baltasar y Gaspar. Su visita fue considerada una prueba de que tanto los gentiles como los judíos adorarían a Jesús y se celebra en la festividad de la Epifanía. Ver también MAGO.

"La adoración de los Magos", pintura al óleo de Alberto Durero, 1504; Galería de los Uffizi, Florencia, Italia.
SCALA—ART RESOURCE/EB INC.

Magreb ver MOGREB

Magris, Claudio (n. 10 abr. 1939, Trieste, Italia). Escritor, académico y crítico italiano. Estudió en la Universidad de Turín, donde también impartió clases entre 1970 y 1978. En la actualidad desempeña la cátedra de literatura alemana en la Universidad de Trieste. Ha escrito numerosos estudios que han contribuido a difundir el conocimiento de la cultura centroeuropea y de la literatura del "mito de los Habsburgo". Ha traducido a IBSEN, KLEIST y SCHNITZLER y, entre sus numerosos ensayos, cabe citar *Lejos de dónde: Joseph Roth y la tradición hebraico oriental* (1971), *Ítaca y más allá* (1982) y *El anillo de Clarisse: tradición y nihilismo en la literatura moderna* (1984). Las novelas *Danubio* (1986), *Otro mar* (1991) y *Microcosmos* (1997), en las que explora temas similares a los de sus ensayos, lo han revelado como uno de los principales narradores italianos contemporáneos.

Magritte, René (-François-Ghislain) (21 nov. 1898, Lessines, Bélgica–15 ago. 1967, Bruselas). Pintor belga. Luego de estudiar en la Academia de Bellas Artes de Bélgica (1916–18), diseñó papeles murales y realizó carteles publicitarios hasta que, gracias al apoyo de una galería de arte de Bruselas, pudo dedicarse a tiempo completo a la pintura. Realizó sus primeras obras en estilo cubista y futurista, pero en 1922 descubrió la obra de GIORGIO DE CHIRICO y adoptó el SURREALISMO en la obra *El asesino amenazado* (1927). Ciertas imágenes aparecen una y otra vez en las obras de Magritte: el mar, los cielos amplios, el torso femenino, el "hombrecito" burgués con sombrero de hongo, las rocas flotando; así como

también son elementos comunes las dislocaciones de espacio, tiempo y escala, que otorgan a sus pinturas un carácter enigmático e ilógico.

Magsaysay, Ramón (31 ago. 1907, Iba, Filipinas–17 mar. 1957, cerca de Cebú). Presidente de Filipinas (1953–57). Hijo de un artesano malayo y maestro de escuela antes de convertirse en líder guerrillero durante la segunda guerra mundial. En 1950, como secretario de defensa, emprendió acciones contra los grupos insurgentes de la rebelión HUKBALAHAP (o Huk) que ha sido una de las campañas más eficaces contra los guerrilleros en la historia moderna. Les quitó apoyo popular ofreciendo tierras y herramientas a los campesinos e insistiendo en darles un trato respetuoso por parte del ejército. En 1953, los huks ya no eran una amenaza y Magsaysay fue elegido presidente. Sus intentos reformistas se vieron frustrados por un congreso conservador. Murió en un accidente aéreo antes de finalizar su período.

maguey Especie de la familia de las AGAVÁCEAS (*Agave americano*) de México y del sudoeste de EE.UU. Tarda muchos años en madurar (de cinco a 100), además florece una vez y luego muere. Se cultiva ampliamente por sus hojas grandes, espinosas y enorme inflorescencia; puede alcanzar 6 m (20 pies) de altura. Del maguey proviene el ingrediente específico de las bebidas alcohólicas pulque y mezcal.

Maguncia *alemán* **Mainz** Ciudad (pob., est. 2002: 185.293 hab.) del sudoeste de Alemania. Situada a orillas del RIN, frente a la desembocadura del río MENO, es un antiguo campamento romano fortificado de c. 14 AC, instalado sobre un asentamiento celta. Se convirtió en arzobispado en 775 DC, en ciudad independiente en 1244 y en sede de la Liga renana en 1254. Permaneció bajo dominio francés desde 1797 hasta 1816 y luego pasó a Hesse-Darmstadt. Sirvió como fortaleza de la CONFEDERACIÓN GERMÁNICA y, más tarde, del Imperio alemán hasta 1918. Resultó seriamente dañada durante la segunda guerra mundial, pero fue reconstruida. Es la cuna de JOHANNES GUTENBERG y sede de la Universidad Johannes Gutenberg.

Mahabharata Una de las dos grandes epopeyas de India escritas en SÁNSCRITO, apreciadas por su calidad literaria e inspiración religiosa. Narra la lucha por la supremacía entre dos grupos de primos, los Kauravas y los Pandavas. En el poema se relatan muchos mitos y leyendas y se exponen didácticamente temas, como la conducta apropiada de un guerrero y la forma de lograr liberarse de la reencarnación. En conjunto con la segunda gran epopeya, el *Ramayana*, es una fuente de información importante sobre la evolución del HINDUISMO. Dentro del *Mahabharata* está contenido el *Bhagavadgita*, el texto religioso más importante del hinduismo. El sabio Vyasa (floreció c. siglo V AC) es considerado tradicionalmente como su autor, pero es probable que sólo haya compilado el material existente. El poema alcanzó su forma actual c. 400 DC.

Maharashtra Estado (pob., est. 2001: 96.752.247 hab.) del centro-oeste de India. Ubicado en la costa del mar de Arabia, limita con los estados de GUJARAT, MADHYA PRADESH, CHATTISGARH, ANDHRA PRADESH, KARNATAKA y GOA y el territorio asociado de DADRA Y NAGAR HAVELI; su capital es MUMBAI (Bombay). Con una superficie de 307.690 km^2 (118.800 mi^2), abarca gran parte de la meseta del DECÁN y los valles de los ríos KRISHNA, BHIMA y GODAVARI. Su población es una mezcla de diversos grupos étnicos; la lengua del estado es el marati. La región estuvo dividida en distintos reinos hindúes en los s. VIII–XIII, a los que sucedió una serie de dinastías musulmanas. En 1674 estaba gobernado por un reino marata, que en el s. XVIII ya se había convertido en imperio. Los británicos tomaron el control de la zona a comienzos del s. XIX. Cuando India se independizó en 1947, la región era conocida como estado de Bombay. En 1960 fue dividida conforme a criterios lingüísticos, división de la cual resultaron los estados de Gujarat en el norte y Maharashtra en el sur. Su economía es esencialmente agrícola; entre sus actividades industriales destacan la refinación de aceite y la producción de telas de algodón.

Maharishi Mahesh Yogi *orig.* **Mahad Prasad Varma** (n. ¿1911?, India). Líder religioso indio, fundador de la MEDITACIÓN TRANSCENDENTAL (MT). Se graduó en física antes de ir a los Himalaya para estudiar en la escuela ADVAITA del pensamiento religioso VEDANTA con el yogu Gurú Dev durante 13 años. Llegó a EE.UU. en 1959, predicando las virtudes de la MT; en la década de 1960, The BEATLES fueron tal vez sus seguidores más célebres. El Maharishi (título que significa "Gran sabio") regresó a India a fines de la década de 1970 y se trasladó a los Países Bajos en 1990. Su organización contaba con bienes raíces, escuelas y clínicas, valorados en más de US$ 3 mil millones a fines de la década de 1990.

Mahasanghika Antigua escuela budista en India que se adelantó a la tradición MAHAYANA. Su aparición en el s. IV AC, una centuria tras la muerte de BUDA, representó el primer gran cisma en la comunidad budista. Aunque relatos sobre el segundo concilio budista atribuyen la división a un desacuerdo en las reglas disciplinarias, textos posteriores enfatizan las diferencias entre los mahasanghikas y los theravadines (ver THERAVADA) respecto a la naturaleza del Buda y la santidad. Los mahasanghikas creían en una pluralidad de budas y sostenían que el Buda en su existencia terrenal fue sólo una aparición.

Mahatir bin Mohamed *p. ext.* **Datuk Seri Mahatir bin Mohamed** (n. 20 dic. 1925, Alor Star, Kedah, Estados Malayos). Político y primer ministro malayo (1981–2003). Hijo de un maestro de escuela, estudió medicina y trabajó como funcionario médico del gobierno antes de integrar el parlamento en 1964, donde se convirtió en un enérgico defensor de las políticas que aseguraran el desarrollo económico del grupo étnico malayo. Fue elegido primer ministro y reelegido en varias ocasiones. Durante su gobierno, Malasia logró una de las economías más prósperas del Sudeste asiático, elevando las tasas de alfabetización y esperanza de vida. A fines de la década de 1990 la recesión económica precipitó un quiebre con su viceprimer ministro, Anwar Ibrahim, a quien destituyó en 1998; la oposición a esta y otras políticas fue reprimida. Tras los ATENTADOS DEL 11 DE SEPTIEMBRE de 2001 en EE.UU., ofreció su apoyo a la guerra mundial contra el terrorismo, pero se opuso a la invasión a Irak promovida por los estadounidenses en 2003 y se destacó por sus frecuentes críticas a Occidente.

Mahavira *orig.* **Vardhamana** (según la tradición, c. 599, Kshatriyakundagrama, India– 527 AC, Pavapuri). Reformador indio de la comunidad monástica jainista, el último de los 24 TIRTHANKARAS o profetas que fundaron el JAINISMO. Nacido en el seno de la casta guerrera, renunció al mundo a los 30 años de edad para llevar una vida ascética rigurosa. No tenía bienes, ni siquiera harapos para cubrirse o un tazón para limosnas o comida, y después de 12 años alcanzó el *kevala*, el nivel más alto de percepción. Defensor de la no violencia y el vegetarianismo, revitalizó y reorganizó la doctrina jainista y estableció reglas para su orden monástica. Sus seguidores formulaban cinco votos de renuncia (ver JAINA VRATA).

Mahavira entronizado, miniatura del Kalpa-sūtra, escuela de India occidental del s. XV; Freer Gallery of Art, Washington, D.C

GENTILEZA DEL INSTITUTO SMITHSONIANO, FREER GALLERY OF ART, WASHINGTON, D.C.

mahayana Una de las tres grandes tradiciones budistas. Surgió en el s. I DC y hoy tiene muchos seguidores en China, Corea y Japón. Los mahayanistas se diferencian de los budistas THERAVADA, de tendencia más conservadora, de Sri Lanka, Myanmar, Tailandia, Laos y Camboya. Mientras que los theravadines consideran al Buda histórico sólo como un maestro humano de la verdad, los mahayanistas lo ven como una manifestación terrenal de un Buda celestial. Veneran a los BODHISATTVAS, figuras de la salvación universal. La compasión, virtud principal del bodhisattva, es tan apreciada como la sabiduría, virtud privilegiada por los antiguos budistas. Dentro del budismo mahayana, algunas ramas enfatizan las prácticas esotéricas (p. ej., SHINGON, BUDISMO TIBETANO). Ver también BUDISMO DE LA TIERRA PURA; BUDISMO NICHIREN; KEGON; TIANTAI; ZEN.

mahdi *o* **mahdí** (árabe: "divinamente guiado"). En la escatología islámica, un liberador mesiánico que traerá justicia a la Tierra, restaurará la religión verdadera y dará paso a una breve edad dorada antes del fin del mundo. Aunque no es mencionado en el CORÁN y es puesto en duda por los teólogos SUNNÍES, es importante en la doctrina CHIITA. La doctrina mahdista se propagó durante las turbulencias religiosas y políticas de principios del ISLAM (s. VII–VIII) y fue revitalizada en los períodos de crisis (p. ej., después que la mayor parte de España fuera reconquistada por los cristianos en 1212 y durante la invasión napoleónica de Egipto). El título ha sido reivindicado por los revolucionarios islámicos, principalmente en África del norte (ver al-MAHDÍ; movimiento MAHDISTA).

Mahdī, al- *orig.* **Muḥammad Aḥmad ibn al-Sayyid ʿAbd Allāh** (12 ago. 1844–22 jun. 1885, Omdurman, Sudán). Líder religioso y político sudanés. Hijo de un armador en Nubia, fue criado cerca de JARTUM. Después de seguir estudios religiosos ortodoxos, se volcó hacia una interpretación mística del Islam dentro de la tradición sufí, se unió a una hermandad religiosa y en 1870 se trasladó a una ermita con sus discípulos. En 1881 proclamó una misión divina para purificar el Islam y los gobiernos que lo profanaban, denunciando al gobernante turco de Egipto y su colonia, Sudán. En 1885, después de derrotar a CHARLES GEORGE GORDON y capturar Jartum, estableció un Estado teocrático, pero murió ese mismo año, probablemente de tifus. Ver también MAHDI; movimiento MAHDISTA; SUFISMO.

mahdista, movimiento Movimiento político y religioso fundado por el profeta sudanés al-MAHDĪ, (que significa "el que tiene inspiración divina"). Adoptó ese nombre debido a su convicción de que Dios lo había elegido para dirigir una guerra santa (YIHAD) contra la clase gobernante egipcia en Sudán, la que, a su juicio, había abandonado la fe islámica. Su sublevación comenzó en 1881 y en cuatro años había conquistado casi todo el territorio anteriormente ocupado por Egipto; su máxima victoria fue la captura de JARTUM, en 1885, defendida por el gral. CHARLES GEORGE GORDON. Estableció una nueva capital en OMDURMAN y se convirtió en el líder de una teocracia armada. Enfermo, falleció y le sucedió su discípulo ʿABD ALLĀH. Tras algunas victorias iniciales, las fuerzas de ʿAbd Allāh fueron gradualmente perseguidas por los ejércitos angloegipcios dirigidos por H.H. KITCHENER y resultaron destruidos casi por completo en la batalla de Omdurman. El movimiento mantuvo algunos seguidores hasta el siglo siguiente, pero su importancia política había sido aniquilada.

Mahfouz, Naguib (n. 1911, El Cairo, Egipto). Escritor egipcio. Trabajó en la sección cultural del servicio civil egipcio desde 1934 hasta 1971. Su obra principal, *Trilogía de El Cairo* (1956–57), que comprende las novelas *Qaṣar al-Chawq* y *Al-Sukkariya*, representa una comprensiva y profunda visión de la sociedad egipcia del s. XX. Sus obras posteriores desarrollan una crítica de la monarquía egipcia, el colonialismo y el Egipto contemporáneo. Otras novelas conocidas son *Midaq Alley* (1947), *Chicos de Gebelawi* (1959) y *Miramar* (1967). También escribió colecciones de cuentos, más de 30 guiones y varias obras de teatro. En 1988 pasó a ser el primer escritor árabe galardonado con el Premio Nobel de Literatura.

Mah-jong Juego de origen chino en que generalmente cuatro personas con 144 fichas o tejas parecidas a las del dominó, sacan y descartan hasta que uno de los participantes consigue una mano ganadora. El objetivo es similar al del juego de naipes RUMY. Probablemente se originó en el s. XIX. El nombre de Mah-jong lo acuñó J.P. Babcock, quien lo introdujo en Occidente después de la primera guerra mundial. El juego incluye un par de dados, cierta cantidad de fichas para llevar la cuenta y una gaveta para guardar las tejas y evitar que los rivales las vean.

Mahler, Gustav (7 jul. 1860, Kalištĕ, Bohemia, Imperio austríaco–18 may. 1911, Viena, Austria). Compositor y director de orquesta judeoaustríaco. Estudió piano y composición en el conservatorio de Viena. Mientras se ganaba la vida impartiendo clases, compuso su primera obra importante, la cantata *Das Klagende Lied* (1880). En 1880 devino en director de orquesta y, aunque su estilo dictatorial no gustaba y los críticos encontraban extremas sus interpretaciones, en 1886 había alcanzado el éxito en Praga. También comenzó a componer la primera de diez sinfonías (1888–1910), su principal legado como compositor. En 1897 fue nombrado director de la Ópera de Viena y su tormentosa gestión fue reconocida como un logro artístico. En 1908 se trasladó a EE.UU. para dirigir el Metropolitan Opera; entre 1909 y 1910 fue director de la Filarmónica de Nueva York. Afectado por una enfermedad cardíaca y tras sufrir la muerte de una de sus hijas, compuso el espléndido ciclo de canciones para orquesta *Das Lied von der Erde* (1908–09) y su novena sinfonía. Sus ciclos de canciones para orquesta *Des Knaben Wunderhorn* (1892–98) y *Kindertotenlieder* [1904; *Canciones de los niños muertos*] se presentan con frecuencia. En su música, de gran carga emocional y orquestación sutil, confluyen diversas corrientes del romanticismo. Aunque después de su muerte su música fue en gran parte ignorada durante cincuenta años, posteriormente ha sido considerado un importante pionero de las técnicas de composición del s. XX.

Maḥmūd de Gazna (971–¿30 abr.? 1030, Gazna, Imperio gaznawí). Hijo de Sebüktigin, fundador de la dinastía GAZNAWÍ. Tras su ascenso al trono en 998, juró lealtad nominal al califa de la dinastía ABASÍ, quien le otorgó a cambio la autonomía. Amplió las fronteras de su reino, y llevó consigo el estandarte del Islam en las 17 invasiones a la región del Panjab y el nordeste de India. Con los tesoros que acumuló, transformó la ciudad de Gazna en un magnífico centro cultural. En su corte participaron el sabio AL-BĪRŪNĪ y el poeta FERDOWSĪ.

Mahoma *o* **Mohammed** (c. 570, La Meca, Arabia–8 jun. 632, Medina). Profeta árabe que estableció la religión del ISLAM. Hijo de un comerciante de la tribu gobernante, quedó huérfano a los seis años de edad. Se casó con una viuda rica, Jadiya, con quien tuvo seis hijos, incluida una hija, Fátima. Según la tradición, en el 610 recibió la visita del ángel Gabriel, quien le hizo saber que era el mensajero de Dios. Sus revelaciones y enseñanzas, registradas en el CORÁN, son la base del Islam. Mahoma empezó su predicación pública c. 613, urgiendo al rico a dar al pobre y exigiendo la destrucción de todos los ídolos. Ganó muchos discípulos, pero se granjeó también enemigos, que planearon asesinarlo, obligándolo a huir de La MECA en 622 para establecerse en MEDINA. Esta huida, conocida como la

HÉGIRA, marca el comienzo de la era islámica. Los seguidores de Mahoma derrotaron un ejército de La Meca en 624; sufrieron varios reveses en 625, pero repelieron en 627 el sitio de Medina por fuerzas de La Meca. Mahoma logró tomar el control de La Meca c. 629 y de toda Arabia el siguiente año. Hizo su último viaje a La Meca en 632, estableciendo los ritos del HAJJ, o peregrinación a La Meca. Murió ese mismo año y fue sepultado en Medina. Su vida, enseñanzas y milagros han sido desde entonces objeto de devoción y reflexión musulmana.

mahratta, Confederación Alianza mahratta formada en el s. XVIII en India occidental, después de que el reino mahratta de SIVAJI colapsó por la presión de los mongoles. Durante el reinado del nieto de Sivaji, el poder pasó a manos de los *peshwas* (primeros ministros), provenientes de las principales familias mahrattas; gobernaron con eficacia a inicios del s. XVIII, pero entraron en disputas hacia fines del siglo. La confederación cayó en poder de los británicos en 1818.

mahrattas, guerras Tres conflictos entre los británicos y la Confederación MAHRATTA a fines del s. XVIII y comienzos del s. XIX. En esa época, la Confederación controlaba gran parte del DECÁN y la costa occidental de India peninsular. Los británicos perdieron la primera guerra (1775–82), en la que apoyaron las pretensiones de uno de los aspirantes al cargo de *peshwa* (primer ministro). Ganaron la segunda guerra (1803–05) cuando derrotaron a los miembros de la Confederación que se opusieron a la restitución de un *peshwa* destituido. La tercera guerra (1817–18) comenzó luego que los británicos invadieran el territorio de los mahrattas para perseguir a bandas de asaltantes. Cuando las fuerzas mahrattas se levantaron contra los británicos, fueron derrotadas; el territorio mahratta fue anexado y culminó la supremacía británica en India.

Maiakovski, Vladímir (Vladimírovich) (19 jul. 1893, Bagdadi, Georgia, Imperio ruso–14 abr. 1930, Moscú, Rusia, U.R.S.S.). Poeta ruso. Encarcelado en varias oportunidades por actividades subversivas, empezó a escribir poesía durante su solitario confinamiento en 1909. Una vez en libertad se transformó en el vocero del futurismo en Rusia y su poesía se volvió notoriamente asertiva y desafiante. Fue el poeta más importante de la Revolución rusa de 1917 y de los comienzos del período soviético; produjo obras declamatorias, saturadas de temas políticos y dirigidas a audiencias masivas; ejemplo de ello son *Oda a la revolución* (1918) y *Marcha a la izquierda* (1919) y la obra dramática *Misterio bufo* (estrenada en 1921). Desilusionado en el amor, cada vez más distanciado de la realidad soviética y sin la posibilidad de obtener una visa para viajar al extranjero, se suicidó a los 36 años de edad.

El profeta Mahoma, sus discípulos y el ángel Gabriel, miniatura persa.
FOTOBANCO

Maidstone Ciudad y municipio (pob., 2001: 138.959 hab.) del condado administrativo e histórico de KENT, en el sudeste de Inglaterra. Situada a orillas del río Medway, al sudeste de LONDRES, su nombre proviene del que recibió en el DOMESDAY BOOK. Los arzobispos normandos de CANTERBURY residieron en ella hasta la REFORMA. Se desarrolló como ciudad mercantil. Ubicada en la principal región productora de lúpulo de Inglaterra, continúa siendo un centro agrícola. Por ende, la fabricación de cerveza también ocupa un lugar de importancia en su actividad económica. Entre sus numerosos sitios de interés arquitectónico figura el palacio medieval del arzobispo.

Maier Johann ver Johann ECK

Mailer, Norman (n. 1923, Long Branch, N.J., EE.UU.). Novelista estadounidense. Estudió en la Universidad de Harvard. Mientras estaba en servicio en el Pacífico, se inspiró en la guerra para escribir su aclamada novela *Los desnudos y los muertos* (1948), que lo consagró como uno de los principales escritores estadounidenses de las décadas que siguieron a la guerra.

Norman Mailer, 1968.
NEWSWEEK, FOTOGRAFÍA DE BERNARD GOTFRYD, © NEWSWEEK, 1968

Extravagante y controvertido, ha sabido polemizar con críticos y lectores, si bien a la postre ha logrado concitar menos respeto por sus obras de ficción –entre ellas, las novelas *Un sueño americano* (1965) y *¿Por qué estamos en Vietnam?* (1967)– que por sus trabajos periodísticos. En estos ha abordado acontecimientos de actualidad con la riqueza de la novela, como en *Ejércitos de la noche* (1968, Premio Pulitzer), *Miami y el sitio de Chicago* (1968), *Un fuego en la luna* (1970), y *La canción del verdugo* (1979, Premio Pulitzer), que trata sobre la ejecución de un asesino. Mailer fue uno de los blancos preferidos de las feministas en la década de 1960–70.

Maillol, Aristide (8 dic. 1861, Banyuls-sur-Mer, Francia– 27 sep. 1944, cerca de Banyuls-sur-Mer). Escultor, pintor y grabador francés. Pintó y diseñó tapicería hasta bordear los 40 años de edad, tiempo en que la fatiga visual lo llevó a dedicarse a la escultura. Rechazó el estilo altamente emocional de AUGUSTE RODIN, e intentó preservar y purificar la escultura clásica de Grecia y Roma. La mayoría de sus obras presentan la figura femenina madura y se caracterizan por una contención de la emoción, una clara composición y superficies lisas. En 1910, ya era internacionalmente conocido y no le faltaban los encargos. Retomó la pintura a una edad avanzada, y también realizó excelentes ilustraciones xilográficas para elaboradas ediciones de los poetas latinos, aunque de preferencia continuó dedicado a la escultura.

Maimónides, Moshé *orig.* **Moses ben Maimon** (30 mar. 1135, Córdoba–13 dic. 1204, Egipto). Médico, jurista y filósofo judío. Se vio obligado a practicar su fe en secreto después de que una secta islámica revolucionaria y fanática, la dinastía ALMOHADE, capturó Córdoba. Para gozar de libertad religiosa, se estableció en Egipto (1165), donde ganó fama por su habilidad en el campo de la medicina y se convirtió en médico de la corte del sultán SALADINO. Su primera gran obra, comenzada a los 23 años de edad y terminada diez años más tarde, fue un comentario en árabe sobre la MISHNÁ. Otros de sus escritos son un código monumental sobre la legislación judía llamada MISHNÁ TORÁ (en hebreo) y una obra clásica de filosofía religiosa, *La guía de perplejos* (en árabe), la que fue influenciada por las enseñanzas de ARISTÓTELES y en donde abogó por una aproximación más racional al judaísmo. También buscó conciliar la ciencia, la filosofía y la religión. Es considerado la principal figura intelectual del judaísmo medieval.

Maine Estado (pob., 2000: 1.274.923 hab.) del nordeste de EE.UU. Uno de los estados de NUEVA INGLATERRA. Ubicado junto al océano Atlántico, limita con Canadá y el estado de New Hampshire, EE.UU. Ocupa una superficie de 85.801 km² (33.128 mi²) y su capital es AUGUSTA. Los montes APALACHES atraviesan el estado y alcanzan los 1.606 m (5.268 pies) de altura en el monte Katahdin. Las tierras altas de Maine presentan muchos lagos y valles y su costa atlántica es rocosa y pintoresca. Los indios algonquinos fueron los primeros habitantes de la zona. Los colonizadores europeos descubrieron a las tribus penobscot y passamaquoddy a lo largo de los valles y en las riberas de los ríos. En 1603, los franceses sumaron a Maine como parte de la provincia de ACADIA y en 1606, los británicos lo incluyeron en el territorio cedido a la PLYMOUTH COMPANY. Durante el s. XVII, los británicos establecieron uno que otro asentamiento, pero la zona fue un constante campo de batalla hasta que en 1763 conquistaron a los franceses en el oeste de Canadá. Maine fue gobernado como distrito de MASSACHUSETTS desde 1652 hasta su incorporación como el 23er estado de la Unión, en virtud del compromiso de MISSOURI de 1820. Su límite con Canadá se estableció en 1842. La guerra de SECESIÓN y la REVOLUCIÓN INDUSTRIAL se llevaron a los trabajadores y los capitales en el s. XIX. En el s. XX, Maine generó ganancias económicas en forma lenta pero sostenida, especialmente en la región costera sudoccidental. Su economía se basa en la agricultura y los recursos naturales. Entre sus productos principales destacan: madera y derivados, patatas y langostas. El turismo es también una fuente importante de ingresos.

Maine Región histórica del noroeste de Francia. Antiguo condado hereditario del s. X, en 1126 se unificó con ANJOU y en 1154 cayó en manos de los ingleses. Junto con Anjou y NORMANDÍA, pasó a formar parte de Francia a principios del s. XIII. Se mantuvo alternadamente bajo dominio de ingleses y franceses hasta que en 1481 la región volvió a la corona francesa y se convirtió en ducado durante el reinado de LUIS XIV.

Maine, destrucción del (15 feb. 1898). Incidente anterior a la guerra HISPANO-ESTADOUNIDENSE, en el cual una explosión misteriosa hundió el acorazado estadounidense *Maine* en la bahía de La Habana, Cuba; murieron 260 marineros. EE.UU. lo había enviado a La Habana en enero de 1898, para proteger a los ciudadanos y propiedades estadounidenses luego de las revueltas acaecidas durante la lucha de Cuba por independizarse de España. En EE.UU., los diarios sensacionalistas exacerbaron la reacción antiespañola con un lema: "Remember the Maine, to hell with Spain!" (Recordemos el Maine, ¡al diablo con España!); la intervención armada ocurrió en abril. Hoy se cree que la causa de la explosión fue interna.

Maine, gato de Única raza de GATO DOMÉSTICO pelilargo nativa de Norteamérica. Aunque de origen desconocido, se exhibió por primera vez en Boston, EE.UU., en 1878. Los gatos de Maine son grandes, musculosos y de huesos sólidos. Reconocidos por ser excelentes cazadores de ratones y por su mansedumbre, inteligencia y afabilidad, son también muy bondadosos con niños y perros. La mayoría tiene pelaje atigrado en tonos marrón.

Maine, Sir Henry (James Sumner) (15 ago. 1822, Kelso, Roxburgh, Escocia–3 feb. 1888, Cannes, Francia). Jurista e historiador del derecho británico. Enseñó derecho civil en la Universidad de Cambridge (1847–54) e impartió clases de derecho romano en la Inns of Court. Estas clases se convirtieron en la base de su obra *Ancient Law* [Derecho antiguo] (1861) y de *Early history of institutions* [Historia de los inicios de las instituciones] (1875), que influyeron tanto en la teoría política como en la antropología. En 1869 se convirtió en el primer profesor de jurisprudencia comparada de la Universidad de Oxford; en 1887 pasó a ser profesor de derecho internacional en Cambridge. En su condición de miembro del consejo del gobernador general de India (1863–69), delineó planes para la codificación del derecho INDIO. Se le otorgó el título de caballero en 1871.

Maine, Universidad de Sistema universitario público de EE.UU. Universidad del tipo *land-grant* y *sea-grant*, fundada al amparo de la ley de concesiones de terrenos para universidades públicas, con sede en Orono. Fue creada en 1865 y su nombre actual data de 1897. El campus de Farmington fue la primera institución de educación superior de Maine. Actualmente existen siete campus y *colleges* (colegios universitarios) del área agronómica y forestal.

Maintenon, Françoise d'Aubigné, marquesa de *llamada* **Madame de Maintenon** (bautizada 28 nov. 1635, Niort, Poitou, Francia–15 abr. 1719, Saint-Cyr). Segunda esposa de Luis XIV de Francia. Después de vivir en la pobreza durante su infancia, en 1652 se casó con el poeta Paul Scarron, 25 años mayor que ella. Presidió el salón literario de Scarron, en donde se formó intelectualmente. Al enviudar en 1660, se quedó sin dinero, pero con la ayuda de amigos influyentes, en 1668 se convirtió en la institutriz de los hijos que el rey había tenido con su amante, la marquesa de Montespan (n. 1641– m. 1707). En 1675, Luis le otorgó tierras y el título del castillo de Maintenon, y después del fallecimiento de la reina en 1683 se casó secretamente con ella (1684). Aunque fue acusada de ejercer una mala influencia sobre Luis en el campo político, conservó un ambiente de decencia, dignidad y devoción a su alrededor.

maipuran, lenguas ver lenguas ARAWAK

Maistre, Joseph de (1 abr. 1753, Chambéry, Francia– 26 feb. 1821, Turín, Reino de Cerdeña). Polémico escritor y diplomático francés. Miembro del senado de Saboya, se trasladó a Suiza después de la invasión francesa de Saboya en 1792. Sirvió al rey de Cerdeña como enviado ante Rusia (1803–17), y se estableció luego en Turín como principal magistrado y ministro de Estado del Reino de Cerdeña. Fue un exponente de la tradición conservadora absolutista y se opuso al progreso de la ciencia y de las ideas liberales en obras como *Ensayo sobre el principio generador de las constituciones políticas* (1814), *Sobre el papa* (1819) y *Veladas de San Petersburgo* (1821).

Maitland (de Lethington), William (c. 1528, al parecer en Lethington, East Lothian, Escocia–¿9 jun.?, 1573, Leith, Midlothian). Estadista escocés. Como secretario de María I Estuardo (1560), buscó unir los reinos de Inglaterra y Escocia, e intentó que se reconociera a María como sucesora de Isabel I. Con ese objetivo, apoyó los asesinatos de David Riccio y Lord Darnley, y se unió a una coalición de nobles católicos y protestantes. Después de que María huyó a Inglaterra en 1568, trató de restaurarla en el poder y rompió con los partidarios del rey infante Jacobo VI (luego Jacobo I). En la resultante guerra civil, resistió en el castillo de Edimburgo hasta que fue obligado a rendirse; murió en prisión.

Maitreya En la tradición budista, el futuro Buda que descenderá a la Tierra para predicar nuevamente la DHARMA (ley) cuando las enseñanzas de Gautama Buda hayan decaído por completo. Hasta entonces, se cree que Maitreya es un BODHISATTVA que reside en el cielo de los tusita. Mencionado en las escrituras a partir del s. III DC, es el más antiguo bodhisattva en torno al cual se desarrolló un culto y sigue siendo el único honrado generalmente por la tradición THERAVADA. Sus imágenes, presentes en todo el mundo budista, transmiten una sensación de esperanza y promesa.

"Maitreya meditando", figura en bronce, período Asuka, Japón, s. VI.
THE CLEVELAND MUSEUM OF ART, JOHN L. SEVERANCE FUND, 50.86

maíz Planta CEREAL (*Zea mays*) de la familia Poaceae (o Gramineae). Originario de América, el maíz se cultiva en todo el orbe. Los indios americanos enseñaron a los colonos cómo cultivarlo, como algunas variedades de grano amarillo que aún son populares como alimento, y también otras con grano rojo, azul, rosado y negro, a menudo listado, manchado o rayado, que hoy se consideran ornamentales y que en EE.UU. llaman maíz indio. Esta hierba alta y anual posee un tallo fuerte, erguido y sólido, con hojas grandes y estrechas con márgenes ondulados.

Maíz (*Zea mays*).
© ENCYCLOPÆDIA BRITANNICA, INC.

Se utiliza como pienso, como alimento para el hombre y como materia prima industrial. Pese a ser un alimento básico en muchas partes del mundo, tiene un valor nutricional inferior a otros cereales. Sus partes no comestibles se emplean en la industria; los tallos, para la manufactura de papel y paneles; las espatas, como material de relleno; las tusas, como combustible, para fabricar carbón vegetal y preparar solventes industriales. Las espatas también se han usado tradicionalmente en las artes populares en objetos como amuletos tejidos y muñecas. El maíz es uno de los alimentos vegetales más difundido en el mundo. En EE.UU. es el grano más importante, aunque se destinan más hectáreas al cultivo de la SOJA.

Maíz, islas del VER CORN ISLANDS

Majapahit, reino de (s. XIII–XVI). Último reino de influencia india en Indonesia, con base en el este de Java. Fue fundado por Vijaya, príncipe de Singasari que colaboró con las tropas invasoras mongolas de KUBLAI KAN (ver KERTANAGARA) para derrotar a un rival y luego expulsar a los mongoles. Algunos expertos creen que la actual Indonesia y parte de Malasia formaron parte del territorio de Majapahit; otros sostienen que se circunscribió al este de Java y Bali. Alcanzó su mayor apogeo a mediados del s. XIV con el rey Hayam Wuruk y su primer ministro GAJAH MADA. El auge de los estados islámicos a lo largo de la costa septentrional de Java acabó con el reino.

Major, John (n. 29 mar. 1943, Londres, Inglaterra). Político y primer ministro británico (1990–97). Fue elegido a la Cámara de los Comunes como miembro del PARTIDO CONSERVADOR en 1979 y ascendió rápidamente en la estructura partidaria. En 1989, la primera ministra MARGARET THATCHER lo nombró secretario de asuntos exteriores y luego canciller del Exchequer (ministro de hacienda). Después de la renuncia de Thatcher como primera ministra y como líder del partido en 1990, Major encabezó el partido y en 1992 llevó a los conservadores a la victoria en las elecciones generales. Sus primeros años en el cargo coincidieron con una larga recesión económica (1990–93). Su gobierno se hizo crecientemente impopular y él mismo fue percibido como un líder anodino e indeciso. En 1997, los conservadores perdieron en forma aplastante ante el PARTIDO LABORISTA y fue sucedido por TONY BLAIR como primer ministro.

Majorelle, Louis (1859, Toul, Francia–1926, Nancy). Artista, ebanista y diseñador de mobiliario francés. Hijo de un ebanista, se formó como pintor y estudió con JEAN-FRANÇOIS MILLET en la École des Beaux-Arts. Tras la muerte de su padre en 1879, regresó a casa para hacerse cargo del taller familiar. Dejó atrás las reproducciones del s. XVIII y adoptó el naciente estilo ART NOUVEAU, convirtiéndose de este modo en uno de sus principales exponentes. En su mobiliario incorporó una línea ondulante a las maderas pulidas, realzándolas con engastes de bronce art nouveau.

Majuro, atolón Atolón (pob., 1999: 23.676 hab.) en el sector oriental del grupo Ratak de las islas Marshall, y capital de la República insular homónima en el Pacífico occidental. El atolón compuesto de 64 islotes en un arrecife de

40 km (25 mi) de longitud, cubre un territorio total de 10 km² (4 mi²). Es el más poblado de las islas Marshall. El principal centro urbano de Majuro está situado sobre tres islas interconectadas: Dalap, Uliga y Darrit.

Makalu, monte Monte del HIMALAYA en la frontera entre Nepal y Tíbet. Situado en el sector este-sudeste del monte EVEREST, tiene una altitud de 8.850 m (29.035 pies), lo que lo hace una de las cumbres más altas del mundo. En 1954 se intentó por primera vez escalar sus escarpadas laderas cubiertas de glaciares. Dos escaladores franceses –Jean Couzy y Lionel Terray– alcanzaron la cumbre el 15 de mayo de 1955, y otros siete miembros del equipo lo hicieron dentro de los dos días siguientes.

Makarios III *orig.* **Mikhai Khristodolous Mouskos** (13 ago. 1913, Ano Panankia, Chipre–3 ago. 1977, Nicosia). Arzobispo y primado de la Iglesia ortodoxa de Chipre y presidente de Chipre (1959–77). Hijo de un pastor humilde, se ordenó en 1946, lo nombraron obispo en 1948 y arzobispo en 1950. Como partidario de la unión de Chipre con Grecia, opuesto tanto a la independencia como a la partición, negoció con el gobernador británico de Chipre (1955–56) pero fue arrestado por sedición y enviado al exilio. En 1959 aceptó la independencia de Chipre y fue elegido presidente, con un vicepresidente turco. Reelegido en dos oportunidades, huyó de la isla tras un intento de golpe de Estado de la guardia nacional grecochipriota (1974). Pese a la posterior invasión turca y al establecimiento de un estado turcochipriota independiente en el norte, se resistió a la división del país.

Makarios III.
CAMERA PRESS

Makárova, Natalia (Románovna) (n. 21 oct. 1940, Leningrado, Rusia, U.R.S.S.). Bailarina rusa. Estudió en Leningrado (San Petersburgo) y se incorporó al Ballet Kírov (hoy Maríinski) en 1959, llegando a ser primera bailarina. En 1970 desertó durante una gira en Londres y pronto se incorporó al AMERICAN BALLET THEATRE. Fue artista invitada del ROYAL BALLET y otras compañías, y especialmente conocida por su interpretación del papel principal de *Giselle*.

Makasar, estrecho de *o* **Ujung Pandang** Angosto paso en el centro-oeste del océano Pacífico, Indonesia. Situado entre BORNEO y CÉLEBES, conecta el mar de Célebes con el de Java. Tiene una extensión de 800 km (500 mi) y una anchura de 130–370 km (80–230 mi). Contiene numerosas islas; las más grandes son Laut y Sebuku. En 1942, durante la segunda guerra mundial, fue escenario de combates navales y aéreos cuando los aliados intentaban evitar que los japoneses ocuparan Borneo.

Maktūm, dinastía *o* **Āl Maktūm** Familia gobernante de Dubai de los EMIRATOS ÁRABES UNIDOS (E.A.U.). Uno de los integrantes del clan Āl Bū Falāsāh, que emigró desde Abu Dhabi a Dubai en 1833, fue Baṭī ibn Suhayl, padre de Maktūm ibn Baṭī, primer gobernante de Dubai (r. 1833–52). El actual gobernante, Maktūm ibn Rāshid, quien también es vicepresidente de los E.A.U., es el noveno de la dinastía. Los Maktūm son una rama de la misma confederación tribal de los Banū Yās que incluye a la dinastía NAHYĀN, gobernante de Abu Dhabi.

mal de montaña ver mal de ALTURA

mal de ojo Superstición que sostiene que una mirada puede causar daño o muerte a aquellos sobre quienes recae. La creencia existía en la antigüedad griega y romana, también en las culturas tradicionales alrededor del mundo, y persiste hasta hoy. Se cree que los niños y los animales son particularmente vulnerables. A menudo se piensa que el mal de ojo surge de la envidia y la inquina hacia la prosperidad y la belleza y, en consecuencia, en muchas culturas se cree que el elogio imprudente de los hijos o posesiones atrae la desgracia. Como protección se utilizan amuletos, hechizos y textos sagrados; en Asia, los rostros de los niños se ennegrecen para protegerlos.

Malabar, costa de Región de la costa sudoccidental de India que se extiende desde los GHATES occidentales hasta el mar de Arabia. Actualmente abarca la mayor parte del estado de KERALA y la zona costera del estado de KARNATAKA. En ocasiones, el nombre se ha hecho extensivo a toda la costa occidental de la India peninsular. En el pasado, gran parte de la costa de Malabar estaba dentro de los límites del antiguo reino de Keralaputra. Los portugueses establecieron en ella puestos comerciales, ejemplo que siguieron los holandeses en el s. XVII y los franceses en el s. XVIII. Los británicos tomaron el control de la región a fines del s. XVIII.

malabarista Artista que ejecuta un acto escénico, en el que lanza y atrapa platos, cuchillos, pelotas u otros objetos en forma simultánea y los mantiene en el aire rítmicamente. El arte del malabarismo se ha practicado desde tiempos remotos. En el s. XVIII, los malabaristas actuaban en ferias y mercados, y su público aumentó durante el s. XIX al presentarse en CIRCOS y MUSIC HALLS. Estos espacios de entretención fueron óptimos para el entrenamiento y formación, lo que permitió que este arte progresara en técnica y surgieran destacados ejecutores como Enrico Rastelli, quien efectuaba rutinas con diez pelotas a la vez. Los malabaristas modernos introdujeron variaciones como ejecutar números con los ojos vendados y montados sobre un caballo en movimiento, sobre una cuerda floja, o en un monociclo.

Malabo *ant. (hasta 1973)* **Santa Isabel** Ciudad (pob., est. 1995: 47.500 hab.), capital de GUINEA ECUATORIAL. Situada en la costa norte de la isla de BIOKO, es el centro comercial y financiero de la república. La exportación de cacao, madera y café es la principal actividad de su puerto. La población experimentó fluctuaciones en las décadas de 1960–70: la de origen europeo disminuyó después de los disturbios políticos de 1969, y la población africana se redujo cuando los trabajadores nigerianos bajo contrato volvieron a su país a mediados de la década de 1970.

Malaca, estrecho de Canal que conecta el océano Índico con el mar de CHINA meridional. Está ubicado entre SUMATRA y la península MALACA. Tiene una extensión de 800 km (500 mi) y forma de embudo: de sólo 65 km (40 mi) en el sur, se ensancha a 249 km (155 mi) en el norte. Numerosos islotes obstaculizan el paso en su entrada meridional. Es la ruta más corta entre India y China, lo que lo hace uno de los estrechos con el mayor tráfico naviero del mundo.

Malaca, península de *o* **península Malaya** Península de Asia sudoriental. Abarca la porción continental de MALASIA y el sudoeste de TAILANDIA. Con una superficie de 181.300 km² (70.000 mi²), y un ancho de 322 km (200 mi), se proyecta 1.127 km (700 mi) hacia el sur hasta el cabo Balai, el punto más meridional del continente asiático; el país insular de SINGAPUR está situado inmediatamente al sur, al otro lado del estrecho de JOHORE. Su cordillera central, que se eleva a 2.187 m (7.175 pies) de altura en el monte Tahan, divide la península a lo largo y es fuente de muchos ríos. Ambas costas de la península están expuestas a los monzones. Tiene vastas extensiones de selva húmeda y produce grandes volúmenes de caucho y estaño.

Malaca, sultanato de (¿1403?–1511). Dinastía malaya que gobernó el centro comercial de importación y distribución de Malaca (Melaka) y sus dependencias. Malaca, que controló la ruta marítima principal entre India y China, fue fundada por Parameswara (m. 1424), que se convirtió al Islam y adoptó el título de sultán Iskandar Sha en 1414. Se benefició del renovado anhelo de la dinastía MING de China de comerciar con Occidente. En la década de 1430 se había convertido en un emporio comercial relevante; a mediados del s. XV también era una potencia territorial importante. El próspero estado fomentó la literatura, la cultura y una animada vida religiosa y política; se considera que su período de supremacía es la edad de oro de la historia malaya. Malaca cayó ante los portugueses en 1511.

malacho *o* **banano** Especie (*Elops saurus*, familia Elopidae) de pez marino costero principalmente tropical. Esbelto y cubierto de delicadas escamas plateadas, el malacho tiene unos surcos en los que puede ocultar las aletas dorsal y anal. Es predador y tiene dientes afilados pequeños y una placa gular ósea entre las mandíbulas. Puede medir hasta 90 cm (35 pulg.) de largo y pesar hasta 14 kg (30 lb). Las crías son transparentes y anguiliformes.

Málaga Ciudad portuaria (pob., 2001: 524.414 hab.) del sur de España. Situada en una bahía del mar Mediterráneo, junto a la desembocadura del río Guadalmedina, fue fundada por los FENICIOS en el s. XII AC y más tarde conquistada por los romanos y los visigodos. Durante el reinado moro desde 711 DC, se convirtió en una de las principales ciudades de ANDALUCÍA. Los reyes FERNANDO II e ISABEL I la tomaron en 1487. Es el principal puerto español del Mediterráneo después de BARCELONA. Entre sus productos de exportación figuran la fruta y el vino. En esta ciudad nació PABLO PICASSO.

Malaita, isla Isla volcánica de las islas SALOMÓN, en el Pacífico sur. Situada al nordeste del GUADALCANAL, tiene una extensión cercana a los 185 km (115 mi), 35 km (22 mi) en su parte más ancha, y una superficie de 4.843 km² (1.870 mi²). Montañosa y cubierta de densos bosques, su región interior no ha sido aún explorada completamente.

malamadre Planta de África del género *Chlorophytum* (familia de las LILIÁCEAS). Esta planta, popular en el hogar, posee hojas angostas y alargadas con franjas de color blanco y verde hierba. Periódicamente, aparece un tallo floral cuyas florecillas blancas (que no siempre brotan) son sustituidas por plántulas, que luego se pueden separar y arraigar.

Malamud, Bernard (26 abr. 1914, Brooklyn, N.Y., EE.UU.–18 mar. 1986, Nueva York, N.Y.). Novelista y cuentista estadounidense. Hijo de inmigrantes judeorusos, fue educado en el City College of New York y en la Universidad de Columbia; posteriormente impartió clases en el Bennington College. En sus novelas suele recurrir a parábolas inspiradas en la vida de inmigrantes judíos, como en *El deportista nato* (1952), sobre un ídolo del béisbol, *El dependiente* (1957), sobre un tendero judío y un matón gentil, y *El hombre de Kíev* (1967, Premio Pulitzer), considerada a menudo su mejor novela. Su genio reluce sobre todo en los cuentos, recopilados en *El barril mágico* (1958), *Idiotas primero* (1963), *Retratos de Fidelman* (1969) y *El sombrero de Rembrandt* (1973).

Malan, Daniel F(rançois) (22 may. 1874, cerca de Riebeeck West, Colonia de El Cabo–7 feb. 1959, Stellenbosch, Sudáfrica). Político sudafricano. Obtuvo un doctorado en teología (1905) y se convirtió en ministro de la Iglesia reformada holandesa antes de incorporarse al parlamento en 1918. Se integró al gabinete de J.B.M. HERTZOG (1924–33), pero rompió con él para formar el Partido Nacionalista Purificado (1934). Se reconciliaron en 1939 y asumió el liderazgo del PARTIDO NACIONAL tras la renuncia de Hertzog (1940). Su partido ganó las elecciones de 1948 apelando a los sentimientos racistas de los AFRIKÁNER. Formó el primer gobierno sudafricano basado exclusivamente en la población afrikáner (1948–54) e instituyó el APARTHEID.

malanga Planta herbácea (*Colocasia esculenta*) de la familia de las ARÁCEAS, probablemente originaria del Sudeste asiático y llevada a las islas del Pacífico. Es un producto esencial cultivado por sus TUBÉRCULOS esféricos, grandes y feculentos, los cuales, aunque son venenosos crudos, se tornan comestibles al calentarlos. Se consumen como un vegetal cocido o convertido en budín, pan o poi polinésico (masa delgada, pastosa, altamente digerible, hecha de fécula de malanga fermentada).

El poi es un alimento esencial en Hawai. Las hojas grandes de malanga (también venenosas si están crudas) comúnmente se comen cocidas al vapor.

Malaquías Autor anónimo del libro bíblico de Malaquías y el último de los doce profetas menores. El nombre proviene de una palabra hebrea que significa "mi enviado". El libro consta de diálogos en forma de pregunta y respuesta, en los que el profeta defiende la justicia de Dios ante una comunidad que duda, debido a que sus esperanzas de salvación para Israel no se han realizado. Llama a la fidelidad, a la alianza con Dios y promete que el Día del Juicio llegará pronto. El libro fue escrito c. siglo V AC.

Malaquías, san (1094, Armagh, cond. de Armagh, Irlanda–2/3 nov. 1148, Clairvaux, Francia; canonizado en 1190; festividad: 3 de noviembre). Arzobispo y reformador religioso irlandés. Estudió en Armagh y fue ordenado sacerdote en 1119. Mientras era vicario del arzobispo de Armagh, convenció a la Iglesia irlandesa de que aceptara las reformas promovidas por el papa GREGORIO VII en el s. XI e introdujo la liturgia romana en Irlanda. Fue obispo en los condados de Down y Connor antes de ser nombrado abad de Iveragh, cond. de Kerry. Fue designado arzobispo de Armagh en 1129, pero renunció en 1137. En 1142 introdujo a los cistercienses en Irlanda. En 1190 se convirtió en el primer católico irlandés en ser canonizado.

malaquita Mineral de CARBONATO de cobre, $Cu_2CO_3(OH)_2$ muy abundante. Debido a su inconfundible color verde brillante y a que está presente en la zona meteorizada de casi todos los yacimientos cupríferos, la malaquita sirve como guía de prospección. Se encuentra en Siberia, Francia, Namibia y Arizona, EE.UU. Se emplea como piedra ornamental y como gema.

Mälar, lago Lago del sudeste de Suecia. Situado justo al oeste de ESTOCOLMO, tiene una superficie de 1.140 km² (440 mi²) y 120 km (75 mi) de longitud. Es el tercer lago más grande del país. Se conecta con el mar Báltico a través de canales navegables y posee más de 1.200 islas.

MALASIA

▸ **Superficie:** 329.847 km² (127.355 mi²)

▸ **Población:** 26.130.000 hab. (est. 2005)

▸ **Capital:** KUALA LUMPUR

▸ **Moneda:** ringgit

Malasia *o* **Malaysia** País del sudeste de Asia. Integrado por dos regiones –Malasia Occidental, y Malasia Oriental– separadas del mar de CHINA meridional por 650 km (400 mi²). Malasia occidental, que ocupa la mitad meridional de la península de MALACA, limita al norte con Tailandia. Malasia Oriental, ubicada en la parte noroccidental de la isla de BORNEO, abarca los estados de Sarawak y Sabah. Debido al intenso tráfico naval que ha circulado desde tiempos antiguos por el estrecho de MALACA, la población del país está compuesta por una mezcla extremadamente diversa de grupos étnicos, entre los que predominan malayos y chinos. Entre los grupos étnicos menos numerosos figuran indios, paquistaníes y tamiles. Idiomas: malayo (oficial), chino y lenguas indoeuropeas. Religiones: Islam (oficial), budismo, taoísmo, confucionismo e hinduismo. La región occidental del país es principalmente montañosa; la oriental tiene planicies costeras que se elevan hasta formar colinas y luego un núcleo montañoso. La mayor parte del país está cubierta de selvas húmedas tropicales. Productos derivados de árboles, en especial el caucho y el aceite de palma son los cultivos comerciales más importantes; el arroz es el principal cultivo de consumo interno. También son relevantes la perforación y producción de petróleo y la minería del estaño, así como la manufactura de cemento, productos de caucho, hierro y acero. Malasia es una monarquía constitucional bicameral; el jefe de Estado tiene el mando supremo y el jefe del Gobierno es el primer ministro. Su territorio fue poblado hace unos 6.000–8.000 años, y pequeños reinos existían en los s. II–III DC cuando llegaron los primeros aventureros provenientes de India. Exiliados de Sumatra fundaron la ciudad-estado de Malaca c. 1400, que floreció como centro comercial y religioso islámico hasta su captura por los portugueses en 1511. Malaca pasó a poder de los holandeses en 1641. Los británicos establecieron una colonia en la isla de SINGAPUR en 1819, y en 1867 fundaron los Establecimientos de los ESTRECHOS, entre los que se encontraban Malaca, Singapur y PENANG. A fines del s. XIX, los chinos comenzaron a migrar hacia Malasia. Japón invadió el país en 1941 y capturó Singapur en 1942. Tras la derrota de Japón, en 1945, la oposición al dominio británico llevó a la creación, en 1946, de la UMNO (Organización Nacional de Malayos Unidos), y en 1948 la península se federó con Penang. En 1957, Malasia se independizó de Gran Bretaña, y en 1963 se instauró la Federación Malaya. Su economía creció en forma importante a partir de fines de la década de 1970, pero se vio afectada por la depresión económica que experimentó la región a partir de mediados de la década de 1990.

MALAWI

- **Superficie:** 118.484 km² (45.747 mi²)
- **Población:** 12.707.000 hab. (est. 2005)
- **Capitales:** LILONGWE y BLANTYRE (judicial)
- **Moneda:** kwacha

Malawi *ofic.* **República de Malawi** *ant.* **Nyasalandia** País de África sudoriental. Casi la totalidad de la población está compuesta de africanos de raza negra de habla bantú (ver lenguas BANTÚES). Idiomas: inglés (oficial), chewa y lomwe. Religiones: protestantismo, catolicismo, Islam y religiones tradicionales. El territorio se caracteriza por las impresionantes tierras altas y los extensos lagos, con bosques que ocupan cerca del 40% de la superficie total. El valle del RIFT se extiende de norte a sur y contiene el lago MALAWI. La agricultura ocupa el 80% de la fuerza de trabajo; entre los cultivos de consumo interno destacan: maíz, cacahuate, frijoles y guisantes, y entre los de exportación: tabaco, té, caña de azúcar y algodón. También contribuyen a la economía la minería del carbón y la extracción de piedra caliza. Los principales productos industriales son azúcar, cerveza, cigarros, jabón, químicos y textiles. Malawi es una república unicameral; el jefe de Estado y de Gobierno es el presidente. Poblada desde 8000 AC, la región fue ocupada por pueblos de habla bantú entre los s. I y IV DC, los que fundaron estados independientes. Alrededor de 1480 crearon la Confederación maravi, que abarcó la mayor parte de la región central y meridional del territorio malawi. Hacia 1660 el pueblo ngonde fundó un reino en la zona septentrional, y en el s. XVIII se creó allí el estado chikulamayembe. El comercio de esclavos floreció durante los s. XVIII–XIX, en la misma época en que el Islam y el cristianismo llegaron a la zona. En 1891, Gran Bretaña estableció su autoridad colonial sobre el territorio,

creando el protectorado de los distritos de Nyasalandia, que en 1893 se convirtió en el protectorado británico de África central y, en 1907, en Nyasalandia. Las colonias de Rhodesia del Norte y Rhodesia del Sur y Nyasalandia constituyeron una federación, que pasó a ser miembro de la COMMONWEALTH británica. En 1966 se transformó en república, con HASTINGS BANDA como presidente. En 1971 fue designado presidente vitalicio, manteniéndose en el poder durante tres décadas, hasta su derrota en las elecciones pluripartidistas de 1994. En 1995 se promulgó una nueva constitución.

Malawi, lago *o* **lago Nyasa** Lago de África meridional, rodeado por Malawi al oeste y sur, por Mozambique al este y por Tanzania al norte. Es el más meridional y el tercero más grande de los lagos del valle del RIFT. Tiene cerca de 580 km (360 mi) de longitud y una anchura media de 40 km (25 mi); cubre una superficie de 29.604 km² (11.430 mi²). En él se halla la isla de Likoma, donde se alza una catedral anglicana terminada en 1911. En las costas densamente pobladas de Malawi hay varios puestos gubernamentales. El lago es alimentado por 14 ríos, y su único desagüe es el río SHIRE. En él se encuentran cerca de 200 especies de peces registradas.

Malaya, península ver península de MALACA

malaya, resistencia antijaponesa ver MALAYAN PEOPLE'S ANTI-JAPANESE ARMY

malayalam, lengua Lengua DRAVÍDICA hablada por más de 36 millones de personas, principalmente en el estado indio de KERALA. El malayalam está estrechamente relacionado con el TAMIL, del que se supone se separó alrededor del s. X DC. La primera composición literaria en esta lengua data del s. XIII. Al igual que otras lenguas dravídicas importantes, el malayalam tiene varios dialectos regionales, vale decir, dialectos sociales que reflejan diferencias de casta y religión, como asimismo marcadas distinciones en el uso formal y coloquial. Se cree que la capacidad de leer y escribir entre los hablantes de malayalam es más alta que la de los hablantes de cualquier otra lengua india.

Malayan People's Anti-Japanese Army (MPAJA) (Ejército popular malayo antijaponés). Movimiento guerrillero formado para resistir la ocupación japonesa de la península de Malaca (Malasia peninsular) durante la segunda guerra mundial. Los militares británicos, previendo una invasión japonesa, adiestraron a pequeños grupos de malayos como unidades guerrilleras, que más tarde se convirtieron en el MPAJA. Sus miembros, que eran en su mayoría comunistas chinos, emergieron como héroes de la guerra e intentaron tomarse el poder antes del regreso de los militares británicos. Sus líderes pasaron entonces a la clandestinidad hasta 1948, año en que iniciaron la insurrección llamada EMERGENCIA MALAYA.

malayo Lengua AUSTRONESIA hablada como lengua materna por unos 33 millones de personas en la península de Malaca, Sumatra, Borneo, y otros lugares de Indonesia y Malasia. Debido a que el malayo se hablaba en ambos lados del estrecho de Malaca, ruta comercial muy importante entre India y China, muchos grupos de hablantes de esta lengua se vieron impulsados a participar en el comercio internacional siglos antes de la penetración europea en la región, por lo que el malayo se convirtió en una LINGUA FRANCA en los puertos de Indonesia. Esto dio origen a una serie de PIDGINS Y CRIOLLOS conocidos como malayo de bazar (melayu pasar). En la Indonesia del s. XX se adoptó como lengua nacional una forma estándar de malayo, el indonesio; escrito con letras latinas, actualmente es hablado o comprendido por alrededor del 70% de la población. Las lenguas oficiales de Malasia y Brunei son estandarizaciones similares del malayo. Los textos más antiguos que se conocen en malayo corresponden a inscripciones del sur de Sumatra que datan del s. VII, escritas en un alfabeto índico (ver sistema de escritura ÍNDICA). Una tradición literaria ininterrumpida en malayo no comenzó sino hasta que la península de Malaca se islamizó en el s. XIV.

malayo Miembro de un grupo étnico que probablemente se originó en Borneo y se expandió a Sumatra y la península de Malaca. Constituyen más de la mitad de la población de Malasia peninsular. Son principalmente una población rural; cultivan el arroz como alimento y el caucho como cultivo comercial. Fuertemente influidos por India, adhirieron el hinduismo antes de convertirse al Islam en el s. XV. Su cultura también ha recibido la influencia de los pueblos thai, javaneses y de Sumatra. Tradicionalmente, la sociedad malaya ha sido más bien feudal; las distinciones entre clases son todavía marcadas y, por tradición, los padres establecen matrimonios concertados y estos se rigen por la ley islámica.

Malayo, archipiélago Grupo insular frente a la costa sudoriental de Asia, entre los océanos Índico y Pacífico. Es el archipiélago más grande del mundo y está constituido por las más de 13.000 islas de INDONESIA y las cerca de 7.000 islas de FILIPINAS. Llamado anteriormente Indias Orientales, el archipiélago se extiende por más de 6.100 km (3.800 mi) a lo largo del ecuador. Entre sus principales islas están las mayores de la SONDA (SUMATRA, JAVA, BORNEO y CÉLEBES), las menores de la Sonda, las MOLUCAS, NUEVA GUINEA, LUZÓN, MINDANAO e islas de las VISAYAS.

malayo-polinésicas, lenguas ver lenguas AUSTRONESIAS

Malaysia ver MALASIA

Malcolm II (c. 954–25 nov. 1034). Rey de Escocia (1005–34). Accedió al trono tras dar muerte a Kenneth III y derrotar al ejército de Northumbria en Carham (c. 1016). Se convirtió en el primer rey que gobernó un territorio casi equivalente a la ESCOCIA moderna. Intentó eliminar a los rivales de su nieto DUNCAN I, pero Macbeth sobrevivió para disputar la sucesión.

Malcolm III Canmore (c. 1031–13 nov. 1093, cerca de Alnwick, Northumberland, Inglaterra). Rey de Escocia (1058–93). Hijo del rey DUNCAN I, vivió en el exilio en Inglaterra después de que Macbeth asesinó a su padre. Derrotó y mató a Macbeth en 1057 y fue coronado rey; fundó una dinastía que consolidó el poder real en Escocia. Refugió al príncipe anglosajón EDGAR ATHELING en 1066. Aunque en 1072 reconoció a GUILLERMO I como su señor, encabezó cinco campañas en Inglaterra y murió en la última de ellas.

Malcolm X *orig.* **Malcolm Little** *post.* **El-Hajj Malik El-Shabazz** (19 may. 1925, Omaha, Neb., EE.UU.–21 feb. 1965, Nueva York, N.Y.). Líder musulmán afroamericano de EE.UU. Se crió en Michigan, lugar donde su residencia fue quemada por el Ku Klux Klan; posteriormente, su padre fue asesinado y su madre internada en una institución. Se mudó a Boston, participó en delitos menores y fue enviado a prisión por robo en 1946. Ese mismo año se convirtió a la fe de los musulmanes negros (NACIÓN DEL ISLAM). Cuando fue liberado en 1952, cambió su apellido a X para simbolizar su rechazo a su "nombre de esclavo". Poco después de tomar contacto con el líder de la Nación del Islam, ELIJAH MUHAMMAD, se convir-

Malcolm X.
AP/WIDE WORLD PHOTOS

tió en el principal vocero y organizador de la secta. Pronunció discursos con encarnizada elocuencia en contra de la explotación blanca hacia los negros y se mofó del movimiento de los derechos civiles y la integración, abogando en cambio por el separatismo negro, el orgullo negro y el uso de la violencia como autoprotección. Diferencias con Elijah Muhammad lo hicieron abandonar la Nación del Islam en 1964. Una peregrinación a La Meca lo llevó a reconocer la posibilidad de

la hermandad mundial y a convertirse al Islam ortodoxo. Fue amenazado de muerte por sus rivales, los musulmanes negros, y fue asesinado de un disparo en una reunión efectuada en un salón de baile de Harlem. ALEX HALEY escribió una célebre biografía sobre él a partir de numerosas entrevistas realizadas poco antes de su muerte.

MALDIVAS

- ▶ **Superficie:** 298 km² (115 mi²)
- ▶ **Población:** 294.000 hab. (est. 2005)
- ▶ **Capital:** MALÉ
- ▶ **Moneda:** rufiyaa (rupia maldiva)

Maldivas *ofic.* **República de Maldivas** País insular en el océano Índico, al sudoeste de Sri Lanka. Está constituido por bancos de arena y cerca de 1.300 pequeñas islas coralinas (202 pobladas), agrupadas en atolones. Las islas se extienden por más de 820 km (510 mi) en dirección norte-sur y unos 130 km (80 mi) de este a oeste. La población está constituida por una mezcla de grupos étnicos, entre ellos pueblos de origen dravídico y cingalés, así como árabes, chinos y otros provenientes de zonas asiáticas circundantes. Idiomas: divehi (oficial), árabe, hindi e inglés. Religión: Islam (oficial). Ninguna de las islas se eleva a más de 1,8 m (6 pies) sobre el nivel del mar. En los atolones hay playas de arena, lagunas y una vegetación exuberante de cocoteros, árboles del pan y arbustos tropicales. Uno de los países más pobres del mundo, tiene una economía en vías de desarrollo basada en la pesca, el turismo y la construcción y reparación de naves. Es una república unicameral; el jefe de Estado y de Gobierno es el presidente. El archipiélago fue poblado en el s. V AC por budistas provenientes de Sri Lanka e India meridional, y en 1153 se adoptó el Islam. Los portugueses dominaron Malé en 1558–73. Durante el s. XVII las islas fueron un sultanato sometido a los gobernantes holandeses de Ceilán (actual Sri Lanka). Después de que Gran Bretaña obtuvo el control de Ceilán en 1796, la región se transformó en protectorado británico, estatus que fue formalizado en 1887. En 1965, las islas obtuvieron plena independencia de Gran Bretaña, y en 1968 se abolió el sultanato y se creó una república. Maldivas se integró a la COMMONWEALTH británica en 1982. Su economía ha mejorado gradualmente, en parte gracias al aumento del turismo.

Maldon, batalla de (991). Enfrentamiento entre sajones (ver SAJÓN) e invasores VIKINGOS, con resultados favorables para estos últimos. Se conmemora en un poema épico, escrito en inglés antiguo, que describe los destacamentos alineados a ambos lados de un riachuelo en Essex. Registra los nombres de los ingleses que desertaron, así como los de aquellos que permanecieron firmes contra los vikingos.

Malé Principal atolón (pob., 2000: 74.069 hab.) y capital de MALDIVAS. Situado en el centro de las islas Maldivas, abarca dos grupos de islotes: Malé septentrional, de 51 km (32 mi) de longitud por 37 km de ancho (23 mi), y Malé meridional, de 32 km (20 mi) de longitud por 19 km de ancho (12 mi). Allí se encuentran las cortes centrales, un hospital gubernamental, un aeropuerto internacional y escuelas públicas y privadas. Es un centro comercial y turístico.

Malebranche, Nicolas de (6 ago. 1638, París, Francia–13 oct. 1715, París). Sacerdote, teólogo y filósofo francés. Su filosofía es un intento de conciliar el CARTESIANISMO con el pensamiento de san AUGUSTÍN y el NEOPLATONISMO. Ocupa un lugar central en la metafísica de Malebranche su doctrina del OCASIONALISMO, conforme a la cual aquello que es comúnmente llamado "causa" no es más que una "ocasión" sobre la que actúa Dios para producir efectos. Su obra principal es *Búsqueda de la Verdad* (3 vol., 1674–75).

Malenkov, Gueorgui (Maximiliánovich) (13 ene. 1902, Orenburg, Rusia–14 ene. 1988, cerca de Moscú, Rusia, U.R.S.S.). Político y primer ministro soviético (1953–55). Ingresó al Partido Comunista en 1920 y ascendió rápidamente en la jerarquía como un colaborador cercano a STALIN. En 1946 se convirtió en miembro pleno del Politburó y viceprimer ministro. Después de la muerte de Stalin (1953), se vio obligado a ceder su cargo de primer secretario del partido a NIKITA JRUSCHOV, pero como primer ministro trabajó para reducir los gastos en armamentos, incrementar la producción de bienes de consumo y dar más incentivos a los trabajadores de las granjas colectivas. Sus programas fueron objetados por otros líderes del partido y debió renunciar al cargo de primer ministro (1955). Involucrado en el intento fallido de destituir a Jruschov, fue expulsado de sus otros cargos (1957) y del partido (1961) y exiliado a Asia central a cargo de una planta hidroeléctrica.

Malesherbes, Chrétien Guillaume de Lamoignon de (6 dic. 1721, París, Francia–22 abr. 1794, París). Alto funcionario de la monarquía francesa. Abogado, fue nombrado consejero en el parlamento (tribunal supremo) de París en 1744. Como director de la Librería (oficina de ediciones y censura) (1750–63), autorizó la publicación de muchas obras de los FILÓSOFOS, entre ellas la *Encyclopédie* de DENIS DIDEROT. En 1775 se desempeñó como secretario de Estado y estableció reformas carcelarias y jurídicas, como poner fin al mal uso de las LETTRES DE CACHET, y apoyó las reformas económicas del inspector general, ANNE-ROBERT-JACQUES TURGOT. No logró que el rey apoyara sus proyectos y renunció en 1776. En la REVOLUCIÓN FRANCESA colaboró en la conducción de la defensa de LUIS XVI (1792). Fue arrestado en 1793, enjuiciado por traición y guillotinado.

maleza Hierbas que perjudican los sembrados. En suelo cultivado, las malezas compiten con los cultivos por agua, luz y nutrientes. En praderas y pastizales, las malezas son aquellas plantas que a los animales de pastoreo les desagradan o que son venenosas. Muchas malezas son hospederos de organismos patógenos de las plantas o de plagas de insectos. En un principio a algunas plantas indeseadas se les descubrieron ciertas virtudes y posteriormente comenzaron a ser cultivadas, mientras que otras que eran cultivadas al ser trasplantadas a otros climas dejaron de serlo y se convirtieron en malezas en el nuevo hábitat.

malformación congénita del corazón Deformación del CORAZÓN. Los ejemplos abarcan defectos septales (orificio en el *septum* que separa ambos lados del corazón), atresia (ausencia) o estenosis (estrechez) de una o más válvulas, tetralogía de Fallot (con cuatro componentes: defecto septal ventricular, estenosis valvular pulmonar, dilatación del ventrículo derecho y posición defectuosa de la AORTA, de modo que recibe sangre de ambos ventrículos) y transposición de los grandes vasos (donde las circulaciones pulmonar y sistémica reciben cada una sangre del lado del corazón que no le corresponde). Estos defectos pueden impedir que llegue suficiente oxígeno a los tejidos, de modo que la piel puede presentar una coloración azulada. Muchas son fatales si no se operan poco después del nacimiento, o rara vez antes del nacimiento, si se detectan en el período prenatal. Las anomalías de los grandes vasos son habitualmente menos graves. (ver coartación de la AORTA; CONDUCTO ARTERIOSO).

malformación urogenital Defecto de los órganos o tejidos del sistema URINARIO o de los órganos sexuales (genitales). En la enfermedad del riñón poliquístico (una afección hereditaria), los QUISTES de variados tamaños agrandan uno o ambos RIÑONES. Los riñones pueden presentar formas anormales o estar fusionados. En el megalouréter, el diámetro del uréter se encuentra aumentado. Los varones pueden tener epispadias o hipospadias, en las cuales la uretra se abre en la parte superior o inferior del PENE, respectivamente, o criptorquidia (testículos no descendidos), en la cual uno o ambos TESTÍCULOS no han descendido del abdomen al escroto antes de nacer. Las malformaciones del sistema genital femenino comprenden la AGENESIA de los OVARIOS, la VAGINA, o el ÚTERO, y formas anómalas de este.

malgache Conjunto de aproximadamente 20 grupos étnicos de Madagascar. El grupo más grande es el merina ("los de las alturas"), que principalmente pobló la meseta central. El segundo en número es el betsimisaraka, que suele habitar en el este. El tercero es el betsileo, que ocupa la meseta que rodea Fianarantsoa. Entre los demás miembros se encuentran: las etnias tsimihety, sakalave, antandroy, tanala, antaimoro y bara. Todos estos pueblos hablan dialectos malgaches, catalogados dentro de las lenguas AUSTRONESIAS. La lengua escrita corresponde a una versión estandarizada del dialecto merina. La mayoría de estas tribus viven en zonas rurales y cultivan arroz y mandioca, entre otros productos. Casi el 50% es cristiano, mientras que el resto practica su religión tradicional basada en el culto a los ANTEPASADOS.

Malherbe, François de (1555, en o cerca de Caen, Francia–16 oct. 1628, París). Poeta y teórico francés. Luego de recibir una educación protestante, se convirtió al catolicismo. En 1577 pasó a ser secretario del gobernador de Provenza, Henri d'Angoulême. Su oda a la nueva reina MARÍA DE MÉDICIS, le valió la fama y su nombramiento como poeta de la corte en 1605. Las alrededor de 200 cartas auténticas que se le conocen, ofrecen un retrato de la vida cortesana y un comentario sobre la poesía de Philippe Desportes (1546–1606), en el que expone sus principios poéticos: armonía verbal, propiedad e inteligibilidad.

MALÍ

▸ **Superficie:** 1.248.574 km² (482.077 mi²)
▸ **Población:** 11.415.000 hab. (est. 2005)
▸ **Capital:** BAMAKO
▸ **Moneda:** franco CFA

Malí *ofic.* **República de Malí** País de África occidental. Los BAMBARA constituyen cerca de un tercio de la población del país. Otros grupos étnicos son: FULANI y bereberes (ver BEREBER). Idiomas: francés (oficial), dogon, songai, soninke, senufo y árabe. Religiones: Islam (90%), creencias tradicionales y cristianismo. El territorio es en su mayor parte plano, y en la región septentrional del país las llanuras se extienden hasta el SAHARA. La cuenca del Níger superior se sitúa al sur, y cerca de un tercio de la longitud total del río NÍGER fluye a través de Malí. Sólo una pequeña fracción del territorio es cultivable. Sus reservas minerales que en su mayoría no han sido explotadas, comprenden hierro, bauxita, petróleo, oro, níquel y cobre. La agricultura es la principal actividad económica; los cultivos de consumo interno son: mijo, sorgo, maíz y arroz. Asimismo, la producción de algodón y cacahuete se destina a la exportación. Es una república unicameral; el jefe de Estado es el presidente, y el jefe de Gobierno, el primer ministro. Poblada desde tiempos prehistóricos, la región era una zona de tránsito de caravanas que cruzaban el Sahara. En el s. XII se fundó el Imperio MALINKÉ de Malí en el Alto y Medio Níger. En el

s. XV pasó a prevalecer el Imperio de SONGAY, de la región de Tombouctou-Gao. En 1591, Marruecos invadió la zona, y Tombouctou perdió gradualmente importancia. A mediados del s. XIX los franceses conquistaron la región, que fue incorporada al África Occidental Francesa. En 1946 la zona, conocida como Sudán Francés, pasó a ser un territorio de ultramar de la Unión Francesa. En 1958 se proclamó la República Sudanesa, que se unió con Senegal (1959–60) para constituir la Federación de Malí. Senegal se separó, y en 1960 se independizó para constituir la República de Malí. Golpes militares derrocaron al gobierno en 1968 y 1991. En la década de 1990 se llevaron a cabo dos procesos electorales, y los problemas económicos no impidieron que en 2002 se volvieran a realizar elecciones multipartidarias.

Malí, Imperio de Imperio comercial que floreció en África occidental en los s. XIII–XVI. Se desarrolló a partir del estado de Kangaba, situado en el NÍGER superior, y probablemente fue fundado antes de 1000 DC . La población MALINKÉ de Kangaba actuaba como intermediaria en el comercio de oro en el antiguo Imperio de GHANA. Desarrollado en el s. XIII bajo el liderazgo de SUNDIATA, el Imperio de Malí continuó expandiéndose en el s. XIV, absorbiendo a Gao y TOMBOUCTOU. Sus fronteras se extendieron hasta abarcar a los pueblos HAUSA en el este y FULANI y tukulor en el oeste. Finalmente se prolongó más allá de lo que su fuerza política y militar permitía, y muchas de las regiones sometidas se rebelaron. Alrededor de 1550 dejó de ser una entidad política importante.

Antigua mezquita (al fondo) y mercado de Djenné, en el centro de Malí.
PETER ADAMS/THE IMAGE BANK/GETTY IMAGES

Maliévich, Kazimir (Severínovich) o Kazimir Malévich (23 feb. 1878, cerca de Kíev, Rusia–15 may. 1935, Leningrado). Pintor y diseñador ruso. Descubrió el CUBISMO en un viaje a París en 1912 y regresó para liderar el movimiento cubista ruso. En 1915 expuso pinturas en un estilo abstracto geométrico más acentuado que todas las obras vistas anteriormente, y que consistían en simples formas geométricas pintadas con una paleta limitada, estilo que denominó SUPREMATISMO. En 1917–18 creó sus conocidas series *Blanco sobre blanco*, austeras imágenes de un cuadrado blanco flotando en un fondo blanco. En 1919 se unió a MARC CHAGALL en su revolucionaria escuela de arte en Vitebsk, donde ejerció una fuerte influencia sobre EL LISSITZKY. En la década de 1920 volvió a la pintura figurativa, pero no pudo acceder a las exigencias del gobierno de producir obras conformes al REALISMO SOCIALISTA. Aunque su carrera estaba predestinada al fracaso, influyó en el arte y el diseño occidental.

malinké *o* **mandinga** *o* **mandingo** Grupo de pueblos que ocupan algunas zonas de Malí, Guinea, Costa de Marfil, Senegal, Gambia y Guinea-Bissau. Hablan una lengua MANDÉ, perteneciente a la familia de las lenguas NIGEROCONGOLEÑAS. Suman 4,7 millones de personas y se dividen en numerosos grupos independientes en los que predomina la nobleza hereditaria. Uno de estos grupos, los kangaba, tiene una de las dinastías más antiguas del mundo; han gobernado en forma prácticamente continua desde la fundación del Imperio de MALÍ en el s. VII. La mayoría de los actuales malinké cultivan mijo y sorgo y se dedican a la ganadería. En materia religiosa se dividen entre las creencias tradicionales y el Islam.

Malinovski, Rodión (Yákovlevich) (23 nov. 1898, Odessa, Ucrania, Imperio ruso–31 mar. 1967, Moscú, Rusia, U.R.S.S.). Destacado mariscal soviético en la segunda guerra mundial. Ascendió a comandante de grupos militares y desempeñó un importante papel en la batalla de STALINGRADO; luego comandó las ofensivas soviéticas en Rumania (1944) y Austria (1945). Después de la guerra ocupó posiciones de mando en el extremo oriente soviético (1945–55). Como ministro de defensa (1957–67), supervisó el fortalecimiento del poder militar de la U.R.S.S.

Malinowski, Bronisław (Kasper) (7 abr. 1884, Cracovia, Polonia, Austria-Hungría–16 may. 1942, New Haven, Conn., EE.UU.). Antropólogo británico de origen polaco. Se lo vincula principalmente al estudio de los pueblos oceánicos y a la escuela de pensamiento conocida como FUNCIONALISMO. Después de completar sus estudios de

Bronisław Malinowski.
GENTILEZA DE LA POLISH LIBRARY, LONDRES

filosofía, física y matemática en Polonia, Malinowski descubrió *La rama dorada* de JAMES GEORGE FRAZER y viajó a estudiar antropología en la London School of Economics and Political Science en 1910–16. Durante su investigación en las islas Trobriand, vivió en una tienda en medio de los nativos TROBRIANDER, aprendió a hablar fluidamente la lengua vernácula, registró "textos" en terreno con toda libertad como también entrevistas estructuradas, y observó las reacciones con un agudo ojo clínico. Ello le permitió presentar un panorama dinámico de las instituciones sociales, en el que distinguía claramente entre las normas ideales y la conducta real, con lo cual sentó en gran medida las bases de la investigación de campo de la antropología moderna. Fue docente en la London School of Economics en (1922–38) y en la Universidad de Yale (1938–42). Escribió varios libros, hoy considerados clásicos en antropología, entre ellos *Los argonautas del Pacífico occidental* (1922) y *Magia, ciencia y religión* (1948).

mall ver CENTRO COMERCIAL

Malla, era Período de la historia de Nepal durante el cual en el valle del Katmandú reinó la dinastía Malla (s. X–XVIII). El rey Jaya Sthiti (r. circa 1382–95) introdujo un código legal y social de gran influjo del hinduismo. A principios del s. XVIII, uno de los principados independientes de Nepal, el de los Gurkha, comenzó a desafiar al de los Malla, por entonces debilitados por los desacuerdos familiares y el descontento económico y social. Fueron derrocados en 1769 por el gobernante gurkha PRITHVI NARAYAN SHAH. Ver también NEWAR.

Mallarmé, Stéphane (18 mar. 1842, París, Francia–9 sep. 1898, Valvins, cerca de Fontainebleau). Poeta francés. Junto a PAUL VERLAINE fue fundador y líder del movimiento SIMBOLISTA. Pedagogo durante toda su vida, Mallarmé progresó sostenidamente en su carrera paralela de poeta. Quizás debido en parte a tragedias en su vida personal, la mayoría de sus poemas expresan un ansia intelectual de trascender la realidad y encontrar refugio en un mundo ideal. Así lo reflejan los poemas dramáticos *Herodías* (1869) y *La siesta de un fauno* (1876), que inspiró el famoso preludio de CLAUDE DEBUSSY, así como en el tipográficamente innovador *Una tirada de dados nunca abolirá el azar* (1897). Después de 1868 se dedicó a escribir poemas complejos, exquisitamente trabajados y de gran dificultad sobre la naturaleza de la imaginación. Los poemas estaban destinados a formar parte de lo que él llamó su *Grand oeuvre*, pero que nunca completó.

Malle, Louis (30 oct. 1932, Thumeries, Francia–23 nov. 1995, Beverly Hills, Cal., EE.UU.). Director de cine francés. En 1957 realizó su primera película, *Ascensor para el cadalso*, y con la comercialmente exitosa *Los amantes* (1958), protagonizada por JEANNE MOREAU, se consagró como una importante figura de la NOUVELLE VAGUE francesa. Con los filmes *El fuego fatuo* (1963), *El ladrón* (1967), *El soplo al corazón* (1971) y *Lacombe, Lucien* (1973), logró un realismo emocional y una simpleza estilística. En 1975 se mudó a EE.UU., donde dirigió largometrajes como *La pequeña* (1978), *Atlantic City* (1980), *Mi cena con André* (1981), *Adiós a los niños* (1987) y *Vanya en la calle 42* (1994).

Mallet, Robert (3 jun. 1810, Dublín, Irlanda–5 nov. 1881, Londres, Inglaterra). Ingeniero civil e investigador científico irlandés. Estudió en el Trinity College y en 1831 se hizo cargo de la fundición Victoria de su padre, la cual se convirtió en la primera de Irlanda. Sus contratos abarcaron la construcción de varios terminales ferroviarios, el viaducto Nore, el faro de Fastnet Rock y varios puentes giratorios sobre el río Shannon. Su mayor innovación en la tecnología de puentes fue el piso combado. Construyó un sismógrafo experimental y sentó las bases de la técnica para fabricar grandes piezas fundidas de hierro, como el cañón pesado.

Mallorca, isla de *antig.* **Balearis Major** Isla en la comunidad autónoma de las islas BALEARES, España. Es la más grande de las Baleares. Situada en el Mediterráneo occidental, ocupa 3.640 km² (1.405 mi²) de superficie. En ella se encuentra PALMA DE MALLORCA, capital de la comunidad autónoma. El reino de Mallorca fue instaurado por JAIME I de Aragón en el s. XIII y se unió con ARAGÓN en el s. XIV. Durante la guerra civil ESPAÑOLA (1936–39), Mallorca sirvió de base para recibir la ayuda prestada por los italianos a los nacionalistas. Actualmente constituye un popular centro turístico y en el pasado fue un destino favorito de FRÉDÉRIC CHOPIN, que compuso en ella algunos de sus más bellos preludios y mazurcas.

Malmö Ciudad portuaria (pob., est. 2000: ciudad, 259.579 hab.; área metrop., 522.857 hab.) en el sur de Suecia. Situada junto al estrecho de Sund frente a COPENHAGUE, originalmente fue conocida como Malmhaug; se constituyó en ciudad a fines del s. XIII. Luego de unirse a Suecia en 1658, experimentó una caída en el plano económico por la pérdida del comercio,

La bahía de El Port, isla de Mallorca, España.
SHOSTAL

pero la construcción del puerto en 1775 y la llegada del ferrocarril después de 1800 estimularon su desarrollo económico. Es la tercera ciudad más grande de Suecia y un importante centro de actividad comercial. Su economía descansa en la exportación de productos, astilleros y fabricación textil. Entre sus edificios de interés histórico destacan una fortaleza del s. XVI, el ayuntamiento y la iglesia de San Pedro del s. XIV.

malnutrición Condición resultante de una dieta inadecuada o de una incapacidad para absorber o metabolizar nutrientes. La ingesta alimentaria puede aportar cantidades insuficientes de CALORÍAS o PROTEÍNAS (ver KWASHIORKOR), o ser deficiente en una o más VITAMINAS o minerales esenciales. Este último caso puede provocar enfermedades por deficiencias nutricionales específicas (como BERIBERI, PELAGRA, RAQUITISMO y ESCORBUTO).

Ciertos defectos metabólicos, especialmente del sistema digestivo, HÍGADO, RIÑONES o glóbulos rojos, impiden una apropiada DIGESTIÓN, absorción o metabolismo de los nutrientes. Ver también NUTRICIÓN.

Malory, Sir Thomas (c. 1470) Autor de la primera obra inglesa en prosa, *La muerte de Arturo*. En el s. XVI, la identidad de Malory era aún desconocida; sin embargo, hoy se la asocia con la de un caballero galés que estuvo encarcelado varias veces. *La muerte de Arturo* (terminada c. 1470) relata las leyendas del rey ARTURO. Si bien se inspira en las novelas románticas francesas, difiere de estas al poner un mayor énfasis en la hermandad de los caballeros que en el amor cortés y en los conflictos de lealtad que destruyen el compañerismo. Se conserva sólo un manuscrito de mayor antigüedad que la de su primera impresión en 1485 por WILLIAM CAXTON.

Malpighi, Marcello (10 mar. 1628, Crevalcore, cerca de Bolonia, Estados Pontificios–30 nov. 1694, Roma). Médico y biólogo italiano. En 1661 identificó la red de capilares pulmonares, demostrando así la teoría de WILLIAM HARVEY sobre la circulación sanguínea. Descubrió las papilas gustativas y fue el primero en observar los glóbulos rojos de la sangre y en darse cuenta de que ellos daban a esta su color. Estudió las subdivisiones del hígado, encéfalo, bazo, riñones, huesos y capas más profundas de la piel (estrato de Malpighi), concluyendo que incluso los órganos de mayor tamaño están compuestos de glándulas diminutas. Malpighi también estudió las larvas de insectos (especialmente del gusano de seda), describió el embrión de pollo y la anatomía de las plantas, estableciendo una analogía entre la organización de las plantas y la de los animales. Es considerado el fundador de la anatomía microscópica y puede ser calificado como el primer histólogo.

Malraux, André (-Georges) (3 nov. 1901, París, Francia–23 nov. 1976, París). Novelista, historiador y estadista francés. A los 21 años de edad fue tomado prisionero por las autoridades coloniales francesas mientras participaba en una expedición arqueológica en Camboya; llegó a ser un ferviente anticolonialista y promotor de cambios sociales. Se involucró en movimientos revolucionarios en Indochina y posteriormente luchó en la guerra civil española y en la resistencia francesa durante la segunda guerra mundial. Fue ministro de cultura de CHARLES DE GAULLE (1958–68). Entre sus novelas, a menudo basadas en su experiencia, destacan *Los conquistadores* (1928), *La condición humana* (1933, Prix Goncourt), su obra maestra, y *La esperanza* (1937). Después de 1945 abandonó la ficción y se dedicó a la historia del arte y la crítica literaria; *Las voces del silencio* (1951) es su obra más importante de este período.

malta Grano de cereal que se usa en la elaboración de bebidas y alimentos. La malta provee la base para la FERMENTACIÓN y agrega sabor y nutrientes. Se logra remojando grano, generalmente CEBADA, en agua y permitiendo que ocurra una GERMINACIÓN parcial. El sabor de la CERVEZA resulta primordialmente de la malta con que se elabora. Las enzimas producidas dentro de la semilla de cebada durante la germinación disocian el ALMIDÓN en azúcar de malta o maltosa, que luego es fermentada por medio de LEVADURAS para producir alcohol y dióxido carbónico. De igual forma, el WHISKY se elabora con malta.

MALTA

▶ **Superficie:** 315 km²
(122 mi²)

▶ **Población:** 404.000 hab.
(est. 2005)

▶ **Capital:** LA VALLETTA

▶ **Moneda:** lira maltesa

Malta *ofic.* **República de Malta** País insular al sur de Sicilia en el mar Mediterráneo. Se compone de tres islas pobladas: Malta (la más grande), Gozo y Comino, y dos islotes deshabitados: Cominotto y Filfola. La población, casi toda nativa, es una mezcla de habitantes de origen italiano, árabe, británico y fenicio. Idiomas: maltés e inglés (ambos oficiales). Religión: catolicismo (oficial). Aunque el 40% de la superficie es cultivable, Malta importa la mayoría de sus alimentos. Su industria principal la constituye el turismo. Es una república unicameral; el jefe de Estado es el presidente, y el jefe de Gobierno, el primer ministro. Sus primeros habitantes datan de 3800 AC y c. siglos VIII–VII AC fue gobernada por los cartagineses. En 218 AC cayó en poder de los romanos. En 60 DC, el apóstol san PABLO naufragó frente a la isla y convirtió a sus habitantes al cristianismo. Formó parte del Imperio bizantino hasta 870, año en que fue conquistada por los árabes. Los normandos derrotaron a los árabes en 1091, y estuvo gobernada por sucesivos señores feudales hasta comienzos del s. XVI. En 1530 quedó en manos de los Caballeros de MALTA. NAPOLEÓN I ocupó las islas en 1798 y los británicos se apoderaron de ellas en 1800. En virtud del tratado de Amiens de 1802, Malta fue devuelta a los Caballeros. Los malteses protestaron y reconocieron como soberano al monarca británico, acuerdo que se ratificó en el tratado de París de 1814. Obtuvo su autonomía en 1921, pero retomó el régimen colonial en 1936. El país fue intensamente bombardeado por Alemania e Italia durante la segunda guerra mundial, y en 1942 recibió la cruz de san Jorge de Gran Bretaña por "heroísmo y devoción", que por primera vez no se otorgó en forma individual. En 1964 logró su independencia dentro de la Commonwealth y en 1974 se transformó en una república. Cuando terminó su alianza con Gran Bretaña en 1979, Malta declaró su neutralidad. En 2002 fue invitada a integrarse a la Unión Europea, medida que los votantes aprobaron al año siguiente.

Malta, Caballeros de *u* **Hospitalarios** *p. ext.* **Orden Soberana Militar Hospitalaria de San Juan de Jerusalén, Rodas y Malta** Orden religiosa fundada en Jerusalén en el s. XI para cuidar a los peregrinos enfermos. La Orden, reconocida por el papa en 1113, construyó albergues a lo largo de las rutas hacia Tierra Santa. Los Hospitalarios adquirieron riquezas y tierras y comenzaron a combinar su misión de atender enfermos con la de combatir el Islam, transformándose finalmente en una importante fuerza militar durante las CRUZADAS. Después de la caída de los estados cruzados, trasladaron su cuartel general a Chipre y posteriormente a Rodas (1309), que dominaron hasta caer en manos de los turcos en 1523; desde allí se trasladaron a Malta, donde gobernaron hasta que NAPOLEÓN I los derrotó en 1798. En 1834 establecieron su actual sede en Roma.

maltés Raza de PERRO MINIATURA llamado así por la isla de Malta, donde pudo haberse originado hace unos 2.800 años. De aspecto delicado, pero vigoroso, cariñoso y vivaz, fue otrora la mascota preciada de los ricos y aristócratas. Tiene un pelaje largo, sedoso y totalmente blanco, orejas colgantes, cuerpo compacto y una cola penachuda que se curva sobre el lomo. Tiene una alzada de unos 13 cm (5 pulg.) y puede pesar hasta 3 kg (7 lb).

maltés Lengua principal de Malta, formada a partir de un DIALECTO del ÁRABE estrechamente relacionado con el de Argelia y Túnez. Se ha visto muy influido por las lenguas ROMANCES, especialmente el italiano. El maltés es la única forma de árabe escrita con alfabeto LATINO.

Malthus, Thomas Robert (14/17 feb. 1766, Rookery, cerca de Dorking, Surrey, Inglaterra–23 dic. 1834, St. Catherine, cerca de Bath, Somerset). Economista y demógrafo británico. Nacido en el seno de una próspera familia, estudió en la Universidad de Cambridge y fue elegido miembro del Jesus College en 1793. En 1798 publicó *Ensayo sobre el principio de la población*, donde sostenía que la población siempre tendía a aumentar en mayor medida que el suministro de alimentos, es decir, que si no se controlaba se incrementaría en progresión geométrica, en tanto que los medios de subsistencia aumentarían sólo en progresión aritmética. Malthus pensaba que la población crecería hasta el límite de la subsistencia y que se mantendría en ese nivel a consecuencia del hambre, las guerras y las enfermedades. Se explayó en sus ideas en ediciones posteriores de su obra (hasta 1826). Sostenía que las medidas de socorro en favor de los pobres debían restringirse drásticamente, porque tendían a fomentar el crecimiento excesivo de la población. Sus teorías, a pesar de haber sido ampliamente refutadas, tuvieron gran influencia en la política social contemporánea y en economistas como DAVID RICARDO.

malva real Planta herbácea (*Althaea rosea*) de la familia de las MALVÁCEAS, originaria de China, pero ampliamente cultivada por la belleza de sus flores. Sus diversas variedades comprenden plantas anuales, bienales y perennes. El tallo, que crece alrededor de 1,5–2,7 m (5–9 pies) de altura, produce hojas de cinco a siete lóbulos y, a lo largo de la parte superior, flores comúnmente de color blanco, rosado, rojo o amarillo.

Malva real (*Althaea rosea*).
© ENCYCLOPÆDIA BRITANNICA, INC.

Malváceas Familia de plantas (del orden Malvales) que contiene alrededor de 95 géneros de hierbas, arbustos y arbolillos. Excepto en las zonas más frías, las especies de esta familia crecen en todo el mundo, pero en los trópicos son más numerosas. Comúnmente algunas o la mayoría de las partes vegetativas (no florales) de estas plantas están cubiertas de vellos, que se ramifican en formas estrelladas. Las flores son comunes y, por lo general, llamativas. Desde el punto de vista económico, el ALGODÓN es el miembro más importante de esta familia. Los frutos tiernos de QUINGOMBÓ son comestibles. Muchas especies son apreciadas como plantas ornamentales, como la MALVA REAL y la ROSA DE SIRIA.

malvavisco Planta herbácea perenne (*Althaea officinalis*) de la familia de las MALVÁCEAS, originaria de Europa oriental y el norte de África, y naturalizada en Norteamérica. A menudo se encuentra en áreas cenagosas cerca del mar; tiene hojas acorazonadas u ovaladas, de nervadura resistente, y flores rosadas en tallos de unos 1,8 m (6 pies) de alto. Antiguamente, la raíz del malvavisco se procesaba para elaborar el dulce esponjoso conocido como *marshmallow*.

Malvinas, guerra de las (1982). Breve pero no declarada guerra entre la Argentina y Gran Bretaña por el control de las islas MALVINAS (Falkland Islands) y otras islas conexas. Ambos países habían reclamado durante largo tiempo la soberanía sobre las Malvinas y habían mantenido prolongadas negociaciones. Impaciente con los resultados, el 2 de abril de 1982 el gobierno militar argentino ocupó las islas con 10.000 soldados.

La primera ministra británica MARGARET THATCHER respondió enviando fuerzas navales a la región y en el plazo de tres meses, los británicos derrotaron a los argentinos y reocuparon las islas. Gran Bretaña perdió cerca de 250 hombres y la Argentina cerca de 700. La derrota argentina desacreditó al gobierno militar y ayudó a la restauración del poder civil en 1983.

Malvinas, islas *inglés* **Falkland Islands** Colonia británica autónoma (pob., 1996: 2.564 hab.) en el océano Atlántico sur. Ubicada a unos 480 km (300 mi) al nordeste del extremo meridional de América del Sur, está compuesta por dos islas principales, Malvina Occidental y Malvina Oriental, y unas 200 islas menores. Su territorio abarca una superficie de 12.200 km² (4.700 mi²). Su capital es Stanley, situada en Malvina Oriental. Su población es anglohablante y de ascendencia británica. Su economía se basa en la cría de ganado ovino. Los franceses fundaron la primera colonia en 1764, en Malvina Oriental y en 1765 los británicos poblaron Malvina Occidental. En 1770, los españoles adquirieron la colonia francesa y expulsaron a los británicos, pero estos se reinstalaron allí en 1771. En 1820, la Argentina proclamó su soberanía sobre las islas, pero los británicos las recuperaron en 1833. Argentina las invadió en 1982, y los británicos las retomaron después de un breve conflicto (ver guerra de las MALVINAS).

Mamá Oca Anciana imaginaria, supuesta fuente de una serie de canciones y versos tradicionales para niños conocidos como VERSOS INFANTILES. Caracterizada a menudo como una anciana con nariz ganchuda y mentón prominente que vuela a horcajadas sobre el lomo de un ganso negro, se la asoció inicialmente con versos para niños en *Mother Goose's Melody* [Melodías de Mamá Oca] (1781), publicado por los sucesores de JOHN NEWBERY. Al parecer, el título proviene de una colección de cuentos de hadas de CHARLES PERRAULT titulado *Ma Mère l'oye* (1697; "Mi mamá oca").

mamba Cualquiera de cuatro o cinco especies de serpientes elápidas (ver ELÁPIDO), ágiles y delgadas (género *Dendroaspis* o *Dendraspis*), que tienen escamas grandes y dientes anteriores largos. Viven en el África subsahariana, donde cazan animales pequeños. La mamba negra (*D. polylepis*) es agresiva, alcanza los 4,2 m (14 pies) de largo y su color puede ser gris opaco, marrón-verdoso o negro, según la edad. Habita en campos abiertos y rocosos. Se yergue para atacar y morder la cabeza o el tronco de una persona. Su mordedura es casi siempre fatal, sin tratamiento con antitoxina. La mamba verde (p. ej., *D. angusticeps*) es de menor tamaño (hasta 2,7 m o 9 pies), de hábitos arbóreos y menos agresiva.

Mamba verde (*Dendroaspis angusticeps*).
E.S. ROSS

mamelucos, dinastía de los (1250–1517). Gobernantes de Siria y Egipto. El término mameluco proviene de la palabra árabe *mamlūk* que significa esclavo. Desde el s. IX, en el mundo islámico se utilizaban soldados esclavos que a menudo explotaban el poder militar que se les había conferido para someter a las autoridades políticas legítimas. En 1250, un grupo de generales mamelucos le arrebató el trono a la dinastía AYUBÍ tras la muerte del sultán Al-Malik al-Ṣāliḥ Ayyūb (r. 1240–49). La

dinastía resultante legitimó su gobierno reconstruyendo el califato de la dinastía ABASÍ (destruido por los mongoles en 1258) y protegiendo a los gobernantes de La Meca y Medina. Durante el reinado mameluco se expulsó a los últimos cruzados de la costa oriental del Mediterráneo y a los mongoles de Palestina y Siria. En términos culturales, durante su gobierno florecieron la arquitectura y la historiografía. La dinastía decayó gradualmente a medida que su composición étnica fue cambiando de turca a circasiana. El hecho de no haber adoptado la artillería de campaña (excepto al sitiar una plaza o fortaleza) contribuyó a su derrota ante el Imperio OTOMANO en 1517. Sin embargo, más tarde los mamelucos se mantuvieron como clase social y continuaron gozando de un alto grado de autonomía política pese a ser una más de las fuerzas que ejercían influencia en la vida política egipcia. Finalmente, el funcionario egipcio-albanés MEHMET ALÍ los doblegó durante una masacre en 1811. Ver también BAYBARS I.

Mamet, David (Alan) (n. 30 nov. 1947, Chicago, Ill., EE.UU.). Dramaturgo, guionista y director de cine estadounidense. En 1973 fundó la compañía St. Nicholas Theatre en Chicago. Luego obtuvo amplia notoriedad con la pieza *Perversión sexual en Chicago* (1974), a la cual le siguieron otras obras como *El búfalo americano* (1977) y *Glengarry Glen Ross* (1983, Premio Pulitzer). Fue conocido por sus diálogos dinámicos salpicados de obscenidades, y por su preocupación por los temas vinculados con las relaciones de poder y la corrupción corporativa. Mamet utilizó los ritmos y la retórica del diario hablar para retratar personajes, relatar intrincadas relaciones e impulsar el desarrollo dramático. Entre sus últimas obras cabe notar *Speed-the-Plow* (1987), *Oleanna* (1992) y *El criptograma* (1994); entre sus guiones se cuentan *Veredicto final* (1980) y *Los intocables* (1986). También dirigió y escribió películas como *Casa de juegos* (1987) y *State and Main* (2000).

mamífero Cualquier miembro de la clase (Mammalia) de VERTEBRADOS homeotermos con cuatro extremidades (excepto algunas especies acuáticas), que se diferencian de otras clases de CORDADOS por la presencia de glándulas lactíferas (mamarias) en la hembra y de pelo en alguna etapa del desarrollo. Otras características únicas son la articulación directa de la mandíbula con el cráneo, la audición mediada por los huesos del oído medio, un diafragma muscular que separa la cavidad pectoral de la abdominal y glóbulos rojos maduros sin núcleo. Su tamaño oscila entre la minúscula MUSARAÑA y la enorme BALLENA AZUL. Los MONOTREMAS (ORNITORRINCO y EQUIDNA) ponen huevos; el resto de los mamíferos tienen crías vivas. Los neonatos MARSUPIALES completan su desarrollo fuera del útero, a veces en una estructura sacciforme. Los mamíferos placentarios (ver PLACENTA) nacen en una etapa de desarrollo relativamente avanzada. Los primeros mamíferos datan del TRIÁSICO tardío (que terminó hace 206 millones de años); sus ancestros inmediatos fueron los terápsidos reptiloides. Por 70 millones de años los mamíferos han sido los animales dominantes de los ecosistemas terrestres, como consecuencia de dos factores preponderantes: la gran adaptabilidad conductual gracias a la capacidad de las crías de aprender de los mayores (una consecuencia de su dependencia alimentaria materna) y la adaptabilidad física a una amplia gama de climas y condiciones ambientales, debido a su capacidad homeotérmica. Ver también CARNÍVORO; CETÁCEO; HERBÍVORO; INSECTÍVORO; OMNÍVORO; PRIMATE; ROEDOR.

Mammoth Cave, parque nacional Parque nacional en el centro y sudoeste del estado de Kentucky, EE.UU. Autorizado en 1926 y establecido en 1941, ocupa una superficie de 212 km² (82 mi²) que abarca un sistema de cavernas de piedra caliza. En 1972 se descubrió un paso que une Mammoth Cave con el sistema de cuevas de Flint Ridge; los pasos subterráneos explorados tienen una longitud combinada de unos 530 km (329 mi). Las cuevas han sido habitadas por diversos animales que se han adaptado evolutivamente a la oscuridad, entre ellos los grillos de las cavernas, el pez ciego y el cangrejo de río ciego. En las cuevas se han encontrado cuerpos momificados de indios, presumiblemente de la época precolombina.

Mamoré, río Río del centro-norte de Bolivia. Nace en la cordillera de los ANDES, y en su curso superior se lo conoce también como río Grande. Discurre hacia el norte hasta la frontera con Brasil, donde se le une el río GUAPORÉ; forma el límite entre Bolivia y Brasil hasta la localidad nortina de Villa Bella, donde se une con el BENI para formar el MADEIRA, después de un curso de unos 1.900 km (1.200 mi). Es navegable hasta la localidad de Guajará-Merim en Brasil.

Mamoulian, Rouben (8 oct. 1897, Tbilisi, Georgia, Imperio ruso–4 dic. 1987, Los Ángeles, Cal., EE.UU.). Director rusoestadounidense. Después de estudiar actuación en el Teatro de  Arte de Moscú, se mudó a Londres en 1918, donde dirigió operetas y musicales. En 1923 emigró a EE.UU., trabajó en el Theatre Guild y dirigió la obra *Porgy* (1927); más tarde dirigió la producción original de su adaptación como comedia musical *Porgy y Bess* (1935). Además dirigió otros espectáculos, como *Oklahoma!* (1943) y *Carousel* (1945), y fue invitado a dirigir la película musical *Aplauso* (1929), aclamada por su trabajo innovador en el uso de la cámara. Entre sus películas posteriores se cuentan *Las calles de la ciudad* (1931), *La reina Cristina de Suecia* (1933) con GRETA GARBO, *La feria de la vanidad* (1935), *El alegre bandolero* (1936), *Sangre y arena* (1941) y *La bella de Moscú* (1957). Fue reconocido por su talento para armonizar la música y los efectos sonoros con un imaginativo ritmo visual.

Rouben Mamoulian.
UPI

mampostería ver ALBAÑILERÍA

Ma'mūn, al- (786, Bagdad, Irak–ago. 833, Tarsus, Cilicia). Séptimo califa (r. 813–833) de la dinastía ABASÍ. Hijo del célebre HĀRŪN AL-RASHĪD, tras la muerte de su padre (809) derrotó a su hermano al-Amīn durante una guerra civil (813) por el califato. En un intento por reconciliar a los musulmanes chiitas y sunníes, designó heredero al chiita 'Alī al-Riḥā, quien fue incapaz de contentar a los extremistas chiitas y provocó el enojo de los sunníes. De igual modo, al-Ma'mūn falleció después que su heredero. Se convirtió en partidario de los MU'TAZILÍES, escuela teológica con escaso apoyo popular, cuyas opiniones en temas como la naturaleza de Dios y el libre albedrío humano estaban en desacuerdo con la doctrina aceptada. Su patrocinio de traducciones de obras científicas y filosóficas griegas y la construcción de observatorios y bibliotecas, fueron su legado más duradero.

mamut Cualquiera de varias especies (género *Mammuthus*) de ELEFANTES extintos, cuyos fósiles se han encontrado en depósitos del pleistoceno (que comenzó hace 1,8 millones de años) en todos los continentes, a excepción de Australia y Sudamérica. El mamut lanudo, también llamado septentrional o siberiano (*M. primigenius*), es la especie más conocida, ya que el permafrost siberiano preservó intactos numerosos restos de animales. La mayoría de las especies tenían el tamaño de un elefante actual; algunas eran mucho más pequeñas. El mamut imperial de Norteamérica (*M. imperator*) tenía una alzada de 4 m (14 pies). Muchas especies tenían un pelaje interior lanudo y corto, y uno exterior largo y áspero. Los mamuts tenían un cráneo alto y abovedado, y orejas pequeñas. Los colmillos eran

Mamut lanudo septentrional (*M. primigenius*).
© ENCYCLOPÆDIA BRITANNICA, INC.

largos apuntando hacia abajo y a veces se torcían uno sobre otro. En las pinturas rupestres figuran en manadas en desplazamiento. Sobrevivieron hasta hace unos 10.000 años; la cacería por el hombre puede haber sido una causa de su extinción. Ver también MASTODONTE.

Man, gato de Raza de GATO DOMÉSTICO que se cree proviene de la isla de Man. Cariñoso, leal y valiente, es compacto y se distingue por carecer de cola y tener un paso saltarín. La grupa es claramente más alta que los hombros porque las patas traseras son más largas que las delanteras. Puede nacer con cola, pero teóricamente no debería tenerla.

Gato de Man.
© MARC HENRIE

Man, isla de Isla en el mar de IRLANDA, frente a la costa noroccidental de Inglaterra. Superficie: 572 km² (221 mi²). Población (est. 2002): 76.900 hab. Es una dependencia de la corona británica, con gobierno y sistema judicial propios. Su cámara baja o House of Keys, elegida en forma democrática, es una de las asambleas legislativas más antiguas del mundo. Capital: Douglas (pob., 2001: 25.347 hab.). La isla tiene una extensión de unos 48 km (30 mi) y una anchura de 16 km (10 mi). Se cree que el gato de MAN, que se caracteriza por la ausencia de cola, es una especie autóctona. Desde el s. V DC recibió a misioneros irlandeses. Estuvo en poder de vikingos (s. IX–XIII), escoceses (s. XIII–XIV) y colonos ingleses (a partir del s. XIV). Pasó a la corona británica en 1828.

Man o' War (parido en 1917). Finasangre estadounidense. En dos temporadas (1919–20) ganó 20 de 21 carreras, entre ellas las clásicas Preakness y Belmont stakes (no corrió el Derby de Kentucky). Engendró 64 caballos, entre ellos War Admiral, ganador de la TRIPLE CORONA en 1937. En una encuesta realizada por la Associated Press en 1950, Man o' War fue elegido el mejor caballo de la primera mitad del s. XX.

Man, Paul de (6 dic. 1919, Amberes, Bélgica–21 dic. 1983, New Haven, Conn., EE.UU.). Crítico literario estadounidense de origen belga. Emigró a EE.UU. en 1947; estudió en la Universidad de Harvard y en 1970 se incorporó a la Universidad de Yale, donde permaneció el resto de su vida. Su innovadora obra *Visión y ceguera* (1971) hizo de Yale el centro estadounidense de la crítica literaria deconstructiva (ver DECONSTRUCCIÓN). Entre sus obras destacan *Alegorías de la lectura* (1979), *The Rhetoric of Romanticism* [La retórica del romanticismo] (1984) y *La ideología estética* (1988). Su reputación se debilitó con la revelación póstuma de los artículos antisemitas que había escrito durante la guerra para el diario pro nazi *Le Soir*.

Man Ray ver Man RAY

mana Entre los pueblos de la Polinesia y la Melanesia, fuerza o poder sobrenatural que pueden poseer personas, espíritus u objetos inanimados. El mana puede ser bueno o maligno, benéfico o peligroso, pero no es impersonal; únicamente se habla de él en relación con cosas o seres poderosos. El término se utilizó por primera vez en Occidente en el s. XIX, cuando se lo vinculó a la RELIGIÓN, pero actualmente se piensa que el mana es una manera simbólica de expresar las cualidades especiales atribuidas a personas de estatus elevado en una sociedad jerárquica, como también de establecer sanciones por sus actos y explicar sus fracasos. Ver también ANIMISMO.

Managua Ciudad (pob., 1995: 864.201 hab.), capital de NICARAGUA. Situada en la costa meridional del lago MANAGUA, desempeñó un papel menor durante el período colonial español, pero en 1857 fue designada capital del país, al no poder dirimirse la alternativa entre León y Granada. Resultó devastada por un terremoto y los incendios subsecuentes en 1931, y por otro gran terremoto en 1972. En 1978–79 fue escenario de combates durante la guerra civil. Es la ciudad más populosa y el principal centro comercial de Nicaragua. Cuenta con varias instituciones de educación superior, entre ellas la Universidad de Managua, que actualmente forma parte de la Universidad Nacional de Nicaragua. Entre sus lugares de interés destaca el Parque Darío, donde se halla un monumento al poeta RUBÉN DARÍO.

Managua, lago *o* **lago Xolotlán** Lago del oeste de Nicaragua. Con una superficie de 1.035 km^2 (400 mi^2), tiene una extensión de 58 km (36 mi) y 25 km (16 mi) de ancho. Situado en la zona septentrional de la ciudad de MANAGUA, se alimenta de varias corrientes que nacen en las tierras altas centrales y es desaguado por el río Tipitapa, que desemboca en el lago NICARAGUA. El volcán Momotombo (1.280 m [4.199 pies]) se halla en la costa noroccidental del Managua.

Manāma *árabe* **Al-Manāmah** Ciudad (pob., est. 1999: 162.000 hab.), capital de BAHREIN. Ubicada en el extremo nororiental de la isla de Bahrein, con cerca de un tercio de la población del emirato, es la ciudad más grande del país y uno de los puertos más importantes del golfo PÉRSICO. Constituye un centro comercial y financiero enriquecido por el petróleo de Bahrein y está comunicada con la ciudad e isla de Muharraq por una carretera elevada. Mencionada por primera vez en las crónicas islámicas c. 1345, fue capturada por los portugueses en 1521 y por los persas safawíes en 1602. Salvo breves intervalos, ha permanecido bajo el dominio de la dinastía Jalīfah desde 1783. Fue la sede del residente político británico para el golfo Pérsico (1946–71), y posteriormente, cuando Bahrein logró su independencia, se convirtió en la capital del país.

manantial En hidrología, abertura en o cerca de la superficie de la Tierra, de donde emerge agua de fuentes subterráneas. Los manantiales descargan a nivel del suelo o directamente en el lecho de un arroyo, lago o mar. El agua que aflora a la superficie sin corriente perceptible se denomina filtración.

Manapouri, lago Lago del sudoeste de la isla del SUR, Nueva Zelanda. Con una profundidad máxima de 444 m (1.455 pies), es el lago más profundo del país, que junto con otros se encuentran en el parque nacional de FIORDLAND. Su nombre deriva de un vocablo maorí que significa "lago del corazón acongojado"; la leyenda sostiene que sus aguas son las lágrimas de unas hermanas moribundas. Tiene una superficie de 142 km^2 (55 mi^2) y drena una cuenca de 4.623 km^2 (1.785 mi^2).

Manasarowar ver MAPAM YUMCO

manatí Cualquiera de tres especies (familia Trichechidae) de mamíferos herbívoros, de movimientos lentos y de aguas someras. Tienen un cuerpo ahusado con una aleta terminal redondeada, no poseen aletas posteriores y las anteriores están próximas a la cabeza. El caribeño (*Trichechus manatus*) vive en las costas del sudeste de EE.UU. y el norte de Sudamérica; el amazónico (*T. inunguis*) y el de África occidental (*T. senegalensis*) habitan en ríos y estuarios. Los adultos miden 2,5–4,5 m (8–15 pies) de largo y pesan hasta 700 kg (1.500 lb). Viven solos o en manadas pequeñas y están bajo protección en la mayoría de las regiones. El manatí o su

Manatí caribeño (*Trichechus manatus*).
© ENCYCLOPÆDIA BRITANNICA, INC.

pariente el DUGONGO pueden haber dado origen al folclore de las sirenas. Ver también VACA MARINA DE STELLER.

Manaus *o* **Manaos** Ciudad (pob., est. 2002: 1.479.200 hab.) del noroeste de Brasil. Situada en el corazón de la selva amazónica, se ubica en la ribera septentrional del río NEGRO, cerca de su confluencia con el AMAZONAS. El primer asentamiento europeo fue un pequeño fuerte construido en 1669. El pobla-

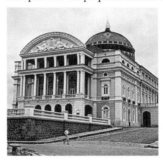

Teatro Amazonas, Manaus, Brasil.
ART RESOURCE

do, llamado Villa da Barra, se convirtió en la capital de la capitanía general de Río Negro en 1809. Prosperó de 1890 a 1920 como importante centro de producción de caucho, pero después decayó. Aunque está a 1.600 km (1.000 mi) del mar, volvió a ser un importante puerto fluvial y centro comercial, resurgiendo económicamente a mediados del s. XX. Cuenta con un jardín botánico (c. 1669) y el Teatro Amazonas. También se encuentran allí el Instituto Nacional de Investigaciones de la Amazonía (INPA) y la Universidad Federal del Amazonas.

Manawatu, río Río del centro-sur de la isla del NORTE, Nueva Zelanda. Discurre hacia el noroeste, cruzando los sistemas montañosos Ruahine y Tararua. Sigue su curso hacia el sudoeste atravesando la localidad de Palmerston North, hasta desembocar en la bahía sur de Taranaki, situada en el mar de TASMANIA. Tiene una extensión de 182 km (113 mi).

mancha solar Región de gas de la superficie del SOL con una temperatura menor que el promedio, asociada con una fuerte actividad magnética local. Las manchas solares se ven oscuras, pero sólo en contraste con la FOTOSFERA circundante, que es varios miles de grados más caliente. Se pueden observar a simple vista (a través de un filtro) manchas varias veces mayores que el tamaño de la Tierra; las más pequeñas son difíciles de ver incluso con un telescopio. Aparecen y desaparecen como parte del CICLO SOLAR, generalmente en pares o grupos, y pueden durar meses; su causa parece estar relacionada con inversiones de la polaridad del campo magnético solar que ocurren cada 11 años. La existencia real de estos defectos aparentes en el Sol fue aceptada sólo c. 1611. Los períodos de alta actividad de manchas solares están asociados con la aparición en la Tierra de AURORAS más brillantes y con la interferencia en las señales de radio.

Vista aérea del canal de la Mancha, situado entre el sur de Inglaterra y el norte de Francia.
YANNICK LE GAL/ THE IMAGE BANK/GETTY IMAGES

Mancha, canal de la *francés* **La Manche** *inglés* **English Channel** Estrecho entre el sur de Inglaterra y el norte de Francia. Comunica el océano Atlántico con el mar del Norte a través del paso de CALAIS. El nombre francés, La Manche ("la manga"), hace referencia a su forma; se va angostando gradualmente desde unos 180 km (112 mi) en el oeste hasta sólo 34 km (21 mi) en el este, entre DOVER en Inglaterra y CALAIS en Francia. Históricamente ha sido tanto una vía de comunicación como una barrera a los invasores de Gran Bretaña y se ha convertido en una de las rutas marítimas más transitadas del mundo por buques petroleros y de transporte de minerales. El EUROTÚNEL, inaugurado en 1994, constituye una ruta vial entre París y Londres.

Mancha, La ver CASTILLA-LA MANCHA

Manchester Ciudad y municipio (pob., 1999: 431.000 hab.) del cond. metropolitano del GRAN MANCHESTER, noroeste de Inglaterra. Situada al noroeste de LONDRES y al este de LIVERPOOL, fue el emplazamiento de una fortaleza romana (78–86 DC) abandonada en el s. IV. Cerca de ella surgió la ciudad de Manchester en 919. En el s. XVI se destacó por el comercio de lana, y durante la REVOLUCIÓN INDUSTRIAL del s. XVIII se convirtió en una importante ciudad manufacturera conocida por su producción textil. El primer ferrocarril moderno del mundo, que corría entre Liverpool y Manchester, se inauguró en 1830. Durante la segunda mitad del s. XX, la ciudad enfrentó diversos problemas urbanos e industriales, pero gracias a su reorganización experimentó un proceso de renacimiento cultural. Entre sus numerosas instituciones educacionales se cuenta la Universidad de Manchester.

Manchester Ciudad (pob., 2000: 107.006 hab.) en el sur del estado de New Hampshire, EE.UU. Ubicada junto al río MERRIMACK, es la ciudad más grande del estado. Colonizada en 1722–23, se constituyó como el poblado de Derryfield en 1751. En ese lugar se construyó en 1805 una de las primeras plantas textiles de EE.UU., con lo que comenzó un período de rápido crecimiento industrial. Rebautizada como Manchester en 1810, adquirió el rango de ciudad en 1846. Los sistemas de canales construidos a principios del s. XIX abrieron rutas de navegación hacia BOSTON. El declive de la industria textil en la década de 1930 fomentó la diversificación industrial. Es sede de instituciones de enseñanza superior, como: St. Anselm College, Notre Dame College y New Hampshire College.

Manchester, escuela de Escuela de pensamiento político y económico, encabezada por RICHARD COBDEN y JOHN BRIGHT, que surgió en reuniones de la Cámara de comercio de Manchester en 1820 y que tuvo influencia sobre el PARTIDO LIBERAL británico a mediados del s. XIX. Sus seguidores creían en las políticas económicas del LAISSEZ-FAIRE, como el libre comercio, la libre competencia y la libertad de contrato, y se declaraban aislacionistas en materia de política exterior. Sus adherentes tendían a ser hombres de empresa, no teóricos.

Manchester, Universidad de Universidad pública con sede en Manchester, Inglaterra. Originalmente fue un *college* (colegio universitario) no confesional, exclusivo para varones, fundado en 1851. Se transformó en universidad en 1880, cuando contaba con *colleges* establecidos en Leeds y Liverpool, los que posteriormente (1903) se convirtieron en universidades por derecho propio. ERNEST RUTHERFORD dirigió importantes investigaciones en física atómica en Manchester, donde también se construyó una de las primeras computadoras modernas a fines de la década de 1940. La universidad otorga títulos de pregrado, como asimismo, títulos profesionales y académicos avanzados en una gran variedad de disciplinas.

manchú Pueblo de ascendencia juchen (ver dinastía JIN) que adquirió la identidad manchú en el s. XVII, antes de conquistar China y establecer la dinastía QING (1644–1911/12). Aunque la política oficial se orientaba a conservar la pureza de los manchúes, esto no impidió que en las zonas de mayor contacto con los chinos se realizaran matrimonios mixtos y adoptaran sus costumbres. En la actualidad, China reconoce a los manchúes como un grupo étnico con más de diez millones de integrantes, que habita principalmente la zona nororiental del país.

manchú, dinastía ver dinastía QING

Manchukuo o **Manchuguo** Estado títere creado por Japón en 1932 que gobernó tres provincias históricas de MANCHURIA. Como resultado de la guerra RUSO-JAPONESA (1895), Japón adquirió el control del ferrocarril manchuriano, construido por los rusos, y su ejército se estableció en la zona. La expansión hacia Manchuria se consideraba necesaria para que Japón alcanzara un estatus de potencia mundial emergente. En 1931, el ejército japonés buscó una excusa para atacar a las tropas chinas establecidas en la zona y, en 1932, Manchukuo fue proclamado un Estado independiente. El último emperador de la dinastía Qing fue restituido de su retiro y nombrado gobernante titular de Manchukuo, pero en realidad fueron los japoneses quienes ejercieron un estricto control del nuevo Estado y lo utilizaron como base para su expansión en Asia. Esta ocupación japonesa encontró la oposición de un movimiento guerrillero clandestino compuesto de soldados manchurianos, civiles armados y comunistas chinos. En la zona se establecieron numerosos colonos japoneses que fueron repatriados después de la derrota de Japón en 1945.

Manchuria *chino* **Dongbei Pingyuan** Región histórica del nordeste de China. Está compuesta por las actuales provincias de LIAONING, JILIN y HEILONGJIANG; a veces se incluye en ella la sección nordeste de MONGOLIA INTERIOR. Durante las primeras dinastías, China tuvo un limitado control sobre Manchuria. En 1211 la invadió y ocupó GENGIS KAN. En 1368, las rebeliones chinas derribaron la dinastía YUAN de los mongoles, y a partir de esa época se estableció la dinastía MING. A comienzos del s. XVII se originó en la zona la dinastía QING (manchú), que con el tiempo se expandió sobre China. Rusia y Japón se enfrentaron para afirmar su posición en la región durante la guerra RUSO-JAPONESA (1904–05); después de su derrota, Rusia cedió Manchuria meridional a Japón. En 1931 los japoneses ocuparon la totalidad de Manchuria, y en 1932 crearon el estado títere de MANCHUKUO. Los soviéticos capturaron la región en 1945, y poco después las guerrillas comunistas chinas tomaron el poder. En 1953, Beijing dividió Manchuria en sus tres actuales provincias. En la actualidad es una de las zonas industriales más importantes de China.

manchú-tungús, lenguas Familia de unas diez lenguas ALTAICAS habladas por alrededor de 55.000 personas en Siberia, Mongolia y el norte de China. Por siglos, todas las lenguas han ido perdiendo terreno a medida que sus hablantes adoptan aquellas de poblaciones circundantes: el ruso y el yakut en Siberia; y el chino, las lenguas turcas y las mongólicas en China. El evenki tiene alrededor de diez mil hablantes en Siberia y el lejano nordeste de China. El even cuenta con menos de seis mil hablantes en el nordeste de Siberia y la península de Kamchatka. El nanai posee aprox. siete mil hablantes cerca del río Amur inferior. El juchen, lengua tribal de los fundadores de la dinastía JIN, está actualmente extinguido, y el manchú lo hablan menos de 100 personas, aunque unos diez millones de habitantes del norte de China se consideran étnicamente manchúes (ver MANCHÚ). En efecto, el xibe, un dialecto del manchú, es hablado por diez mil personas, descendientes de los soldados de habla manchú acuartelados en puestos militares de avanzada en el s. XVIII.

Mancini, familia Familia de hermanas italianas pertenecientes a la nobleza y célebres por su gran belleza. Sobrinas del cardenal MAZARINO, se mudaron a Francia a edad temprana. Laura Mancini, duquesa de Mercoeur (n. 1636–m. 1657), se casó con Louis de Vendôme, duque de Mercoeur y nieto del rey ENRIQUE IV. Olimpia Mancini, condesa de Soissons (n. 1639– m. 1708), fue amante de LUIS XIV. Involucrada junto a su hermana Ana María en el célebre "asunto de los venenos", estuvo además acusada de envenenar a su esposo; fue la madre del príncipe EUGENIO DE SABOYA. María Mancini, princesa de Colonna (n. 1640–m. 1715), también fue amante de Luis XIV; Mazarino conspiró para impedir el matrimonio entre ambos y ella pasó la mayor parte de su vida en España. Hortensia Mancini, duquesa de Mazarino (n. 1646–m. 1699), se desposó con Armand Charles de la Porté, quien asumió el título de Mazarino. Después de abandonar a su esposo, adquirió fama por su belleza en la corte inglesa de CARLOS II. Ana María Mancini, duquesa de Bouillon (n. 1649–m. 1714), se hizo conocida por su salón literario, pero fue desterrada en 1680 por el supuesto envenenamiento de la hechicera La Voisin (Catherine Monvoisin).

Mancini, Henry *orig.* **Enrico Nicola Mancini** (16 abr. 1924, Cleveland, Ohio, EE.UU.–14 jun. 1994, Beverly Hills, Cal.). Compositor estadounidense. Conoció a GLENN MILLER mientras servía en la fuerza aérea de EE.UU. durante la segunda guerra mundial. Tras el fin del conflicto, se integró a la orquesta de Miller en calidad de arreglista y pianista. Obtuvo por primera vez un amplio reconocimiento gracias a su composición musical con influjos de jazz para la serie de televisión *Peter Gunn* (1958), pero quizás es más conocido por su graciosa música incidental para las películas de *La pantera rosa* de Blake Edwards. Durante su carrera trabajó profusamente con este. Escribió la música para más de 80 filmes y obtuvo cuatro premios de la Academia por las canciones "Moon River" y "Days of Wine and Roses" y por la música incidental de los largometrajes *Desayuno con diamantes* (1961) y *Victor/Victoria* (1982). Además obtuvo 20 premios Grammy y dos premios Emmy.

Henry Mancini, 1967.
FOTOBANCO

mandala En el budismo e hinduismo tántrico (ver VAJRAYANA), diagrama que representa el universo, usado en ritos sagrados y como instrumento de MEDITACIÓN. Sirve como punto de reunión de las fuerzas universales. Al "entrar" mentalmente en él y moverse hacia su centro, uno es guiado a través del proceso cósmico de desintegración y reintegración. Los mandalas pueden ser pintados sobre papel o tela, dibujados en el suelo o elaborados en bronce o piedra. Hay de dos tipos, que representan diferentes aspectos del universo: el *garbha-dhatu* ("mundo útero"), en el que el movimiento es de lo singular a lo plural; y el *vajra-dhatu* ("mundo diamante"), de lo plural a lo singular.

Mandalay Ciudad (pob,. est. 1993: 885.300 hab.) en el centro de Myanmar (Birmania), a orillas del IRAWADI. Es la segunda ciudad más grande del país, después de YANGÓN. Construida en 1857 por el rey Mindon para reemplazar a Amarapura como capital de su reino, fue la última capital del reino de Myanmar; en 1885 cayó en poder de Gran Bretaña. Quedó casi completamente destruida durante la ocupación japonesa en la segunda guerra mundial. Constituye un importante centro religioso budista; allí se encuentran la famosa pagoda Mahamuni, y otras 730, que albergan lápidas de mármol grabadas con escrituras budistas.

mandamiento judicial Autorización otorgada por escrito en virtud de la cual una persona puede realizar un acto y/o cumplir una función determinados. Salvo en señaladas circunstancias, para que una detención sea lícita se requiere una orden de arresto. Las órdenes de allanamiento autorizan al portador para ingresar a un inmueble y registrarlo. Ambas constituyen tipos de órdenes judiciales. Para obtenerlas, el recurrente debe presentar una declaración jurada en que se expongan los antecedentes necesarios para presumir la comisión de un delito y estimar que el acusado es culpable (o, en el caso de una orden de allanamiento, que en el lugar que será allanado se encontrarán las pruebas previstas). Entre las órdenes o mandamientos no judiciales se cuentan las órdenes de embargo tributario (que facultan para recaudar impuestos) y los certificados de concesión de tierras públicas (que dan derecho al titular sobre una extensión determinada de terrenos fiscales).

mandan Pueblo de indios de las LLANURAS de América del Norte que vive mayoritariamente en Dakota del Norte, EE.UU. Su nombre se cree deriva del francés. El mandan, una de las lenguas SIOUX, está al borde de la extinción. Estas tribus indígenas habitaban viviendas en forma de cúpula y cubiertas de tierra, agrupadas en aldeas empalizadas, se dedicaban a cultivar maíz, frijol, calabaza y girasol, cazar búfalos y a la artesanía en cerámica y cestería. Realizaban complejos rituales, como la DANZA DEL SOL y la ceremonia del oso, ritos de curación y preparación para la guerra. Contaban con sociedades guerreras jerarquizadas por edad, así como sociedades de mujeres y de chamanes. Los artistas describían los hechos heroicos en mantas de búfalo. Fueron retratados, así como su estilo de vida, en una serie de pinturas realizadas por GEORGE CATLIN, quien según su testimonio se llamaban a sí mismos *seepohskahnumahkahkee*, que significa "la gente del faisán". A mediados del s. XIX su población disminuyó debido a la viruela, por lo que fueron trasladados a la reserva de Fort Berthold, en Dakota del Norte, donde viven con los HIDATSAS y los arikaras como "las tres tribus afiliadas". Unas 350 personas declararon tener ascendencia exclusivamente mandan en el censo estadounidense de 2000.

mandarín En la China imperial, alto funcionario público que había aprobado con éxito el sistema de exámenes CHINO. El término tiene su origen en la versión portuguesa de la palabra malaya para designar un ministro de Estado. En círculos literarios o intelectuales su significado llegó a ser el de funcionario pedante, burócrata o persona de posición e influencia (generalmente de mentalidad tradicionalista o conservadora). El término también designa la lengua china (ver lenguas CHINAS) hablada de mayor difusión.

mandato En el lenguaje jurídico, relación en virtud de la cual una parte (el mandatario) actúa en nombre y de acuerdo con las instrucciones de otra (el mandante) en transacciones con terceros. Proviene de la antigua relación de dependencia entre amo y sirviente. El mandato pasa a ser un problema legal cuando el mandatario causa daños o perjuicios a terceros. En el derecho angloestadounidense, el mandante queda obligado y es responsable de los actos de mandatarios tales como corredores de bolsa, representantes comerciales, contratistas, agentes inmobiliarios, abogados, representantes de sindicatos, socios administradores y detectives privados. Ver también ORGANISMO REGULADOR.

mandé, lenguas Rama de la familia de las lenguas NIGERO-CONGOLEÑAS. Comprende 40 lenguas de África occidental con más de 20 millones de hablantes, en una zona relativamente contigua del sudeste de Senegal, Gambia, sur de Mauritania, sudoeste de Malí, este de Guinea, norte y este de Sierra Leona, norte de Liberia y oeste de Costa de Marfil. También se encuentran muchísimos hablantes en Guinea-Bissau, Guinea y Burkina Faso, y existen enclaves aislados mucho más pequeños en la región. El subgrupo más importante es el complejo mandekan –un continuo de lenguas y dialectos, como los hablados por los BAMBARA, MALINKE, maninka y diula– en uso desde Senegal, Gambia y Guinea hacia el este, pasando por Malí, hasta Burkina Faso. El mandé, que se habla en Sierra Leona, también tiene más de un millón de hablantes. Varios sistemas de escritura independientes basados en la articulación silábica fueron creados por los hablantes de las lenguas mandé. La más conocida es la escritura vai, pero el mendé, loma y kpelle poseen también su propia escritura.

mandeísmo Antigua secta gnóstica del Medio Oriente que subsiste en Irak y en el sudoeste de Irán. Tal como otros sistemas dualistas, hace hincapié en la salvación del alma a través del conocimiento esotérico, o gnosis, de su origen divino. Su nombre deriva de *mandayya*, que significa, "tener conocimiento". En su cosmología, ARCONES maléficos obstruyen el ascenso del alma a través de las esferas celestes para reunirse con la deidad suprema. A diferencia de muchos sistemas gnósticos, el mandeísmo apoya el matrimonio y prohíbe el desenfreno sexual. Se caracteriza además por complicados rituales culturales, en especial el bautismo. Los mandeos consideran a JESÚS como un falso mesías, pero veneran a san JUAN BAUTISTA, cuya vida es narrada en sus escritos sagrados. Ver también DUALISMO; GNOSTICISMO.

Mandel, Georges *orig.* **Louis-Georges Rothschild** (5 jun. 1885, Chatou, Francia–7 jul. 1944, Fontainebleau). Líder político francés. Miembro de una próspera familia judía, fue secretario personal de GEORGES CLEMENCEAU (1906–09, 1917–20), integró la Asamblea Nacional (1919–24, 1928–40) y ocupó cargos ministeriales (1934–40). Como ministro del interior (1940), apoyó la negativa de PAUL REYNAUD a aceptar un armisticio con Alemania. Arrestado en 1940 y encarcelado en Francia y Alemania, regresó a París en 1944, donde fue asesinado a tiros por orden del jefe de la policía de Vichy.

Mandela, Nelson (n. 18 jul. 1918, Umtata, Cabo de Buena Esperanza, Sudáfrica). Estadista sudafricano y líder nacionalista de raza negra. Mandela, hijo de un jefe XOSA, estudió derecho en la Universidad de Witwatersrand y en 1944 se integró al CONGRESO NACIONAL AFRICANO (ANC). Tras la matanza de Sharpeville (1960), abandonó su postura pacifista y ayudó a fundar la "Lanza de la nación", ala militar del ANC. En 1962 fue detenido y sentenciado a cadena perpetua. Mantuvo un amplio apoyo entre la población sudafricana de raza negra y su caso se hizo célebre en todo el mundo. El pdte. F.W. DE KLERK lo liberó en 1990, y en 1991 reemplazó a OLIVER TAMBO en la presidencia del ANC. En 1993, Mandela y De Klerk obtuvieron el Premio Nobel de la Paz por sus esfuerzos para terminar con el APARTHEID y promover la transición hacia una democracia que no estableciera diferencias raciales. En 1994 resultó elegido presidente en las primeras elecciones de sufragio universal que se realizaron en el país; cuando dejó el poder en 1999, se transformó en la figura más respetada del África poscolonial a nivel internacional.

Nelson Mandela, 1990.
© CHRISTOPHER MORRIS/BLACK STAR

Mandelbrot, Benoit B. (n. 20 nov. 1924, Varsovia, Polonia). Matemático estadounidense de origen polaco. Obtuvo un doctorado en la Universidad de París y emigró a EE.UU. en 1958. Es reconocido por su trabajo con fractales (término que él acuñó; ver GEOMETRÍA FRACTAL), los cuales demostró pueden ocurrir en muchos lugares diferentes, tanto en la matemática como en la naturaleza. Fue influenciado por Gaston Maurice Julia (n. 1893–m. 1978), cuyo trabajo sobre la teoría de sistemas dinámicos estuvo olvidado hasta la década de 1970, cuando los experimentos computacionales fundamentales de Mandelbrot y el uso de gráficos por computadora le dieron nueva vida. El conjunto Mandelbrot es un conjunto matemático de números imaginarios generados a partir de una ecuación sencilla. Parece infinitamente complejo cuando se grafica en una computadora.

Mandelstam, Ósip Emílievich (15 ene. 1891, Varsovia, Polonia, Imperio ruso–27 dic. 1938, Vtoraya Rechka, cerca de Vladivostok, Rusia, U.R.S.S.). Poeta y crítico ruso. Publicó sus primeros poemas en 1910. Líder de los poetas acmeístas, se opuso al misticismo y abstracción del simbolismo ruso; escribió poemas apolíticos intelectualmente exigentes, en obras como *Tristia* (1922). En 1934 fue encarcelado por haber escrito un epigrama sobre STALIN. Mientras padecía una enfermedad mental, compuso los *Cuadernos de Voronezh*, libro que contiene algunos de sus mejores poemas. Fue arrestado nuevamente en 1938 y murió en la cárcel a los 47 años de edad. Gran parte de su obra permaneció sin publicar hasta la muerte de Stalin, y aún a mediados de la década de 1960 seguía siendo un autor desconocido para generaciones de rusos, al igual que en otros países.

Mander, Karel van (may. 1548, Meulebeke, Flandes, Países Bajos españoles–2 sep. 1606, Amsterdam, Países Bajos). Pintor, poeta y escritor neerlandés. Nacido en el seno de una familia noble, después de mucho andar se estableció en Haarlem en 1583, donde fundó una exitosa academia de pintura junto con HENDRIK GOLTZIUS y Cornelis Cornelisz (n. 1562–m. 1638). Es conocido sobre todo por *El libro de los pintores* (1604), que contiene cerca de 175 biografías de pintores holandeses, flamencos y alemanes de los s. XV–XVI. Esta obra llegó a ser para los países nórdicos lo que *Vidas de los mejores arquitectos, pintores y escultores italianos* de GIORGIO VASARI fue para Italia.

Sir John Mandeville, detalle de un manuscrito, inicios del s. XV; Biblioteca Británica (MS. Add. 24,189).
REPRODUCIDO CON AUTORIZACIÓN DE LA BIBLIOTECA BRITÁNICA

Mandeville, Sir John (c. siglo XIV). Presunto autor inglés de una colección de relatos de viajeros escritos en inglés medio. Los relatos son selecciones de narraciones de viajeros reales, adornados con interpelaciones de Mandeville y descritos como aventuras que él mismo vivió. *Los viajes de Sir John Mandeville*, obra original en francés que data c. 1356–57, tuvo una versión en inglés c. 1375. El narrador afirma que escribe sobre sus viajes entre 1322 y 1356. Debido a que la mayoría del material estaba disponible en enciclopedias y libros de viajes contemporáneos, no está claro si el autor efectivamente llegó a viajar alguna vez. No obstante, su habilidad para escribir y su imaginación han hecho de la obra un libro muy difundido. Aún se desconoce el verdadero autor de estos relatos. Tampoco se ha logrado establecer que Sir John Mandeville haya existido en realidad.

mandinga ver MALINKÉ

mandioca Planta perenne tuberosa, comestible (*Manihot esculenta*) del género EUPHORBIA, de América tropical. Se cultiva por sus raíces tuberosas, de las cuales se extrae la fécula granulada, llamada tapioca, y se elabora almidón de ropa y una bebida alcohólica. Posee hojas llamativas, casi palmeadas (flabeliformes) y raíces carnosas. Existen distintas variedades que van desde hierbas bajas hasta arbustos ramosos y árboles esbeltos, no ramificados, adaptados a diversos hábitats.

mandolina Pequeño instrumento de CUERDA emparentado con el LAÚD. Evolucionó en Italia durante el s. XVII, pero su forma actual recibió en el s. XIX una fuerte influencia de Pasquale Vinaccia (n. 1806–m. 1882), fabricante de instrumentos napolitano. Tiene un cuerpo piriforme con una caja de resonancia profundamente ahuecada, un corto diapasón trasteado y cuatro pares de cuerdas de acero. (La mandolina folclórica estadounidense es una versión de menor profundidad y de fondo plano). Se toca con un plectro y se pulsa rápidamente cada par de cuerdas hacia atrás y hacia adelante para producir un trémolo característico.

mandrágora Cualquiera de seis especies de plantas del género *Mandragora* (familia de las SOLANÁCEAS), originarias de la región del Mediterráneo y los Himalaya. La especie más conocida, *M. officinarum*, tiene un tallo corto que da un penacho de flores aovadas, con una raíz gruesa, carnosa y generalmente ahorquillada. La mandrágora ha sido conocida desde hace mucho tiempo por sus propiedades venenosas. En la antigüedad se utilizó como narcótico y afrodisíaco, y se le atribuían poderes mágicos. Se decía que al arrancarla del suelo, su raíz ahorquillada, supuestamente antropomorfa, emitía un alarido que mataba o enloquecía a cualquier persona que la oyera. Sin embargo, se decía que ya arrancada, la planta producía un sueño sedante, curaba heridas, inducía al amor y facilitaba el embarazo. En Norteamérica, el nombre en inglés de la especie *mandrake*, generalmente designa a la manzana de mayo americana (*Podophyllum peltatum*), una flor silvestre primaveral de los bosques.

mandril MONO de hábitos diurnos (familia Cercopithecidae, normalmente del género *Mandrillus*) de los bosques lluviosos de África ecuatorial, conocido por su colorido llamativo. Es esencialmente terrestre, de cuerpo robusto, rabicorto, con arcos superciliares prominentes y ojos pequeños, juntos y hundidos. La piel malar del macho adulto es desnuda, estriada, azul brillante y presenta tonos escarlata en la nariz; los callos isquiáticos varían de rosa a carmesí con matices azulosos, y la barba y cuello, color amarillo. El macho adulto mide unos 90 cm (3 pies) y pesa unos 20 kg (45 lb); la hembra es de piel más opaca y de menor tamaño. Los mandriles comen fruta, raíces, insectos, así como reptiles y anfibios pequeños.

Mandril (*Mandrillus sphinx*).
RUSS KINNE PHOTO-RESEARCHERS

mandriladora MÁQUINA HERRAMIENTA para alisar, ensanchar e igualar los agujeros ejecutados en una pieza. La herramienta puede ser una punta de acero, de carburo cementado o de diamante, o una pequeña rueda pulidora. El diámetro del agujero se controla ajustando el cabezal del mandril. El mandrilado produce agujeros más redondos, concéntricos y paralelos que los taladrados. Las mandriladoras tienen un huso vertical y una mesa portapiezas que se mueve horizontalmente en dos direcciones perpendiculares, de manera que los agujeros pueden espaciarse con precisión. En plantas de producción en serie es común encontrar mandriladoras con husos múltiples. Ver también BROCA; PRENSA TALADRADORA; TORNO.

Manes ver MANI

Manet, Édouard (23 ene. 1832, París, Francia–30 abr. 1883, París). Pintor y grabador francés. Su padre, un próspero empleado público, deseaba que su hijo siguiera la carrera naval, pero a Édouard, estudiante mediocre, sólo le interesaba el dibujo. Luego de la aceptación de algunas de sus pinturas en el Salón, en 1863 el jurado rechazó su obra *La merienda campestre*; a continuación, Manet exhibió la pintura en el Salón de los Rechazados (establecido para exponer muchas de las obras no aceptadas por el Salón oficial). Este gran lienzo

"El bar del Folies-Bergère", óleo sobre tela de Édouard Manet, 1882; Courtauld Institute Galleries, Londres.
COURTAULD INSTITUTE GALLERIES, LONDRES (COURTAULD COLLECTION)

fue censurado por los críticos, quienes se sintieron ofendidos ante la presencia de una mujer desnuda en compañía de dos hombres jóvenes vestidos con trajes de la época. En el Salón de 1865, su pintura *Olimpia*, creada dos años antes, también ocasionó un escándalo. La mujer desnuda y reclinada de la obra fija la mirada con descaro en el espectador y está presentada con una luz brillante que arrasa con el modelado tradicional, convirtiéndola en una figura casi bidimensional. A mediados de la década de 1870 trabó amistad con CLAUDE MONET y con los demás artistas del IMPRESIONISMO; aunque Manet no participaría en sus exposiciones independientes, durante un tiempo experimentó con algunas de sus técnicas. En 1882 realizó la pintura *El bar del Folies-Bergère* (1882), una atrevida y polémica composición que resultó radical en su eliminación del límite entre el espectador y lo que se observa. La resistencia de la crítica a la obra de Manet no cesó hasta casi el final de su carrera. No fue sino hasta el s. XX que su reputación fue reivindicada por historiadores y críticos del arte. Su aproximación audaz y resuelta a la pintura y al mundo del arte le aseguró, tanto a él como a su obra, un lugar preponderante dentro de la historia del arte moderno.

Manfredo *italiano* **Manfredi** (c. 1232–26 feb. 1266, cerca de Benevento, Reino de Nápoles). Rey de Sicilia (1258–66). Hijo natural de FEDERICO II, su medio hermano Conrado IV lo nombró representante en Italia y Sicilia, pero, tras su muerte, quiso la corona siciliana para sí. Se resistió a los esfuerzos del papa Alejandro IV de asignar el trono a un rival inglés y, después de combatir y rechazar al ejército papal, fue coronado rey en 1258. Se convirtió en defensor de los gibelinos en el norte de Italia (ver GÜELFOS Y GIBELINOS). El papa Urbano IV declaró rey de Sicilia a Carlos de Anjou (posteriormente CARLOS I), y Manfredo murió en una batalla contra el ejército de Carlos.

manganeso ELEMENTO QUÍMICO metálico, uno de los elementos de TRANSICIÓN, de símbolo químico Mn y número atómico 25. Es un METAL blanco plateado, duro, quebradizo, extensamente distribuido en la corteza terrestre en combinación con otros elementos. En los fondos marinos hay enormes cantidades de NÓDULOS ricos en manganeso, pero no se ha encontrado una manera económica de extraerlos. Más del 95% del manganeso producido se utiliza en aleaciones de hierro y acero, y gran parte del resto, en aleaciones no ferrosas de aluminio y magnesio para mejorar su resistencia a la corrosión y las propiedades mecánicas. Los compuestos de manganeso, que tienen distintas VALENCIAS, se emplean en fertilizantes y estampado de textiles, y como reactivos y materia prima. El permanganato de potasio se usa para desinfectar, desodorizar y blanquear, y como reactivo en los ANÁLISIS. El manganeso es esencial para el crecimiento de las plantas y para estimular la acción de muchas ENZIMAS en los animales superiores.

mangle Cualquiera de ciertos arbustos y árboles de las familias Rhizophoraceae, Verbenaceae, Sonneratiaceae y Arecaceae (ver PALMERA) que crecen en matorrales o bosques densos en los estuarios con mareas, pantanos salinos y costas cenagosas. Los matorrales y bosques de tales plantas se denominan manglares. Los mangles se caracterizan por tener raíces fúlcreas (raíces de apoyo, expuestas). Además, en muchas especies, las raíces respiratorias, o neumatóforos, se proyectan sobre el fango y permiten la entrada de aire a través de pequeños orificios; este circula por el tejido blando y esponjoso hasta las raíces bajo el fango. Los frutos de los mangles producen una raíz embrionaria antes de caer del árbol; la raíz puede fijarse en el fango antes de que el

Mangles (*Rhizophora apiculata*) en la costa cenagosa de Tailandia.
C.B. FRITH/BRUCE COLEMAN INC.

fruto se separe de la planta madre. Del mismo modo, las ramas y troncos generan raíces adventicias, las que, una vez fijadas al fango, dan brotes nuevos. El mangle común (*Rhizophora mangle*) alcanza una altura de 9 m (30 pies) aprox. y produce hojas coriáceas, cortas y gruesas, en tallos cortos, y flores amarillo pálido. Su fruto es dulce y saludable.

mango Árbol SIEMPREVERDE y su fruto (*Mangifera indica*) de la familia de las Anacardiáceas (ver ZUMAQUE). Ampliamente cultivado en la zona tropical, el fruto es jugoso, muy sabroso y constituye una fuente rica en vitaminas A, C y D. Su tamaño varía en forma, color y tamaño, de ovoide a alargado, de rojo, amarillo anaranjado a verde opaco, y del tamaño de una ciruela hasta el de un melón. Se utiliza en ceremonias del budismo theravada. El árbol longevo alcanza 15–18 m (50–60 pies) de alto y tiene hojas largas, lanceoladas e inflorescencias pequeñas, rosadas y fragantes.

mangosta Cualquiera de las 37 especies de CARNÍVOROS que constituyen la familia Herpestidae, que se distribuyen en África, Asia y Europa meridional. La famosa "Rikki-tikki-tavi" del *Libro de la selva* de RUDYARD KIPLING era una mangosta india o gris (*Herpestes edwardsii*); la SURICATA también pertenece a la misma familia. Las especies miden entre 17 y 90 cm (7–35 pulg.)

Mango (*Mangifera indica*).
© ENCYCLOPÆDIA BRITANNICA, INC.

de largo, excluyendo su cola peluda de 15–30 cm (6–12 pulg.). Son paticortas, de nariz puntiaguda y orejas pequeñas. La mayoría de las especies son de hábito diurno. El pelaje, que va del gris al marrón, puede presentar manchas claras u oscuras. Viven en madrigueras, solas, en parejas o en grupos grandes, y se alimentan de mamíferos pequeños, pájaros, reptiles, huevos y fruta. Unas pocas especies son semiacuáticas. Aunque no son inmunes al veneno, algunas especies atacan y matan serpientes venenosas fracturándoles el cráneo con una mordedura fuerte.

Mangu (1208, Mongolia–1259, provincia Sichuan, China). Líder MONGOL. Nieto de GENGIS KAN y hermano de KUBLAI KAN, fue elegido gran kan en 1251. Durante su reinado, los

MONGOLES conquistaron Irán, Irak y Siria, así como el reino tailandés de Nan-chao y la región del actual Vietnam. Murió antes de que los mongoles pudieran completar la conquista de China, hecho que aconteció bajo el reinado de Kublai.

Manhattan Distrito (pob., 2000: 1.537.195 hab.) de la ciudad de NUEVA YORK, en el sudeste del estado de Nueva York, EE.UU. Abarca toda la isla de Manhattan y tres islas más pequeñas en el EAST RIVER. Limita con el río HUDSON, el río Harlem, el East River y la bahía alta de Nueva York. Se dice que PETER MINUIT lo compró en 1626 a los indios manhattan a cambio de baratijas por un valor de 60 florines holandeses. Se constituyó como Nueva Amsterdam en 1653 y, en 1664, cuando pasó a manos británicas, fue rebautizada como Nueva York. En 1898, Manhattan se constituyó como uno de los cinco distritos que conforman el Gran Nueva York. Es uno de los centros comerciales, financieros y culturales más importantes del mundo. Entre sus numerosos sitios de interés se cuentan el CENTRAL PARK, el edificio EMPIRE STATE, el lugar que ocuparon las torres gemelas del WORLD TRADE CENTER (hoy llamada Zona Cero), la sede de NACIONES UNIDAS, WALL STREET, el Museo METROPOLITANO DE ARTE DE NUEVA YORK, el MUSEO DE ARTE MODERNO, el LINCOLN CENTER FOR THE PERFORMING ARTS, el CARNEGIE HALL, la Universidad de COLUMBIA, la JUILLIARD SCHOOL y la Universidad de NUEVA YORK.

Manhattan, proyecto (1942–45). Proyecto estadounidense de investigación que produjo la primera BOMBA ATÓMICA. En 1939 algunos científicos estadounidenses instaron al pdte. FRANKLIN D. ROOSEVELT a que estableciera un programa dirigido a estudiar el posible uso militar de la fisión, y recibieron una asignación presupuestaria de seis mil millones de dólares. En 1942, el proyecto se conocía en clave como Manhattan, porque allí se encuentra la Universidad de Columbia, sitio donde se efectuó buena parte de la investigación inicial. También se realizaron investigaciones en las universidades de California y de Chicago. En 1943 se instaló en LOS ÁLAMOS, N.M., un laboratorio para construir la bomba, con un grupo de científicos bajo la dirección de J. ROBERT OPPENHEIMER. También se realizaron ejercicios en Oak Ridge, Tenn., y Hanford, Wash. La primera bomba estalló en una prueba efectuada en la base aérea de Alamogordo, en el sur de Nuevo México. Cuando llegó a su término, el proyecto había costado unos dos mil millones de dólares y en él habían participado 125.000 personas.

maní ver CACAHUETE

Mani *o* **Manes** *o* **Maniqueo** (14 abr. 216, sur de Babilonia–¿274?, Gundeshapur). Fundador persa del MANIQUEÍSMO. Experimentó su primera visión de un ángel en la adolescencia y cuando tenía 24 años de edad, el ángel reapareció y lo llamó a predicar una nueva religión. Viajó a la India donde convirtió personas a su credo. El rey persa Sapor I le permitió predicar en el Imperio persa, pero, durante el reinado de Bahram I, fue atacado por sacerdotes zoroastrianos. Después de un juicio de 26 días, fue sentenciado a prisión, donde murió.

manierismo Estilo artístico que predominó en Italia desde fines del Alto Renacimiento, en la década de 1520, hasta comienzos del BARROCO c. 1590. El manierismo se originó en Florencia y Roma, pero finalmente se expandió hasta el centro y norte de Europa. Constituyó una reacción contra el clasicismo armónico y el naturalismo idealizado del arte del Alto Renacimiento, y se preocupó de resolver intrincados problemas artísticos, como el retrato de desnudos en complejas poses. Las figuras de las obras manieristas suelen presentar extremidades graciosas, pero extrañamente alargadas, cabezas pequeñas y facciones estilizadas, en tanto que sus posturas parecen forzadas o artificiales. El espacio, de perspectiva lineal profunda, propia de la pintura del Alto Renacimiento, se aplana y oscurece, de manera tal que las figuras aparecen como una disposición de formas decorativas delante de un fondo plano de dimensiones indeterminadas. Los manieristas buscaron un continuo refinamiento de la forma y el concepto, llevando la exageración y los contrastes hasta el límite. Tras la superación del estilo por el barroco, se lo consideró decadente y degenerado. En el s. XX fue nuevamente apreciado por su osada técnica y elegancia. Entre los principales artistas que practicaron este estilo se cuentan PARMIGIANINO, FEDERICO ZUCCARO e IL BRONZINO.

Manifiesto comunista Panfleto escrito en 1848 por KARL MARX y FRIEDRICH ENGELS para servir de plataforma a la Liga comunista. Sostenía que la industrialización había exacerbado la brecha entre la clase capitalista gobernante y el PROLETARIADO, que se había empobrecido, y llamaba a este a derrocar a los capitalistas, abolir la propiedad privada y apoderarse de los medios de producción. Predecía una futura sociedad sin clases y la gradual eliminación de la necesidad del Estado. Termina proclamando: "Los proletarios no tienen nada que perder más que sus cadenas. Tienen un mundo que ganar. Trabajadores del mundo, uníos".

Manila Ciudad, (pob., 2000: ciudad, 1.581.082 hab.; área metrop., 9.932.560 hab.), capital de FILIPINAS. Situada en la isla de LUZÓN, en la costa oriental de la bahía de MANILA, constituye el puerto principal y el centro económico, político y cultural de Filipinas. El asentamiento musulmán amurallado que existía en el lugar fue destruido por los CONQUISTADORES españoles, quienes en 1571 fundaron la ciudad fortaleza de Intramuros. Durante la guerra de los SIETE AÑOS estuvo en poder de los británicos por un breve período (1762–63). En la guerra HISPANO-ESTADOUNIDENSE, las fuerzas de EE.UU. obtuvieron el control de Manila (1898); ocupada por los japoneses en 1942, sufrió grandes daños en 1945 durante la lucha librada por EE.UU. para recuperala. En 1946, poco después de la independencia de la República de Filipinas, se convirtió en capital del país y comenzó a ser reconstruida. Sin embargo en 1948 la capital fue trasladada a QUEZON CITY; casi tres décadas después Manila recuperó su condición de capital en 1976. Además de sus diversas industrias, entre ellas astilleros y procesadoras de alimentos, es sede de varias universidades.

Manila, bahía de Ensenada del mar de CHINA meridional al sudoeste de la isla de LUZÓN, Filipinas. Considerada una de las bahías más grandes del mundo, es una masa de agua casi enteramente rodeada de tierra, con una superficie de 2.000 km² (770 mi²). Mide 58 km (36 mi) en su parte más ancha. En 1898, durante la GUERRA HISPANO-ESTADOUNIDENSE, se libró en ella la decisiva batalla de la bahía de MANILA. En 1942, durante la segunda guerra mundial, los japoneses se apoderaron de la bahía, pero las fuerzas de EE.UU. la recuperaron en 1945. La isla Corregidor, escenario de intensas batallas durante la guerra, divide la entrada de la bahía en el Canal del Sur y el Canal del Norte.

Manila, batalla de la bahía de (1 may. 1898). Combate naval durante la guerra HISPANO-ESTADOUNIDENSE. El escuadrón asiático de EE.UU., al mando de GEORGE DEWEY, recibió la orden de zarpar desde su base en Hong Kong para destruir la flota española que estaba en ese momento en las Filipinas. En una mañana, los cañones del escuadrón de Dewey aniquilaron los buques españoles anclados en la bahía de Manila. Los hispanos sufrieron 381 bajas mientras que los estadounidenses menos de diez. Manila se rindió posteriormente y las tropas estadounidenses la ocuparon en agosto. Con esta victoria EE.UU. se alzó como una importante potencia naval.

Manin, Daniele (13 may. 1804, Venecia–22 sep. 1857, París, Francia). Líder italiano del RISORGIMENTO en Venecia. Abogado en la provincia austríaca de Venecia, se convirtió en defensor del autogobierno y fue encarcelado en 1848. Liberado después de la rebelión de ese año, se convirtió en presidente de la República de Venecia; aceptó a regañadientes la unión con el Reino de Piamonte-Cerdeña en nombre de la unificación italiana. Dirigió la heroica defensa de Venecia contra el asedio austríaco, pero se vio obligado a rendirse en 1849. Desterrado, vivió en París el resto de su vida, pero en 1868 su cuerpo fue trasladado a la liberada Venecia, donde recibió un funeral de Estado.

Manipur Estado (pob. est., 2001: 2.388.634 hab.) en el nordeste de India. Cubre una superficie de 22.327 km² (8.621 mi²), limita con MYANMAR (Birmania) y los estados de NAGALAND, ASSAM y MIZORAM; su capital es IMPHAL. Sus principales rasgos topográficos son el valle del río Manipur y la región montañosa occidental. En 1762 y 1824, Manipur solicitó ayuda británica para repeler invasiones birmanas. Los británicos administraron la zona en la década de 1890, pero en 1907 asumió un gobierno local; en 1917, un levantamiento tribal llevó a la formación de un nuevo gobierno administrado desde Assam. En 1947, Manipur accedió a la unión con India; fue gobernado como territorio asociado hasta que se transformó en estado en 1972. La agricultura y la explotación forestal son la base de su economía.

maniqueísmo Religión dualista fundada por MANI en Persia en el s. III DC. Inspirado por la visión de un ángel, Mani se consideró el último de una línea de profetas en la cual estaban ADÁN, BUDA, ZOROASTRO y JESÚS. Sus escritos, hoy en su mayor parte perdidos, formaron las escrituras maniqueas. El maniqueísmo sostenía que el mundo era una fusión de espíritu y materia, los principios originales del bien y el mal, y que el alma caída estaba atrapada en el malévolo mundo material y sólo podía alcanzar el mundo trascendente por medio del espíritu. Misioneros entusiastas propagaron su doctrina a través del Imperio romano y el Oriente. Fuertemente atacado por la Iglesia cristiana y el Estado romano, desapareció casi por completo de Europa occidental a fines del s. V, pero subsistió en Asia hasta el s. XIV. Ver también DUALISMO.

Maniqueo ver MANI

Manitoba Provincia (pob., 2001: 1.119.583 hab.) del centro de Canadá. Limita con la bahía de Hudson, Nunavut, Ontario, Saskatchewan y con EE.UU. Su capital es WINNIPEG. El 60% de su territorio está cubierto por el ESCUDO CANADIENSE, zona de rocas, bosques y ríos. Los primeros habitantes de la región fueron los inuit (ESQUIMALES) y los pueblos CREE, ASSINIBOINE y OJIBWA. La HUDSON'S BAY CO. abrió Manitoba a la influencia europea y la región se convirtió en un centro en que franceses y británicos rivalizaron por el dominio del comercio de pieles en Canadá; Francia cedió la provincia a Gran Bretaña en 1763. La rebelión de los métis (mestizos) llevó a la promulgación de la ley de Manitoba en 1870, convirtiéndola de este modo en la quinta provincia del Dominio de Canadá. A fines del s. XIX, el transporte en vapores y el ferrocarril abrieron la provincia a colonizadores provenientes de Europa. Si bien gran parte de su economía se basa en la agricultura, la explotación maderera y la minería ha cobrado importancia la industria pesada para la creciente ciudad de Winnipeg.

Manitoba, lago Lago en el centro-sur de la provincia de MANITOBA, Canadá. Se ubica al noroeste de la ciudad de WINNIPEG y vierte sus aguas en el lago WINNIPEG. Con una extensión de 200 km (125 mi) y hasta 45 km (28 mi) de ancho, ocupa una superficie de 4.624 km² (1.785 mi²). Fue descubierto en 1738 por PIERRE LA VÉRENDRYE, quien lo llamó *Lac des Prairies* (lago de las Praderas). Se cree que el nombre Manitoba proviene del vocablo de la lengua ALGONQUINA *maniot-bau* o *maniot-wapau* ("estrecho del espíritu").

manivela En MECÁNICA, brazo acodado en ángulo recto y afianzado a un eje con el cual puede girar u oscilar. Después de la rueda, la manivela es el dispositivo más importante en la transmisión del movimiento, ya que, junto con la biela, permite convertir el movimiento lineal en rotatorio y viceversa. Se dice que la primera manivela apareció en China en el s. I DC. Otras herramientas rotatorias fueron inventadas mucho después; el berbiquí de carpintero fue ideado c. 1400 por un carpintero flamenco y las primeras bielas se usaron en una máquina a pedal de 1430. En esa época se concibió añadir VOLANTES a los elementos rotatorios de una máquina para que el mecanismo no se atascara en los puntos muertos que ocurren cuando la biela y el brazo de la manivela se alinean.

manivela excéntrica Mecanismo que convierte un MOVIMIENTO de rotación en uno rectilíneo de vaivén. Sirve el mismo propósito que un mecanismo de guía-manivela y resulta particularmente útil cuando el trayecto del movimiento de vaivén es pequeño en comparación con las dimensiones del eje propulsor. Puesto que una excéntrica puede montarse en cualquier ubicación a lo largo del eje, es innecesario convertir parte del eje en una MANIVELA. Las excéntricas se usan rara vez para transmitir grandes FUERZAS, puesto que las pérdidas por ROZAMIENTO pueden resultar elevadas; por lo general, se utilizan para mover el mecanismo de válvulas de un motor.

Manizales Ciudad (pob., est. 1999: 337.580 hab.) del centro de Colombia. Está situada en una vertiente de la cordillera Central de los ANDES, a 2.126 m (6.975 pies) sobre el nivel del mar; su catedral es visible a varios kilómetros a la redonda. Fundada en 1848, constituye el centro comercial de la zona cafetalera más importante de Colombia. Está conectada por carretera y ferrocarril con CALI y por cablecarril con Mariquita. Es la sede de la Universidad de Caldas.

Manjusri En el budismo MAHAYANA, el BODHISATTVA que personifica la sabiduría suprema. Generalmente es considerado un ser celestial, aunque algunas tradiciones lo humanizan. Los SUTRAS fueron compuestos en su honor en 250 DC y apareció en el arte budista en 400 DC. A menudo se lo representa usando adornos principescos y sosteniendo en alto la espada de la sabiduría, y a veces está sentado sobre un león o un loto azul. Su culto se difundió extensamente en China en el s. VIII, y el monte Wutai en la provincia Shanxi, consagrado a él, se halla plagado con sus templos.

Manjusri, figura de basalto originaria de Java, 1343; Museum für Indische Kunst, Staatliche Museen, Berlín (desaparecida desde 1945).

GENTILEZA DEL MUSEUM FUR INDISCHE KUNST, STAATLICHE MUSEEN, BERLÍN, ALEMANIA

Mankiewicz, Joseph L(eo) (11 feb. 1909, Wilkes-Barre, Pa., EE.UU.–5 feb. 1993, Mount Kisco, N.Y.). Guionista, productor y director de cine estadounidense. En 1929 comenzó escribiendo guiones para la Paramount y más tarde produjo películas como *Historias de Filadelfia* (1940) y *La mujer del año* (1942). Fue conocido por sus diálogos finos e ingeniosos, y por sus memorables personajes. Escribió y dirigió películas como *Carta a tres esposas* (1949, premios de la Academia por dirección y guión), *Eva al desnudo* (1950, premios de la Academia por mejor película, dirección y guión) y *La condesa descalza* (1954). También dirigió *Julio César* (1953), *De repente el último verano* (1959) y la catastróficamente costosa *Cleopatra* (1963). Su hermano mayor, Herman (n. 1897–m. 1953), fue un guionista reconocido por su ingenio, particularmente recordado como el guionista principal del filme *El ciudadano Kane* (1941, premio de la Academia).

Manley, Michael (Norman) (10 dic. 1923, St. Andrew, Jamaica–6 mar. 1997, Kingston). Líder político jamaicano. Escultor e hijo de un primer ministro de Jamaica, fue líder del Partido Nacional del Pueblo y de la Unión Nacional de Trabajadores y luego se convirtió en primer ministro (1972). Su gobierno de izquierda hizo grandes avances en vivienda, educación y salud; no obstante, una fuerte alza de los precios del petróleo precipitó una crisis económica. Gran parte de la clase media abandonó el país, el desempleo llegó al 30% y el período previo a las elecciones de 1980, en las que resultó derrotado, se vio enturbiado por la violencia. Reelegido en 1989, esta vez como moderado, renunció en 1992 por razones de salud.

Mann, Horace (4 may. 1796, Franklin, Mass., EE.UU.–2 ago. 1859, Yellow Springs, Ohio). Educador estadounidense y primer gran defensor de la educación pública. De origen humilde, fue un autodidacta que se educó en la biblioteca de su ciudad y consiguió ser admitido en la Universidad de BROWN. Posteriormente estudió derecho

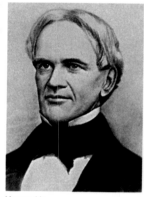

Horace Mann.

GENTILEZA DEL ANTIOCH COLLEGE, YELLOW SPRINGS, OHIO, EE.UU.

y resultó elegido para integrar el cuerpo legislativo federal. Como secretario del Consejo de educación del estado, promovió enérgicamente reformas educacionales, argumentando que en una sociedad democrática la educación debía ser gratuita y universal, y estar respaldada por docentes profesionales de alto nivel. En sus últimos años formó parte del Congreso de EE.UU. (1848–53), fue el primer presidente de la Universidad de Antioch (1853–59) y trabajó con gran firmeza para poner fin a la ESCLAVITUD.

Mann, Thomas (6 jun. 1875, Lübeck, Alemania–12 ago. 1955, cerca de Zurich, Suiza). Novelista y ensayista, considerado el más grande novelista alemán del s. XX. Después de trabajar brevemente en una oficina, se dedicó a escribir como lo había hecho antes su hermano mayor Heinrich (n. 1871–m. 1950). *Los Buddenbrook* (1901), su primera novela, es una elegía a las viejas virtudes burguesas. En la novela corta *La muerte en Venecia* (1912), sombría obra maestra, abordó el trágico dilema del artista en una sociedad en decadencia. Si bien fue un ferviente patriota al inicio de la primera guerra mundial, después de 1919 empezó a modificar gradualmente su postura ante el autoritario Estado alemán. Su gran novela *La montaña mágica* (1924) evidenció su creciente adhesión a los principios de la Ilustración como una tendencia dentro de un todo complejo y multifacético. Vehemente opositor del nazismo, viajó a Suiza ante la llegada de ADOLF HITLER al poder; se estableció en EE.UU. en 1938, sin embargo, regresó a Suiza en 1952. Su tetralogía *José y sus hermanos* (1933–43) trata sobre José del libro del Génesis. *El doctor Fausto* (1947), su novela política más explícita, analiza los aspectos oscuros del espíritu alemán. Dejó inconclusa la por momentos divertida novela *Confesiones del estafador Felix Krull* (1954). Se distinguió por su estilo elegantemente elaborado, enriquecido por el humor, la ironía y la parodia, y por sus narraciones en múltiples niveles de gran sutileza y alcance intelectual. Sus ensayos abordan personajes como LEÓN TOLSTÓI, SIGMUND FREUD, JOHANN WOLFGANG VON GOETHE, FRIEDRICH NIETZSCHE, ANTON CHÉJOV y FRIEDRICH SCHILLER. Recibió el Premio Nobel de Literatura en 1929.

Mannerheim, Carl Gustaf (Emil) (4 jun. 1867, Villnäs, Finlandia–27 ene. 1951, Lausana, Suiza). Militar finlandés, presidente de Finlandia (1944–46). Oficial de carrera en el ejército imperial ruso (1889–1917), dirigió las fuerzas antibolcheviques (1918) en la guerra civil finlandesa y expulsó las fuerzas soviéticas. Fue regente de Finlandia (1918–19) hasta que se declaró la nueva república. Como jefe del Consejo de defensa territorial (1931–39) supervisó la construcción de una línea defensiva de fortificaciones a través del itsmo de Carelia, conocida como línea Mannerheim. Como comandante supremo de las fuerzas finlandesas (1939–40, 1941–44) obtuvo éxitos iniciales contra las enormemente superiores tropas soviéticas en la guerra RUSO-FINESA (1939–40). Nombrado presidente de la República de Finlandia en 1944, negoció un acuerdo de paz con los soviéticos.

Mannheim Ciudad (pob., 2002: ciudad, 308.385 hab.; área metrop., 1.568.679 hab.), en el sudoeste de Alemania. Uno de los puertos fluviales más grandes de Europa, está situado a orillas del RIN, en la desembocadura del río NECKAR. Fue una aldea en el s. VIII, fortificada por el elector Federico IV, y obtuvo la carta de privilegio de ciudad en 1607. A causa de las guerras del s. XVII resultó destruida en dos oportunidades, pero fue reconstruida en 1720, cuando los electores palatinos (ver PALATINADO) trasladaron su sede a esta ciudad. Derribada nuevamente en 1795, tras su reconstrucción se convirtió en centro del movimiento revolucionario de 1848. Mannheim constituye un centro industrial donde se fabrican productos químicos, textiles y fertilizantes.

Torre de agua en la Plaza de Federico (Friedrichsplatz) en Mannheim, Alemania.
KLAUS HACKENBERG—ZEFA/EB INC.

Mannheim, Karl (27 mar. 1893, Budapest, Austria-Hungría–9 ene. 1947, Londres, Inglaterra). Sociólogo alemán de origen húngaro. Fue docente en las universidades alemanas de Heidelberg (1926–30) y Francfort del Meno (1930–33), antes del ascenso de Adolf Hitler. Invitado a Inglaterra por el cientista político HAROLD LASKI, dio clases en ese país el resto de su carrera (London School of Economics, 1933–43; Universidad de Londres, 1943–47). Contribuyó a fundar la sociología del conocimiento, i.e., el estudio de cómo se produce y se mantiene el conocimiento en las sociedades. Subrayó el papel que desempeña la IDEOLOGÍA en la configuración del conocimiento, posición que analizó en su obra principal, *Ideología y utopía* (1929).

Manning, Henry Edward *llamado* **cardenal Manning** (15 jul. 1808, Totteridge, Hertfordshire, Inglaterra–14 ene. 1892, Londres). Cardenal católico británico. Hijo de un banquero y miembro del parlamento, fue ordenado sacerdote de la Iglesia de Inglaterra en 1833. Miembro del movimiento de OXFORD, se convirtió al catolicismo en 1851 y luego fue ordenado sacerdote ese mismo año. Ascendió rápidamente en la jerarquía, siendo designado arzobispo de Westminster en 1865 y cardenal en 1875. Partidario de la centralización de la autoridad en la Iglesia (ultramontanismo), apoyó en términos aún más enérgicos la INFALIBILIDAD PAPAL, que finalmente fue adoptada por el concilio Vaticano I. Fundó muchos colegios y fue muy respetado por su preocupación por el bienestar social.

mano Parte terminal del BRAZO que consiste en la articulación de la muñeca, la palma, el pulgar y los dedos. La mano tiene gran movilidad y flexibilidad para realizar movimientos precisos. La bipedestación de los seres humanos libera las manos para asir y manipular. La capacidad de oposición del pulgar les permite recoger cosas pequeñas y tomar objetos por ambos lados. Se cree que en los seres humanos la destreza de las manos y el mayor tamaño del cerebro han evolucionado paralelamente.

mano de obra En economía, el conjunto de asalariados. En ECONOMÍA CLÁSICA, la mano de obra es uno de los tres factores de producción, junto con el CAPITAL y la TIERRA. El término mano de obra también puede utilizarse para describir el trabajo realizado, que abarca cualquier servicio valorizable que preste un ser humano en la producción de riqueza, distinto de la acumulación y el aporte de capital. El trabajo se realiza para obtener un producto o, en el caso de la vida económica moderna, para obtener una parte del producto agregado de la laboriosidad de la comunidad. El precio por unidad de tiempo o escala salarial que rige para un tipo en particular de trabajo en el MERCADO depende de diversas variables, como la eficiencia técnica del trabajador, la demanda de las calificaciones particulares de esa persona y la oferta de trabajadores con calificaciones similares. Otras variables comprenden capacitación, experiencia, inteligencia, condición social, perspectivas de promoción y dificultad relativa del trabajo. Todos estos factores hacen imposible que los economistas asignen un valor estándar a la mano de obra. En cambio, los economistas a menudo cuantifican las horas de trabajo según la cantidad y el valor de los bienes elaborados o servicios prestados.

Mano Negra Sociedad secreta serbia formada en 1911, principalmente por oficiales del ejército, que usó métodos terroristas para promover la liberación de los serbios que se encontraban en países bajo el dominio Habsburgo u otomano. Dirigió campañas de propaganda, organizó bandas armadas en Macedonia y estableció células revolucionarias en toda Bosnia. Dentro de Serbia controló el ejército y ejerció una enorme influencia sobre el gobierno. Alcanzó el máximo del descrédito con el asesinato del archiduque FRANCISCO FERNANDO en 1914. Después de un juicio en 1917, tres de sus líderes fueron ejecutados y más de 200 encarcelados. El nombre también aludía a diversas extorsiones, organizadas por sicilianos inmigrantes y gángsters italianos pertenecientes a comunidades tanas de diversas ciudades grandes de EE.UU. c. 1890–1920. Los comerciantes locales y personas acaudaladas recibían notas amenazantes marcadas con manos negras, dagas u otros símbolos que exigían dinero bajo pena de muerte o de destrucción de la propiedad. Declinó con el comienzo de la Prohibición y el contrabando de licores a gran escala.

manómetro Instrumento para medir la FUERZA que ejerce un fluido en reposo (líquido o gas) sobre cada unidad de área del recipiente que lo contiene. Esta fuerza, llamada PRESIÓN, se mide en diversas unidades, como kilogramos por centímetro cuadrado, libras por pulgada cuadrada (psi), bares (B) o PASCALES (Pa). La lectura del manómetro se llama presión manométrica y equivale a la diferencia entre dos presiones: la presión total del fluido y la presión del medio en que se encuentra el manómetro, que generalmente es la atmosférica.

Manrique (de Lara), Jorge (¿1440?, Paredes de Nava, España–24 abr. 1479, Uclés). Cortesano, militar y poeta español. Intervino en las luchas intestinas que dividían a la nobleza en su país, y en una de sus acciones bélicas, alistado con los partidarios de ISABEL I la Católica, recibió heridas que causaron su temprana muerte. Principal poeta del período de los Reyes Católicos, dejó alrededor de 50 poemas, prevalentemente de carácter amoroso, festivo, satírico y doctrinal. Debe su reputación literaria a las *Coplas por la muerte de su padre*, composición de 480 versos en que expresa su profundo dolor personal y su sereno pensamiento filosófico-moral, de raíces cristianas y alcance universal, ante el fallecimiento de su progenitor, don Rodrigo Manrique, conde de Paredones y maestre de la ORDEN DE CALATRAVA.

Mansfield, Katherine *orig.* **Kathleen Mansfield Beauchamp** (4 oct. 1888, Wellington, Nueva Zelanda–9 ene. 1923, Gurdjieff Institute, cerca de Fontainebleau, Francia).

Katherine Mansfield.
BBC HULTON PICTURE LIBRARY

Escritora británica de origen neozelandés. Después de trasladarse a Inglaterra a la edad de 19 años, afianzó su reputación con la colección de cuentos *Felicidad* (1920). Alcanzó la cumbre de su carrera con la colección *Fiesta en el jardín* (1922). Sus delicados relatos, centrados en conflictos psicológicos, están escritos en una prosa de estilo inconfundible y de resonancias poéticas que delatan la influencia de ANTON CHÉJOV. Los últimos cinco años de su vida se vieron ensombrecidos por la tuberculosis, la que la llevó a la muerte a los 34 años de edad.

Mansfield, Michael (Joseph) *llamado* **Mike Mansfield** (16 mar. 1903, Nueva York, N.Y. EE.UU.–5 oct. 2001, Washington, D.C.). Político estadounidense, jefe de la mayoría que se desempeñó por más tiempo (1961–77) en el Senado. Trabajó en las minas de cobre de Montana y después fue profesor de historia en la Universidad del estado de Montana. Miembro de la Cámara de Representantes (1943–53) y del Senado (1953–77), criticó abiertamente la participación de EE.UU. en la guerra de VIETNAM y, en 1971, patrocinó un proyecto de ley que disponía el cese del fuego y el retiro gradual. Criticó con persistencia al pdte. RICHARD NIXON, especialmente durante el escándalo de WATERGATE. Después de jubilar, fue embajador de EE.UU. en Japón (1977–88).

Mansfield, William Murray, 1er conde (2 mar. 1705, Scone, Perthshire, Escocia–20 mar. 1793, Londres, Inglaterra). Jurista británico. Tras titularse de abogado en 1730, alcanzó una gran reputación en 1737 cuando apoyó en forma elocuente ante la Cámara de los Comunes la petición de unos comerciantes de detener los ataques españoles a sus barcos. En su condición de presidente del Tribunal del Rey (1756–88), dirigió varios juicios escrupulosamente justos contra personas acusadas de traición y difamación sediciosa. Transformó un conjunto inmanejable de leyes comerciales anticuadas en un cuerpo coherente de normas, perfeccionó el derecho contractual e hizo grandes contribuciones al DERECHO MARÍTIMO. Fue miembro del gabinete en tres ocasiones, en que confió el gran sello de su cargo a un comité, a fin de conservar la presidencia de la judicatura y aun así ejercer el poder político. En 1783 rechazó un cargo en el gabinete, prefiriendo desempeñarse como presidente de la Cámara de los Lores. THOMAS B. MACAULAY lo llamó el padre del conservadurismo moderno.

mansi ver SIBERIANO

Manson, Charles (n. 12 nov. 1934, Cincinnati, Ohio, EE.UU.). Líder de culto y asesino masivo estadounidense. Desde los nueve años de edad pasó gran parte de su vida bajo cuidado del estado, primero en reformatorios juveniles y luego en la cárcel. En 1968 estaba a la cabeza de la "Familia", culto religioso comunitario de Los Ángeles, dedicado a estudiar y poner en práctica sus excéntricas enseñanzas religiosas. En 1969 envió a miembros de la secta a una residencia que alquilaban la actriz Sharon Tate y su marido, ROMAN POLANSKI; los enviados asesinaron allí a Tate y a cinco amigas, y en otro lugar asesinaron a otras tres. Los juicios en su contra y de cuatro de sus seguidores, en 1971, atrajeron la atención de todo el país. Sus sentencias capitales se conmutaron por

presidio perpetuo, cuando California abolió la pena de muerte en 1972. Sus crímenes fueron el tema del libro *Helter Skelter* [Sin orden ni concierto] (1974), escrito por el fiscal del juicio, Vincent Bugliosi.

mantarraya Cualquiera de varios géneros de RAYAS de mares cálidos que constituyen la familia Mobulidae, cuyo cuerpo es más ancho que largo. Presenta prolongaciones de las aletas pectorales que se proyectan como cuernos diabólicos desde la parte frontal de la cabeza, que cumplen la función de llevar plancton y pececillos a su boca. La cola, larga y flageliforme, puede tener una o más espinas punzantes. Las mantarrayas nadan cerca de la superficie batiendo las aletas pectorales. La especie de mayor tamaño, la poderosa pero inofensiva mantarraya atlántica o gran diablo del mar (*Manta birostris*), puede llegar a sobrepasar los 7 m (23 pies) de ancho; contrariamente a lo que relatan antiguas historias, la mantarraya no envuelve ni devora buzos.

manteca *o* **mantequilla** Emulsión sólida de glóbulos de GRASA y agua elaborada a partir del batido de CREMA, y que se usa como alimento. Presumiblemente conocida desde los comienzos de la cría de animales, la manteca se ha empleado por largo tiempo como grasa para cocinar y para untar el pan. Era tradicionalmente un producto artesanal, pero con la aparición de la máquina separadora de crema, hacia fines del s. XIX comenzó a ser producida en serie. Constituye un alimento altamente energético, que contiene alrededor de 715 calorías por cada 100 gramos. Tiene un alto contenido de grasa láctea (80–85%) y es baja en proteínas. A veces se le adiciona colorante para realzar su color amarillo natural (proveniente del CAROTENO), y por lo general se le agrega sal.

"La agonía en el jardín", pintura al óleo de Andrea Mantegna, c. 1460.
FOTOBANCO

Mantegna, Andrea (¿1431?, cerca de Vicenza, República de Venecia–13 sep. 1506, Mantua, frontera de Mantua). Pintor italiano. Hijo de un carpintero, fue adoptado por Francesco Squarcione, un sastre convertido en pintor, a quien varios de sus discípulos, entre ellos Mantegna, lo demandaron más tarde por explotación. Cuando tenía alrededor de 17 años de edad, estableció su propio taller y recibió como encargo la realización de un importante trabajo, un retablo hoy perdido. Sus frescos de la iglesia de los Ermitaños en Padua (1448–57), con sus monumentales figuras y detallado tratamiento de la arquitectura clásica, revelan que ya dominaba a la perfección la perspectiva y el escorzo, además del éxito obtenido en su experimentación con efectos ilusionistas, los que se aprecian especialmente en sus frescos de la familia GONZAGA (finalizados en 1474), que se encuentran en la *Camera degli Sposi* (cámara nupcial) del Palazzo Ducale en Mantua, los que transforman la pequeña habitación interior en un pabellón a cielo abierto. Fue el primer artista del norte de Italia en trabajar íntegramente en el estilo renacentista. Si bien en 1453 contrajo matrimonio con una hija de la familia BELLINI, más tarde no se unió al taller de esta familia. Posteriormente fue pintor de la corte de Ludovico Gonzaga. Su aproximación humanista a la antigüedad y su ilusionismo espacial ejercerían una influencia trascendental.

Mantinea Antigua ciudad griega de ARCADIA situada al norte de la actual TRÍPOLIS. Durante la primera batalla de Mantinea en 418 AC, ESPARTA venció a la coalición formada por Mantinea, Elis, Argos y Atenas. En 362, el ejército tebano derrotó a las tropas espartanas en un enfrentamiento cerca de la ciudad. En 207, Filemón, general griego de la Liga AQUEA, redujo a los espartanos en Mantinea. Durante los últimos años del Imperio romano, la ciudad fue decayendo hasta quedar convertida apenas en un poblado y, finalmente, desapareció durante el dominio otomano.

mantis Cualquiera de más de 1.500 especies de INSECTOS del suborden Mantodea (orden Orthoptera). La mantis (o mántido) es de cuerpo elongado y movimientos lentos, y come únicamente insectos vivos, usando sus grandes patas delanteras para capturar y retener la presa que forcejea. La hembra suele devorar al macho después de la cópula. La *Mantis religiosa* de origen europeo y la mantis de la China (*Tenodera aridifolia sinensis*) se han aclimatado en Norteamérica. Esta última crece hasta un largo de 8–20 cm (3–8 pulg.) El nombre mantis ("adivina") refleja la creencia de los antiguos griegos en sus poderes sobrenaturales.

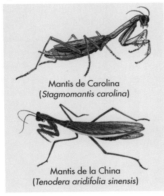

Mantis de Carolina
(*Stagmomantis carolina*)

Mantis de la China
(*Tenodera aridifolia sinensis*)

Especies de mantis.
© ENCYCLOPÆDIA BRITANNICA, INC.

manto Parte de la Tierra que se encuentra bajo la CORTEZA y sobre el NÚCLEO central. En promedio, el manto comienza a 35 km (22 mi) aprox. bajo la superficie y termina a una profundidad de cerca de 2.900 km (1.800 mi). En su material rocoso predominan OLIVINOS, PIROXENOS y el silicato perovskita, que es una forma densa de la ENSTATITA.

manto intrusivo En geología, intrusión ígnea tabular emplazada paralela a la estratificación de la roca donde se encaja. Aunque pueden tener orientaciones inclinadas, los mantos más comunes son casi horizontales. Las masas intrusivas tabulares pueden variar en espesor desde unos cuantos centímetros hasta muchas decenas de metros e incluso extenderse hasta cientos de kilómetros. Comprenden composiciones rocosas de todos los tipos.

mantra En el HINDUISMO y BUDISMO, voz sagrada (sílaba, palabra o verso) a la que se le atribuye un poder místico o espiritual. Los mantras pueden ser pronunciados en voz alta o formulados en el pensamiento y pueden ser repetidos o dichos una sola vez. La mayoría no tiene significado verbal aparente, pero se piensa que tienen un sentido profundo y que son la condensación de la sabiduría espiritual. La repetición de un mantra puede inducir un estado de trance y llevar al creyente a un nivel superior de conciencia espiritual. Entre los más usados están el OM en el hinduismo y el *om mani padme hum* en el BUDISMO TIBETANO.

Manu En la mitología india, el primer hombre y autor legendario del *MANU-SMRITI*. Aparece en los VEDAS efectuando el primer sacrificio. También es conocido como el primer rey y la mayoría de los gobernantes medievales de la India pretendieron que era su ancestro. En la historia del diluvio combina las características de NOÉ y ADÁN. Construyó una embarcación después de ser prevenido del diluvio por un pez. Su embarcación se posó en la cumbre de una montaña y cuando las aguas bajaron, derramó una oblación de leche y mantequilla. Un año más tarde, una mujer que se llamó a sí misma la "hija de Manu", nació de las aguas y ambos se convirtieron en los padres de una nueva raza humana para repoblar la Tierra.

Manual de Disciplina *o* **Regla de la Comunidad**
Importante documento elaborado por la comunidad de judíos ESENIOS. El manual, escrito en rollos descubiertos en 1947 en las cuevas de QUMRÁN (ver manuscritos del mar MUERTO), explica los ideales religiosos y morales de la secta y describe su ceremonia de admisión, las doctrinas místicas y los estatutos de organización y disciplina.

Manuel I *llamado* **Manuel el Afortunado** (31 may. 1469, Alcochete, Portugal–dic. 1521, Lisboa). Rey de Portugal (1495–1521). Abrió el comercio con la India y Brasil; envió a PEDRO ÁLVARES CABRAL a un viaje hacia el Asia oriental (1500) y obtuvo riquezas con el viaje de VASCO DA GAMA alrededor de África. Reclamó los derechos sobre las tierras recientemente descubiertas, los que fueron confirmados por el papa y reconocidos por España. Para casarse con la hija de FERNANDO II e Isabel, aceptó expulsar a los judíos y a los musulmanes de Portugal (1496). Durante su reinado se fundaron puestos de avanzada portugueses en la India y en la península de Malaca, y sus exploradores llegaron a China en 1513. Además, centralizó la administración portuguesa, reformó los tribunales y modificó el código legal.

Manuel I Comneno (28 nov. 1118–24 sep. 1180). Emperador bizantino (1143–80) e hijo de JUAN II COMNENO. Renovó las alianzas con Occidente contra los normandos en Sicilia y Antioquía. Ocupó Apulia por un breve período (1155), pero fue derrotado en Brindisi (1156) por un ejército conjunto de alemanes, venecianos y normandos, lo que terminó con el control bizantino en Italia. Reafirmó su autoridad sobre los estados cruzados (1158–59) y extendió su influencia entre los húngaros y los serbios; anexó Dalmacia, Croacia y Bosnia al imperio en 1167. Emprendió una campaña contra los turcos selyúcidas (1176) y su derrota marcó la declinación del poder de Bizancio y acabó con su plan de restaurar el Imperio romano.

Manuel II Paleólogo (27 jul. 1350–21 jul. 1425). Emperador bizantino (1391–1425). En 1373 fue coronado coemperador con su padre, JUAN V PALEÓLOGO; su hermano Andrónico IV se apoderó del trono en 1376, pero Manuel y su padre lo recuperaron con ayuda de los turcos en 1379. Estuvieron obligados a pagar tributo al sultán, quien con posterioridad lo ayudó a aplastar una rebelión del hijo de Andrónico (1390). Forzado a vivir como vasallo en la corte turca, logró escapar tras la muerte de su padre (1391). El tratado de 1403 mantuvo la paz con los turcos hasta 1421, fecha en que su hijo y coemperador, JUAN VIII PALEÓLOGO, se inmiscuyó en los asuntos de los turcos. Después de que estos sitiaran Constantinopla (1422) y tomaran el sur de Grecia (1423), firmó un humillante tratado e ingresó a un monasterio.

manuscritos iluminados
Libro escrito a mano decorado con oro o plata, colores brillantes, diseños elaborados o miniaturas. Originalmente, la "iluminación" hacía referencia al embellecimiento de un texto con oro o plata, lo que daba la impresión de que la página había sido literalmente iluminada. En la Edad Media, aquellos que "narraban" (ilustraban textos con pinturas), se diferenciaban de aquellos que "iluminaban" (embellecían las letras

Letra inicial "U" del libro de Jeremías, iluminación de la Biblia de Winchester, s. XII; Cathedral Library, Winchester, Inglaterra.

CON AUTORIZACIÓN DEL DEAN AND CHAPTER DE WINCHESTER; COPYRIGHT THE WARBURG INSTITUTE, UNIVERSIDAD DE LONDRES

mayúsculas iniciales con láminas o polvo de oro). Hoy, el término alude a la ilustración y decoración de manuscritos antiguos en general, con o sin oro. Con el desarrollo de la imprenta en Europa en el s. XV, la iluminación fue reemplazada por las ilustraciones impresas.

Manu-smriti *ofic.* **Mānava-dharma-śāstra** El libro más importante del código legal hindú (*Dharma-śāstra*). Es atribuido al legendario primer hombre y legislador, MANU. En su forma actual data del s. I AC. Prescribe el DHARMA de cada hindú, estableciendo las obligaciones inherentes a su clase social y etapa de vida. Sin hacer distinción entre ley religiosa y secular, trata de cosmogonía, SACRAMENTOS y otros temas religiosos, así como del matrimonio, la hospitalidad, las restricciones alimentarias, la conducta de las mujeres y la ley de los reyes.

Manuzio, Aldo, el Viejo *italiano* **Aldo Manuzio il Vecchio** (1449, Bassiano, Estados Pontificios–6 feb. 1515, Venecia). Tipógrafo italiano, la figura más importante de su época en el campo de la impresión, edición y tipografía. En 1490 se radicó en Venecia y reunió en torno suyo a un grupo de tipógrafos y eruditos del griego clásico. Produjo las primeras ediciones impresas de varios clásicos en griego y latín; se lo asocia principalmente con la producción de libros pequeños tamaño bolsillo, cuidadosamente editados e impresos en ediciones baratas. La obra *Hypnerotomachia Poliphili* (1499) de Francesco Colonna, con extraordinarios grabados en madera, fue su libro más famoso. Después de su muerte, la editorial Aldine, que él había fundado, pasó a ser dirigida por miembros de su familia, quienes llegarían a imprimir alrededor de 1.000 ediciones diferentes entre 1495 y 1595.

manzana Fruto arbóreo del género *Malus*, el más ampliamente cultivado de la familia de las Rosáceas (ver ROSA). Las especies *Malus* son originarias de las zonas templadas de ambos hemisferios. Requieren un período considerable de latencia, suelos bien drenados, poda cuidadosa los primeros años de

Manzano (género *Malus*) y su fruto.
© ENCYCLOPÆDIA BRITANNICA, INC.

crecimiento y un programa riguroso de manejo de plagas para los árboles adultos. La manzana es una pomácea (fruto carnoso). En la cosecha, las manzanas varían mucho de tamaño, forma, color y acidez, aunque la mayoría es más bien globosa, con matices rojos o amarillos. Las miles de variedades se clasifican en tres grandes clases: para cidra, para usos culinarios y para repostería. Las variedades que maduran a fines del verano generalmente no son de guarda, pero las que maduran a fines del otoño se pueden almacenar hasta por un año. Los mayores productores de manzanas son EE.UU., China, Francia, Italia y Turquía. Consumidas frescas o cocidas de diversas maneras, las manzanas proporcionan vitaminas A y C, carbohidratos y fibra.

Manzanar, campo de reasentamiento Campo de internamiento para estadounidenses de origen japonés durante la segunda GUERRA MUNDIAL. Por temor a que Japón invadiera el oeste de EE.UU., con ayuda de espías residentes en el país, el gobierno estadounidense obligó a los ciudadanos de origen japonés que vivían en los estados occidentales a ingresar a uno de los diez campamentos; de ellos, Manzanar, en California, fue el primero que se estableció y el más conocido. Mientras funcionó, más de 11.000 personas estuvieron recluidas allí.

manzanilla Cualquiera de las 100 o más especies de hierbas euroasiáticas que constituyen el género *Anthemis*, de la familia de las COMPUESTAS; así también, una planta similar del género *Chamaemelum* de la misma familia. Ambos géneros tienen flores radiadas amarillas o blancas y flores tubulares amarillas. Varias especies de *Anthemis* se cultivan como plantas ornamentales, especialmente la margarita dorada o manzanilla amarilla (*A. tinctoria*). La manzanilla fétida (*A. cotula*) se ha usado en medicamentos e insecticidas. La infusión de manzanilla, que se emplea como tónico y antiséptico, y en herbología, se prepara con *C. nobile* o *A. nobilis*.

Manzanilla fétida (*Anthemis cotula*).
© ENCYCLOPÆDIA BRITANNICA, INC.

manzano, sarna del ver SARNA DEL MANZANO

Manzikert, batalla de (1071). Batalla cerca del poblado de Manzikert (actual Malazgirt, Turquía), en la cual los turcos selyúcidas (ver dinastía SELYÚCIDA), al mando del sultán ALP ARSLAN, derrotaron a los bizantinos dirigidos por ROMANO IV DIÓGENES. Romano había reunido un gran ejército para enfrentar a los turcos y terminar con sus incursiones en la parte de Anatolia, controlada por Bizancio. Sus tropas estaban compuestas por mercenarios turcos que desertaron y se alinearon con el enemigo la noche previa a la batalla; los turcos aplastaron al ejército bizantino y tomaron prisionero a Romano. Tras la batalla, los selyúcidas conquistaron la mayor parte de Anatolia.

Manzoni, Alessandro (7 mar. 1785, Milán, Italia–22 may. 1873, Milán). Novelista y poeta italiano. Después de pasar la mayor parte de su infancia en escuelas religiosas, Manzoni escribió una serie de poemas religiosos, *Los himnos sacros* (1815), y posteriormente dos tragedias históricas influenciadas por WILLIAM SHAKESPEARE, *Conde de Carmagnola* (1820) y *Adelchi* (llevada a las tablas en 1822). Es más conocido por su novela *Los novios*, 3 vol. (1827), obra maestra de la literatura mundial y la novela italiana más famosa de su siglo, en la cual, animado de un impulso patriótico por forjar un lenguaje accesible a una amplia gama de lectores, empleó una prosa clara y expresiva que se transformó en un modelo para muchos escritores italianos posteriores. La lucha de Manzoni por la unificación de Italia lo convirtió en héroe del RISORGIMENTO; su muerte inspiró el famoso *Requiem* de GIUSEPPE VERDI.

Alessandro Manzoni, pintura al óleo de Francesco Hayez; Pinacoteca de Brera, Milán.
ALINARI–ART RESOURCE

Manzù, Giacomo *orig.* **Giacomo Manzini** (22 dic. 1908, Bérgamo, Italia–17 ene. 1991, Ardea). Escultor italiano. Inició su formación desde joven y aprendió a trabajar en madera, metal y piedra. En 1950, después de haber alcanzado renombre, hizo esculturas de más de 50 cardenales de la Iglesia católica, una serie de desnudos femeninos y se le encargó la creación de las puertas escultóricas de bronce para la basílica de SAN PEDRO. Su combinación de sobrio realismo y modelado en extremo fino, alcanzó a la vez rigurosidad y sensualidad en la forma.

Mao Dun *o* **Mao Tun** *orig.* **Shen Dehong** *o* **Shen Yanbing** (4 jul. 1896, Tongxiang, provincia de Zhejiang, China–27 mar. 1981, Pekín). Crítico literario, autor y editor chino. Fundador de la Liga de Escritores de Izquierda en 1930, fue ministro de cultura una vez establecido el gobierno comunista (1949–64). Muchos críticos occidentales consideran la trilogía de novelas *Eclipse* (1930), su obra maestra. Entre las traducciones de sus libros se destacan *Gusanos de seda de primavera y otros relatos* (1956) y la novela *Arco iris* (1992). Se lo suele considerar el gran novelista chino del REALISMO.

Mao Shan Montaña sagrada de la provincia Jiangsu en China, lugar de las revelaciones taoístas recibidas por el visionario Yang Xi (364 DC–370). Fue visitado por un grupo de inmortales perfeccionados (*zhenren*) del cielo de Shangqing (Pureza Suprema), quienes le dieron un nuevo conjunto de escrituras e instrucciones sobre el futuro apocalipsis, durante el cual los buenos habrían de refugiarse en cavernas luminosas debajo de montañas sagradas como la Mao Shan. Las revelaciones de Mao Shan incorporaron elementos del BUDISMO en el pensamiento taoísta y propusieron reformas al TAOÍSMO, como el rechazo a sus ritos sexuales, en favor de una unión espiritualizada con un cónyuge celestial.

Mao Zedong *o* **Mao Tse-tung** (26 dic. 1893, Shaoshan, provincia de Hunan, China–9 sep. 1976, Beijing). Teórico marxista, militar y estadista chino que dirigió la revolución comunista y ocupó el cargo de presidente de la República Popular China (1949–59) y del PARTIDO COMUNISTA CHINO (PCCH) (1931–76). Hijo de un campesino, ingresó al ejército revolucionario que derrocó a la dinastía QING, pero lo abandonó al cabo de seis meses como soldado para continuar con su educación. En la Universidad de Beijing conoció a LI DAZHAO y CHEN DUXIU, fundadores del PCCh, y en 1921 se comprometió con el MARXISMO. En ese tiempo el pensamiento marxista sostenía que la revolución descansaba en manos de los trabajadores urbanos, pero en 1925 Mao concluyó que en China debía ser movilizado el campesinado y no el proletariado urbano. Se convirtió en presidente de una República Soviética de China creada en la provincia rural de Jiangxi. Su Ejército rojo resistió sucesivos ataques del ejército nacionalista de CHIANG KAI-SHEK hasta que, finalmente, emprendió la LARGA MARCHA hacia una

Mao Zedong, líder comunista chino.
© ENCYCLOPÆDIA BRITANNICA, INC.

posición más segura en el noroeste de China. Allí Mao se transformó en el líder indiscutido del PCCh. La táctica de guerrillas y la apelación a los sentimientos nacionalistas de la población local, junto a las políticas agrarias maoístas, aumentaron las ventajas militares del partido frente a sus enemigos nacionalistas y japoneses, además de acrecentar su apoyo entre los campesinos. El marxismo agrario de Mao no le sentó bien a la Unión Soviética, sin embargo cuando los comunistas lograron tomar el poder en 1949, la Unión Soviética accedió a proporcionar asistencia técnica al nuevo Estado comunista. Pero el GRAN SALTO ADELANTE de Mao y sus críticas a los "nuevos elementos burgueses" en la Unión Soviética y China, le granjearon la enemistad irrevocable de la Unión Soviética, que suspendió su ayuda en 1960. Mao se aferró a sus ideas y tras el fracaso del Gran salto adelante vino la desastrosa REVOLUCIÓN CULTURAL.

A partir de entonces, no toleró las críticas a sus políticas y castigó severamente a todos los transgresores. Tras su muerte, DENG XIAOPING introdujo reformas sociales y económicas, y el culto a Mao disminuyó considerablemente. Ver también JIANG QING; LIU SHAOQI; MAOÍSMO.

maoísmo Variación del MARXISMO y del LENINISMO formulada por MAO ZEDONG. Divergía de las doctrinas que la precedieron en cuanto a su planteamiento agrario: Mao sustituyó al PROLETARIADO urbano, del cual China en gran parte carecía por el poder latente del campesinado (descartado por los marxistas tradicionales). La fe maoísta en el entusiasmo revolucionario y la positiva valoración que tenía de la falta de sofisticación de los campesinos –en contraposición con las elites tecnológicas e intelectuales– alimentó el GRAN SALTO ADELANTE de la década de 1950 y la REVOLUCIÓN CULTURAL de las décadas de 1960–70. Las consecuencias desastrosas de ambas políticas llevaron a los sucesores de Mao a abandonar el maoísmo por resultar contrario al crecimiento económico y al orden social. El maoísmo fue adoptado por grupos guerrilleros insurgentes en todo el mundo; con el JMER ROJO se convirtió en la ideología nacional de Camboya.

maorí Miembro de un pueblo polinesio de Nueva Zelanda. La historia tradicional maorí presenta sus orígenes en forma de oleadas migratorias desde una tierra mítica entre los s. XII y XIV, pero los arqueólogos han establecido que los asentamientos en Nueva Zelanda datan de, al menos, 800 DC. Su primer contacto con europeos tuvo lugar con ABEL JANSZOON TASMAN (1642), quien de hecho se enfrentó con un grupo de maoríes. Los europeos que siguieron en un principio fueron bienvenidos, pero la introducción de mosquetes, las enfermedades, los métodos agrícolas occidentales y los misioneros debilitaron la cultura y la estructura social maorí, surgiendo así los conflictos. Los británicos asumieron el control formal de Nueva Zelanda en 1840; estallaron en varias ocasiones guerras por la tierra durante las tres décadas siguientes. En 1872, todos los conflictos habían terminado y se habían confiscado grandes extensiones de tierra de los maorí. En la actualidad, cerca del 9% de los neozelandeses son de origen maorí, y casi todos tienen algún ancestro europeo. Aunque se han integrado en gran medida a la vida urbana moderna, muchos maoríes mantienen vivas las prácticas culturales tradicionales y luchan por mantener el control de sus tierras ancestrales.

mapa Representación gráfica dibujada a escala y por lo general sobre una superficie plana, de rasgos geográficos, geológicos o geopolíticos de un área de la Tierra o de cualquier cuerpo celeste. Los globos terráqueos o terrestres son mapas de la Tierra representados en la superficie de una esfera; hay globos lunares y otros. La cartografía es el arte y ciencia de confeccionar mapas y cartas. Los principales tipos de mapas son los mapas topográficos, que muestran rasgos de la superficie de la Tierra; las cartas náuticas, que representan áreas costeras y marítimas; las cartas hidrográficas, que detallan profundidades y corrientes oceánicas, y las cartas aeronáuticas, que especifican rasgos de la superficie y rutas aéreas.

mapa de cuatro colores, problema del En TOPOLOGÍA, antigua conjetura que afirma que se requieren a lo más cuatro colores para colorear cualquier mapa, de modo que cada región adyacente sea de uno diferente. Planteada por primera vez en 1852 por Francis Guthrie, estudiante de matemática británico, fue resuelta en 1976 por Kenneth Appel y Wolfgang Haken mediante una demostración asistida por computadora.

mapache Cualquiera de siete especies de CARNÍVOROS de hábito nocturno y omnívoros (género *Procyon*, familia Procyonidae), que se caracterizan por la cola peluda y anillada, y un antifaz negro en la cara. El mapache norteamericano (*P. lotor*) es corpulento, paticorto, de morro puntiagudo, y orejas pequeñas y erectas. Mide 75–90 cm (30–36 pulg.) de largo, incluida la cola de 25 cm (10 pulg.), y pesa más de 10 kg (22 lb). La piel, hirsuta y áspera, va de gris ferroso a negruzco. Los pies parecen manos humanas delgadas. Devoran artrópodos, roedores, ranas, bayas, frutas y plantas; en pueblos y ciudades medran en la basura. Su hábitat son los bosques cerca del agua y suelen vivir en troncos huecos. El mapache cangrejero u osito lavador sudamericano (*P. cancrivorus*) es similar, pero con piel más áspera.

Mapache norteamericano (*Procyon lotor*).
© ENCYCLOPÆDIA BRITANNICA, INC.

Mapam Yumco, lago *convencional* **Manasarowar** Lago del HIMALAYA, en el sudoeste del TÍBET, China. Situado a unos 4.750 m (15.000 pies) sobre el nivel del mar, se lo considera la masa de agua dulce más alta del mundo. Considerado un lago sagrado para los hinduistas, es un sitio de peregrinación.

Mapplethorpe, Robert (4 nov. 1946, Nueva York, N.Y., EE.UU.–9 mar. 1989, Boston, Mass.). Fotógrafo estadounidense. Estudió en el Pratt Institute (1963–70). A mediados de la década de 1970 desarrolló los temas favoritos a lo largo de su carrera: naturalezas muertas, flores, retratos de amigos y celebridades, además de exploraciones homoeróticas del cuerpo masculino. Sus composiciones solían ser severas, como resultado de la combinación de la fría luz del estudio y del enfoque preciso, con lo que creaba contrastes tonales radicales. Sus musculosos modelos masculinos aparecían enmarcados contra simples telones de fondo, desarrollando a veces una actividad sexual o posando con objetos sadomasoquistas como cueros y cadenas. Su claro estilo sin concesiones desafiaba al espectador a confrontar su imaginación. Más aún, la combinación de la elección de temas con la belleza formal de las fotografías, basadas en tradiciones de la historia del arte, creó lo que muchos consideraron una tensión entre la pornografía y el arte. En 1990, una exhibición retrospectiva póstuma de su obra, financiada parcialmente por la National Endowment for the Arts (NEA), provocó un debate respecto a los subsidios gubernamentales para el arte "obsceno" y llevó al congreso a establecer restricciones a las futuras becas de la NEA.

mappō En el budismo japonés, la era en que se han corrompido las enseñanzas de BUDA. El período ulterior a la muerte de Buda está dividido en tres épocas: la época de la ley verdadera, la de la ley imitada y la de la ley última o degeneración de la ley. La fe verdadera reflorecerá en un nuevo período que será anunciado por el BODHISATTVA MAITREYA (Miroku japonés). Los budistas japoneses calculan que la era de *mappō* comenzó en 1052 DC. Puesto que se espera que dure 10.000 años, en la actualidad la historia humana continúa en esta.

mapuche Grupo de amerindios sudamericanos cuya lengua es el mapudungun. La mayoría vive en Chile y los españoles les dieron el nombre de araucanos. Habitan principalmente en el valle central del país. Cobraron renombre por su belicosidad y resistencia a la dominación española. En los s. XVI–XVIII aprendieron a usar el caballo en las batallas y cubrieron grandes distancias para combatir contra los españoles. Después de que Chile obtuvo su independencia en el s. XIX, el gobierno los circunscribió al sur del río Biobío. En la década de 1980, las tierras de las reservas indígenas fueron transferidas a personas individuales, pero sus derechos sobre ellas han peligrado debido a la deuda acumulada para mantener una agricultura tradicional no intensiva.

Maputo *ant. (hasta 1976)* **Lourenço Marques** Ciudad portuaria (pob., 1997: 989.386 hab.), capital de MOZAMBIQUE. Está situada en la ribera septentrional del estuario Espíritu Santo de la bahía DELAGOA, una ensenada del océano Índico. Su nombre inicial honraba al mercader portugués que exploró la región por primera vez en 1544. El pueblo se originó en torno a un fuerte portugués, cuya construcción terminó en 1787. Adquirió el rango de ciudad en 1887, y en 1907 desplazó a Mozambique como capital del África Oriental Portuguesa. Desde la independencia del país en 1975, el colapso del turismo y el escaso acceso al comercio exterior han dañado la economía de la ciudad.

Maqtūl, al- ver al-SUHRAWARDĪ

Maquiavelo, Nicolás (3 may. 1469, Florencia–21 jun. 1527, Florencia). Estadista, historiador y teórico político italiano. Llegó al poder después de la caída de GIROLAMO SAVONAROLA en 1498. Trabajó como diplomático durante 14 años, período en el cual estableció contacto con las figuras más poderosas de Europa. Despedido cuando la familia MÉDICIS volvió al poder en 1512, al año siguiente fue arrestado y torturado por conspiración. Aunque liberado prontamente, no se le permitió volver al servicio público. Su famoso tratado *El príncipe* (1513, publicado en 1532) es un manual para gobernantes; aunque dedicado a LORENZO DE MÉDICIS, quien gobernó Florencia a partir de 1513, no le sirvió a Maquiavelo para ganarse el favor del gobernante. Bajo el prisma de Maquiavelo, *El príncipe* constituía una descripción objetiva de la realidad política. Debido a que consideraba la naturaleza humana como banal, voraz y totalmente egoísta, pensaba que la astucia despiadada era apropiada para la conducción del gobierno. Aunque admirada por su brillantez

Nicolás Maquiavelo, detalle de una pintura al óleo de Santi di Tito; Palazzo Vecchio, Florencia, Italia.
ALINARI – ART RESOURCE

y agudeza, la obra ha sido también ampliamente condenada como cínica y amoral; el adjetivo "maquiavélico" ha llegado a ser sinónimo de falaz, inescrupuloso y manipulador. Escribió también el *Discurso sobre la primera década de Tito Livio* (terminados c. 1518, ver TITO LIVIO), la comedia *La mandrágora* (terminada c. 1518), *El arte de la guerra* (publicado en 1521), e *Historias florentinas* (terminada c. 1525).

maquillaje En las artes escénicas, material que utilizan los actores con fines cosméticos y que facilita la creación de los personajes a interpretar. El teatro griego y romano no requirió de maquillaje debido al uso de máscaras, pero en las obras religiosas de la Europa medieval los rostros de los ángeles eran de color rojo y los de Dios y Cristo, blanco o dorado. En la Inglaterra isabelina, algunos métodos rudimentarios de maquillaje consistían en empolvarse el rostro con tiza (para interpretar a fantasmas y asesinos), o ennegrecerlo con corcho quemado (para interpretar a moros). A medida que la iluminación se desarrollaba durante el s. XIX, el maquillaje teatral se volvió más artístico. La base de maquillaje en barra, inventada por Ludwig Leichner en la década de 1860, permitió a los actores crear caracterizaciones más sutiles. El maquillaje escénico era demasiado recargado para el cine, y en 1910, Max Factor creó una base semilíquida que resultó apta para las necesidades de los primeros filmes. En 1928 desarrolló el maquillaje pancromático como resultado de la evolución de la iluminación incandescente y de la película de mayor sensibilidad lumínica. Posteriormente, el maquillaje se adaptó a los requerimientos del cine en colores y de la televisión. Ver también COSMÉTICOS.

máquina Aparato que amplifica o reemplaza el esfuerzo humano o animal para cumplir una tarea física. Una máquina puede definirse más específicamente como un aparato que consiste en dos o más partes que transmiten o modifican fuerzas y movimientos para realizar trabajo. Las cinco máquinas simples son: PALANCA, CUÑA, RUEDA Y EJE, POLEA, y TORNILLO; todas las máquinas complejas son una combinación de estos dispositivos básicos. La operación de una máquina puede implicar la transformación de ENERGÍA química, térmica, eléctrica o nuclear en energía mecánica, o viceversa. Todas las máquinas tienen una entrada, una salida y un dispositivo de transformación o modificación y de transmisión. Las máquinas que reciben energía de entrada de una fuente natural (como corrientes de aire, agua en movimiento, carbón, petróleo o uranio) y la transforman en energía mecánica se conocen como motores primarios; algunos ejemplos de estos son el MOLINO DE VIENTO, la RUEDA HIDRÁULICA, las TURBINAS, las máquinas de VAPOR y los MOTORES DE COMBUSTIÓN INTERNA.

máquina de amolar ver máquina de AMOLAR

máquina de coser ver máquina de COSER

máquina de escribir ver máquina de ESCRIBIR

máquina de graduar ver máquina de GRADUAR

máquina de vapor ver máquina de VAPOR

máquina herramienta Máquina estacionaria y motorizada, que se utiliza para cortar, limar o dar forma a materiales como el metal y la madera. Las máquinas herramientas existen desde la invención de la máquina de VAPOR en el s. XVIII; la mayoría de las más conocidas fueron diseñadas a mediados del s. XIX. Decenas de ellas se usan hoy en talleres tanto industriales como domésticos. Las máquinas herramientas se clasifican frecuentemente en siete tipos: máquinas de torneado como los TORNOS, LIMADORAS y CEPILLOS, perforadoras como los taladros (ver BROCAS) y PRENSA TALADRADORA, máquina FRESADORA, máquinas de AMOLAR, SIERRA de motor, y las prensas (p. ej., PRENSA DE ESTAMPAR).

máquina para ensayos *inglés* **testing machine** Máquina usada en ciencia de los MATERIALES para determinar las propiedades de estos. Se han fabricado máquinas para medir muchas propiedades de los materiales, como la TENSIÓN DE RUPTURA, resistencia a la compresión, corte y flexión (ver RESISTENCIA DE MATERIALES), DUCTILIDAD, DUREZA, resistencia al impacto (ver ENSAYO DE IMPACTO), resistencia a la FRACTURA, FLUENCIA y FATIGA. La estandarización de máquinas y ensayos compete a entidades como la International Organization for Standardization, American National Standards Institute, British Standards Institution y a otras instituciones del ramo. Muchas industrias tienen máquinas especiales para ensayar los materiales que utilizan.

máquina política *inglés* **political machine** En la política estadounidense, organización política que controla votos suficientes para mantener el control político y administrativo de su comunidad. El rápido crecimiento de las ciudades en el s. XIX creó enormes problemas a los gobiernos municipales, a menudo mal organizados e incapaces de proveer servicios. Muchos políticos emprendedores pudieron obtener apoyo por la vía de ofrecer favores políticos como empleo o vivienda a cambio de votos. Aunque las maquinarias políticas a menudo ayudaron a reestructurar los gobiernos municipales en beneficio de sus electores, con la misma frecuencia trajeron como consecuencia un peor servicio (cuando los cargos eran repartidos para pagar favores políticos), corrupción (cuando los contratos o las concesiones se adjudicaban a cambio de sobornos), y un empeoramiento de las hostilidades raciales o étnicas (cuando la maquinaria no reflejaba la diversidad de la ciudad). Las maquinarias políticas se han visto debilitadas por

reformas que se han efectuado, por la huida de la gente a los barrios residenciales periféricos y la existencia de una población menos fija y con menos vínculos con los barrios de la ciudad. Son famosas las máquinas políticas de WILLIAM MARCY TWEED (Nueva York), JAMES MICHAEL CURLEY (Boston), Thomas Pendergast (Kansas City) y RICHARD J. DALEY (Chicago). Ver también ADMINISTRACIÓN PÚBLICA.

máquina recolectora Máquina para recolectar la cosecha (p. ej., maíz, algodón) y prepararla para su almacenaje. La recolectora mecánica extrae principalmente la porción que interesa de la planta (p. ej., los granos y mazorcas de maíz, las cápsulas de algodón), en lugar de cosechar la planta entera.

maquinaria agrícola Artefactos mecánicos, como tractores y herramientas, que se usan en la agricultura para economizar trabajo. La gran gama de ingenios agrícolas es de complejidad muy variable y va desde herramientas manuales simples, que se utilizan desde tiempos prehistóricos, hasta las cosechadoras complejas de la agricultura mecanizada moderna. Desde comienzos del s. XIX hasta el presente, la fuente energética principal de la agricultura ha cambiado sucesivamente: primero los animales, luego el vapor, después la gasolina y, por último, el diésel. En los países desarrollados, el número de obreros agrícolas declinó en forma sostenida en el s. XX, mientras que la producción agrícola aumentó gracias al uso de maquinaria.

Maquinaria agrícola: cosechadora de caña de azúcar.
STOCKXPERT

Mar del Plata Ciudad costera (pob., est. 1999: 579.483 hab.) del centro-este de Argentina. En el lugar se estableció una misión jesuita (1746–51). En 1856, el explorador portugués José Coelho Mierelles instaló en el lugar una aldea de pescadores, La Peregrina. Mar del Plata fue fundada en 1874 y se desarrolló como centro turístico costero; en 1907 adquirió el rango de ciudad. Es famosa por su lujoso casino. Además del turismo, su economía se basa en la construcción, textiles, pesca comercial y productos del mar envasados. Es la sede de la Universidad Nacional de Mar del Plata.

mar lunar Cualquier planicie oscura y baja en la superficie de la LUNA. Los mares son grandes flujos de lava marcados por quebradas, depresiones y fallas; aunque el mar se asocia con agua, los mares en la Luna carecen de esta. El más conocido probablemente es el mar de la Tranquilidad, el sitio donde alunizó el APOLLO 11. Los 14 mares se ubican en el lado de la Luna que siempre enfrenta a la Tierra; son los más notorios de la faz lunar y pueden ser observados desde la Tierra a simple vista.

mar territorial Espacio de mar sobre el cual un Estado ejerce soberanía, incluidas las aguas adyacentes e interiores. El concepto surgió en el s. XVII a raíz de una controversia acerca de la condición jurídica del mar. No obstante se sostuvo la doctrina de la libertad de los mares, se reconoció la soberanía del Estado sobre las aguas ribereñas. Los países que se rigen por la Convención del derecho del mar de las Naciones Unidas (ver derecho del MAR), ejercen jurisdicción sobre un espacio de 12 millas marinas (22 km) medidas a partir de la línea de base de la costa. La soberanía se extiende al espacio aéreo sobre el mar territorial, así como al lecho y subsuelo de este. Ver también ALTA MAR.

mar, derecho del Derecho internacional codificado en un tratado firmado en 1982, que regula la condición jurídica y el uso del MAR TERRITORIAL, las vías marítimas y los recursos oceánicos. Suscrito originalmente por 117 países, a comienzos del s. XXI, el tratado había reunido alrededor de 140 Estados. El tratado define el mar territorial como las aguas que se extienden hasta un límite de 12 millas marinas (22 km) a partir de la costa de un país y reconoce a cada nación derechos mineros y de pesca exclusivos en las aguas que se extiendan hasta 200 millas marinas (370 km) desde su costa. Ver también ALTA MAR.

mar, pueblos del Grupos de intrépidos navegantes que invadieron el este de Anatolia, Siria, Palestina, Chipre y Egipto cerca del fin de la EDAD DEL BRONCE. Fueron especialmente activos en el s. XIII AC. Aunque la extensión y el origen de sus incursiones son inciertos, se cree que los pueblos del mar fueron responsables de la destrucción de antiguas potencias como el Imperio HITITA. Los egipcios libraron dos guerras contra ellos (1236–23 AC y c. 1198–66). La única tribu importante que se asentó permanentemente en Palestina fueron los peleset (i.e., los FILISTEOS).

Mara Señor de los sentidos budista, quien tentó reiteradamente a Gautama BUDA. Cuando Gautama se sentó bajo el árbol BODHI para esperar la iluminación, el espíritu maligno apareció disfrazado de mensajero, asegurando que un rival había usurpado el trono familiar. Después de enviar una tempestad de lluvia, rocas, cenizas y oscuridad para ahuyentar a los dioses que se habían reunido, desafió el derecho de Gautama a sentarse bajo el árbol y envió a sus tres hijas, Trisna, Rati y Raga (sed, deseo y placer), para seducirlo, pero sin éxito. Una vez que Buda alcanzó la iluminación, lo presionó para que abandonara todo intento de predicar, pero los dioses lograron convencerlo de que predicara la ley.

marabú CIGÜEÑA africana (*Leptoptilos crumeniferus*). De una altura de 1,5 m (5 pies) y envergadura de 2,6 m (8,5 pies), es la más grande de las cigüeñas. En su mayoría gris y blanca, tiene la cara y el cuello desnudos y rosáceos, una bolsa gular rojiza e inflable, y un pico recto y fuerte. Los marabúes son carroñeros y comen a menudo con BUITRES, a quienes desplazan.

Maracaibo Ciudad (pob., est. 2000: 1.764.038 hab.) del noroeste de Venezuela. Situada en el canal que conecta el lago de MARACAIBO con el golfo de Venezuela, es la segunda ciudad más populosa del país. Fundada en 1571 con el nombre de Nueva Zamora, se convirtió en el centro comercial interior después de que Gibraltar, que se encontraba en la cabecera del lago, fue destruida en 1669. Durante la guerra de la independencia contra España cambió varias veces de mano. En 1917 se descubrió petróleo en la zona, y en menos de diez años Maracaibo se había convertido en la capital petrolera de Venezuela y de América del Sur.

Maracaibo, lago de Ensenada del mar CARIBE en el noroeste de Venezuela. Es el lago natural más grande de América del Sur; con una superficie de 13.280 km² (5.130 mi²), se extiende 210 km (130 mi) hacia el sur desde el golfo de Venezuela y alcanza una anchura máxima de 121 km (75 mi). Entre los muchos ríos que desaguan en el lago destaca el río CATATUMBO. El lago es una de las zonas petroleras más ricas del mundo, que provee cerca de dos tercios de la producción de crudo total de Venezuela. Los pozos que se ubican en la ribera oriental se adentran 32 km (20 mi) en el lago.

Maradona, Diego Armando (n. 30 oct. 1960, Villa Fiorito, cerca de Buenos Aires, Argentina). Futbolista argentino. Mediocampista famoso por su habilidad para crear situaciones de gol tanto para sí mismo como para sus compañeros, que condujo a diversos equipos a obtener campeonatos en Argentina, España e Italia. Fue la estrella del seleccionado de Argentina que ganó la Copa del mundo en 1986. En ese campeonato Maradona anotó dos goles memorables contra Inglaterra: uno marcado con la mano (el árbitro pensó erróneamente que la pelota le había dado en la cabeza), conocido hoy como "la Mano de Dios", y otro en que dribleó a varios defensas. Fue suspendido en dos oportunidades por el consumo de sustancias prohibidas. Una encuesta realizada a través de internet por la Federación Internacional de Fútbol Asociado (FIFA), concluyó que Maradona era el mejor futbolista del s. XX.

Diego Armando Maradona en acción durante la Copa del mundo, Italia, 1990.
FOTOBANCO

Marajó, isla de Isla en el delta del AMAZONAS, Brasil. Es la isla fluvial más grande del mundo. Con 295 km (183 mi) de largo y 200 km (124 mi) de ancho, tiene una superficie de cerca de 40.100 km² (15.500 mi²). El brazo principal del Amazonas pasa por el norte de Marajó, pero numerosos canales angostos llevan parte de las aguas del Amazonas al río PARÁ (su brazo oriental), que separa la isla del continente por el sur. En la sabana oriental de la isla se han encontrado restos arqueológicos similares a los restos precolombinos de civilizaciones ANDINAS.

Marañón, río Río del centro y nordeste del Perú. Nace en la cordillera de los ANDES y es uno de los afluentes del AMAZONAS. Fluye hacia el noroeste desde unos 3.650 m (12.000 pies) de altitud y desciende a través de selvas por rápidos y cascadas innavegables; emerge del más espectacular de esos rápidos, el Pongo de Manseriche, a sólo 175 m (575 pies) sobre el nivel del mar. En sus restantes 1.415 km (879 mi) recorre un curso sinuoso en dirección este, recibe las aguas del HUALLAGA y luego se une con el UCAYALI para formar el Amazonas.

Marat, Jean-Paul (24 may. 1743, Boudry, cerca de Neuchâtel, Suiza–13 jul. 1793, París, Francia). Político francés, líder radical MONTAÑÉS en la REVOLUCIÓN FRANCESA. Fue un conocido médico en Londres durante la década de 1770. Regresó a Francia en 1777 y fue nombrado médico en la corte del hermano de LUIS XVI, el conde d'Artois (luego CARLOS X). Escribió obras científicas y folletos políticos. A partir de 1789, como director del periódico *L'Ami du Peuple*, se convirtió en un influyente propulsor de medidas radicales contra los aristócratas. Criticó a los líderes revolucionarios moderados, advirtió el peligro de la NOBLEZA EMIGRADA y más tarde defendió la ejecución de los contrarrevolucionarios. Uno de los miembros más influyentes de la CONVENCIÓN NACIONAL (1792), fue apoya-

Jean Paul Marát, detalle de un retrato de J. Boze, 1793; Museo de la Historia de París, Francia.
GIRAUDON—ART RESOURCE

do activamente por los parisienses en manifestaciones callejeras. En abril de 1793 los GIRONDINOS lo llevaron ante un tribunal revolucionario, pero fue absuelto. En julio, una joven partidaria de los girondinos, CHARLOTTE CORDAY, logró entrar a su habitación y lo mató de una puñalada mientras se daba un baño, convirtiéndolo así en un mártir de la causa del pueblo.

maratón Competencia atlética de larga distancia en un circuito abierto de 42,2 km (26 mi y 385 yd). Formó parte de los primeros Juegos Olímpicos de la era moderna (1896), en conmemoración de la legendaria hazaña de un soldado griego que, según la leyenda, corrió cerca de 40 km (25 mi) entre Maratón y Atenas en 490 AC, para anunciar la victoria griega en la batalla de MARATÓN, tras lo cual cayó muerto. Además de la competencia olímpica, en la actualidad se corren carreras parecidas, en varones y damas; suelen intervenir miles de participantes, como en las corridas de Londres, Nueva York y San Silvestre, Brasil. El maratón femenino pasó a formar parte de las competencias olímpicas en 1984.

Maratón, batalla de (490 AC). Batalla decisiva en la llanura de Maratón, en las afueras de Atenas, durante las guerras MÉDICAS. DARÍO I dirigió su enorme ejército contra una fuerza ateniense mucho más pequeña liderada por MILCÍADES. Los atenienses atacaron con gran rapidez, antes de que llegara la caballería persa, y devastaron su infantería, lo que provocó la retirada de Darío desde Grecia. La victoria fue aplastante: murieron 6.400 persas y sólo 192 atenienses. Se dice que un mensajero recorrió 40 km (25 mi) de regreso a Atenas, donde anunció la victoria antes de morir de agotamiento (ver MARATÓN). En otra versión, un corredor ateniense fue enviado a Esparta antes de la batalla para pedir ayuda, y recorrió 240 km (150 mi) en dos días; Esparta se rehusó, por lo que Atenas debió luchar sólo con el apoyo de PLATEA.

maravi, Confederación Sistema centralizado de gobierno establecido en África meridional c. 1480. Fue creado por miembros de grupos etnolingüísticos afines que habían migrado desde el norte a lo que hoy es el centro-sur de MALAWI. La sede de gobierno estaba al sudoeste del lago MALAWI y en su apogeo, en el s. XVII, la confederación gobernaba una zona que abarcaba desde el río Zambeze hasta la costa de Mozambique. Sus líderes comerciaban marfil, esclavos y hierro con mercaderes portugueses y árabes. En 1720 se dividió en varias facciones autónomas.

maravilla *o* **girasol** Cualquiera de 60 especies de plantas herbáceas anuales del género *Helianthus* (familia de las COMPUESTAS), la mayoría de las veces nativas de Norteamérica y Sudamérica. La maravilla común (*H. annuus*) tiene un tallo áspero y velloso de 1–4,5 m (3–15 pies) de alto; hojas anchas, ásperas, toscamente dentadas, de 7,5–30 cm (3–12 pulg.) de largo; y grandes flores compuestas de 7,5–15 cm, (3–6 pulg.) de diámetro, planas, en forma de capítulo. Las flores tubulares se arremolinan en una espiral apretada, de color pardo, amarillo o púrpura; las flores liguladas son amarillas. Las hojas se usan como forraje, las

Maravilla o girasol.
FOTOBANCO

flores producen un colorante amarillo y las semillas contienen aceite y sirven de alimento. El aceite de maravilla se emplea para cocinar, como materia prima en jabones, pinturas y lubricantes. Se cultivan sólo unas pocas especies, algunas por su tamaño espectacular.

Marbury v. Madison (1803). Primera sentencia de la Corte Suprema de los ESTADOS UNIDOS DE AMÉRICA que declaró inconstitucional una ley del congreso, estableciendo así la doctrina del CONTROL DE LA CONSTITUCIONALIDAD. En 1801, el recientemente elegido pdte. THOMAS JEFFERSON ordenó al secretario de Estado JAMES MADISON que retuviera el nombramiento de William Marbury como juez de paz del distrito de Columbia, cargo para el cual había sido designado por el anterior pdte. JOHN ADAMS. Marbury pidió entonces a la Corte Suprema que obligara a Madison a confirmar su nombramiento. Al denegar su solicitud, la Corte sostuvo que carecía de competencia para ello debido a que la sección de la ley de la judicatura aprobada por el congreso en 1789, que autorizaba a la Corte para dictar tales órdenes judiciales, era inconstitucional y, por lo tanto, inaplicable. El presidente de la Corte, JOHN MARSHALL, redactor del fallo, señaló que la constitución siempre debe tener precedencia en cualquier conflicto que surja entre ella y una ley aprobada por el congreso.

Marc, Franz (8 feb. 1880, Munich, Alemania–muerto en acción 4 mar. 1916, cerca de Verdún, Francia). Pintor alemán. Sus primeras obras fueron académicas, pero su contacto con el IMPRESIONISMO y el JUGENDSTIL iluminó su estilo. En 1911, junto con VASILI KANDINSKY y otros pintores abstractos, se convirtió en miembro fundador del grupo expresionista DER BLAUE REITER. Marc creía que la esencia espiritual se revelaba de mejor manera a través de la abstracción y se interesó en forma apasionada por el arte de los pueblos "primitivos", de los niños y de los enfermos mentales. Su obra consistió principalmente en estudios de animales, ya que pensaba que las formas de vida ajenas a las humanas constituían la manifestación más expresiva de la fuerza vital de la naturaleza.

marca comercial Marca utilizada por el fabricante o distribuidor de un producto para identificar su origen o propiedad y distinguirlo de los demás. Las marcas comerciales pueden consistir en palabras o grupos de palabras, letras, números, figuras, nombres, la forma u otra presentación de los productos o de su envase, o combinaciones de colores. Las marcas comerciales (señaladas con las letras MR o con el símbolo ®) se presumen pertenecientes a quienes las poseen y están protegidas por LEY del uso no autorizado por terceros. La mayoría de los países exige la inscripción de la marca como requisito para su protección y dominio. En EE.UU., sin embargo, el derecho a la marca comercial se concede por su mero uso, aunque su inscripción a menudo resulta ventajosa desde el punto de vista legal. Ver también derecho de AUTOR.

marca de nacimiento Marca o mancha desusada en la piel al nacer. La mayoría de las marcas de nacimiento son HEMANGIOMAS O MOLAS. Resultan habitualmente inocuas y muchas se desvanecen en la niñez; las que no lo hacen pueden extirparse a veces mediante cirugía láser o abrasión.

marcapaso Aparato eléctrico que regula el ritmo de las contracciones del CORAZÓN. En el sistema eléctrico del corazón, los impulsos generados por el marcapaso natural son conducidos hacia las aurículas y los ventrículos. La cirugía cardíaca o ciertas enfermedades pueden interrumpir la conducción (bloqueo cardíaco), lo que requiere el empleo de un marcapaso artificial temporal o permanente. Por el interior de una vena se guía hasta el corazón un pequeño electrodo conectado a un generador eléctrico. El aparato, de implantación subcutánea, produce pulsos regulares de cargas eléctricas para mantener los latidos. También pueden implantarse marcapasos permanentes en la superficie cardíaca.

Marcas, Las *italiano* **Marche** Región (pob., est. 2001: 1.463.868 hab.) de Italia central. Con una superficie de 9.693 km² (3.743 mi²), está situada entre el mar Adriático y la región de UMBRÍA; es atravesada por los APENINOS. Sus únicas planicies son la zona de los valles fluviales y la de la costa adriática cerca de ANCONA, su capital. Habitada originalmente por galos y picenos, cayó en poder de los romanos en 292 DC. A principios de la Edad Media, en el sur gobernaron los lombardos y en el norte, los bizantinos. Durante los s. XII–XIII, poderosas familias feudales entraron en conflicto con el papado a causa de sus intentos por restablecer la autoridad temporal. Las disputas terminaron en 1631, cuando Las Marcas fueron incorporadas a los ESTADOS PONTIFICIOS. En 1860 pasó a formar parte del Reino de Italia. Es una zona agrícola con poco desarrollo industrial.

marcasita SULFURO de hierro que forma cristales amarillo-bronce pálido; el nombre "cresta de gallo" alude a la forma de los cristales de uno de los tipos comunes de marcasita. Tiene la misma fórmula química que la PIRITA (FeS_2), pero una estructura interna (atómica) diferente. Menos estable que la pirita, se descompone fácilmente y es mucho menos común.

Marceau, Marcel (n. 22 mar. 1923, Estrasburgo, Francia). Mimo francés. Después de combatir en la segunda guerra mundial, estudió con el mimo Étienne Decroux. Obtuvo su primer éxito en el rol de Arlequín en *Baptiste*. Después formó una compañía de pantomima (1948–64) y en la década de 1950 fue internacionalmente aclamado por su producción del "mimodrama", *El capote,* de NIKOLÁI GÓGOL. En 1978 fundó la Escuela Internacional de Mimodrama en París. Es conocido por sus retratos elocuentes y aparentemente simples, entre los que se cuenta Bip, su celebrado personaje de cara blanca, que guarda semejanza con Pierrot y el vagabundo de CHARLIE CHAPLIN. Ver también MIMO Y PANTOMIMA.

Gabriel Marcel, 1951.
H. ROGER-VIOLLET

Marcel, Gabriel (-Honoré) (7 dic. 1889, París, Francia–8 oct. 1973, París). Filósofo, dramaturgo y crítico francés. En sus obras filosóficas explora aspectos de la existencia humana (p. ej., la confianza, la fidelidad y la desesperación) que han sido tradicionalmente descartados por inmanejables en la reflexión filosófica. Su aplicación de la FENOMENOLOGÍA fue independiente de la obra de EDMUND HUSSERL, considerado el fundador del movimiento fenomenológico. Marcel fue el primer exponente francés del EXISTENCIALISMO.

Marcelo, Marco Claudio (c. 268–208 AC, cerca de Venusia, Apulia). General romano. Fue elegido CÓNSUL en 222; luchó en la Galia y por matar a un jefe enemigo en combate singular recibió la *spolia opima* ("botín de honor"), premio otorgado por tercera y última vez en la historia romana. Fue nuevamente cónsul en 215 y 214. Combatió en Sicilia (214–211) en la segunda guerra PÚNICA y ocupó Siracusa después de un sitio de dos años; sus tropas saquearon la ciudad y se llevaron los tesoros artísticos a Roma. Nuevamente fue cónsul en 210 y 208. Mientras luchaba contra ANÍBAL cerca de Venusia, fue capturado en una emboscada y asesinado.

Marcelo, Marco Claudio (42–23 AC, Baiae, Campania [Italia]). Líder romano. Sobrino de AUGUSTO (era hijo de Octavia, hermana de Augusto) y su supuesto heredero. Se casó con JULIA, la hija de Augusto, en 25 AC y posteriormente, ese mismo año, combatió en Hispania. En él se depositaron grandes expectativas y su inesperada muerte provocó problemas de sucesión.

March, Frederic *orig.* **Frederic Ernest McIntyre Bickel** (31 ago. 1897, Racine, Wis., EE.UU.–14 abr. 1975, Los Ángeles, Cal.). Actor estadounidense. Comenzó su carrera teatral en Broadway, y con su parodia del actor John Barrymore en una producción itinerante de *The Royal Family* obtuvo un contrato por cinco años con la Paramount Pictures; revivió este rol en la retitulada adaptación cinematográfica, *The Royal Family of Broadway* (1930). Posteriormente actuó en más de 65 películas, entre las que se cuentan *El hombre y el monstruo* (1932, premio de la Academia), *Ha nacido una estrella* (1937), *Los mejores años de nuestra vida* (1946, premio de la Academia), *Muerte de un viajante* (1951) y *La herencia del viento* (1960). Interpretó roles protagónicos en el teatro, a menudo con su esposa, Florence Eldridge, en obras como *La piel de nuestros dientes* (1942) y *El viaje de un largo día hacia la noche* (1956, premio Tony). Fue un actor versátil de cine y teatro, y su planteamiento analítico en ocasiones lo llevó a interpretaciones insensibles y emocionalmente poco convincentes; sin embargo, realizó numerosas caracterizaciones complejas y precisas.

marcha Composición musical de metro regular y ritmos fuertemente acentuados, concebida en su origen para facilitar la marcha militar. El desarrollo de la marcha europea fue estimulado quizás por las invasiones otomanas en los s. XIV–XVI. Las marchas no fueron llevadas a notación musical hasta fines del s. XVI; hasta entonces, el compás se llevaba generalmente sólo con la percusión, a menudo con florituras improvisadas de los pífanos. Con el profuso desarrollo de los instrumentos METÁLICOS, sobre todo en el s. XIX, las marchas se hicieron muy populares y a menudo se orquestaron minuciosamente. Compositores como WOLFGANG AMADEUS MOZART, LUDWIG VAN BEETHOVEN y GUSTAV MAHLER escribieron marchas que incorporaron con frecuencia en sus óperas, sonatas o sinfonías. La posterior popularidad en EE.UU. de las marchas de la banda de JOHN PHILIP SOUSA no tuvo rival.

marcha En ATLETISMO, modalidad de carrera en que el pie que avanza debe tocar el suelo antes de que el pie de atrás se despegue del mismo. La marcha, como deporte, data de fines del s. XIX. En los Juegos Olímpicos de 1908 se incorporaron carreras de marcha de 15 km (10 mi) y 3.500 m en varones, pero desde 1956, las distancias se alargaron a 20 y 50 km. En 1992 se agregó una carrera de 10 km en damas.

Marchand, Jean (20 dic. 1918, Champlain, Quebec, Canadá–28 ago. 1988, Saint-Augustin, Quebec). Político canadiense. Egresó de la Universidad de Laval y fue un destacado dirigente sindical en Quebec. En 1961–65 fue presidente de la organización sindical Confederation of National Trade Unions. En 1965 ingresó a la Cámara de los Comunes y perteneció al gabinete de LESTER PEARSON hasta 1968. En 1968–76 ocupó cargos en el gabinete de PIERRE TRUDEAU. Elegido en 1976 para integrar el Senado, lo presidió desde 1980 hasta 1983.

Marche Región histórica del centro de Francia. Originalmente formaba parte del LEMOSÍN, pero se convirtió en un condado independiente en el s. X. Durante los s. XII–XIII se dividió en dos partes, occidental y oriental. Estuvo en manos de la dinastía Borbón (1342–1435) y de los Armagnac (1435–77). FRANCISCO I confiscó la región en 1527 y más tarde se concedió a las viudas de los reyes de Francia (1574–1643). Fue una provincia hasta la REVOLUCIÓN FRANCESA.

Marcial *latín* **Marcus Valerius Martialis** (c. 38/41DC, Bilbilis, Hispania–c. 103). Poeta romano. Oriundo de una antigua colonia romana en lo que hoy es España, Marcial se trasladó a Roma siendo todavía joven. Allí entabló relaciones con figuras como SÉNECA, Lucano y JUVENAL, y obtuvo el mecenazgo de los emperadores TITO y DOMICIANO. Sus primeros poemas, algunos de ellos malogrados por su burda adulación a Tito, fueron más bien mediocres. Se hizo célebre por sus 12 libros de EPIGRAMAS (86–¿102?), género que él prácticamente creó. Mordaces y a menudo obscenos, presentan un retrato de la sociedad romana durante los inicios del Imperio que resulta notable por lo comprensivo, tanto como por las exactas descripciones de las debilidades humanas.

marcial, ley Gobierno provisional de una zona determinada por las autoridades militares en períodos de excepción, cuando se estima que las autoridades civiles no están en condiciones de ejercer sus funciones. Bajo la ley marcial generalmente se suspenden los derechos civiles y las actividades de los tribunales civiles se restringen o son asumidas por los tribunales militares. Los actos "realizados por necesidad" sólo están limitados por el DERECHO INTERNACIONAL y por las convenciones relacionadas con la guerra. Aunque en teoría se trata de una situación transitoria, en la práctica la ley marcial puede mantenerse indefinidamente. Ver también CRÍMENES DE GUERRA; DERECHOS HUMANOS.

Marciano, Rocky *orig.* **Rocco Francis Marchegiano** (1 sep. 1923, Brockton, Mass., EE.UU.–31 ago. 1969, cerca de Newton, Iowa). Boxeador estadounidense, campeón mundial de los pesos pesados. Comenzó a practicar boxeo en el ejército, durante la segunda guerra mundial. De un estilo poco pulido, de golpes fuertes y excepcional resistencia, Marciano ganó el título mundial en 1952 al derrotar a Jersey Joe Walcott, corona que retuvo hasta retirarse en 1956. Terminó invicto en sus 49 peleas como profesional; 43 de ellas las ganó por *knock out*.

Marco Antonio *latín* **Marcus Antonius** (c. 83–ago. 30 AC). General romano. Después del servicio militar (57–54), se incorporó al estado mayor de JULIO CÉSAR, pariente suyo. Ayudó a César a expulsar a POMPEYO de Italia en 49 y fue nombrado cónsul en 44. Tras el asesinato de César, Octavio (luego AUGUSTO) se le opuso inicialmente, pero después formaron el segundo TRIUNVIRATO junto con Lépido. Ayudó a derrotar a las fuerzas republicanas en FILIPOS y tomó el control de las provincias orientales de Roma. En una misión a Egipto para interrogar a CLEOPATRA sobre su lealtad, se convirtió en su amante (41–40). Regresó a Italia en el año 40 para resolver sus diferencias con Octavio, tras lo cual se le concedió el mando de las provincias orientales. Para fortalecer su posición, convino en casarse con Octavia, hermana de Octavio. Cuando las relaciones con este se rompieron nuevamente, marchó hacia Siria y pidió ayuda

Marco Antonio, detalle de un busto en mármol; Museos y Galerías del Vaticano.
ALINARI/ART RESOURCE

a Cleopatra. Octavio le envió a su esposa y cuando Marco Antonio la devolvió a Roma, se produjo una ruptura definitiva entre ambos. El triunvirato terminó en el año 32, lo que dejó a Marco Antonio con escaso apoyo en Roma. Se divorció de su esposa y Octavio declaró la guerra a Cleopatra. Marco Antonio perdió en la batalla de ACTIUM y huyó junto a Cleopatra a Egipto, perseguido por Octavio. Cuando la resistencia resultó inútil, ambos se suicidaron.

Marco Aurelio *latín* **Caesar Marcus Aurelius Antoninus Augustus** *orig.* **Marcus Annius Verus** (26 abr. 121 DC, Roma–17 mar. 180, Vindobona [Viena] o Sirmium, Panonia). Emperador romano (161–180). Nació en el seno de una familia acaudalada y prominente. ADRIANO dispuso que Marco y Lucio Vero fueran adoptados por ANTONINO PÍO, el futuro emperador designado, quien diligentemente preparó a Marco como su heredero. Sin embargo, cuando Marco ascendió al trono, compartió el poder con su hermano adoptivo como coemperador, aunque conservó el predominio. Su reinado se

Estatua de Marco Aurelio, Roma, Italia.
ARCHIVO EDIT. SANTIAGO

caracterizó por numerosas crisis militares, y todas las fronteras importantes estuvieron sujetas a amenazas de invasión. La lucha contra los partos (162–166) tuvo resultados favorables, pero a su regreso las tropas llevaron a Roma una peste devastadora. Al coincidir con una invasión germánica, la moral romana declinó; los germanos fueron rechazados, pero Vero murió durante la campaña (169). Marco nombró coemperador a su hijo CÓMODO en 177. Aunque de carácter tranquilo y de amplia cultura, se opuso al cristianismo y apoyó la persecución de sus seguidores. Sus *Pensamientos* sobre el ESTOICISMO, considerado uno de los grandes libros de todos los tiempos, ofrecen una idea cabal acerca de sus valores morales y religiosos. Se suele considerar que su reinado marca la edad de oro de Roma.

marco de referencia ver SISTEMA DE REFERENCIA

Marco Polo ver Marco POLO

Marco Polo, incidente del puente Conflicto entre tropas chinas y japonesas ocurrido en 1937 cerca del puente Marco Polo, en las afueras de Beijing. El incidente marcó el comienzo de una guerra entre Japón y China, en la que el primero intentó proteger sus intereses en Manchuria, y China, terminar con la invasión territorial japonesa. Ver también MANCHUKUO.

Marconi, Guglielmo (25 abr. 1874, Bolonia, Italia–20 jul. 1937, Roma). Físico e inventor italiano. Inició experimentos con ondas de radio en 1894. En 1896 viajó a Inglaterra, donde desarrolló un sistema de radiotelegrafía exitoso. Su trabajo sobre el desarrollo de comunicaciones inalámbricas de onda corta constituye la base de casi toda la radiodifusión moderna. Sus antenas mejoradas ampliaron sobremanera el alcance de las señales de radio. En 1899 estableció comunicación a través del canal de la Mancha. En 1900 fundó la American Marconi Co. En 1901 envió por primera vez señales a través del Atlántico. Adquirió numerosas patentes, aunque probablemente la más famosa, la Nº 7777, para un aparato que habilitaba varias estaciones para operar en diferentes longitudes de onda sin interferencia, fue más tarde rechazada. Marconi compartió el Premio Nobel de Física en 1909 con K. Ferdinand Braun (n. 1850–m. 1918). Le fue conferido el

Guglielmo Marconi, c. 1908.
GENTILEZA DE LA BIBLIOTECA DEL CONGRESO, WASHINGTON, D.C.

título de marqués, nominado para el senado italiano (1929) y elegido presidente de la Real Academia Italiana (1930).

Marcos, Ferdinand (Edralin) (11 sep. 1917, Sarrat, Filipinas–28 sep. 1989, Honolulu, Hawai, EE.UU.). Jefe de Estado filipino (1966–86). Marcos, hijo de un político, ejerció como abogado litigante antes de participar en el gobierno de MANUEL ROXAS, primer presidente de Filipinas independiente.

Elegido mandatario en 1966, en su primer período realizó progresos en la agricultura, industria y educación, pero en 1972 impuso la ley marcial; sus posteriores años en el poder se caracterizaron por la corrupción desenfrenada en el gobierno, el estancamiento económico, la represión política y un incremento sostenido de la insurgencia comunista. Después de las protestas generalizadas que se originaron por el asesinato del dirigente opositor Benigno Aquino (n. 1932–m. 1983) y la aparentemente fraudulenta victoria electoral de Marcos, frente a CORAZÓN AQUINO, fue obligado a partir al exilio a Hawai, EE.UU. En este país, junto a su esposa, Imelda, fueron procesados y acusados de malversación de fondos al fisco. Tras su muerte, Imelda regresó a Filipinas, donde fue enjuiciada y condenada por corrupción; posteriormente la resolución fue anulada.

Marcos, san (floreció s. I, Jerusalén–según la tradición, en Alejandría, Egipto; festividad en Occidente: 25 de abril; en Oriente: 23 de septiembre). Evangelista cristiano a quien la tradición le atribuye el segundo EVANGELIO. Se unió a san PABLO y san BERNABÉ en su primer viaje misionero, pero los abandonó en Perga y regresó a Jerusalén. También puede haber ayudado a san PEDRO en Roma; algunos eruditos creen que el evangelio de san Marcos está basado en el relato de san Pedro sobre sus experiencias como uno de los doce apóstoles. Si fuese verdad, pudo haber sido escrito poco después de la muerte de san Pedro c. 65 DC. La Iglesia egipcia lo considera su fundador y es el santo patrono de las ciudades italianas de Aquilea y Venecia. Su símbolo es el león.

Marcus, Rudolph A. (n. 21 jul. 1923, Montreal, Quebec, Canadá). Químico estadounidense de origen canadiense. Educado en la Universidad McGill, trabajó en el Polytechnic Institute of Brooklyn (desde 1951), en la Universidad de Illinois (desde 1964) y en el Instituto Tecnológico de California (desde 1978). En las décadas de 1950–60 estudió la transferencia de electrones en reacciones redox; observó que cambios sutiles en las estructuras moleculares de los reactantes y las moléculas de solvente circundantes influyen en la capacidad de los electrones para moverse entre las moléculas. También descubrió la relación parabólica entre la fuerza conductora de una reacción de transferencia de electrones y la velocidad de reacción. Su trabajo, el cual ha arrojado luz sobre fenómenos fundamentales como la fotosíntesis, el metabolismo celular y la corrosión simple, le hizo merecedor del Premio Nobel en 1992.

Marcuse, Herbert (19 jul. 1898, Berlín–29 jul. 1979, Starnberg, Alemania). Filósofo político alemán radicado en EE.UU. Miembro de la escuela de FRANCFORT, huyó de Alemania después que el nazismo tomó el poder en 1933. Luego de trabajar en la inteligencia estadounidense durante la segunda guerra mundial, enseñó en varias universidades, principalmente en la de Brandeis (1954–65) y de California en San Diego (1965–76). En su obra más conocida e influyente, *El hombre unidimensional* (1964), Marcuse sostuvo que la sociedad bajo el régimen capitalista avanzado es represiva y no libre, y que el hombre moderno se ha vuelto intelectual y espiritualmente complaciente debido a su dependencia psicológica de los halagos de la sociedad de consumo, fenómeno que llamó "desublimación represiva". También fue hostil al sistema soviético. Sus obras fueron populares entre los estudiantes de izquierda, especialmente después de las rebeliones estudiantiles ocurridas en 1968 en la Universidad de Columbia y en la Sorbona. También escribió *Eros y civilización* (1955) y *Contrarrevolución y revuelta* (1972).

Marcy, William L(earned) (12 dic. 1786, Southbridge, Mass., EE.UU.–4 jul. 1857, Ballston Spa, N.Y.). Político estadounidense. En 1823–29 fue contralor del estado de Nueva York y miembro destacado del "Albany Regency", grupo de poderosos demócratas del estado. En 1829–31 fue juez de la corte suprema federal. En el Senado (1831–33), fue partidario del CLIENTELISMO POLÍTICO, con la observación de que "Al vencedor corresponde el botín del enemigo". Ocupó los cargos de gobernador de Nueva York (1833–39), secretario de guerra (1845–49) y secretario de Estado (1853–57).

Mardi Gras (francés: "martes graso"). CARNAVAL que se celebra o que culmina en vísperas del miércoles de ceniza, comienzo de la CUARESMA. Tradicionalmente las familias consumían ese día todos los alimentos sobrantes que estarían prohibidos durante la Cuaresma (p. ej., huevos). Dura un día en Francia, pero se prolonga por varios días en Nueva Orleans (EE.UU.), donde se caracteriza por desfiles, celebraciones callejeras e indumentarias extravagantes.

Mardoqueo En el libro bíblico de Ester, el primo o tutor de ESTER. Era un judío que ofendió a Amán, ministro del rey Asuero. Amán convenció al rey que ordenara su ejecución y la destrucción de todos los judíos en el Imperio persa, pero Ester, la amada reina judía de Asuero, le suplicó que cambiara de opinión y este ordenó que Amán fuese ahorcado, puso a Mardoqueo en su cargo y permitió que los judíos aniquilaran a sus enemigos. La liberación de los judíos de Persia de su destrucción es celebrada en la festividad de PURIM.

Marduk *o* **Bel** En la religión mesopotámica, dios supremo de la ciudad de BABILONIA y dios local de la región homónima. Comenzó como un dios de las tormentas y, según la leyenda, se convirtió en señor de todos los dioses después de vencer al monstruo del caos primitivo, TIAMAT. Su estrella era el planeta Júpiter y sus animales sagrados, los caballos, perros y un dragón con lengua bífida, cuyas representaciones adornaban las murallas de Babilonia.

Mare, Walter (John) de la (25 abr. 1873, Charlton, Kent, Inglaterra–22 jun. 1956, Twickenham, Middlesex). Poeta y novelista británico. De la Mare era de descendencia hugonota francesa. Fue educado en Londres y trabajó para la Standard Oil Co. (1890–1908) antes de dedicarse a escribir, inicialmente bajo el seudónimo de Walter Ramal. Escribió para adultos y para

Walter de la Mare, fotografía de Mark Gerson
CAMERA PRESS

niños. Su colección *Ven aquí* (1923) fue la más elogiada de sus obras y *Memorias de un enano* (1921), la novela más conocida. Su *Collected Stories for Children* [Cuentos completos para niños] apareció en 1947.

marea Ascenso y descenso periódico y regular del nivel de la superficie del mar, que ocurre en la mayoría de los lugares dos veces al día. Las mareas son el resultado de diferencias entre las fuerzas gravitatorias ejercidas en distintos puntos de la superficie de la Tierra por otros cuerpos celestes (como la Luna). Aunque todos los cuerpos celestes producen efectos mareales menores (p. ej., Júpiter), sólo son apreciables los de la Luna (por su cercanía a la Tierra) y del Sol (por su enorme masa). De hecho, la intensidad de las fuerzas mareales ejercidas por la Luna duplican aproximadamente las ejercidas por el Sol. Las mareas mayores (mareas vivas, que presentan una diferencia de nivel muy grande entre la marea alta y la baja) ocurren cuando hay luna nueva o luna llena, cuando la Tierra, la Luna y el Sol están alineados y las fuerzas mareales del Sol se suman a las de la Luna. Las mareas menores (mareas muertas) ocurren cuando el Sol y la Luna se encuentran en ángulo recto (con respecto a la Tierra). En este caso, las fuerzas mareales del Sol anulan parcialmente las de la Luna. La geometría de la costa y del fondo marino también afectan el rango de las mareas.

marea roja Cambio de color del agua marina causado por DINOFLAGELADOS durante aumentos periódicos de su población. Las sustancias tóxicas liberadas por estos organismos en el agua pueden ser letales para peces y otros seres de vida marina e irritan el sistema respiratorio humano. A veces se deben clausurar balnearios costeros cuando al romper las olas liberan las sustancias tóxicas al aire. Las causas de la marea roja son inciertas; requiere la confluencia de varios fenómenos naturales, en los que puede o no interferir la acción del hombre.

maremoto ver TSUNAMI

Marengo, batalla de (14 jun. 1800). Estrecha victoria de NAPOLEÓN I sobre Austria en las guerras NAPOLEÓNICAS, librada en el llano de Marengo, norte de Italia. La fuerza francesa inicial fue dominada, pero cuando el comandante austríaco cedió el mando a un subordinado creyendo que la victoria estaba asegurada, refuerzos franceses obligaron a los austríacos a batirse en retirada. La victoria significó la ocupación francesa de la Lombardía y aseguró la autoridad civil y militar de Napoleón en París.

Marenzio, Luca (1553, Coccaglio, cerca de Brescia, República de Venecia–22 ago. 1599, Roma). Compositor italiano. Probablemente cuando niño se formó como corista en Brescia y estuvo al servicio del cardenal Luigi d'Este en Roma de 1578 a 1586. En la década de 1580, el patrocinio del cardenal le permitió publicar diez de sus primeros 25 libros de MADRIGALES, obras por las que es reconocido y cuyo estilo llegó a tener gran influencia en Italia e Inglaterra. Sus madrigales posteriores, de tono más serio, emplean la disonancia y el cromatismo para reflejar sus textos y en algunos casos forman ciclos. También compuso cerca de 75 motetes sacros.

mareo Malestar causado por contradicción entre la información externa que proporcionan los ojos y los datos internos provenientes del centro de equilibrio en el OÍDO INTERNO. Por ejemplo, en el mareo marítimo, el oído interno siente el movimiento del barco, pero los ojos ven que la cabina está quieta. Esto estimula hormonas de estrés y acelera las contracciones musculares del estómago, causando vértigo, palidez, sudoración fría, náusea y vómitos. Para combatirlo se pueden minimizar los cambios de velocidad y dirección, como también reclinarse, no girar la cabeza, cerrar los ojos o enfocarlos en objetos distantes. Existen medicamentos que evitan o alivian el mareo, pero pueden tener efectos secundarios. La presión en un punto de ACUPUNTURA, sobre las muñecas, ayuda a algunas personas.

Marfan, síndrome de Trastorno hereditario raro del TEJIDO CONECTIVO. Las personas afectadas son altas, de extremidades largas, delgadas y dedos aracniformes (aracnodactilia). Se disloca el cristalino, y muchos pueden sufrir GLAUCOMA O DESPRENDIMIENTO DE RETINA. En el corazón, hay anomalías del miocardio y varias disfunciones y malformaciones; la rotura de la AORTA es la causa más frecuente de muerte. La gravedad varía; los pacientes pueden morir en la juventud o llevar una vida esencialmente normal. La anomalía subyacente es incurable, pero es posible corregir quirúrgicamente algunos defectos.

marfil Variedad de la dentina, dura y blanca, que da forma a los colmillos de animales como ELEFANTES, MORSAS y los extintos MAMUTS. Se lo valora por su belleza, durabilidad y facilidad para tallarlo. En la antigüedad se apreciaba tanto como el oro y las piedras preciosas, y la mayoría del marfil usado comercialmente provenía de África. Las ventas de marfil declinaron en el s. XX, en conjunto con la disminución de las poblaciones de elefantes africanos y la preocupación mundial acerca del peligro en que dichas especies se encontraban, lo que condujo a la prohibición de exportar e importar marfil. Los alguna vez prósperos mercados de Europa se trasladaron a Asia meridional, donde diestros artesanos, a menudo comerciantes ilegales, tallan el marfil para transformarlo en figurillas y otros objetos.

marga Mezcla terrosa de minerales de grano fino, de composición muy variable. La CAL (carbonato de calcio) contribuye a ella como fragmentos de conchas de caracoles y BIVALVOS, o como un polvo mezclado con arcilla y grava rica en silicio. Los grandes yacimientos contienen 80–90% de carbonato de calcio y menos de 3% de carbonato de magnesio. A medida que disminuye la cantidad de cal, la marga rica en calcio se le llama arcilla y caliza arcillosa. La marga rica en POTASA (carbonato de potasio), llamada marga verde, se usa como ablandador de agua. La marga también se ha empleado para la fabricación de aislantes y cemento PORTLAND, como fuente de cal y para la fabricación de ladrillos.

margarina Alimento elaborado a partir de una o más grasas o aceites, vegetales o animales, mezclados con leche y otros ingredientes. Usada como sustituto de la MANTECA, para cocinar y como sustancia para untar, la margarina fue desarrollada por el químico francés Hippolyte Mège-Mouriès hacia fines de la década de 1860. Las grasas utilizadas han variado enormemente; hoy en día son comunes los aceites poliinsaturados, como los de maíz, colza y maravilla, que se consideran más saludables que las grasas saturadas.

margarita Cualquiera de varias especies de plantas de jardín de la familia de las COMPUESTAS, especialmente la margarita mayor (*Chrysanthemum leucanthemum*) y la margarita inglesa o genuina (*Bellis perennis*). Ambas son nativas de Europa, pero se han naturalizado en EE.UU. Estas y otras plantas, llamadas margaritas, se distinguen por una flor compuesta de 15–30 flores radiadas blancas que rodean a una flor tubular amarilla brillante. La margarita Shasta (*C. maximum*) es una planta cultivada que se parece a la margarita mayor, pero con cabezuelas más grandes. La margarita inglesa se utiliza a menudo como una PLANTA DE VIVERO.

margarita amarilla Cualquiera de los varios géneros de flores doradas parecidas a la margarita, de la familia de las COMPUESTAS. Las cabezuelas compactas portan flores radiadas amarillas o blancas y flores tubulares amarillas. Se cultivan como plantas ornamentales de jardín, en especial la margarita dorada, llamada también manzanilla amarilla (*Anthemis tinctoria*). Ver también MANZANILLA; MARGARITA.

Margarita mayor

Margarita amarilla

Especies de margarita.
© ENCYCLOPÆDIA BRITANNICA, INC.

Margarita de Angulema *o* **Margarita de Navarra** *francés* **Marguerite d'Angoulême** (11 abr. 1492, Angulema, Francia–21 dic. 1549, Odos-Bigorre). Reina consorte de Enrique II de Navarra y figura sobresaliente del Renacimiento francés. Era hija del conde de Angulema. Cuando su hermano FRANCISCO I accedió a la corona en 1515, tuvo mucha influencia en su corte. Luego que su primer esposo murió, se casó con Enrique en 1525. Se destacó como mecenas de humanistas y reformistas y de escritores como FRANÇOIS RABELAIS. Ella misma fue escritora y poetisa; su obra más importante fue el *Heptameron*, 72 cuentos escritos según el modelo del *Decamerón* de BOCCACCIO y publicados póstumamente en 1558–59.

Margarita de Antioquía, santa o **santa Marina** (floreció s. III o IV, Antioquía, Siria; festividad en Oriente: 13 de julio; en Occidente: 20 de julio). Antigua mártir cristiana. Cuenta la tradición que fue una doncella que vivió en el reinado de DIOCLECIANO. Cuando rehusó casarse con el prefecto romano de Antioquía, fue torturada y decapitada. Su designación como santa patrona de las mujeres encinta (en especial aquellas en parto difícil), está basada en la historia de que durante su juicio fue tragada por Satanás en la forma de un dragón y luego vomitada ilesa. Ampliamente venerada en la Edad Media, en la actualidad se piensa que es un personaje ficticio.

Margarita de Austria (10 ene. 1480, Bruselas–1 dic. 1530, Malinas, Países Bajos españoles). Gobernadora de la dinastía Habsburgo que fue regente de los Países Bajos (1507–15, 1519–30) al servicio de su sobrino, el futuro emperador CARLOS V. En 1497 se casó con el infante Juan, heredero de los reinos españoles, quien murió a los pocos meses. En 1501 se casó con Filiberto II, duque de Saboya, quien falleció en 1504. Designada regente por su padre, el emperador MAXIMILIANO I, emprendió una política exterior pro inglesa. En la década de 1520 extendió el dominio Habsburgo en la zona nororiental de los Países Bajos y negoció el tratado de CAMBRAI (1529), llamado la "Paz de las damas", con Luisa de Saboya (n. 1494–m. 1547), regente de FRANCISCO I.

Margarita de Austria, detalle de una pintura atribuida a Bernard van Orley, c. 1505; castillo de Windsor, Berkshire, Inglaterra.

Margarita de Escocia, santa (c. 1045, probablemente Hungría–16 nov. 1093, Edimburgo; canonizada en 1250; festividad: 16 de noviembre, festividad en Escocia: 16 de junio). Santa patrona de Escocia. Hermana de EDGAR ATHELING, se casó con MALCOLM III CANMORE y tres de sus hijos ascendieron al trono escocés. Fundó abadías, trabajó por la justicia, mejoró las condiciones de los pobres y convenció a Malcolm de que iniciara una serie de reformas eclesiásticas que transformaron la vida cultural y religiosa del reino.

Margarita de Parma (1522, Oudenaarde, Países Bajos españoles–18 ene. 1586, Ortona, Reino de Nápoles). Duquesa de Parma, regente Habsburgo y gobernadora general de los Países Bajos (1559–67). Hija ilegítima del emperador CARLOS V, fue casada primero (1536) con ALEJANDRO DE MÉDICIS, asesinado en 1537, y luego (1538) con Octavio Farnesio, duque de Parma. Designada por su medio hermano, FELIPE II de España, para gobernar los Países Bajos, intentó apaciguar a la nobleza con un trato más moderado hacia los protestantes, pero dejó entrar a un ejército en 1567 luego que extremistas calvinistas atacaran iglesias católicas. Felipe envió al duque de ALBA, quien reunió un ejército español y puso en vigor severas medidas contra los protestantes disidentes, tras lo cual se precipitó una abierta rebelión. Renunció cuando el duque de Alba asumió el poder.

Margarita de Valois o **Margarita de Francia** francés **Marguerite** llamada **reina Margot** (14 may. 1553, Saint-Germain-en-Laye, Francia–27 mar. 1615, París). Reina consorte de Navarra que desempeñó un papel secundario en las guerras de RELIGIÓN (1562–98). Hija de ENRIQUE II de Francia, sus relaciones con sus hermanos CARLOS IX y el futuro ENRIQUE III fueron tirantes y tuvo una precoz aventura amorosa con Enrique, duque de GUISA, líder del partido católico extremista. Fue casada en 1572 con el rey protestante de Navarra, el futuro ENRIQUE IV de Francia, para sellar la paz entre cató-

licos y protestantes, pero días más tarde comenzó la matanza de la noche de SAN BARTOLOMÉ. Enterado de su participación en conspiraciones, Enrique III la desterró al castillo de Usson en 1586. Le concedió la nulidad a su esposo en 1600 y vivió el resto de su vida en París. Fue conocida por su belleza, erudición y vida licenciosa; sus *Mémoires* proporcionan un vívido cuadro de Francia durante esa época.

margarita mayor Planta perenne de jardín (*Chrysanthemum leucanthemum*) de la familia de las COMPUESTAS. La flor posee 15–30 flores radiadas blancas que rodean a una flor tubular amarillo brillante, de un diámetro de 2,5–5 cm (1–2 pulg.) aprox. Crece hasta cerca de 60 cm (2 pies) de altura; tiene hojas oblongas, dentadas, y pecíolos (tallos foliares) largos. Siendo nativa de Europa y Asia, ha devenido una planta silvestre corriente en EE.UU. Ver también MARGARITA.

Margarita Tudor (29 nov. 1489, Londres, Inglaterra–18 oct. 1541, Methven, Perth, Escocia). Reina consorte del rey JACOBO IV de Escocia (1503–13). Hija del rey ENRIQUE VII de Inglaterra, fue casada con Jacobo para mejorar las relaciones entre Inglaterra y Escocia. Después de la muerte de su esposo (1513), se convirtió en regente de su hijo, Jacobo V (n. 1512–m. 1542). Al casarse con el conde de Angus (1514), partidario de los ingleses, se vio obligada a entregar la regencia, pero desempeñó un papel clave en el conflicto entre las facciones pro francesa y pro inglesa en Escocia, cambiando sus lealtades en beneficio de sus intereses financieros. Obtuvo la nulidad de Angus (1527) para casarse con Henry Stewart, barón Methven, quien se convirtió en el principal consejero de Jacobo.

margen En finanzas, el monto por el que el valor de la GARANTÍA de un préstamo rebasa el monto del préstamo. Este excedente otorga al prestamista un "margen" de seguridad que rebasa en la garantía ofrecida y, por lo tanto, hace que el otorgamiento de un préstamo sea más atractivo. La magnitud del margen varía según el tipo de garantía, la estabilidad de su precio de mercado y la solvencia del prestatario. El término margen también se utiliza con referencia a las transacciones de VALORES. Cuando se compran valores "a crédito" el comprador entrega un porcentaje del precio de compra en efectivo, constituye los valores en garantía, y recibe un préstamo del corredor para cubrir el resto. En EE.UU. la Federal Reserve Board (ver Sistema de la RESERVA FEDERAL) establece como requisito un margen mínimo sobre los préstamos destinados a la compra de valores, a fin de evitar que el CRÉDITO se utilice excesivamente para especular con ACCIONES, como ocurrió antes del colapso del mercado bursátil en 1929.

Margherita, pico La cumbre más alta de la cordillera Ruwenzori, África oriental. Está ubicada en el límite entre Uganda y la República Democrática del Congo. El más alto de los dos picos del monte Stanley (monte central de los Ruwenzori), el Margherita se eleva a 5.109 m (16.795 pies) entre los lagos ALBERTO y EDUARDO. Escalado por primera vez en 1906 por una expedición italiana, se lo llamó así en honor de la reina Margherita de Italia. Es la tercera cumbre más alta de África, después del KILIMANJARO y el monte KENIA.

marginal, utilidad En economía, el beneficio o satisfacción adicional (utilidad) que el consumidor obtiene al comprar una unidad adicional de un bien o servicio. La ley de las utilidades decrecientes significa que la utilidad o beneficio está inversamente relacionada con el número de unidades que ya se posee. Por ejemplo, una rebanada de pan ofrecida a una familia que tiene cinco rebanadas tendrá una utilidad marginal grande, ya que la familia tendrá menos hambre y la diferencia entre cinco y seis rebanadas es proporcionalmente significativa. En cambio, una rebanada adicional de pan ofrecida a una familia que tiene 30 rebanadas, tendrá una utilidad marginal menor, puesto que la diferencia entre 30 y 31 rebanadas es proporcionalmente menor y el apetito de la familia puede satisfacerse con lo que ya tiene. El concepto de utilidad marginal surgió de los intentos de los economistas del s. XIX por explicar la realidad económica fundamental del PRECIO.

Marí ver MERV

María *o* **santa María** *o* **Virgen María** Madre de JESÚS. Según los EVANGELIOS, estaba prometida en matrimonio a JOSÉ cuando el arcángel GABRIEL se le apareció para anunciarle que concebiría al hijo de Dios por obra del Espíritu Santo. Figura en otros episodios de los Evangelios como aquel de la visita a Isabel, madre de san JUAN BAUTISTA; el nacimiento de Jesús y su presentación en el Templo; la visita de los MAGOS y la huida a Egipto; las bodas de Caná de Galilea; el intento de ver a Jesús mientras Él estaba enseñando, y la vigilia en la cruz. La ortodoxia oriental, el catolicismo y la mayoría de las creencias protestantes sostienen que Jesús fue divinamente concebido y que María permaneció virgen. La Iglesia católica reafirma el dogma de la INMACULADA CONCEPCIÓN y el de la Asunción. Los católicos dirigen sus oraciones para que interceda por ellos. Ver también MARIOLOGÍA.

María I *o* **María Tudor** (18 feb. 1516, Greenwich, cerca de Londres, Inglaterra–17 nov. 1558, Londres). Reina de Inglaterra (1553–58). Hija del rey ENRIQUE VIII y CATALINA DE ARAGÓN, fue declarada ilegítima después del divorcio de Enrique y su nuevo matrimonio con ANA BOLENA (1533). En 1544, María fue restablecida en la corte y en la sucesión al trono. Después de convertirse en reina (1553), se casó con FELIPE II de España, restauró el catolicismo y revivió las leyes contra la herejía. La consiguiente persecución de rebeldes protestantes y la ejecución de unos 300 herejes le ganaron el odio de sus súbditos y el apodo de "Bloody Mary" (María la Sanguinaria). Libró sin éxito una guerra contra Francia que en 1558 se tradujo en la pérdida de Calais, la última posesión de Inglaterra en el continente.

María I Estuardo *orig.* **Mary Stuart** (8 dic. 1542, palacio de Linlithgow, West Lothian, Escocia–8 feb. 1587, castillo de Fotheringhay, Northamptonshire, Inglaterra). Reina de Escocia (1542–67). Fue entronizada a los seis días de su nacimiento, tras la muerte de su padre, Jacobo V (n. 1512–m. 1542). Enviada por su madre, María de Guisa, a ser educada en la corte del rey francés ENRIQUE II, fue casada en 1558 con su hijo FRANCISCO II. Después de un breve reinado de Francisco (1559–60) que ter-

María I Estuardo, detalle de un dibujo de François Clouet, 1559; Bibliothèque Nationale, París, Francia.
GIRAUDON/ART RESOURCE, NUEVA YORK

minó su muerte prematura, María regresó a Escocia (1561), donde fue recibida con recelo debido a su educación católica. En 1565, la pelirroja reina se casó con su ambicioso primo Lord DARNLEY, y se convirtió en víctima de intrigas entre los nobles escoceses. Darnley conspiró con ellos para asesinar a su confidente DAVID RICCIO. Después del nacimiento de su hijo Jacobo (luego JACOBO I de Inglaterra) en 1566, María se distanció de su esposo, quien fue asesinado al año siguiente. Contra las objeciones de la celosa nobleza escocesa, se casó con James Hepburn, conde de Bothwell (n. ¿1535?–m. 1578), sospechoso de haber participado en el asesinato de Darnley. Los nobles rebeldes desertaron de su ejército en Carberry Hill y la obligaron a abdicar en favor de su hijo (1567). Después de intentos infructuosos para recuperar el trono, buscó refugio en Inglaterra con su prima ISABEL I, quien decidió mantenerla en cautiverio. Varias rebeliones de católicos ingleses en su favor convencieron a Isabel de ordenar su enjuiciamiento y condena; fue decapitada en el castillo de Fotheringhay en 1587.

María II (30 abr. 1662, Londres, Inglaterra–28 dic. 1694, Londres). Reina de Inglaterra (1689–94). Hija de JACOBO II, converso al catolicismo, fue educada como protestante y en 1677 se casó con su primo, Guillermo de Orange. Vivieron en Holanda hasta que nobles ingleses contrarios a las políticas pro católicas de Jacobo los invitaron a que asumieran el trono inglés. Tras el desembarco de Guillermo con un ejército holandés (1688), Jacobo huyó y María y Guillermo (como GUILLERMO III) se convirtieron en cogobernantes de Inglaterra (1689). María disfrutó de gran popularidad y su inclinación por las artes holandesas influyó en la cerámica inglesa, el paisajismo y el diseño de interiores. Murió de viruela a la edad de 32 años.

María Antonieta (Josefa Juana de Austria y Lorena) (2 nov. 1755, Viena–16 oct. 1793, París, Francia). Reina consorte de LUIS XVI de Francia. Hija del emperador FRANCISCO I y MARÍA TERESA, fue casada en 1770 con el delfín francés. Después de que este se convirtió en rey (1774), fue criticada por su despilfarro y su frívolo círculo de favoritos de la corte. Fue injustamente implicada en el asunto del COLLAR DE DIAMANTES (1786), que desacreditó a la monarquía. Después de iniciada la REVOLUCIÓN FRANCESA, influyó en Luis para que resistiera los intentos de la ASAMBLEA NACIONAL de limitar el poder monárquico. Se convirtió en el blanco de los agitadores, quienes le atribuyeron la célebre observación "¡Que coman pasteles!", después de ser in-

María Antonieta, retrato de Adolf Ulrich Wertmuller.
FOTOBANCO

formada que el pueblo no tenía pan. Intentó salvar la corona negociando secretamente con las facciones monárquicas y con su hermano, el emperador LEOPOLDO II. Las noticias acerca de sus intrigas enfurecieron aún más a los franceses y provocaron el derrocamiento de la monarquía (1792). Después de un año en prisión, fue enjuiciada y guillotinada en 1793.

María de Francia (floreció s. XII). Primera poetisa conocida de origen francés. Escribió narraciones en verso sobre temas mágicos y amorosos y pudo haber inspirado los melodiosos *lais* de los posteriores TROVADORES. Probablemente escribió en Inglaterra y pudo haber basado sus fábulas en una fuente inglesa; sus versos estaban dedicados a un "noble" rey, que pudo ser ENRIQUE II de Inglaterra o su hijo. También escribió una compilación de fábulas, el *Ysopet*.

María de Médicis *italiano* **Maria de Medici** (26 abr. 1573, Florencia–3 jul. 1642, Colonia). Reina consorte de ENRIQUE IV de Francia. Hija de Francisco de Médicis, de la célebre familia MÉDICIS, fue casada en 1600 con Enrique como su segunda esposa. Después del asesinato de Enrique en 1610, se convirtió en regente del hijo de ambos, LUIS XIII. Aconsejada por el inescrupuloso marqués de Ancre, despilfarró las rentas del Estado y compró la lealtad de los nobles rebeldes. Después de que Ancre fue asesinado, Luis asumió el trono (1617) y exilió a María a Blois. Ella intentó incitar una rebelión y obtuvo términos de paz favorables a través de su consejero, el futuro cardenal RICHELIEU. Restablecida en el consejo del rey (1622), obtuvo un capelo cardenalicio para Richelieu y convenció a Luis para que lo convirtiera en su principal ministro. Richelieu se alejó gradualmente de la influencia de María y en 1628 se opuso a sus políticas. María intentó que fuese destituido, pero Luis rechazó su confabulación y la desterró de la corte. En 1631 huyó a Bruselas; olvidada de todos murió en la pobreza.

María la Tifosa *apodo de* **Mary Mallon** (¿1870?–11 nov. 1938, North Brother Island, Nueva York, N.Y., EE.UU.). Portadora estadounidense de TIFOIDEA. En 1904 se rastreó el origen de una epidemia de fiebre tifoidea hasta los hogares en que ella había sido cocinera. María huyó, pero las autoridades finalmente la confinaron en una isla en las afueras del Bronx. En 1910 fue liberada después de comprometerse a no trabajar en la manipulación de alimentos, pero lo hizo, causando nuevos brotes. Fue devuelta a la isla a perpetuidad. Se le atribuyeron directamente tres muertes y 51 casos directos.

María Luisa *alemán* **Maria-Luise** (12 dic. 1791, Viena, Austria–17 dic. 1847, Parma). Archiduquesa austríaca y segunda esposa de NAPOLEÓN I. La hija mayor del emperador FRANCISCO II, fue casada con Napoleón (1810) y dio a luz al heredero largamente deseado, el futuro NAPOLEÓN II, en 1811. Cuando Napoleón abdicó (1814), María Luisa regresó a Viena con su hijo. Hizo caso omiso de los ruegos de Napoleón para que se le uniera en el exilio y nuevamente después del regreso de este a Francia (1815). Convertida en duquesa de Parma, Piacenza y Guastalla (1816), gobernó de acuerdo con los intereses austríacos. Después de la muerte de Napoleón (1821), contrajo matrimonios morganáticos con Adam Adalbert, conde von Neipperg, quien murió en 1829, y en 1834 con Charles René, conde de Bombelles.

María Luisa, detalle de un retrato de Joseph Franque; palacio de Versalles, Francia.
ALINARI–ART RESOURCE

María Magdalena, santa (c. siglo I, Palestina; festividad: 22 de julio). Seguidora de JESÚS y la primera persona en ver a Cristo resucitado. De acuerdo con san Lucas 8:2 y san Marcos 16:9, Jesús la exorcizó de siete demonios. Lo acompañó en Galilea y fue testigo de su crucifixión y entierro. En la mañana de PASCUA DE RESURRECCIÓN fue con otras dos mujeres a ungir su cuerpo, pero la tumba estaba vacía. Luego Cristo se le apareció tras su resurrección y le pidió que informara a los APÓSTOLES de su ascensión al cielo. Por mucho tiempo la tradición popular la ha asociado con la pecadora arrepentida que ungió los pies de Cristo.

María Teresa *alemán* **Maria Theresia** (13 may. 1717, Viena, Austria–29 nov. 1780, Viena). Archiduquesa de Austria, emperatriz y reina de Hungría y Bohemia (1740–80). Era la hija mayor del emperador CARLOS VI, quien promulgó la PRAGMÁTICA SANCIÓN para permitirle heredar los dominios de los Habsburgo. La oposición a su ascensión al trono llevó en 1740 a la guerra de sucesión AUSTRÍACA. Tras la muerte del emperador CARLOS VII (1745), obtuvo la corona imperial para su marido, quien se convirtió en FRANCISCO I. Ayudó a iniciar reformas financieras y educacionales, promovió el comercio y el desarrollo de la agricultura, reorganizó el ejército, todo lo cual fortaleció a Austria. El permanente conflicto con Prusia llevó a la guerra de los SIETE AÑOS y más tarde a la guerra de sucesión BÁVARA. Después de la muerte de su esposo (1765), su hijo se convirtió en emperador con el nombre de JOSÉ II. Ella criticó muchas de sus decisiones, pero estuvo de acuerdo con la partición de POLONIA (1772). Figura clave en la política europea del s. XVIII, María Teresa trajo la unidad a la monarquía Habsburgo y fue considerada una de sus gobernantes más capaces. Entre sus 16 hijos destacan MARÍA ANTONIETA y LEOPOLDO II.

mariachi Orquesta callejera tradicional mexicana. En el s. XIX, los mariachis consistían solamente en instrumentos de cuerdas, entre ellos el violín, guitarra, guitarrón, vihuela, mandolina y contrabajo. Por lo general, desde la década de 1920 se han incluido generalmente trompetas y a menudo otros instrumentos de viento. El repertorio de los mariachis incluye canciones y música bailable alegre.

Marianas del Norte, islas *inglés* **Commonwealth of the Northern Mariana Islands** Commonwealth (pob., est. 2002: 70.000 hab.) bajo la administración de EE.UU., en el océano Pacífico occidental. Compuestas de 14 islas ubicadas al norte de GUAM, las Marianas del Norte se extienden a lo largo de 720 km (450 mi) y abarcan una superficie de 477 km² (184 mi²). Su capital, Chalan Kanoa, se encuentra en la isla de SAIPAN, que junto con Tinian y Rota son las principales islas habitadas. Entre las restantes figuran Alamagan y Agrihan; la isla de Pagan fue evacuada por un tiempo después de una erupción volcánica acaecida en 1981. Los pueblos indígenas son de origen micronesio; otros grupos provienen de los pueblos chamorro y filipino. Las islas, descubiertas en 1521 por FERNANDO DE MAGALLANES, fueron colonizadas en 1668 por España, que en 1899 las vendió a Alemania. En 1914 las ocupó Japón, y a partir de 1919 pasaron a poder de los nipones por mandato de la SOCIEDAD DE NACIONES. Durante la segunda guerra mundial fueron escenario de cruentos combates; en Tinian estaba la base de los aviones estadounidenses que lanzaron las bombas atómicas sobre HIROSHIMA y NAGASAKI. En 1947, la ONU entregó las Marianas del Norte en fideicomiso a EE.UU. En 1978 lograron el autogobierno, y se convirtieron en *commonwealth* bajo soberanía de EE.UU. en 1986, año en que los residentes pasaron a ser ciudadanos estadounidenses. El fideicomiso de la ONU caducó en 1990.

Marianas, fosa de las Depresión submarina en el Pacífico occidental. Es la más profunda de todas las fosas oceánicas de la Tierra, con una hondura máxima de 11.033 m (36.198 pies). Se extiende desde el sudeste de GUAM hasta el noroeste de las islas MARIANAS, con una extensión de más de 2.550 km (1.580 mi) y una anchura promedio de 69 km (43 mi). Ver también FOSA SUBMARINA PROFUNDA.

Marianas, islas *ant.* **islas de los Ladrones** Grupo de 15 islas del Pacífico occidental. Ubicadas al este de Filipinas, están divididas políticamente entre GUAM y las islas MARIANAS DEL NORTE. Su población desciende del pueblo prehispánico chamorro y de colonos españoles, mexicanos, alemanes, filipinos y japoneses. Las tradiciones culturales españolas siguen vigentes con fuerza. FERNANDO DE MAGALLANES fue el primer europeo que estuvo en ellas (1521); después hubo frecuentes visitas, pero no fueron colonizadas sino hasta 1668, año en que los misioneros jesuitas le dieron su nombre actual en honor de Mariana de Austria, regente de España.

Mariátegui, José Carlos (14 jun. 1894, Moquegua, Perú–16 abr. 1930, Lima). Líder político y ensayista peruano. En 1919 viajó a Italia, donde conoció la vanguardia socialista de esos días y a personajes como MÁXIMO GORKI. En un principio fue un entusiasta simpatizante del APRA, pero luego lo abandonó para formar el Partido Socialista peruano en 1928. Si bien hacía hincapié en los aspectos económicos del marxismo, reconocía el valor de la religión y el mito en su forma de tratar a los indígenas y abogaba por otorgarles un mayor papel social y político (ver INDIGENISMO). Diversas organizaciones de la izquierda peruana, incluyendo el grupo terrorista SENDERO LUMINOSO, han reclamado seguir sus postulados.

Ma'rib Ruinas de una antigua localidad del centro-norte de YEMEN. Fue una aldea fortificada, capital del estado preislámico de Saba (950–115 AC). Situada sobre una de las rutas de caravanas entre el Mediterráneo y la península Arábiga, prosperó gracias a su monopolio del comercio de incienso y mirra. La antigua represa de Ma'rib fue construida c. siglo VII AC para regular las aguas del *wadi* Sadd; con una extensión cercana a los 500 m (1.800 pies), permitía regar más de 1.600 ha

(4.000 acres) y sustentaba una zona agrícola densamente poblada. La represa fue destruida en el s. VI DC.

Marica, río o **río Maritza** griego **Evros** turco **Meric** Curso fluvial en Europa sudoriental. Nace al sudeste de SOFÍA y discurre hacia el este y sudeste a través de Bulgaria, marcando durante un corto trayecto la frontera entre Bulgaria y Grecia; luego señala la frontera entre Grecia y Turquía. Se desvía en Edirne y fluye hacia el sudoeste hasta desembocar en el mar EGEO, tras un recorrido de 480 km (300 mi) aprox.

maricultura ver ACUICULTURA

marihuana Planta del CÁÑAMO de India (*Cannabis sativa*) o la droga cruda elaborada de sus hojas o flores secas y molidas. El ingrediente activo es el tetrahidrocannabinol (THC). También llamada mota, hierba y mala hierba, la droga ha sido utilizada durante largo tiempo como sedante o analgésico; se empleaba en China en el tercer milenio AC y llegó a Europa en 500 DC. En la actualidad es de uso mundial, aunque generalmente considerada ilegal, al menos desde la Convención internacional del opio, realizada en 1925 en Ginebra, Suiza. Sus efectos psicológicos y físicos, entre ellos la euforia moderada y las leves alteraciones visuales y del juicio, varían según la potencia y cantidad consumida, el entorno y la experiencia del consumidor. El uso crónico no produce adicción física, pero puede generar una dependencia psicológica moderada. Se ha demostrado que la marihuana tiene efectos terapéuticos en pacientes con glaucoma, sida y con efectos secundarios de la QUIMIOTERAPIA. En 2001, Canadá se convirtió en el primer país en legalizar el uso de la marihuana

Marihuana (*Cannabis sativa*).
© ENCYCLOPÆDIA BRITANNICA, INC.

en personas con enfermedades terminales y afecciones crónicas. Quienes apoyan la legalización sostienen que es una droga más benigna que el alcohol; sus detractores afirman que es adictiva y que conduce al consumo de drogas más nocivas. Una resina de la planta es la fuente del HACHÍS.

Mariinski, Teatro ant. **Teatro Kírov** Teatro Imperial ruso de San Petersburgo. Se inauguró en 1860 y debe su nombre a María Alexandrovna, esposa del zar reinante entonces. Recién en 1880 se realizaron presentaciones de ballet en el teatro, y sólo en 1889 comenzaron en forma regular, cuando el Ballet Imperial ruso pasó a ser la compañía permanente del teatro, apellidándose Mariínski. Más tarde, el nombre del teatro cambió a Teatro académico estatal (1917–35) y luego a Teatro académico estatal de ópera y ballet S. M. Kírov (ver SERGUÉI KÍROV) (1935–91); recuperó su nombre original en 1991. Su compañía permanente de ballet, el famoso Ballet Maríinski (o Kírov), realiza giras por todo el mundo.

marimba XILÓFONO con láminas de madera, cada una con su propio tubo de resonancia debajo de ellas. El instrumento africano original usa resonadores de calabaza afinados. En México y América Central, adonde la llevaron los esclavos africanos, las láminas de madera pueden estar fijadas a un marco sustentado por patas de soporte o colgado de la cintura del músico. La marimba de orquesta usa tubos metálicos largos como resonadores.

Marin, John (23 dic. 1870, Rutherford, N.J., EE.UU.– 1 oct. 1953, Cape Split, Maine). Pintor y grabador estadounidense. Trabajó como dibujante arquitectónico y más tarde estudió pintura. Después de tomar contacto con el CUBISMO y el EXPRESIONISMO alemán, desarrolló una forma personal de expresionismo que consistía en un conjunto de imágenes semiabstractas basadas en la realidad objetiva. Si bien la acuarela suele producir efectos delicados y transparentes,

el manejo que Marin tenía de esta técnica le permitió usarla para representar la grandiosidad de Nueva York y el incesante oleaje del mar.

"Las islas de Maine" acuarela de John Marin, 1922; Phillips Collection, Washington, D.C.
GENTILEZA DE LA PHILLIPS COLLECTION, WASHINGTON, D.C.

marina ver ARMADA

Marina ver ESPÍRITU SANTO

marina mercante Flota naviera comercial de una nación, tanto de propiedad privada como pública. Los barcos mercantes son empleados para transportar personas, materias primas y bienes manufacturados. Las flotas mercantes pueden ser activos económicos importantes para naciones con recursos naturales limitados o con una base industrial pequeña. Al desarrollar el comercio de otras naciones en los mares, una flota mercante contribuye a mejorar las ganancias en el intercambio internacional de la nación propietaria, promueve el comercio y proporciona empleo. EE.UU. cuenta con una academia de marina mercante ubicada en Kings Point, N.Y.

Marina, santa ver santa MARGARITA DE ANTIOQUÍA

Mariner Cualquiera de las sondas espaciales no tripuladas de la serie estadounidense del mismo nombre enviadas cerca de VENUS, MARTE y MERCURIO. Los Mariner 2 (1962) y 5 (1967) pasaron a 35.000 km (22.000 mi) y 4.000 km (2.500 mi) de Venus, respectivamente, y realizaron mediciones de temperatura y densidad atmosféricas. Los Mariner 4 (1965), 6 y 7 (1969), 9 (1971–72) y 10 (1973–75) obtuvieron impresionantes fotografías de la superficie de Marte y analizaron su atmósfera y su campo magnético. El Mariner 10 es la única nave espacial que ha visitado Mercurio (1974–75).

Marinetti, Filippo Tommaso (Emilio) (22 dic. 1876, Alejandría, Egipto–2 dic. 1944, Bellagio, Italia). Escritor italofrancés, fundador ideológico del FUTURISMO. En sus primeros poemas, como *Distruzione* [Destrucción] (1904), exhibe el vigor y la experimentación anárquica con la forma que caracterizarían sus obras posteriores. El futurismo partió oficialmente en 1909 con la publicación de su manifiesto en el periódico *Le Figaro* de París. Sus ideas fueron rápidamente adoptadas en Italia. Más

El Mariner 9 en órbita alrededor de Marte con la Tierra y la Luna al fondo; representación artística.
ARCHIVO EDIT. SANTIAGO

tarde siguió elaborando su teoría en una novela y en varias obras dramáticas. Consecuente con su argumento de que el FASCISMO era la extension natural del futurismo, se transformó en un fascista activo, lo que le llevó a perder a gran parte de sus seguidores durante la década de 1920.

Marini, Marino (27 feb. 1901, Pistoia, Italia–6 ago. 1980, Viareggio). Escultor y pintor italiano. Trabajó principalmente en bronce y se concentró en dos imágenes centrales: la mujer apegada a la Tierra y el caballo con jinete. Su sensibilidad por la forma y la superficie le debe mucho a las obras etruscas y romanas, pero la tensión interna de sus figuras atrevidas y tensas, refleja una sensibilidad expresionista. Sus bustos, como el de IGOR STRAVINSKI (1950), captan el sustrato espiritual de sus personajes. En la década de 1940 retomó la pintura de obras casi abstractas.

mariníes, dinastía de los Ver dinastía de los BENIMERINES

Marino, Giambattista (18 oct. 1569, Nápoles–25 mar. 1625, Nápoles). Poeta italiano, fundador del marinismo (posteriormente *secentismo*), corriente literaria que dominó la poesía italiana del s. XVII. Educado como abogado, eligió no ejercer, y halló en cambio un gran éxito con su poesía, que logró publicar a pesar de la censura. Su obra más importante, fruto de más de 20 años de trabajo, es *Adonis* (1623), un enorme poema (45.000 versos) que relata, con varias digresiones, la historia de amor de Venus y Adonis. Aclamada en toda Europa, fue un logro mayor que el de muchos de sus imitadores, quienes llevaron su intrincado lenguaje poético y refinados conceptos y metáforas a tal extremo que el marinismo pasó a ser un término peyorativo.

Mario, Cayo (c. 157, Cereatae, cerca de Arpino, Lacio–13 ene. 86 AC, Roma). General y cónsul que reestructuró el ejército romano. Obtuvo el mando del ejército en África (107) y resolvió la escasez crónica de fuerzas militares enrolando por primera vez a ciudadanos sin tierra. Derrotó a YUGURTA en 106. Ejerció como cónsul cinco años consecutivos (104–100), hecho sin precedente en la historia de Roma, mientras duró la amenaza de cimbrios y teutones, a los que combatió y derrotó. Estuvo al mando durante la guerra SOCIAL y nuevamente en el 88 para reemplazar a LUCIO CORNELIO SILA como comandante de Asia y enfrentar a MITRÍDATES. Huyó para salvar su vida cuando Sila, indignado, marchó sobre Roma. Regresó por la fuerza en 87, fue elegido cónsul por séptima vez y asesinó sin piedad a sus opositores.

mariología Estudio de las doctrinas concernientes a MARÍA, la madre de JESÚS, o el contenido de esas doctrinas. El Nuevo Testamento contiene escasa información acerca de María, aunque la tradición de que ella permaneció virgen a pesar de haber dado a luz a Jesús fue aceptada en la Iglesia primitiva. Se establecieron varias festividades en su honor en las tradiciones litúrgicas oriental y occidental, y se convirtió en una figura particularmente importante del CATOLICISMO ROMANO. PÍO IX proclamó el dogma de la INMACULADA CONCEPCIÓN en 1854. Es considerada la madre espiritual e intercesora celestial de todo católico y copartícipe con Jesús en la redención de los seres humanos. En 1950, PÍO XII decretó la Asunción de la Virgen en cuerpo y alma como dogma de fe.

Marion, Francis *llamado* **El zorro del pantano** (c. 1732, Winyah, S.C., EE.UU.–26 feb. 1795, cond. Berkeley, S.C.). Comandante estadounidense en la guerra de independencia de EE.UU. Combatió contra los cherokees (1759) y más adelante fue miembro de la asamblea provincial (1775). Durante la guerra de independencia de los ESTADOS UNIDOS DE AMÉRICA estuvo al mando de tropas en Carolina del Sur. Cuando el gral. BENJAMIN LINCOLN se rindió a los británicos en Charleston, S.C. (1780), se escabulló a los pantanos, reunió una banda de guerrilleros y dirigió atrevidas incursiones a las posiciones británicas. El congreso le reconoció por su osado rescate de soldados rebeldes rodeados por los británicos en Parkers Ferry, S.C. (1781). Enseguida ascendió a general de brigada.

marioneta Muñeco accionado por hilos atados a una cruz de madera, u otro control manual ubicado sobre el escenario. La figura, también llamada títere de cuerdas, se manipula habitualmente a través de nueve hilos, atados a cada pierna, mano, hombro, oreja y a la base de la columna. También existen marionetas con hilos adicionales que permiten un control más delicado del movimiento e inclusive se han elaborado algunas capaces de representar casi toda la gama de movimientos humanos y animales. Las primeras marionetas eran manejadas con varillas metálicas en vez de hilos, técnica que todavía perdura en Sicilia. En el s. XVIII, las óperas con marionetas

Representación de una ópera con marionetas en Salzburgo, Austria.
FOTOBANCO

fueron muy populares, y aún se representan en Salzburgo con música de Mozart. Ver también TEATRO DE TÍTERES.

mariposa Cualquiera de más de 17.000 especies de LEPIDÓPTEROS de distribución mundial. A diferencia de las POLILLAS, las mariposas son de hábitos diurnos y normalmente tienen colores brillantes o diseños llamativos. Sus rasgos distintivos son las antenas de extremo claviforme y el hábito de mantener las alas verticales sobre el dorso cuando están en reposo. Con pocas excepciones, las larvas y los adultos se alimentan de plantas. Se clasifican en cinco o seis familias. Los riodininos de la familia Lycaenidae se distribuyen principalmente en la América tropical; algunos miembros de la familia Nymphalidae se llaman picudos. Otras especies (con sus familias) comprenden la MARIPOSA BLANCA y MARIPOSA PIÉRIDA (Pieridae), MARIPOSA PAPILIÓNIDA (Papilionidae), MARIPOSA AZUL, MARIPOSA COBRIZA y MARIPOSA LISTADA (Lycaenidae) y MARIPOSA NINFÁLIDA, MARIPOSA MONARCA y MARIPOSA VANESSA (Nymphalidae).

mariposa azul Cualquier miembro de la familia Lycaenidae, LEPIDÓPTERO de amplia distribución. Los adultos son pequeños, delicados y etéreos con una envergadura de 18–38 mm (0,75–1,5 pulg.). Son de vuelo rápido y la mayoría de las especies tienen alas iridiscentes. Las larvas son cortas, anchas y con aspecto de babosa. Algunas especies en estadio larvario secretan un zumo dulce, subproducto de la digestión, que atrae a las hormigas, las que soban las larvas con sus patas para estimular la secreción.

mariposa blanca Cualquiera de varias especies de LEPIDÓPTEROS de la familia Pieridae, de distribución mundial. Los adultos tienen una envergadura de 38–63 mm (1,5–2,5 pulg.); las alas son blancas con manchas negras marginales. El patrón y coloración de muchas especies varía con el sexo y la estación. Muchas de las larvas verdes y delgadas, cubiertas en su mayoría de un vello corto o pelillo, son pestes de hortalizas. Las pupas se fijan a una ramilla por una espina posterior y una faja de seda. Ver también BLANQUITA DE LA COL.

mariposa cobriza Cualquier miembro de la subfamilia de MARIPOSAS Lycaeninae (familia Lycaenidae). Las mariposas cobrizas son abundantes y de distribución amplia. Los adultos son delicados, etéreos, con una envergadura de 18–38 mm (0,75–1,5 pulg.). Son de vuelo rápido y tienen casi siempre alas iridiscentes. En general, su color varía de rojo anaranjado a marrón, normalmente con un matiz cobrizo y manchas negras. Las larvas se alimentan de trébol, lengua de vaca o acedera.

mariposa esfinge Cualquier POLILLA de la familia Sphingidae de LEPIDÓPTEROS. De distribución mundial, estas polillas corpulentas tienen alas anteriores largas y estrechas, y las posteriores más cortas, con envergaduras que varían de cinco a 20 cm (2–8 pulg.). Muchas especies polinizan las flores mientras liban el néctar; la trompa de algunas especies puede llegar a 32,5 cm (13 pulg.) de largo. Algunas especies migran. Las larvas, que son lisas y tienen un "cuerno" dorsal, se llaman gusanos cornudos o cachudos; las larvas de dos especies norteamericanas –el cachudo del sur o del tabaco y el del norte o del tomate– atacan los cultivos de estos productos y de la patata.

mariposa listada Cualquier MARIPOSA de la subfamilia Theclinae (familia Lycaenidae). Los adultos son delicados y etéreos; tienen una envergadura de 18–38 mm (0,75–1,5 pulg.). De vuelo rápido, tienen normalmente alas iridiscentes y son, en general, de color marrón o gris con las alas rayadas finamente en el envés. Las larvas son cortas, anchas y con aspecto de babosa. Algunas especies son fitófagas, muchas son caníbales y otras secretan un zumo dulce, subproducto de la digestión, que atrae a las HORMIGAS. Se distribuyen en las áreas abiertas de todos los continentes y son más abundantes en América tropical.

mariposa luna Especie (*Actias luna*) de MARIPOSA SATÚRNIDA del este de América del Norte. Las mariposas luna son de color verde claro, con una envergadura de 10 cm (4 pulg.). Las alas poseen un delgado borde marrón, y cada ala trasera tiene un apéndice largo caudiforme. Las larvas se alimentan de las hojas de muchas clases de árboles y arbustos. Ver también POLILLA.

mariposa monarca Especie (*Danaus plexippus*, familia Danaidae) de MARIPOSA asociada a las asclepias, que se distribuye por todo el mundo pero sobre todo en América. Es el único LEPIDÓPTERO que lleva a cabo una migración genuina (vuelo de ida y vuelta de un mismo individuo). En Norteamérica, miles de monarcas se reúnen en otoño, migran al sur, a veces más de 2.900 km (1.800 mi) y retornan al norte en primavera. El color distintivo de las alas del adulto (marrón rojizo, nervaduras y borde negros, y dos hileras de manchas) alerta a los depredadores sobre su mal sabor. Varias otras especies se protegen mimetizando su coloración.

mariposa ninfálida Cualquiera de varias especies de MARIPOSAS (familia Nymphalidae) de colores vivos, vuelo rápido y muy apetecidas por los coleccionistas. La vanesa (*Vanessa atalanta*), una especie migratoria que se alimenta de ortigas, se distribuye extensamente por Europa, Norteamérica y el norte de África. La vanesa de India (*V. indica*) se halla en dicho país y en las islas Canarias. La ninfa del bosque (*Limenitis camilla* o *Basilarchia arthemis*), una especie de Eurasia y Norteamérica, se alimenta de madreselva.

mariposa papiliónida Cualquiera de más de 500 especies (género *Papilio*, familia Papilionidae) de MARIPOSAS de distribución mundial, salvo en el Ártico. Algunas tienen prolonga-

ciones caudiformes del ala posterior. Los patrones (dibujos) cromáticos varían según la especie, sexo, estación del año y, a veces, la ubicación (ver MARIPOSA TIGRE). La mayoría de los adultos tienen manchas amarillas, anaranjadas, rojas, verdes o azules sobre un fondo iridiscente negro, azul o verde. Las larvas, de colores brillantes, comen follaje. Algunas tienen manchas que parecen una cabeza de serpiente y muchas secretan una sustancia maloliente cuando se las molesta. La papiliónida gigante (*P. cresphontes*), con una envergadura de 10–14 cm (4–5,5 pulg.) es la mariposa de mayor tamaño de EE.UU. y Canadá.

mariposa piérida Cualquiera de varias especies de MARIPOSAS (familia Pieridae) de distribución mundial. Los adultos tienen una envergadura de 35–60 mm (1,5–2,5 pulg.). El color y patrón (dibujo) de muchas especies varía con la estación del año y el sexo, pero en general son de color amarillo o anaranjado brillante. Algunas tienen dos patrones cromáticos; por ejemplo, la *Colias eurytheme* es normalmente anaranjada con alas de bordes negros, aunque algunas hembras son blancas con los mismos bordes. Las pupas se fijan a una ramilla por una espina posterior y una faja de seda. Las larvas se alimentan de trébol y pueden dañar gravemente los cultivos.

mariposa saltarina Cualquiera de unas 3.000 especies de LEPIDÓPTEROS (familia Hesperiidae), llamadas así por su vuelo veloz (hasta 30 km/h o 20 mi/h) como una saeta. La cabeza y el cuerpo robusto del adulto se parecen a los de una POLILLA, pero la mayoría de las especies mantienen el primer par de alas en forma vertical cuando están en reposo, tal como lo hacen las MARIPOSAS. En general las mariposas saltarinas son de hábitos diurnos y carecen de las estructuras de acoplamiento de alas, típicas de las polillas. Las larvas se alimentan básicamente de leguminosas y hierbas, y suelen vivir dentro de hojas plegadas o enrolladas que pueden entretejerse. El capullo es tenue y de seda, o bien, de seda y hojas.

mariposa satúrnida Cualquiera de unas 800 especies de POLILLAS de la familia Saturniidae, que se distribuye principalmente en el trópico. Los adultos tienen un cuerpo grueso y velludo y alas anchas, a menudo con colores y dibujos llamativos. La mayoría de las especies tiene una mancha oculiforme central en cada ala. Entre las satúrnidas se puede citar la polilla io (*Automeris io*), la polilla cecropia (*Hyalophora cecropia*) –la polilla de mayor tamaño originaria de Norteamérica, con una envergadura de 15 cm (6 pulg.)– y varias especies de *Antheraea* que se usan como fuente de seda de interés comercial; el pavón de noche (*Saturnia pavonia*) y la MARIPOSA LUNA.

mariposa tigre Cualquiera de varias especies de MARIPOSAS PAPILIÓNIDAS aurinegras de Norteamérica. La mariposa tigre oriental (*Papilio glaucus*) es grande y de distribución amplia.

Mariposa de la alfalfa
(*Colias eurytheme*)

Mariposa cobriza
(*Lycaena hypophlaeas*)

Mariposa azul
(*Everes comyntas*)

Mariposa cobriza
(*Heodes thoe*)

Mariposa monarca
(*Danaus plexippus*)

Mariposa piérida
(*Colias philodice*)

Mariposa blanca
(*Pieris rapae*)

Mariposa vanessa
(*Vanessa atalanta*)

Especies de mariposa.

El macho es amarillo, con rayas y bordes negros en las alas. La hembra tiene un patrón parecido en el norte del continente, donde la papiliónida cola de golondrina de canal (*Battus philenor*) no existe; en el sur, donde coexisten ambas, la mariposa tigre hembra es a menudo total o casi totalmente negra.

mariposa vanessa Cualquiera de dos especies de MARIPOSAS del género *Vanessa* (familia Nymphalidae): *V. cardui* de África y Europa o *V. virginiensis* de América del Norte y Central. Tienen alas anchas, de figuras complejas en anaranjado rojizo, marrón, blanco y azul. En primavera, miríadas de *V. cardui* viajan miles de kilómetros desde África a Europa a través del Mediterráneo. Unos pocos individuos de la generación siguiente viajan al sur a fines del verano, pero la mayoría perece en el invierno boreal. Las norteamericanas viajan en la primavera de México noroccidental al desierto de Mojave y, a veces, hasta Canadá. Las larvas comen plantas de la familia Asteraceae; las larvas de *V. cardui* se alimentan de cardos y ortigas.

mariquita Cualquiera de unas 5.000 especies de COLEÓPTEROS de amplia distribución de la familia Coccinellidae. Las mariquitas son hemisféricas y normalmente de 8–10 mm (0,3–0,4 pulg.) de largo. Son paticortas y en general de colores brillantes, con puntos negros, amarillos o rojizos. Se producen varias generaciones cada verano. Las mariquitas son destinadas a menudo para controlar plagas de insectos, como PULGONES y ESCAMAS, y plagas de arácnidos, como los ácaros, porque se alimentan de ellos. Varias especies son fitófagas.

Maris, Roger *p. ext.* **Roger Eugene Maris** (10 sep. 1934, Hibbing, Minn., EE.UU.–14 dic. 1985, Houston, Texas). Beisbolista estadounidense. Cuando tenía diez años, su familia se mudó de Minnesota a Dakota del Norte, donde el joven Maris sobresalió en las competencias escolares, y jugó béisbol en Fargo, durante el verano, en la Legión Americana. Jardinero (defensa) y bateador zurdo, jugó en los Cleveland Indians, los New York Yankees y los St. Louis Cardinals. En 1961 conectó 61 *home runs* en una temporada, con lo cual quebró la vieja marca de BABE RUTH, de 60 *home runs*, y superó además por escaso margen a su compañero de equipo Mickey Mantle. El récord de Maris se mantuvo hasta 1998, cuando MARK MCGWIRE logró 70 *home runs* y SAMMY SOSA 66. Ver también BARRY BONDS.

marisco Cualquier MOLUSCO, CRUSTÁCEO o EQUINODERMO acuático con concha o caparazón. Las OSTRAS, MEJILLONES, VIEIRAS (ostiones) y ALMEJAS figuran entre los de mayor importancia comercial. También se comercializan ciertos moluscos gasterópodos, como el ABALÓN, BUCIO y CARACOLA. Los crustáceos más importantes son el CAMARÓN, LANGOSTA y CANGREJO. Entre los equinodermos, los ERIZOS DE MAR y PEPINOS DE MAR son de interés local. Después de extraídos, todos los mariscos son muy perecibles. Muchos se cocinan vivos para proteger al consumidor de los efectos de la putrefacción.

mariscos y pescados Animales acuáticos comestibles, tanto marinos como de agua dulce, excluyendo los mamíferos. La clase comprende PECES con huesos o cartílagos, CRUSTÁCEOS, MOLUSCOS, AGUA VIVA comestible, TORTUGAS marinas, RANAS, ERIZOS DE MAR y PEPINOS DE MAR. La hueva o los huevos de algunas especies se comen como CAVIAR. Después de los cereales, los mariscos y pescados pueden ser el alimento más importante de la humanidad, al proveer alrededor del 15% del consumo mundial de proteínas. El pescado magro es equivalente a la carne de vacuno o ave en rendimiento proteico (18–25% por peso), pero es mucho más bajo en calorías. Gran cantidad de marisco y pescado se come sin cocer, ya sea crudo, desecado, ahumado, salado, en escabeche o fermentado. De lo contrario, son cocidos enteros, cortados en filetes o trozados. Los mariscos y pescados se emplean a menudo en caldillos o sopas.

Maritain, Jacques (18 nov. 1882, París, Francia–28 abr. 1973, Toulouse). Filósofo francés. Educado como protestante, se convirtió al catolicismo en 1906. Su pensamiento, basado en el aristotelismo y el TOMISMO, incorpora ideas de otros filósofos clásicos y modernos y se inspira asimismo en la antropología, sociología y psicología. Entre los temas dominantes en su obra figuran: la ciencia, la filosofía, la poesía y el misticismo como diversas maneras legítimas de conocer la realidad; que la persona individual trasciende la comunidad política; que la ley natural expresa no sólo lo que es natural en el mundo, sino también lo que es naturalmente conocido por los seres humanos; que la filosofía moral debe tomar en consideración otras ramas del conocimiento humano, y que las personas que tienen creencias diferentes deben cooperar entre sí para constituir y mantener instituciones políticas sanas. Entre sus obras más importantes están *Artes y escolástica* (1920), *Los grados del saber* (1932), *La poesía y el arte* (1935), *El hombre y el Estado* (1951) y *Filosofía moral* (1960).

Marítimas, Provincias ver PROVINCIAS MARÍTIMAS

Maritza, río ver río MARICA

Marivaux, Pierre (Carlet de Chamblain de) (4 feb. 1688, París, Francia–12 feb. 1763, París). Dramaturgo francés.

Marivaux, detalle de una pintura al óleo de L.M. Van Loo, 1753; Comédie-Française, París.
CLICHÉ MUSÉES NATIONAUX

Nacido en el seno de una familia aristocrática, participó en los círculos cortesanos intelectuales parisinos, los que describió en sus artículos periodísticos. En 1720 sufrió la pérdida de su fortuna y poco después, el fallecimiento de su joven esposa. Estos sucesos lo alentaron a dedicarse por completo a la escritura. Sus primeras obras, entre las cuales figura la tragedia *Aníbal* (1720), las escribió para la compañía de la COMÉDIE-FRANÇAISE, pero prefirió trabajar con la compañía italiana establecida en París de la COMMEDIA DELL'ARTE, para quienes escribió obras como *Arlequín pulido por el amor* (1723), *El juego del amor y del azar* (1730). Los matices con que aborda las emociones y sus ingeniosos juegos de palabras se conocen con el nombre de *marivaudage*. Entre sus piezas satíricas figuran *La isla de los esclavos* (1725), *La isla de la razón* (1727) y *La colonia* (1729).

marketing ver MERCADOTECNIA

Markham, Beryl *orig.* **Beryl Clutterbuck** (26 oct. 1902, Leicester, Leicestershire, Inglaterra–3 ago. 1986, Nairobi, Kenia). Piloto, aventurera y escritora británica. Criada en África Oriental Británica, fue entrenadora y criadora de caballos; entrenó varios ganadores del Derby de Kenia. Se interesó también por la aviación; ejerció de piloto transportando pasajeros, carga y correo a rincones lejanos de África. En 1936 realizó un histórico vuelo en solitario, en dirección este-oeste, a través del Atlántico norte, desde Inglaterra hasta la isla Cabo Bretón. En 1942 publicó sus celebradas memorias *Al oeste con la noche*.

Markham, río Río del este de Papúa y Nueva Guinea. Nace en las montañas del nordeste, fluye hacia el sudeste a lo largo de 180 km (110 mi) hasta desembocar en el golfo de Huon, en el mar de Salomón, al sur de la localidad de Lae. Fue bautizado en honor de sir Clements Markham, de la Sociedad de geografía de Londres. En 1943, durante la segunda guerra mundial, sus valles fueron escenario de combates entre Japón y los aliados. La región circundante del río fue sacudida por violentos terremotos en 1993.

Markova, Dame Alicia *orig.* **Lilian Alicia Marks** (1 dic. 1910, Londres, Inglaterra–2 dic. 2004, Bath). Bailarina británica. Debutó con los BALLETS RUSOS en 1924 y llegó a ser primera bailarina, destacando por la ligereza etérea de sus movimientos. Fue la primera bailarina inglesa en el papel principal de *Giselle* en el Vic-Wells Ballet (1931–35). Junto con su pareja habitual de baile, ANTON DOLIN, formaron y dirigieron varias compañías, el Markova-Dolin Ballet (1935–38) así como el London Festival Ballet (1949–52). Continuó bailando como artista invitada de numerosas compañías en todo el mundo y despertó admiración por sus interpretaciones en *Las sílfides* y *El lago de los cisnes*, entre otras. Se retiró de las tablas en 1963 y trabajó como directora del Metropolitan Opera Ballet de Nueva York (1963–69).

Marlborough, John Churchill, 1er duque de (26 may. 1650, Ashe, Devon, Inglaterra–16 jun. 1722, Windsor, cerca de Londres). Comandante militar británico. Sirvió con distinción en Maastricht (1673), fue promovido rápidamente y ascendió en la corte debido, en parte, a que su esposa (ver Sarah Jennings, duquesa de MARLBOROUGH) era confidente de la princesa (luego reina) ANA ESTUARDO. Al ascender JACOBO II al trono en 1685, fue nombrado teniente general y comandante en jefe. En 1688 transfirió su lealtad a GUILLERMO III, quien lo recompensó con el condado de Marlborough y una sucesión de comandos en Flandes e Irlanda. Su relación con Guillermo se deterioró en la década de 1690. La reina Ana lo nombró comandante de las fuerzas inglesas y holandesas en la guerra de sucesión ESPAÑO-LA y, debido a sus éxitos, fue nombrado duque de Marlborough (1702). Su victoria en la batalla de BLENHEIM (1704) ayudó a cambiar el equilibrio de poder en Europa. En reconocimiento, recibió una propiedad real, en donde se construyó el palacio de BLENHEIM. Sus extraordinarias tácticas militares continuaron

brindando victorias, especialmente en Ramillies (1706) y Oudenaarde (1708). Su influencia sobre la reina Ana y el respaldo financiero para la guerra fueron socavados por las intrigas entre tories y whigs. Después de que sus aliados whigs perdieron la elección de 1710, fue destituido por cargos de malversación de fondos públicos. Aunque se retiró a la vida privada, recuperó el favor real con JORGE I en 1714. Considerado uno de los generales más grandes de Inglaterra, alcanzó una reputación en Europa que no tuvo rival hasta el ascenso de Napoleón.

John Churchill, 1er duque de Marlborough, pintura atribuida a J. Closterman; National Portrait Gallery, Londres.
GENTILEZA DE LA NATIONAL PORTRAIT GALLERY, LONDRES

Marlborough, Sarah Jennings, duquesa de (29 may. 1660, Sandridge, Hertfordshire, Inglaterra–18 oct. 1744, Londres). Esposa de John Churchill, duque de MARLBOROUGH. Amiga de infancia de la princesa (luego reina) ANA ESTUARDO, ingresó a la casa del duque de York, padre de Ana. Se casó con Churchill en 1678 y fue dama de cámara después del matrimonio de Ana (1683). Cuando esta ascendió al trono (1694), los Marlborough gozaron de gran favor en la corte. Su influencia aumentó hasta que sus fuertes simpatías por la postura de los whigs la hicieron perder el apoyo de la reina, quien la destituyó en 1711. Los Marlborough se retiraron al palacio de BLENHEIM, el que terminó de construir después de la muerte de su esposo en 1722.

Marley, Bob *orig.* **Robert Nesta Marley** (6 feb. 1945, Nine Miles, St. Ann, Jamaica–11 may. 1981, Miami, Florida, EE.UU.). Cantautor jamaicano. Criado en una barriada de Kingston, llamada Trenchtown, aprendió el oficio de soldador en forma autodidacta. A principios de la década de 1960 formó el grupo The Wailers junto a Peter Tosh, Bunny Livingston (más tarde conocido como Bunny Wailer) y otros. En la década de 1970 se convirtieron en las primeras estrellas internacionales del REGGAE con discos como *Catch a Fire* (1973), *Exodus* (1977) y *Uprising* (1980). Murió de cáncer a la edad de 36 años. La música de Marley, una amalgama de estilos americanos, africanos y jamaicanos, reflejaba sus creencias RASTA-FARI en la paz universal, el amor, la igualdad y la esperanza, además de la unificación y el acceso al poder para los afroamericanos. Tras su muerte, su figura ha alcanzado una estatura casi legendaria. Su esposa Rita y su hijo Ziggy también han grabado discos con éxito.

marlín Cualquiera de cuatro especies (género *Makaira*, familia Istiophoridae) de peces marinos, de color azul profundo a verde azulado, con cuerpo y aleta dorsal largos, una pica redondeada que sale del morro (que usa para aporrear al pez que será su alimento) y franjas verticales normalmente claras. Muy apreciados para la pesca deportiva y como alimento. Las especies varían de unos 45 kg (100 lb) a más de 700 kg (1.500 lb) de peso. El marlín negro indopacífico (*M. nigricans*) se distingue por una aleta pectoral rígida en ángulo.

Marlowe, Christopher (bautizado 26 feb. 1564, Canterbury, Kent, Inglaterra–30 may. 1593, Deptford, cerca de Londres). Dramaturgo y poeta británico. Hijo de un zapatero de Canterbury, logró graduarse en la Universidad de Cambridge. En 1587 comenzó a escribir obras para algunos teatros londinenses, y su primera pieza, *Tamerlán, el grande* (publicada en 1590), estableció el VERSO BLANCO en el teatro. Posteriormente escribió *Tragedia de Dido, reina de Cartago* (publicada en 1594) coescrita con THOMAS NASHE; *La matanza de Paris* (c. 1594) y *Eduardo II* (1594). Su obra más famosa es *La trágica historia del doctor Fausto* (publicada en 1604), que ocupa el marco dramático de una moralidad, (ver MORALIDADES) y revela una historia de tentación, pecado y condena. *El judío de Malta* (publicada en 1633) fue quizá su última obra. Su poesía comprende el largo poema inconcluso *Hero y Leandro*. Conocido por su conducta escandalosa, falleció en forma violenta en una riña en una taberna a la edad de 29 años, supuestamente asesinado por ser un espía gubernamental. Su brillante, aunque breve carrera lo estableció como el más importante dramaturgo inglés de su época después de WILLIAM SHAKESPEARE.

Mármara, mar de Mar interior entre las regiones asiática y europea de Turquía. Conectado con el mar NEGRO a través del BÓSFORO y con el mar EGEO a través de los DARDANELOS, tiene una extensión de 280 km (175 mi), casi 80 km (50 mi) de anchura, y una superficie de 11.350 km² (4.382 mi²). Posee dos grupos de islas bien definidos: las KIZIL, ubicadas al nordeste, son principalmente zonas recreativas; las Mármara, en el sudoeste, son ricas en granito, pizarra y mármol, materiales que han sido explotados desde la antigüedad.

mármol PIEDRA CALIZA granular o DOLOMITA que se ha recristalizado bajo la influencia de calor, presión y soluciones acuosas. El principal mineral en el mármol es la CALCITA. Comercialmente, el mármol comprende todas las rocas decorativas ricas en calcio que pueden ser pulidas, así como también algunas SERPENTINAS. El mármol se usa principalmente para edificios y monumentos, decoración de interiores, estatuas, cubiertas de mesa, adornos y baratijas. Sus cualidades apreciadas más importantes son el color y la apariencia. En el mármol para estatuas, la variedad más valorada, debe ser blanco puro y con grano de tamaño uniforme.

marmota Cualquiera de unas 14 especies (género *Marmota*) de ARDILLAS terrestres, diurnas y corpulentas, distribuidas en América del Norte, Europa y Asia. Miden 30–60 cm (12–24 pulg.) de largo, sin la cola corta, y pesan 3–7,5 kg (7–17 lb).

La mayoría de las especies vive en madrigueras o peñascales. Frecuentemente se sientan erguidas y emiten una llamada de alarma silbante. Viven casi exclusivamente de plantas tiernas, acumulando grasa para hibernar. La marmota cana (*M. caligata*), de Siberia y Norteamérica noroccidental, de color blanquinegra, hiberna hasta nueve meses y es cazada por su piel y como alimento. La marmota vientre amarillo (*M. flaviventris*) habita en el oeste de EE.UU. y en la Columbia Británica. Ver también MARMOTA CANADIENSE.

marmota canadiense Especie de MARMOTA solitaria, marrón o marrón rojiza (*Marmota monax*), que vive en los campos y confines de bosques de Alaska, Canadá y del este y centro de EE.UU. Las marmotas canadienses tienen 42–52 cm (17–20 pulg.) de largo, cola de 10–15 cm (4–6 pulg.) y pesan 2–6 kg (4–14 lb). Son buenas cavadoras y nadadoras, y trepan con facilidad. Sus madrigueras tienen una entrada principal y un túnel de escape. Ver también día de la MARMOTA.

Marmota de vientre amarillo
(*Marmota flaviventris*).

Marmota cana
(*Marmota caligata*)

Especies de marmota.
© ENCYCLOPÆDIA BRITANNICA, INC.

Marmota, día de la (2 de febrero). En EE.UU., tradición rural que predice si la primavera boreal llegará pronto. Si una marmota al salir su madriguera ve su sombra, habrá seis semanas más de invierno; si no, la primavera es inminente. La tradición proviene de creencias inglesas acerca de ver sombras en la CANDELARIA (también 2 de febrero).

Marne, primera batalla del (6–12 sep. 1914). Ofensiva militar de tropas francesas y británicas en la primera GUERRA MUNDIAL. Después que las fuerzas invasoras alemanas penetraron hasta llegar a 50 km (30 mi) de París en el río MARNE, JOSEPH JOFFRE contraatacó y detuvo el avance alemán. Los refuerzos franceses fueron trasladados al frente, valiéndose de todos los medios disponibles, incluso de 600 taxis parisinos, el primer transporte vehicular de tropas. Los ejércitos franceses y británicos obligaron a los alemanes a retirarse al norte del río Aisne, donde estos se atrincheraron para librar la GUERRA DE TRINCHERAS los siguientes tres años. El éxito de los aliados desbarató el plan alemán de alcanzar una rápida victoria en el frente occidental.

Marne, río Curso fluvial del nordeste de Francia. Discurre en dirección noroeste hasta confluir con el SENA cerca de PARÍS. Es navegable en 350 km (220 mi) de sus 525 km (326 mi) de extensión y posee numerosos canales. Su valle fue escenario de batallas cruciales de la primera GUERRA MUNDIAL (ver primera y segunda batalla del MARNE).

Marne, segunda batalla del (15–18 jul. 1918). Último gran ataque alemán en la primera GUERRA MUNDIAL. Como parte de su ofensiva final para dividir las fuerzas francesas, tropas alemanas al mando de ERICH LUDENDORFF cruzaron el río Marne,

pero encontraron una fuerte resistencia francesa al mando de FERDINAND FOCH. Contraataques de los aliados, especialmente en la saliente del Marne, obligaron a los alemanes a retirarse a su anterior posición a lo largo de los ríos Aisne y Vesle.

Maroni, río Río de América del Sur que forma la frontera entre GUAYANA FRANCESA y SURINAM. Nace en la sierra de Tumuc-Humac cerca de la frontera con Brasil y discurre hacia el norte hasta desembocar en el océano Atlántico en Galibi, Surinam, después de un recorrido de 725 km (450 mi). Su curso superior se conoce con el nombre de Litani, en Surinam, y de Itany, en Guayana Francesa; en su curso medio se lo llama, respectivamente, Lawa y Aoua. Es navegable por embarcaciones de poco calado a lo largo de unos 100 km (60 mi) a partir de la desembocadura.

maronita, Iglesia Comunidad cristiana de rito oriental establecida en el LÍBANO (ver Iglesia de RITO ORIENTAL). Remonta sus orígenes a san Marón, ermitaño sirio de los s. IV–V DC, y a san Juan Marón, bajo cuyo liderazgo las fuerzas bizantinas invasoras fueron derrotadas en 684. Durante varios siglos los maronitas se consideraron herejes, seguidores de Sergio, patriarca de Constantinopla, quien enseñaba que Jesús sólo tuvo voluntad divina y no humana. La afiliación permanente a Roma no se produjo sino hasta el s. XVI. Los maronitas, pueblo montañés belicoso, conservaron su libertad en el Líbano durante el califato musulmán. En 1860, el gobierno otomano incitó a los DRUSOS a masacrarlos, hecho que llevó al establecimiento de su autonomía dentro del Imperio otomano. Obtuvieron el autogobierno bajo la protección francesa a principios del s. XX. Desde el establecimiento de la plena independencia del Líbano en 1943, han constituído un importante grupo religioso en el país. Su líder espiritual (después del papa) es el patriarca de Antioquía y la iglesia conserva la antigua liturgia siria occidental.

Marot, Clément (¿1496?, Cahors, Francia–sep. 1544, Turín, Saboya). Poeta francés. Mientras se encontraba en prisión en 1526 por desacatar la ley de abstinencia durante la cuaresma, escribió algunas de sus obras más conocidas, entre ellas *El infierno*, una sátira alegórica sobre la justicia. Ocupó varios cargos en la corte; sirvió por largo tiempo a FRANCISCO I, salvo por breves interrupciones. Uno de los más grandes poetas del renacimiento francés, influyó marcadamente en el estilo de sus sucesores con el uso de las formas e imaginería de la poesía latina. Cuando no escribía poemas oficiales para la corte, dedicaba la mayor parte de su tiempo a la traducción de los salmos.

marqués Título europeo de nobleza, de categoría inferior al de DUQUE y superior al de CONDE. El término originalmente designaba a un conde que poseía una marca (distrito fronterizo).

Marquesas, islas Archipiélago (pob., 1996: 8.064 hab.) de la POLINESIA FRANCESA. Situado en el Pacífico sur, al nordeste de Tahití, son en total diez islas. El grupo del sudeste abarca Hiva-Oa, la isla más grande y populosa del grupo y lugar de entierro del artista PAUL GAUGUIN; Fatu-Hiva y Tahuata; y las islas deshabitadas de Moho-Tani y Fatu-Huku. El grupo del noroeste abarca las islas de Nuku-Hiva, Ua-Pu, Ua-Huka, Eiao y Hatutu. En 1595, el explorador español Álvaro de Mendaña de Neira dio a las islas su nombre actual en honor de la marquesa de Mendoza. Anexadas por Francia en 1842, las Marquesas constituyen una división administrativa de la Polinesia Francesa; sus oficinas de gobierno están en Taiohae, en la isla de Nuku-Hiva.

marquetería Chapado con fines decorativos en el que se insertan láminas de madera o metal, y también material orgánico, como concha o madreperla, en superficies planas de mobiliario siguiendo intrincados diseños. La marquetería se popularizó en Francia a fines del s. XVI, y se extendió luego por toda Europa al aumentar la demanda por mobiliario doméstico de lujo durante los dos siglos siguientes. Ver también André-Charles Boulle.

Marquette, Jacques *llamado* **Père Marquette** (1 jun. 1637, Laon, Francia–18 may. 1675, Ludington, Mich.). Misionero y explorador francés. Ordenado sacerdote jesuita, llegó a Quebec en 1666 a predicar entre los indios ottawa. Ayudó a fundar misiones en Sault Sainte Marie en 1668 y en Saint Ignace en 1671 (ambas hoy en Michigan). En 1673 acompañó a Louis Jolliet en su exploración del río Mississippi y viajó al sur hasta la desembocadura del río Arkansas. Regresaron por el río Illinois hasta Green Bay en el lago Michigan, donde se quedó. En 1674 partió a fundar una misión entre los indios illinois y llegó al lugar de la actual Chicago. El diario de su viaje con Jolliet se publicó en 1681.

Marr, Nikolái (Yákovlevich) (6 ene. 1865, Kutaísi, Georgia, Imperio Ruso–20 dic. 1934, Leningrado, Rusia, U.R.S.S.). Lingüista, arqueólogo y etnógrafo ruso. Especialista en lenguas CAUCÁSICAS, publicó colecciones de literatura en los idiomas GEORGIANO y ARMENIO e intentó probar la existencia de una relación entre las lenguas caucásicas y las CAMITOSEMÍTICAS y el VASCO. Su teoría, que sostenía que todas las lenguas evolucionaron a partir de una lengua original y que la creación de una lengua era un fenómeno relacionado con la clase social, fue adoptada como doctrina lingüística soviética oficial hasta 1950, cuando fue revocada por Stalin.

Marrajo del Indo-Pacífico (*Isurus glaucus*).
PINTURA DE RICHARD ELLIS

marrajo Cualquiera de ciertos TIBURONES potencialmente peligrosos (género *Isurus*) de la familia Isuridae (ver CAILÓN). En general, se distinguen dos especies: *I. oxyrinchus*, del Atlántico e *I. glaucus*, del Indo-Pacífico. Habitan todos los mares tropicales y templados. Son azul grisáceo y de vientre blanco, miden unos 4 m (13 pies) de largo y pesan unos 450 kg (1.000 lb). Devoran peces como arenque, caballa y pez espada. Los marrajos son peces destacados de pesca deportiva; se los aprecia por su pugnacidad y sus espectaculares saltos reiterados fuera del agua.

Marrakech Ciudad (pob., 1994: 621.914 hab.) del sur de Marruecos. Una de las cuatro antiguas ciudades imperiales; se halla en el centro de la llanura de Haouz. Fue fundada en 1062 por Yūsuf ibn Tāshufīn como capital africana de la dinastía ALMORÁVIDE. Cayó bajo el dominio de la dinastía ALMOHADE en 1147, pasó a poder de la dinastía de los BENIMERINES en 1269, y fue la capital de la dinastía de los saadíes en el s. XVI. En la era premoderna, fue una de las grandes ciudades del Islam. En 1921 fue capturada por los franceses, que la dominaron hasta 1956. Hoy es un popular destino turístico, posee numerosos edificios históricos y un conocido *souk* (mercado).

marrano Judeoespañol convertido al cristianismo para escapar de la persecución, pero que continuó practicando el judaísmo en secreto. Durante las violentas persecuciones de fines del s. XIV, muchos judíos prefirieron morir antes que renunciar a su fe, pero al menos 100.000 se convirtieron al cristianismo para poder sobrevivir. Con el tiempo, los marranos

llegaron a formar una sociedad cosolidada en España, enriqueciéndose y adquiriendo poder político. Fueron tratados con desconfianza y el nombre marrano fue originalmente un término insultante. El resentimiento contra ellos llevó a motines y masacres en 1473. La INQUISICIÓN intensificó la persecución en 1840 y miles perecieron. Un edicto real ordenó en 1492 la expulsión de todos los judíos que rehusaran renunciar a su fe. Muchos marranos se establecieron en África del norte y Europa occidental. En el s. XVIII habían desaparecido en España debido a que emigraron o fueron asimilados.

marrano ver PUERCO

Marriott, J(ohn) Willard (17 sep. 1900, Marriott, Utah, EE.UU.–13 ago. 1985, Wolfeboro, N.H.). Empresario estadounidense fundador de una de las cadenas de hoteles y restaurantes más grandes de EE.UU. Hijo de un ranchero mormón, abrió un local de parrilladas y refresco de zarzaparrilla en 1927 en Washington, D.C. A fines de la segunda guerra mundial, su cadena de restaurantes familiares Hot Shoppe se extendía por toda la costa atlántica de EE.UU., y en 1957 inauguró su primer hotel. Su hijo, J. Willard Marriot, Jr., lo sucedió como presidente de Marriot Corp. en 1964. A la fecha de fallecimiento de John Marriott padre, la corporación tenía 140.000 empleados en 26 países y ventas anuales por US$3.500 millones. En 1988 recibió en forma póstuma la Medalla presidencial de la libertad.

marroquíes, crisis (1905–06, 1911). Dos incidentes europeos centrados en el intento de Alemania por bloquear el control de Francia sobre Marruecos y limitar el poder francés. Mientras visitaba Tánger en 1905, el emperador alemán GUILLERMO II emitió una declaración de apoyo a la independencia marroquí, lo que causó pánico internacional. La crisis fue resuelta en la conferencia de ALGECIRAS (1906), que reconoció los especiales intereses políticos de Francia en Marruecos. La segunda crisis se produjo en 1911 cuando un cañonero alemán llegó a Agadir, aparentemente para proteger los intereses económicos alemanes durante una rebelión local. Los franceses se opusieron y comenzaron a efectuar preparativos bélicos, como también los hizo Gran Bretaña, pero se negoció un acuerdo que dio a Francia derechos para ejercer un protectorado sobre Marruecos. A cambio, Alemania obtuvo parte del Congo Francés.

MARRUECOS

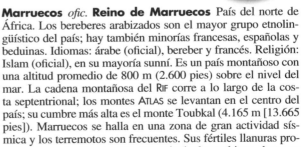

▸ **Superficie:** 458.730 km² (177.117 mi²)

▸ **Población:** 29.889.000 hab. (est. 2005)

▸ **Capital:** RABAT

▸ **Moneda:** dirham

Marruecos *ofic.* **Reino de Marruecos** País del norte de África. Los bereberes arabizados son el mayor grupo etnolingüístico del país; hay también minorías francesas, españolas y beduinas. Idiomas: árabe (oficial), bereber y francés. Religión: Islam (oficial), en su mayoría sunní. Es un país montañoso con una altitud promedio de 800 m (2.600 pies) sobre el nivel del mar. La cadena montañosa del RIF corre a lo largo de la costa septentrional; los montes ATLAS se levantan en el centro del país; su cumbre más alta es el monte Toubkal (4.165 m [13.665 pies]). Marruecos se halla en una zona de gran actividad sísmica y los terremotos son frecuentes. Sus fértiles llanuras propician la agricultura; entre sus principales cultivos destacan la cebada, trigo y remolacha azucarera. Es uno de los mayores productores de fosfato del mundo. Su centro industrial es CASABLANCA, la ciudad más grande. Es una monarquía constitucional bicameral; el jefe de Estado y de Gobierno es el rey, asistido por el primer ministro. Los bereberes llegaron a Marruecos a fines del II milenio AC. Los FENICIOS fundaron puestos comerciales a lo largo de la costa mediterránea durante el s. XII AC, y CARTAGO fundó colonias a lo largo de la costa atlántica en el s. V AC. Tras la caída de Cartago, los líderes de la región se convirtieron en aliados de Roma, y esta la anexó en 46 DC como parte de la provincia de MAURITANIA Tingitana. Fue invadida por los musulmanes en el s. VII. La dinastía ALMORÁVIDE conquistó la región, así como la España musulmana, a mediados del s. XI; un siglo después, los almorávides fueron derrocados por la dinastía ALMOHADE, que a su vez fueron conquistados, en el s. XIII, por la dinastía de los BENIMERINES. Después de su caída a mediados del s. XV, gobernó la dinastía de los saadíes durante un siglo (a partir de c. 1550). Los ataques de piratas provenientes de los estados de la costa de BERBERÍA impulsaron a los europeos a entrar en la región: los franceses combatieron contra Marruecos por la frontera con Argelia; Gran Bretaña logró derechos comerciales en 1856 y los españoles ocuparon parte del territorio marroquí en 1859. Marruecos fue un protectorado francés desde 1912 hasta su independencia, en 1956. A fines de la década de 1970, el país reafirmó sus reclamaciones sobre el Sahara Español (ver SAHARA OCCIDENTAL), y en 1976 las tropas españolas se retiraron de la región, dejando atrás las guerrillas saharianas del Frente POLISARIO, que contaba con respaldo argelino. Sus relaciones con Mauritania y Argelia se deterioraron, y continuaron los combates en la región. Los esfuerzos de mediación de la comunidad internacional no han dado grandes frutos.

Ksar de Ait Ben Haddou en Marruecos, declarado patrimonio de la humanidad en 1987.
ARCHIVO EDIT. SANTIAGO

Marryat, Frederick (10 jul. 1792, Londres, Inglaterra–9 ago. 1848, Langham, Norfolk). Oficial naval y novelista inglés. Estuvo al servicio de la Royal Navy (armada real) desde los 14 años de edad, hasta que se retiró como capitán en 1830. A partir de entonces empezó a escribir una serie de novelas de aventuras, entre las que sobresalen *Propiedad del Rey* (1830), *Pedro el simple* (1834) y *Poor Jack* [Pobre Jack] (1840), marcadas por un estilo narrativo lúcido y directo, con sentido del humor e incidentes inspirados en su larga experiencia de marino. Su obra *Los niños del bosque* (1847), ambientada en las guerras civiles inglesas, es un clásico de la literatura infantil.

Mars Pathfinder Primera nave espacial en aterrizar sobre la superficie de MARTE después de las misiones VIKING de 1976. Lanzado en 1996 por la NASA, el Pathfinder descendió sobre la superficie marciana en julio de 1997 usando paracaídas, cohetes y bolsas de aire. Luego desplegó sus instrumentos, como el *Sojourner*, un pequeño vehículo robótico todoterreno, que recorrió hasta una distancia de 500 m (1.600 pies) desde el módulo principal y envió fotografías a la Tierra por más de un mes. El objetivo principal de la misión fue demostrar que el aterrizaje en Marte y su exploración a bajo costo son factibles.

Marsalis, Wynton (n. 18 oct. 1961, Nueva Orleans, La., EE.UU.). Trompetista y compositor estadounidense. Niño prodigio de la trompeta, fue reconocido precozmente como un solista importante tanto de música clásica como de JAZZ. Se integró al conjunto Jazz Messengers de ART BLAKEY (1980–

82) antes de formar sus propios grupos. Como compositor ha escrito obras para ballet y piezas de concierto, y además obtuvo el Premio Pulitzer en 1997 por su oratorio *Blood on the Fields*. También trabajó en la miniserie *Jazz* de Ken Burns y fue un catalizador en la renovación del gran interés por el jazz.

Marsella Ciudad (pob., 1999: ciudad, 797.486 hab.; área metrop., 1.349.772 hab.) del sudeste de Francia. Uno de los principales puertos marítimos del Mediterráneo y la segunda ciudad más importante de Francia. Situada en el golfo de León, al oeste de la RIVIERA francesa. La fundaron los griegos durante el s. VII AC y en 49 AC los romanos la anexaron denominándola Massalia. Decayó junto con el Imperio romano, pero recuperó importancia como puerto comercial en la época de las CRUZADAS. En 1481, pasó a la corona francesa. La peste de 1720 provocó la muerte de la mitad de su población. La importancia de la ciudad aumentó en el s. XIX, gracias al desarrollo del imperio colonial francés. Después de la segunda guerra mundial, se produjo un rápido crecimiento industrial en torno al complejo portuario de Fos-sur-Mer y en suburbios tales como Marignane y Vitrolles.

Marsh, O(thniel) C(harles) (29 oct. 1831, Lockport, N.Y., EE.UU.–18 mar. 1899, New Haven, Conn.). Paleontólogo estadounidense. Ejerció toda su carrera en la Universidad de Yale (1866–99) y fue el primer profesor estadounidense de paleontología de vertebrados. A contar de 1870 encabezó expediciones científicas al oeste; en 1871, su equipo fue el primero en descubrir un pterodáctilo en EE.UU. En 1882 quedó a cargo de la sección de paleontología de vertebrados del Geological Survey's de EE.UU., lo que vino a agravar una feroz rivalidad con EDWARD D. COPE. Se le atribuye el descubrimiento de más de 1.000 vertebrados fósiles y la descripción de al menos otros 500. Publicó obras destacadas sobre aves dentadas, mamíferos cornudos gigantes y dinosaurios de América del Norte. Entre sus libros figuran *Fossil Horses in America* [Caballos fósiles de Norteamérica] (1874) e *Introduction and Succession of Vertebrate Life in America* [Introducción y sucesión de la vida de los vertebrados en Norteamérica] (1877).

Marsh, Reginald (14 mar. 1898, París, Francia–3 jul. 1954, Bennington, Vt., EE.UU.). Pintor y grabador estadounidense. Nacido en París de padres estadounidenses, se educó en la Universidad de Yale. En 1922–25 creó una columna diaria de dibujos sobre escenas del teatro de variedades para el *New York Daily News*. En 1925 se convirtió en miembro fundador del equipo de la revista *The New Yorker*, para la que dibujó ilustraciones humorísticas y escenas de metrópolis. En 1929 comenzó a pintar escenas de la vida urbana, como las muchedumbres de Coney Island y los vagabundos de Bowery. Desde 1934 y hasta su muerte fue profesor en la Art Students League.

Marshall, Alfred (26 jul. 1842, Londres, Inglaterra–13 jul. 1924, Cambridge, Cambridgeshire). Economista británico, uno de los fundadores de la economía neoclásica inglesa. Fue el primer rector del University College en Bristol (1877–81) y fue profesor de la Universidad de Cambridge (1885–1908). Reexaminó y amplió las ideas de economistas clásicos como ADAM SMITH y DAVID RICARDO. En su obra más conocida, *Principios de economía* (1890), introdujo una serie de conceptos de gran influencia, entre los que se cuentan la elasticidad de la demanda, el EXCEDENTE DEL CONSUMIDOR y la empresa representativa. En sus escritos sobre la teoría del valor propuso la variable tiempo como factor del análisis y concilió el principio clásico del costo de producción con la teoría de la utilidad MARGINAL. Ver también ECONOMÍA CLÁSICA.

Marshall, George C(atlett) (31 dic. 1880, Uniontown, Pa., EE.UU.–16 oct. 1959, Washington, D.C.). Oficial de ejército y estadista estadounidense. Egresó del Virginia Military Institute y prestó servicios en las Filipinas (1902–03) y en la primera guerra mundial. Más tarde fue ayudante del gral. JOHN PERSHING (1919–24) y en 1927–33 impartió clases en academias y organizaciones del ejército. Como jefe de estado mayor del ejército de EE.UU. (1939–45) dirigió operaciones militares durante toda la segunda guerra mundial. Cuando se retiró, en 1945, el pdte. HARRY TRUMAN lo envió a China, como mediador en la guerra civil de ese país. En el cargo de secretario de Estado, (1947–49) propuso el programa de ayuda a Europa, conocido como Plan MARSHALL, e inició conversaciones que condujeron a la creación de la OTAN. Renunció por problemas de salud, pero Truman lo llamó para que ejerciera como secretario de defensa (1950–51) y preparara las fuerzas armadas para la guerra de COREA. En 1953 recibió el Premio Nobel de la Paz.

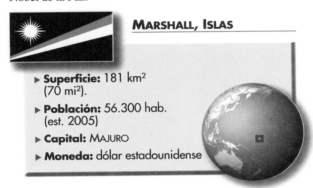

MARSHALL, ISLAS

▸ **Superficie:** 181 km² (70 mi²).

▸ **Población:** 56.300 hab. (est. 2005)

▸ **Capital:** MAJURO

▸ **Moneda:** dólar estadounidense

Marshall, islas *ofic.* **República de las Islas Marshall** País insular del océano Pacífico central. Está compuesto de dos cadenas paralelas de atolones coralinos bajos: la Ratak, o islas del Sol naciente, al este, y la Ralik, o islas del Sol poniente, al oeste. Las cadenas se ubican a 200 km (125 mi) de distancia entre sí y se extienden por cerca de 1.290 km (800 mi) de noroeste a sudeste. El país comprende más de 1.200 islas e islotes. Los micronesios conforman su población indígena. Idiomas: marshalés, inglés (ambos oficiales). Religión: cristianismo (principal). El atolón más grande es Kwajalein, constituido por unos 90 islotes, con una superficie territorial total de 16 km² (6 mi²). Gran parte de Kwajalein se emplea como campo de ensayo de misiles teledirigidos por las fuerzas armadas de EE.UU., una de las principales fuentes de ingresos del país. La agricultura de subsistencia, la pesca y la crianza porcina y avícola son las principales actividades económicas. Es una república bicameral; el jefe de Estado y de Gobierno es el presidente. Las islas fueron avistadas en 1529 por el navegante español Álvaro Saavedra. En 1885, Alemania las declaró protectorado, y en 1899 las compró a España. Japón se apoderó de ellas en 1914 y a partir de 1919 las administró por mandato de la Sociedad de Naciones. Durante la segunda guerra mundial, EE.UU. capturó las islas de Kwajalein y Enewetak en 1947, y las islas Marshall pasaron a formar parte del territorio en fideicomiso de la ONU bajo jurisdicción estadounidense. En 1946–58, EE.UU. utilizó los atolones de BIKINI y Eneweták como campo de prueba de armas nucleares. En 1979, el país se convirtió en una república internamente autogobernada. En 1982 firmó un pacto de libre asociación con EE.UU. y desde 1986 ha sido autónomo en forma íntegra.

Marshall, John (24 sep. 1755, cerca de Germantown, Va., EE.UU.–6 jul. 1835, Filadelfia, Pa.). Patriota, político y jurista estadounidense. En 1775 se unió al regimiento de milicianos y se desempeñó como teniente bajo las órdenes del general GEORGE WASHINGTON en la guerra de independencia de los ESTADOS UNIDOS DE AMÉRICA. Luego de su licenciamiento (1781), se desempeñó en la asamblea legislativa y en el consejo ejecutivo del estado de Virginia (1782–95), donde alcanzó reputación como un importante federalista. Apoyó la ratificación de la constitución de EE.UU. en la convención del estado de Virginia convocada para tales efectos. Fue uno de los tres comisionados enviados a Francia en 1797–98 (ver caso XYZ); más tarde se desempeñó como secretario de Estado (1800–01) en la presidencia de JOHN ADAMS. En 1801, Adams lo nombró presidente de la Corte Suprema de los ESTADOS UNIDOS DE AMÉRICA, cargo que ocupó hasta su muerte. Participó en más de mil fallos, y redactó 519 de ellos. Durante el tiempo que desempeñó el cargo, la Corte Suprema expuso la estructura principal del gobierno; sus innovadores fallos comprenden el de MARBURY V. MADISON, que estableció el CONTROL DE LA CONSTITUCIONALIDAD; el de McCULLOCH V. MARYLAND, que afirmó la doctrina constitucional de los "poderes implícitos"; el del caso DARTMOUTH COLLEGE, que protegió las empresas y sociedades de la excesiva reglamentación gubernamental; y el de GIBBONS V. OGDEN, que decretó que los estados no pueden obstaculizar el derecho del congreso a regular el comercio. Marshall es recordado como el principal fundador del sistema de derecho constitucional de EE.UU.

Marshall, Plan (1948–51). Programa patrocinado por EE.UU. para proporcionar asistencia económica a los países europeos después de la segunda guerra mundial. La idea de un plan europeo de autoayuda financiado por EE.UU. fue propuesto en 1947 por GEORGE MARSHALL y el congreso lo autorizó con el nombre de Programa de reconstrucción europea. El plan entregó cerca de US$ 13 mil millones en donaciones y préstamos a 17 países y constituyó un elemento clave en la revitalización de la economía y la estabilización de la estructura política de esos países. El concepto del plan se amplió a países menos desarrollados, en virtud del programa del PUNTO CUARTO.

Marshall, Thomas R(iley) (14 mar. 1854, North Manchester, Ind., EE.UU.–1 jun.1925, Washington, D.C.). Político estadounidense. Como gobernador de Indiana (1909–13) patrocinó un amplio programa de leyes sociales. En 1912 resultó elegido vicepresidente en la fórmula de WOODROW WILSON. Fue el primer vicepresidente, en casi 100 años, que ejerció durante dos períodos (1913–21). En 1919, cuando Wilson sufrió una parálisis parcial, se negó a asumir las facultades de la presidencia sin una resolución previa del congreso y sin contar con sendas solicitudes por escrito de la primera dama, Edith Wilson, y del médico de cabecera del presidente. Gozó de popularidad como funcionario público; durante un debate tedioso, se le oyó decir: "lo que este país necesita es un buen puro de cinco centavos".

Marshall, Thurgood (2 jul. 1908, Baltimore, Md., EE.UU.–24 ene. 1993, Bethesda, Md.). Jurista y defensor de los derechos civiles estadounidenses. Se tituló de abogado en la Universidad Howard en 1933. Desde 1936 trabajó para la NAACP y se convirtió en su abogado principal en 1940. Ganó 29 de los 32 casos que alegó ante la Corte Suprema de los ESTADOS UNIDOS DE AMÉRICA, entre ellos el hito que constituyó BROWN V. BOARD OF EDUCATION (1954) y otros que establecieron la IGUALDAD ANTE LA LEY para los afroamericanos en materia de vivienda, voto, empleo y educación. Se desempeñó como fiscal adjunto de EE.UU. (1965–67) antes de ser designado para la Corte Suprema en 1967 por el pdte. LYNDON B. JOHNSON, convirtiéndose así en el primer magistrado afroamericano de dicho tribunal. Marshall fue un liberal tenaz durante el tiempo que permaneció en el cargo y mantuvo sus puntos de vista previos acerca de la necesidad de un tratamiento justo y equitativo de las minorías por los gobiernos de los estados y el gobierno federal. Jubiló en 1991.

Marsias, pintor de (c. 350–325 AC, Grecia). Antiguo pintor griego del período clásico tardío, conocido por dos vasijas que datan de 340–330 AC. Ambas están pintadas en el llamado estilo Kerch, nombre que alude al área septentrional del mar Negro, donde se desenterraron muchas de estas vasijas. El estilo Kerch, caracterizado por sus formas esbeltas y estudiadas, elaborada decoración y efectos policromos, se considera el último de los principales estilos de la CERÁMICA DE FIGURAS ROJAS ateniense.

"Peleo domando a Tetis", pelike (ánfora) del pintor de Marsias, c. 340–330 AC.
GENTILEZA DEL DIRECTORIO DEL MUSEO BRITÁNICO

mársica, guerra ver guerra SOCIAL

Marsilio de Padua (c. 1280, Padua, Reino de Italia–c. 1343, Munich). Filósofo y teórico político italiano. Fue asesor de los gibelinos (ver GÜELFOS Y GIBELINOS) hasta que lo acusaron de hereje (1327) tras escribir *Defensor pacis* [El defensor de la paz] (1320–24) y huir hacia la corte de LUIS IV de Baviera. Contribuyó a declarar hereje al papa JUAN XXII, a establecer como antipapa a NICOLÁS V y a coronar emperador a Luis (1328). En su concepto secular del Estado, el poder de la Iglesia es limitado y el poder político descansa en el pueblo; esta teoría influyó en la idea moderna de Estado.

marsopa Cualquier BALLENA DENTADA de la familia Phocoenidae (o, para algunos expertos, ciertos DELFINES de la familia Delphinidae). Las cuatro especies de marsopas vulgares (género *Phocoena*) se alimentan esencialmente de peces y viajan en parejas o grupos grandes. Son grises o negras en el dorso y blancas en el vientre. La tímida *P. phocoena* se distribuye por todo el hemisferio norte, y raras veces salta. Las otras especies de *Phocoena* viven a lo largo de las costas californianas y sudamericanas. La marsopa de Dall (*Phocoenoides dalli*), activa y gregaria, del Pacífico norte, y la marsopa de True (*P. truei*), de Japón, a menudo nadan en grupos de dos a 20 individuos, y acompañando los barcos. Ambas comen cefalópodos y peces, y son negras con una gran mancha blanca bilateral. La marsopa sin aleta (*Neomeris phocoenoides*), un animal pequeño y lento, vive en los océanos Pacífico e Índico. Las marsopas miden a lo sumo 2 m (7 pies) de largo, son más cortas y regordetas que los delfines y tienen un morro romo. Como los delfines, se destacan por su gran inteligencia.

Marsopa vulgar (*Phocoena phocoena*).
© ENCYCLOPÆDIA BRITANNICA, INC.

Marston Moor, batalla de (2 jul. 1644). Primera gran derrota realista en las guerras civiles INGLESAS. Las fuerzas realistas bajo el mando del príncipe RUPERTO liberaron el sitio de York y persiguieron a las fuerzas parlamentarias hasta cerca de Long Marston. Un sorpresivo contraataque de las fuerzas parlamentarias al mando de OLIVER CROMWELL causó fuertes pérdidas a las tropas realistas. Con la caída de York, CARLOS I perdió el control del norte y Cromwell emergió como el principal general parlamentario.

marsupial Cualquier MAMÍFERO de la infraclase Marsupialia, que se caracteriza por un nacimiento prematuro y desarrollo que se completa fuera del útero. Las crías permanecen unidas a las mamas maternas por un período que equivale a las últimas etapas del desarrollo fetal de un mamífero placentario. Existen más de 170 especies (p. ej., BANDICUT, CANGURO, KOALA, UOMBAT) en Australia, Nueva Guinea e islas aledañas. Hay unas 65 especies de ZARIGÜEYA en América y siete especies de marsupiales ratoniles en Sudamérica. Muchas tienen una bolsa (marsupio), un pliegue dérmico que cubre los pezones en la parte inferior del vientre materno, donde las crías continúan su desarrollo.

marta Cualquiera de varias especies de CARNÍVOROS silvícolas (género *Martes*, familia Mustelidae). Las especies difieren en tamaño y color, pero se asemejan a las COMADREJAS en sus proporciones generales, y su piel es valiosa. Su largo total es de 50–100 cm (20–40 pulg.) y pueden pesar 1–2,5 kg (2–5 lb) o más. Cazan solas y se alimentan de animales, fruta y carroña. La piel de la marta americana (*M. americana*), de Norteamérica septentrional, se vende a veces como marta cibelina. Otras especies comprenden la marta común o de los pinares (*M. martes*) de Europa y Asia central, y la marta de garganta amarilla (*M. flavigula*), de Asia meridional. Ver también MARTA DE PENNANT; TURÓN.

marta cibelina CARNÍVORO (*Martes zibellina*, familia Mustelidae) de piel muy apreciada que habita los bosques de Asia septentrional. El nombre se aplica a veces a especies europeas y asiáticas emparentadas y a la MARTA americana. Mide 32–51 cm (13–20 pulg.) de largo, sin la cola de 13–18 cm (5–7 pulg.), y pesa 0,9–1,8 kg (2–4 lb). El pelaje varía de marrón a casi negro. Es solitaria, arbórea y se alimenta de huevos y animales pequeños.

marta de Pennant Especie rara de MARTA (*Martes pennanti*, familia Mustelidae) que vive en los bosques boreales de Norteamérica. Está emparentada con las COMADREJAS y tiene una forma similar. Tiene cola tupida, hocico ahusado y orejas bajas y redondeadas. Los adultos tienen normalmente un largo de 50–63 cm (20–25 pulg.) sin la cola de 33–43 cm (13–17 pulg.) y pesan 1,4–6,8 kg (3–15 lb). Cazan en el suelo y en los árboles, atacando a varios roedores y otros animales; también comen frutas y a veces nueces. Su piel negra pardusca es muy valiosa para los cazadores.

Marte Antiguo dios romano de la guerra y protector de Roma, segundo en importancia después de JÚPITER. Sus festivales se efectuaban en primavera (marzo) y otoño (octubre). Hasta la época de AUGUSTO, tuvo sólo dos templos en Roma. Sus lanzas sagradas eran resguardadas en un santuario; cuando estallaba una guerra, el cónsul debía sacudir las lanzas, diciendo "Marte, ¡vigila!" ("Marte, ¡despierta!"). Bajo Augusto, se convirtió no sólo en el guardián de Roma en sus asuntos militares, sino en protector personal del emperador. Fue identificado con el dios griego ARES.

Marte Cuarto PLANETA desde el Sol, llamado así en honor al dios romano de la guerra. Su distancia media al Sol es de 227 millones de km (141 millones de mi). Su día es de 24,6 horas y su año es de alrededor de 687 días terrestres. Tiene dos pequeñas lunas, Fobos y Deimos. El diámetro ecuatorial de Marte es de 6.792 km (4.220 mi), cerca de la mitad del diámetro terrestre y es menos denso que la Tierra. Su masa y gravedad super-

Marte, estatuilla de bronce etrusca; Museo Arqueológico de Florencia, Italia.
ALINARI—ART RESOURCE

ficial son casi un décimo y un tercio de las terrestres, respectivamente. No se ha detectado un campo magnético en Marte, lo que sugiere, al igual que su baja densidad, la ausencia de un núcleo metálico importante. Tal como la Tierra, tiene estaciones y una atmósfera, pero la temperatura promedio en el día es de sólo –20 °C (–10 °F). La delgada atmósfera marciana está compuesta principalmente de anhídrido carbónico, con algo

El planeta Marte.
ARCHIVO EDIT. SANTIAGO

de nitrógeno y argón, y trazas de vapor de agua. Las imágenes de las naves espaciales muestran una superficie llena de cráteres, con volcanes, planicies de lava, lechos de ríos y desfiladeros, muchos de ellos grandes comparados con los existentes en la Tierra; por ejemplo, el monte OLYMPUS es el mayor volcán conocido en el sistema solar. El viento es un elemento importante en Marte; forma dunas y otros accidentes y en ocasiones causa tormentas de polvo en todo el planeta. En el pasado, Marte parece haber tenido una atmósfera más densa y caliente y mucho más agua que en la actualidad. Imágenes de la nave espacial Mars Global Surveyor sugieren que algo de agua puede haber fluido cerca de la superficie del planeta en épocas relativamente recientes. No se ha detectado vida en el planeta.

Marte, canales de Marcas aparentes en forma de líneas rectas sobre la superficie de MARTE que semejan sistemas de canales, ahora reconocidas como una ilusión, causadas por un alineamiento casual de cráteres y otros accidentes topográficos. Giovanni Virginio Schiaparelli (n. 1835–m. 1910) observó casi cien de estas marcas, que describió como *canali* (canales). PERCIVAL LOWELL los llamó canales, creyendo que eran evidencia de vida inteligente. La mayoría de los astrónomos no podían apreciarlos y muchos dudaron de su existencia. La controversia fue finalmente resuelta cuando las fotografías de la nave espacial MARINER mostraron que no había nada sobre la superficie del planeta que se pareciera a una red de canales.

Martel, Carlos *latín* **Carolus Martellus** (c. 688–22 oct. 741, Quierzy-sur-Oise, Francia). Mayordomo de palacio perteneciente a la dinastía CAROLINGIA (715–41). Hijo natural de Pipino de Heristal, fue mayordomo de palacio y quien realmente estuvo a cargo del reino franco en la etapa final de la dinastía MEROVINGIA. A la muerte de su padre venció la oposición familiar y a los rivales nobles, y logró reunificar y gobernar la totalidad del reino franco. Sometió a Neustria (724), atacó Aquitania y luchó contra frisios, sajones y bávaros. Su victoria en la batalla de POITIERS (732) detuvo la invasión musulmana; controló Borgoña en 739. También apoyó las actividades de san BONIFACIO y otros misioneros. Siguió la tradición de la monarquía franca y dividió el reino entre sus hijos Pipino el Breve y Carlomán, quien lo sucedió como mayordomo de palacio; su nieto fue CARLOMAGNO.

Martha's Vineyard, isla Isla en el océano Atlántico frente a la costa sudoriental del estado de Massachussets, EE.UU. Se ubica a lo largo del estrecho Vineyard, frente al cabo COD. Con una extensión de casi 32 km (20 mi) por 3–16 km (2–10 mi) de anchura, fue descubierta en 1602 por Bartholomew Gosnold y debe su nombre a sus vides silvestres. Thomas Mayhew la adquirió en 1641 y se la consideró parte de Nueva York antes de ser cedida a Massachusetts en 1692. Alguna vez fue centro de la industria ballenera y pesquera, y actualmente es un centro vacacional muy frecuentado.

Martí (y Pérez), José Julián (28 ene. 1853, La Habana, Cuba–19 jun. 1895, Dos Ríos). Poeta, ensayista y patriota cubano. Por participar en un levantamiento revolucionario en

1868, fue deportado a España, donde se recibió de abogado y prosiguió con sus actividades políticas y de escritor. Posteriormente residió en varios países y pasó gran parte de los años 1881–95 en Nueva York. Organizó y unificó el movimiento por la independencia de Cuba y murió en el campo de batalla. Como escritor, se distingue por su prosa personal y por sus poemas de sugestiva sencillez, muchos de ellos sobre el tema de una América libre y unida. Sus ensayos, en particular los de *Nuestra América* (1881), son para muchos su mayor contribuición a las letras hispanoamericanas. Es el héroe nacional de Cuba.

martillo Herramienta de percusión compuesta por un mango y una cabeza de impacto. La superficie de la cabeza puede variar en tamaño, ángulo de orientación respecto del mango (paralelo o inclinado) y tipo de cara (plana o convexa). El martillo de carpintero a menudo posee una uña hendida en la cabeza para extraer CLAVOS. El peso de un martillo puede variar desde unos pocos gramos hasta unos 7 kg (15 lb) para aquellos que sirven para romper piedras. El martillo pilón de vapor emplea, además de la gravedad, un empuje descendente, producto de un pistón activado por vapor. Existen también martillos neumáticos (impulsados por aire), como el martillo perforador, para roca y concreto, y el martillo para remachar en operaciones de construcción con vigas y placas de acero.

martillo, lanzamiento de Competencia atlética que consiste en lanzar lo más lejos posible el martillo, bola metálica de 7,26 kg (16 lb) unida a una empuñadura por un cable de acero de 1,2 m (4 pies) de largo. El lanzador da tres rápidos giros completos antes de soltar el martillo. Este deporte se desarrolló hace varios siglos en las islas Británicas; ha formado parte de las competencias generales de ATLETISMO desde 1866 y de los Juegos Olímpicos desde 1900.

Martín V *orig.* **Oddone Colonna** (1368, Genazzano, Estados Pontificios–20 feb. 1431, Roma). Papa (1417–31). Su elección en el concilio de Constanza marcó el fin del gran CISMA DE OCCIDENTE. Condenó la teoría conciliar (ver CONCILIARISMO) y toda apelación de los dictámenes del papa en materia de fe. Rechazó los esfuerzos franceses para persuadirlo de vivir en Aviñón (ver papado de AVIÑÓN); en lugar de ello regresó a Roma (1420), donde ayudó a reconstruir la ciudad en ruinas. También intentó recuperar el control de los ESTADOS PONTIFICIOS. Medió en la guerra de los CIEN AÑOS y organizó cruzadas contra los HUSITAS; además, reivindicó los derechos eclesiásticos por sobre los de la corona.

Martin, Agnes (n. 22 mar. 1912, Maklin, Saskatchewan, Canadá). Pintora estadounidense nacida en Canadá. En 1932 se trasladó a EE.UU. y se nacionalizó en 1940. Estudió en el Teachers College de Columbia e impartió clases en la Universidad de Nuevo México. Su primera exposición individual tuvo lugar en 1958. Como destacada exponente de la abstracción geométrica, bajo su prisma, una grilla gris de líneas a lápiz que se intersectan, constituye la esencia de la composición geométrica. En la década de 1970 realizó grabados equivalentes a sus pinturas. Creó una serie notable de serigrafías, *On a Clear Day* (1973), a partir de bosquejos hechos con precisión matemática. Su obra se asocia con el EXPRESIONISMO ABSTRACTO y el MINIMALISMO.

Martín de Tours, san (c. 316, Sabaria, Panonia–8 nov. 397, Candes, Galia; festividad en Occidente: 11 de noviembre; en Oriente: 12 de noviembre). Santo patrono de Francia. De origen pagano, se convirtió al cristianismo a la edad de diez años. Fue obligado a unirse al ejército romano, pero posteriormente pidió ser eximido, pues el servicio militar era incompatible con su fe. Después de permanecer en prisión, se estableció en Poitiers y luego viajó en calidad de misionero a la península Balcánica. Regresó a Poitiers en 360 y fundó el primer monasterio en la Galia. En 371 fue nombrado obispo de Tours. Fundó un segundo monasterio en Mormoutier, que se convirtió en un gran complejo monástico. En vida se hizo conocido como obrador de milagros y fue uno de los primeros santos no mártires venerados.

Martin du Gard, Roger (23 mar. 1881, Neuilly-sur-Seine, Francia–22 ago. 1958, Bellême). Novelista y dramaturgo francés. Formado originalmente como paleógrafo y archivista, infundió en sus obras literarias un espíritu de objetividad y escrupulosa fidelidad del detalle. Llamó la atención por primera vez con su novela *Jean Barois* (1913), que narra la historia de un intelectual dividido entre la fe católica de su infancia y el materialismo científico de su madurez. Es conocido sobre todo por su ciclo de ocho novelas *Los Thibault* (1922–40), crónica de la evolución de una familia que describe los dilemas sociales y morales que debió enfrentar la burguesía francesa en los años previos a la primera guerra mundial. En 1937 obtuvo el Premio Nobel de Literatura.

Martin, Mary (Virginia) (1 dic. 1913, Weatherford, Texas, EE.UU.–3 nov. 1990, Rancho Mirage, Cal.). Cantante y actriz estadounidense. Copropietaria de una escuela de danza en su ciudad natal, en 1938 se mudó a Nueva York, donde obtuvo un pequeño papel en el musical *Leave it Tome*, con el que se consagró por su interpretación de la canción "My Heart Belongs to Daddy". Posteriormente actuó en películas antes de volver a Broadway para protagonizar *Venus era mujer* (1943). Martin estrenó el rol de Nellie Forbush en *South Pacific* (1949–53), y más tarde protagonizó *Peter Pan* (1954, Premio Tony; versión televisiva, 1955), *Sonrisas y lágrimas* (1959, Premio Tony) y *I do, I do* (1966).

Martin, Paul *p. ext.* **Paul Joseph Martin, Jr.** (n. 28 ago. 1938, Windsor, Ontario, Canadá). Primer ministro canadiense (desde 2003). Hijo de Paul Joseph Martin, ministro de cuatro gobiernos liberales, estudió derecho en la Universidad de Toronto y obtuvo el título de abogado en 1966. No obstante, en lugar de ejercer la profesión, ingresó a la Canada Steamship Lines, una empresa de transporte de carga que adquirió en 1981. De 1993 a 2002, Martin, miembro del Partido Liberal, fue ministro de hacienda en el gobierno del primer ministro JEAN CHRÉTIEN. Desempeñó su cargo con sumo éxito, al eliminar un déficit presupuestario considerable, consiguió cinco superávits presupuestarios consecutivos y aseguró la mayor rebaja tributaria en la historia de Canadá. En 2003 sucedió a Chrétien como líder del Partido Liberal y como primer ministro.

martín pescador Cualquiera de unas 90 especies de aves (familia Alcedinidae), muchas de las cuales pescan para alimentarse. Son aves solitarias de distribución mundial, pero sobre todo tropicales. Poseen una cabeza grande, pico largo y normalmente puntiagudo, cuerpo compacto, pies pequeños y en general, una cola de longitud corta a mediana. Las especies varían de diez a 45 cm (4–18 pulg.) de largo, y muchas son crestadas. La mayoría presenta un plumaje de tono brillante con dibujos destacados. Los reclamos son atiplados o cascabeleantes, y se zambullen en el agua tras peces pequeños y otros animales acuáticos. La única especie norteamericana de distribución amplia, el martín pescador franjeado (*Megaceryle alcyon*), es gris azulado por encima y blanco por debajo. Los martín pescador silvícolas (p. ej., KOOKABURRA) tienen el pico más ancho.

Martín pescador franjeado (*Megaceryle alcyon*).
© ENCYCLOPÆDIA BRITANNICA, INC.

Martin, Steve (n. 14 ago. 1945, Waco, Texas, EE.UU.). Comediante y escritor estadounidense. En 1967 inició su carrera como escritor del dúo cómico los "Smothers Brothers" y en la década de 1970 participó como escritor y actor en programas de televisión como *Saturday Night Live*. Su humor absurdo y bufonesco se consolidó en *Un loco anda suelto* (1979), que escribió y protagonizó. Entre sus otras películas cómicas se encuentran *Dos veces yo* (1984), *Roxanne* (1987), *La pequeña tienda de los horrores* (1986), *Un par de seductores* (1988), *Dulce hogar a veces* (1989), *Tres mujeres para un caradura* (1991), *El pícaro* (1999) y *Una intrusa en la familia* (2003). Además, compuso la obra de teatro *Picasso at the Lapin Agile* (1995).

Martineau, Harriet (12 jun. 1802, Norwich, Norfolk, Inglaterra–27 jun. 1876, cerca de Ambleside, Westmorland). Ensayista inglesa, novelista y escritora de temas económicos e históricos. Se transformó en una figura prominente entre los intelectuales ingleses de su época, a pesar de su sordera y otras discapacidades. Concitó por primera vez la atención de un amplio público de lectores con una serie de ensayos de divulgación de la economía clásica, publicada en varias compilaciones (1832–34). Su obra historiográfica más importante la constituye *The History of the Thirty Years' Peace, A.D. 1816–1846* (1849), escrita para el lector general, que tuvo una gran acogida popular. Su obra más erudita es la traducción compendiada de *The Positive Philosophy of Auguste Comte* (1853), y su novela más conocida, *Deerbrook* (1839).

Martínez Montañés, Juan ver Juan (de) Martínez MONTAÑÉS.

Martini, Simone (c. 1284, Siena, República de Siena–1344, Aviñón, Provenza). Pintor italiano. Exponente del arte GÓTICO, realizó esfuerzos por difundir la influencia de la pintura sienesa. DUCCIO di Buoninsegna influenció su uso de colores armónicos y puros, pero sus líneas graciosas y decorativas se inspiraron en el arte gótico francés, tal como se observa en su fresco de la *Maestà* (1314), el que presenta a la Virgen como una reina gótica presidiendo a los miembros de su corte bajo un palio gótico. Su retrato ecuestre de Guidoriccio da Fogliano (1328) constituyó un importante precedente para los retratos ecuestres del RENACIMIENTO.

"San Martín abandonando las armas", detalle de la serie de frescos de Simone Martini, c. 1325–26; iglesia inferior de San Francisco, Asís, Italia.
SCALA—ART RESOURCE

Martinica, isla Isla (pob., est. 2002: 386.000 hab.) del grupo de islas de BARLOVENTO en las ANTILLAS, y departamento francés de ultramar. Con una extensión de 80 km (50 mi) por 35 km (22 mi) de ancho, ocupa una superficie de 1.128 km² (436 mi²). Predominantemente montañosa, su cumbre más alta, la montaña PELADA, es un volcán activo. Su capital es FORT-DE-FRANCE. El turismo constituye la base de su economía. Los indios caribe, quienes desplazaron a los primeros habitantes arawak, habitaban la isla cuando CRISTÓBAL COLÓN la visitó en 1502. En 1635, un francés estableció allí una colonia y en 1674 pasó a manos de la corona francesa. Los británicos conquistaron la isla y mantuvieron control sobre ella en 1762–63; volvieron a ocuparla durante las guerras NAPOLEÓNICAS, pero siempre regresó a manos de Francia. Se convirtió en departamento francés en 1946 y permaneció bajo su dominio a

Vista de St. Pierre, localidad situada a los pies de la montaña Pelada, Martinica.
FOTOBANCO

pesar del movimiento independentista dirigido por comunistas en la década de 1970.

Martins, Peter (n. 27 oct. 1946, Copenhague, Dinamarca). Bailarín y coreógrafo estadounidense de origen danés, director del NEW YORK CITY BALLET. Estudió en la Escuela del Ballet real danés, y se integró a la compañía en 1965. Se incorporó como primer bailarín al New York City Ballet en 1969, en el que interpretó papeles en ballets como *Variaciones de Goldberg*, de JEROME ROBBINS (1971) y *Duo Concertante*, de GEORGE BALANCHINE (1972). Empezó a componer coreografías para la compañía en 1977 con *Calcium Light Night*. Tras la muerte de Balanchine en 1983, Martins asumió como codirector (hasta 1990) y luego en calidad de director único de la compañía.

Martinson, Harry (Edmund) (6 may. 1904, Jämshög, Suecia–11 feb. 1978, Estocolmo). Novelista y poeta sueco. Pasó gran parte de su infancia en casas de adopción, y su juventud como marino mercante, obrero y vagabundo. Describió sus experiencias juveniles en dos novelas autobiográficas: *Las ortigas florecen* (1935) y *Vägen ut* (1936), así como en breves crónicas de viajes. Entre sus obras más conocidas destacan la colección de poemas *Vientos alisios* (1945), la novela *El camino* (1948) y el poema épico *Aniara* (1956). En 1949 se convirtió en el primer escritor autodidacta de la clase trabajadora en ser elegido miembro de la Academia Sueca. En 1974 compartió el Premio Nobel de Literatura con EYVIND JOHNSON.

Martinů, Bohuslav (Jan) (8 dic. 1890, Polička, Bohemia–28 ago.1959, Liestal, Suiza). Compositor checo (bohemio). Comenzó a componer a la edad de diez años, pero fue expulsado del conservatorio por descuidar sus estudios. Sus primeras piezas combinaban las influencias de la MÚSICA FOLCLÓRICA checa con la del compositor francés CLAUDE DEBUSSY. En París (1923–40) obtuvo gran reputación por su colorida música para ballet, así como también por sus experimentaciones con el neoclasicismo, el jazz y el *ragtime*. Compuso muchas obras, entre ellas seis sinfonías, óperas (como *Julieta*, 1938) y grandes obras corales (como *La epopeya de Gilgamesh*, 1955), aunque hizo pocos esfuerzos por promover su música.

mártir Persona que acepta en forma voluntaria morir antes que negar su religión. La disposición favorable al martirio fue un ideal colectivo en el antiguo judaísmo, especialmente en la época de los MACABEOS, y su importancia ha continuado en los tiempos modernos. El CATOLICISMO ROMANO considera el sufrimiento de los mártires como una prueba de su fe. Muchos SANTOS de la Iglesia primitiva fueron martirizados durante las persecuciones de los emperadores romanos. Los mártires no necesitan realizar MILAGROS para ser canonizados. En el Islam, se piensa que los mártires comprenden dos grupos de fieles: aquellos muertos en la YIHAD y aquellos muertos injustamente. En el budismo, un BODHISATTVA es considerado un mártir, pues voluntariamente pospone su iluminación para aliviar el sufrimiento de otros.

Mártov, L. *orig.* **Yuli Ósipovich Tsederbaum** (24 nov. 1873, Constantinopla, Imperio otomano–4 abr. 1923, Berlín, Alemania). Revolucionario ruso. Vivió primero en Vilna (Lituania), donde perteneció al Bund, grupo socialista judío. En 1895, junto con VLADÍMIR LENIN formó la Unión de lucha para la liberación de la clase obrera de San Petersburgo. Después de su arresto y exilio en Siberia (1896–99), se unió a Lenin en Suiza como director de *Iskra*. A partir de 1903, Mártov apoyó la facción MENCHEVIQUE del PARTIDO OBRERO SOCIALDEMÓCRATA RUSO y se convirtió en su líder (1905–07). Después de la REVOLUCIÓN RUSA DE 1917, apoyó al gobierno BOLCHEVIQUE en la guerra civil RUSA, pero más tarde se opuso a muchas de sus medidas dictatoriales. Abandonó Rusia en 1920 y dirigió el *Socialist Courier* en Berlín.

Marvell, Andrew (31 mar. 1621, Winestead, Yorkshire, Inglaterra–18 ago. 1678, Londres). Poeta y político inglés. Se ganó la vida como tutor, entre otros del pupilo de OLIVER CROMWELL, antes de convertirse en 1659 en asistente de JOHN MILTON en el ministerio de asuntos exteriores. A partir de 1659 ocupó un escaño en el parlamento. Su reputación como uno de los más admirables poetas metafísicos seculares (ver poesía METAFÍSICA) se sustenta en un reducido, pero brillante grupo de poemas líricos, entre los que sobresalen "*A su tímida amante*" (1681) y "*The Garden*". Entre sus otras obras destacan la *Oda horaciana al regreso de Cromwell de Irlanda* (1650); sus sátiras políticas en verso contra el gobierno que se impuso después de la Restauración, como *Últimas instrucciones a un pintor* (1667), y sus sátiras en prosa.

Marx, hermanos Grupo cómico estadounidense. Los cinco hermanos originales eran Chico (orig. Leonard, n. 1886–m. 1961), Harpo (orig. Adolph Arthur, n. 1888–m. 1964), Groucho (orig. Julius Henry, n. 1890–m. 1977), Gummo (orig. Milton, n. 1893–m. 1977) y Zeppo (orig. Herbert, n. 1901–m. 1979), quienes junto con su madre, Minnie, crearon una rutina de vodevil, llamada "The six musical mascots" (1904–18). Muy pronto Gummo dejó el número, y los otros hermanos se establecieron como "Los cuatro hermanos Marx".

Groucho, Harpo y Chico Marx.
THE BETTMANN ARCHIVE

Se consagraron con su primera obra en Broadway, *I'll Say She Is* (1924), y siguieron con *Los cuatro cocos* (1925; película, 1929) y *El conflicto de los Marx* (1926; película, 1930). Más tarde protagonizaron *Pistoleros de agua dulce* (1931), *Plumas de caballo* (1932), *Sopa de ganso* (1933), *Una noche en la ópera* (1935) y *El hotel de los líos* (1938), entre otros filmes en los que desarrollaron una hábil armonía de humor verbal y visual, donde Groucho aportaba salidas agudas y continuos comentarios chistosos, como contrapunto al frenético y anárquico accionar del silencioso Harpo y de Chico, que se caracterizó por su acento italiano. En 1934, Zeppo dejó el grupo, y este se disolvió en 1949. Posteriormente, Groucho condujo el programa de concursos de televisión *You Bet Your Life* (1950–61).

Marx, Karl (Heinrich) (15 may. 1808, Treveris, provincia renana de Prusia–14 mar. 1883, Londres, Inglaterra). Filósofo político, economista y revolucionario alemán. Estudió humanidades en la Universidad de Bonn (1835) y derecho y filosofía en la Universidad de Berlín (1836–41), donde conoció la obra de G.W.F. HEGEL. Mientras trabajaba como escritor en Colonia y París (1842–45), se convirtió en un activo militante de la izquierda política. En París tomó contacto con FRIEDRICH ENGELS, quien se transformaría en su colaborador de por vida. Expulsado de Francia en 1845, se trasladó a Bruselas, donde su orientación política maduró, y junto a Engels se hicieron un nombre a través de sus escritos. Marx fue invitado a integrarse a un grupo secreto de izquierda en Londres, para el cual escribió el MANIFIESTO COMUNISTA (1848) en coautoría con Engels. Ese mismo año organizó el primer Congreso democrático del Rin en Alemania y se opuso al rey de Prusia cuando este disolvió la Asamblea prusiana. Exiliado, se trasladó a Londres en 1849, donde pasó el resto de su vida. Trabajó media jornada como corresponsal europeo del *New York Tribune* (1851–62), mientras escribía su más importante crítica al CAPITALISMO, *El capital* (3 vol., 1867–94). Fue uno de los dirigentes de la PRIMERA INTERNACIONAL desde 1864 hasta la defección de MIJAÍL BAKUNIN en 1872. Ver también COMUNISMO; MARXISMO; MATERIALISMO DIALÉCTICO.

marxismo Ideología y teoría socioeconómica desarrollada por KARL MARX y FRIEDRICH ENGELS. Constituye la ideología fundamental del COMUNISMO y sostiene que todas las personas tienen derecho a gozar del producto de su trabajo, pero que se hallan impedidas de hacerlo en un sistema económico capitalista que divide a la sociedad en dos clases: trabajadores no propietarios y propietarios que no trabajan. Marx llamó "alienación" al resultado de esta situación y afirmó que cuando los trabajadores recuperaran el producto de su trabajo, la alienación sería superada y terminarían las divisiones de clase. La teoría marxista de la historia postula la lucha de clases como la fuerza que conduce la marcha de la historia y considera al CAPITALISMO como la más reciente y más crítica etapa histórica –la más crítica porque en ella el PROLETARIADO finalmente surgirá unido–. El fracaso de las REVOLUCIONES DE 1848 en Europa y la creciente necesidad de elucidar la teoría marxista, cuya orientación es más analítica que práctica, condujo a adaptaciones como el LENINISMO y el MAOÍSMO. En las postrimerías del s. XX, el colapso de la Unión Soviética y la adopción por China de muchos elementos propios de una economía de libre mercado parecieron marcar el término del marxismo como teoría económica o de gobierno aplicable, aunque se conserva el interés como crítica al capitalismo de mercado y como teoría del cambio histórico. Ver también ESTALINISMO; *MANIFIESTO COMUNISTA*; MATERIALISMO DIALÉCTICO; SOCIALISMO; TROTSKISMO.

Maryland Estado (pob., 2000: 5.296.486 hab.) en el este de EE.UU., en la costa atlántica central. Limita con los estados de Pensilvania, Delaware, Virginia, el Distrito de Columbia y Virginia Occidental, y en él se interna profundamente la bahía de CHESAPEAKE. Ocupa una superficie de 27.091 km² (10.460 mi²) y su capital es ANNAPOLIS. Las principales regiones geográficas del estado son la llanura costera a lo largo de la bahía de Chesapeake, la fértil región agrícola de la meseta de Piedmont y los APALACHES. Sus primeros habitantes fueron cazadores de fines del período glacial (c. 10.000 AC) y, posteriormente, la zona fue habitada por las tribus nanticoke y piscataway. El capitán JOHN SMITH trazó un mapa de la región de la bahía de Chesapeake en 1608. Maryland fue parte de una concesión otorgada por el rey británico a Cecil Calvert, lord de Baltimore. Leonard Calvert, su hermano, fundó el primer asentamiento en 1634 en la ciudad de St. Mary. Maryland fue la primera colonia estadounidense que estableció la libertad de culto. La disputa limítrofe con el estado de Pensilvania se zanjó en la década de 1760 con el trazado de la línea MASON-DIXON.

En 1788 pasó a ser el séptimo estado en ratificar la constitución de EE.UU. Maryland cedió el Distrito de COLUMBIA como el sitio de emplazamiento para una nueva capital federal en 1791. Fue escenario de la guerra ANGLO-ESTADOUNIDENSE (ver FORT MCHENRY). En 1845 se fundó en Annapolis la ACADEMIA NAVAL DE LOS ESTADOS UNIDOS DE AMÉRICA. Durante la guerra de SECESIÓN, Maryland siguió siendo parte de la Unión, pero los arraigados sentimientos sureños dieron como resultado la imposición de la ley marcial. Después de la guerra prosperó como un importante centro de acopio y distribución de artículos de consumo para el sur y el centro-oeste del país. Durante el s. XX, su proximidad con la capital nacional promovió el aumento de la población. Su economía se basa principalmente en los servicios públicos y la industria.

Maryland, Universidad de Sistema universitario del estado de Maryland, EE.UU., que consta de 11 campus distribuidos en siete ciudades. Sus orígenes se remontan a 1807, con la fundación de un *college* (colegio universitario) de medicina ubicado en Baltimore. Reorganizado en 1988, el sistema es una institución académica y de investigación del tipo *land-grant* y *sea-grant*, i.e., fundada al amparo de la ley de concesiones de terrenos y zonas marítimas para universidades públicas. El campus principal, en College Park, ofrece amplios programas de pregrado, de posgrado y profesionales, además cuenta con instalaciones de investigación que comprenden siete bibliotecas.

marzo, leyes de Medidas reformistas promulgadas por la dieta húngara en 1848 (ver REVOLUCIONES DE 1848) que buscaban crear un Estado magiar nacional moderno. El programa, presentado a la dieta por LAJOS KOSSUTH, estableció que Hungría tendría el control interno de su propia guardia nacional, presupuesto y política exterior. Las leyes fueron confirmadas constitucionalmente por el emperador FERNANDO I en abril de 1848. Austria negó la validez de las leyes tras la derrota de la revolución (1849), pero Hungría continuó insistiendo en su legalidad. Los austríacos reimpusieron su dominio sobre Hungría hasta que, bajo el COMPROMISO DE 1867, recibió plena autonomía interna.

masa Medida cuantitativa de la INERCIA, i.e., de la resistencia de un cuerpo a un cambio en el movimiento. Cuanto mayor es la masa, menor es el cambio producido por la fuerza aplicada. A diferencia del PESO, la masa de un objeto permanece constante cualquiera sea su ubicación. Así, a medida que un satélite se mueve alejándose de la atracción gravitacional de la Tierra, su peso decrece, pero su masa permanece igual. En las reacciones químicas clásicas, la masa no puede ser creada ni destruida. La suma de las masas de los reactantes es siempre igual a la suma de las masas de los productos. Por ejemplo, la masa de la madera y del oxígeno que desaparecen en la combustión es igual a la masa del vapor de agua, del dióxido de carbono, del humo y de la ceniza que aparece. Sin embargo, la teoría especial de la RELATIVIDAD de ALBERT EINSTEIN demuestra que masa y energía son cuantitativamente equivalentes, de manera que la masa puede transformarse en energía y viceversa. La masa se convierte en energía tanto en la FUSIÓN NUCLEAR como en la FISIÓN NUCLEAR. En estos casos, la conservación de la masa se visualiza como un caso especial en el contexto general de la conservación de la masa-energía. Ver también MASA CRÍTICA.

masa crítica Cantidad mínima de material fisionable dado, necesaria para producir una reacción nuclear en cadena (ver REACCIÓN EN CADENA) sostenida por sí misma bajo determinadas condiciones. La masa crítica depende de varios factores, como el tipo de material fisionable usado, su concentración y pureza, y la composición y geometría del sistema de reacción circundante.

masa de aire En meteorología, gran cuerpo de aire con condiciones de temperatura y humedad casi uniformes a una altitud dada cualquiera. Dicha masa posee bordes definidos y puede extenderse cientos o miles de kilómetros horizontalmente, llegando a veces tan alto hasta el borde superior de la TROPOSFERA. Una masa de aire se forma cuando la atmósfera permanece en contacto con una superficie grande y relativamente uniforme de tierra o agua por un tiempo suficiente para adquirir sus condiciones de temperatura y humedad. Las masas de aire más grandes de la Tierra se forman en latitudes polares o subtropicales. Las latitudes intermedias constituyen en esencia una zona de modificación, interacción y mezcla de las masas de aire polares y tropicales.

masa-energía, ecuación ver relación masa-energía de EINSTEIN

Masaccio *orig.* **Tommaso Di Ser Giovanni Di Monte Cassai** (21 dic. 1401, Castel San Giovanni, ducado de Milán–otoño de 1428, Roma, Estados Pontificios). Pintor italiano. Su vida es bastante desconocida hasta 1422, año en que ingresó al gremio de artistas en Florencia. Es probable que GIOTTO haya influido en la contundencia de sus figuras y la austeridad de su composición, pero la expresión gestual y emocional en su representación del cuerpo humano está más cerca del espíritu de DONATELLO. En su obra más famosa, los frescos de la capilla Brancacci de Santa Maria del Carmine de Florencia (c. 1425–28) –pintados en colaboración con MASOLINO, su socio de entonces–, las figuras están construidas con áreas fuertemente diferenciadas de luz y sombra, lo que les otorga un efecto tridimensional. Su fresco de la *Trinidad* (c. 1427–28), ubicado en Santa Maria Novella de Florencia, constituye el primer ejemplo que se conserva en una pintura del uso sistemático de la PERSPECTIVA basada en un punto central fijo. En 1428 se dirigió a Roma, donde murió en forma tan repentina que hubo sospechas de envenenamiento. La racionalidad, el realismo y la humanidad del arte que creó en sus breves seis años de trabajo, inspiró a los principales pintores del Renacimiento florentino de mediados del s. XV y, en última instancia, marcó el curso de la pintura occidental.

Baile de los masai, uno de los mayores grupos tribales de Tanzania y Kenia.
ARCHIVO EDIT. SANTIAGO

Masada Antigua fortaleza situada en una zona montañosa del sudeste de Israel. La fortaleza ocupa toda la cumbre, una meseta de 434 m (1.424 pies) de altura con una superficie de 7 ha (18 acres). Sus fortificaciones fueron construidas en el s. I AC por HERODES el Grande, y cayó en manos de la secta judía de los zelotes, cuando se alzaron contra Roma en 66 DC. Después de la caída de JERUSALÉN, Masada, el último bastión de dominio judío en Palestina, rehusó rendirse. Tras un largo sitio, fue en definitiva capturada por los romanos en 73, quienes constataron que prácticamente todos los zelotes se habían atrincherado (cerca de 1.000) y preferido suicidarse antes que rendirse. En el s. XX, la fortaleza se transformó en un símbolo del heroísmo nacional judío; en la actualidad es una de las atracciones turísticas más visitadas de Israel.

masai *o* **massai** Pastores nómadas que habitan el sur de Kenia y el norte de Tanzania. Hablan una lengua (generalmente denominada maa) que pertenece a la familia de las NILOSAHARIANAS. Alcanzan un número cercano a las 900.000 personas. Su dieta alimentaria se basa en la carne, sangre y leche de su ganado. Su sistema habitacional consiste en un *kraal*, cerco de espinos en cuyo interior hay chozas de barro y estiércol dispuestas circularmente, que alberga de cuatro a ocho familias y sus rebaños. La POLIGAMIA es común entre los hombres mayores. Todos los varones se organizan en grupos

ETARIOS. Tradicionalmente, los jóvenes viven aislados en el campo durante períodos para desarrollar su fortaleza, valentía y resistencia. Ver también NILÓTICOS.

masaje Manipulación manual científica y sistemática de tejidos corporales con el fin de aliviar el dolor, reducir la hinchazón, relajar los músculos y acelerar la curación después de desgarros y torceduras. Los chinos la han utilizado por más de 3.000 años. A comienzos del s. XIX, el médico sueco Per Henrik Ling (n. 1776–m. 1839) ideó un sistema de masajes para las dolencias articulares y musculares, que posteriormente fue ampliado al alivio de deformaciones de la artritis y la reeducación muscular después de una parálisis. Las manipulaciones comprenden golpes suaves y fuertes, compresiones (amasar, presionar y friccionar) y percusiones (rápidas alternancias de golpes con los bordes de las manos). En la ACUPRESIÓN, un estilo de masaje derivado de China, se ejerce presión sobre los puntos de ACUPUNTURA china con el fin de obtener efectos curativos. Ver también MEDICINA FÍSICA Y REHABILITACIÓN.

Masandam, península de *o* **península de Musandam** Extensión nororiental de la península Arábiga. Separa parcialmente el golfo de OMÁN del golfo PÉRSICO para constituir el estrecho de ORMUZ por el norte. Forma parte de Omán, pero está separada del resto del país por los Emiratos Árabes Unidos. Es una región montañosa con una costa rocosa que ofrece peligros a la navegación. La pesca es su principal actividad económica; frente a la costa occidental hay yacimientos de petróleo y gas natural. El puerto de Dībā al-Ḥiṣn se encuentra en la costa sudoriental.

Masaryk, Jan (Garrigue) (14 sep. 1886, Praga, Bohemia, Austria-Hungría–10 mar. 1948, Praga, Checoslovaquia). Estadista checo. Hijo de TOMÁŠ MASARYK, ingresó al servicio exterior de la recién independizada Checoslovaquia en 1919 y sirvió como embajador en Gran Bretaña en 1925–38. En la primera guerra mundial se desempeñó como ministro de asuntos exteriores del gobierno provisional checo en Londres (1940–45) y luego en Praga (1945–48). A petición del pdte. EDVARD BENEŠ, permaneció en su cargo después de que los comunistas tomaran el poder en 1948. Dos semanas más tarde murió al saltar o ser empujado desde una ventana del edificio del ministerio.

Masaryk, Tomáš (Garrigue) (7 mar. 1850, cerca de Gölding, Moravia, Imperio austríaco–14 sep. 1937, Lány, Checoslovaquia). Primer presidente de Checoslovaquia (1918–35). Después de obtener un doctorado en la Universidad de Viena, enseñó filosofía en la Universidad de Praga (1882) y escribió sobre la reforma protestante checa; sus obras más importantes fueron un estudio sobre el marxismo (1898) y *Rusia y Europa* (1913). En el parlamento austríaco (1891–93, 1907–14) apoyó las políticas democráticas y criticó la alianza de Austria-Hungría con Alemania. En 1915 viajó a Europa occidental, donde organizó el Comité nacional checo, que en 1918 logró ser reconocido como el gobierno de facto de la futura Checoslovaquia. Negoció la liberación de su país como uno de los CATORCE PUNTOS en el proyectado acuerdo de paz posterior a la primera guerra mundial. Elegido presidente del nuevo país (1918–35), se dedicó a resolver conflictos entre los partidos checo y eslovaco.

masas, flujo de ver FLUJO DE MASAS

masas, ley de acción de Ley fundamental de la cinética química (el estudio de las velocidades de las REACCIONES QUÍMICAS) formulada en 1864–79 por los científicos noruegos Cato M. Guldberg (n. 1836–m. 1902) y Peter Waage (n. 1833–m. 1900). La ley establece que la VELOCIDAD DE REACCIÓN de cualquier reacción química simple es proporcional al producto de las concentraciones molares de las sustancias reactantes, cada una elevada a la potencia que corresponde al número de MOLÉCULAS con que esa sustancia entra en reacción.

masas, movimiento de *o* **movimientos de remoción en masa** Movimiento masivo de suelo y escombros de rocas que se desplazan pendiente abajo, o el hundimiento de determinadas áreas de la superficie terrestre. El término movimientos de remoción en masa se refiere sólo a procesos inducidos por la gravedad que mueven grandes masas de terreno de un lugar a otro. El término movimiento de masas es más general para incluir el hundimiento de áreas reducidas.

Masbate, isla Isla (pob., 2000: 707.668 hab.) del grupo insular VISAYAS, centro de Filipinas. La isla, en forma de V, cubre una superficie de 3.269 km² (1.262 mi²); su capital es Masbate (pob., 2000: 71.441 hab.). Explorada por España a fines del s. XVI, fue gobernada por este país hasta la guerra HISPANO-ESTADOUNIDENSE, cuando pasó a poder de EE.UU. Japón la ocupó durante la segunda guerra mundial, pero fue recuperada por EE.UU. en 1945. Por muchos siglos se ha extraído oro de yacimientos situados cerca de Aroroy, en el norte.

Mascagni, Pietro (7 dic. 1863, Livorno, Italia–2 ago. 1945, Roma). Compositor italiano. Comenzó a componer a temprana edad. Estudió con Amilcare Ponchielli (n. 1834–m. 1886) en el conservatorio de Milán y fue compañero de habitación de GIACOMO PUCCINI, pero fue expulsado. Mientras trabajaba como director de orquesta en compañías itinerantes de ópera, comenzó a escribir obras de este género y ganó un concurso con su *Cavalleria rusticana* (1890), obra de un solo acto que se transformó en un éxito inmediato desde su estreno y que hasta hoy constituye su pieza musical más conocida.

máscara Objeto usado para disfrazar o protegerse la cara o para proyectar la imagen de otra personalidad o ser. Las máscaras han sido empleadas en el arte y la religión desde la edad de piedra. En la mayoría de las sociedades primitivas, su forma estaba establecida por la tradición y se presumía que tenían poderes sobrenaturales. Las máscaras funerarias, asociadas con el regreso del espíritu al cuerpo, se utilizaron en el antiguo Egipto, Asia y la civilización inca, y a veces fueron conservadas como el retrato del muerto. Aquellas que se visten en festividades como Halloween y Mardi Gras son signo de regocijo y desenfreno. También han sido muy requeridas en el teatro, comenzando por el drama griego y continuando a través de los MISTERIOS medievales y la COMEDIA DELL'ARTE italiana, así como en otras tradiciones teatrales (p. ej., el TEATRO NŌ japonés).

Coloridas máscaras folclóricas, Nepal.
ARCHIVO EDIT. SANTIAGO

mascarada Breve representación festiva interpretada por actores enmascarados. Sus orígenes se remontan a las ceremonias folclóricas conocidas como MUMMING PLAY. Se desarrolló como un elaborado espectáculo cortesano en los s. XVI–XVII. Una mascarada constituía una representación de un tema alegórico compuesto por textos, bailes y canciones, y a menudo ornamentado con suntuosos vestuarios y decorados espectaculares. El género alcanzó su apogeo en la Inglaterra del s. XVII, cuando el poeta cortesano BEN JONSON, junto con INIGO JONES, le imprimió una fuerza literaria a numerosas y notables mascaradas (1605–34). Posteriormente, la mascarada derivó en la ÓPERA.

mascarón de proa Símbolo o figura ornamental ubicado en lo alto del tajamar de un barco, a menudo en la proa. Podía ser un símbolo religioso, un emblema nacional o una figura que simbolizara el nombre de la embarcación. La costumbre de decorar barcos se inició probablemente en el antiguo Egipto o India y fue continuada por chinos, fenicios, griegos y romanos. En el año 1000 AC ya se tallaban y pintaban las rodas y los codastes para distinguir un barco de otro. Los vikingos construyeron barcos con proas altas y rodas salientes que portaban un amenazante mascarón de proa similar al de los barcos de Guillermo I el Conquistador, tal como se aprecia en el tapiz de BAYEUX. Históricamente, los mascarones de proa han variado en tamaño, oscilando entre los 45 cm (18 pulg.) y los 2,5 m (8–9 pies), y continuaron siendo populares hasta después de la primera guerra mundial.

Mascarón de proa vikingo del navío de la reina Asa, encontrado en Oseberg, c. 800 DC; Museo de antigüedades nacionales, Oslo.
©UNIVERSITETETS OLDSAKSAMLING, OSLO, NORUEGA; FOTÓGRAFO, EIRIK IRGENS JOHNSEN

Mascate *árabe* **Masqat** Ciudad (pob., 1993: ciudad, 40.900 hab.; área metrop., est. 1999: 887.000 hab.) y capital de Omán, en el golfo del mismo nombre. Ubicada en una caleta rodeada de montes volcánicos, estuvo bajo control persa en el s. VI AC. Sus habitantes se convirtieron al Islam en el s. VII DC. Los portugueses la dominaron en 1508 e hicieron de ella su cuartel general para la zona árabe (1622–48). Recuperada por los persas (1650–1741), pasó después a formar parte del sultanato de Omán. Dos fuertes portugueses del s. XVI dominan el pueblo; el palacio del sultán de estilo indio fue construido frente a la costa.

mascota Cualquier animal que los seres humanos mantienen porque les depara compañía o placer, sin considerar su utilidad. La distinción principal entre las mascotas y el ganado doméstico dice relación con el grado de contacto entre animal y dueño. Otra diferencia es el afecto del dueño por el animal, el que a menudo es recíproco. Se sabe que los perros fueron mascotas desde la prehistoria, los gatos, desde el s. XVI AC, y los caballos al menos desde 2000 AC. Otras mascotas comunes son aves, conejos, roedores, mapaches, reptiles, anfibios e incluso insectos. La tendencia a convertir en mascotas animales exóticos (p. ej., monos u ocelotes) es preocupante, puesto que los dueños rara vez pueden proveerles sus necesidades, y las poblaciones de estos, ya precarias, merman aún más cuando sus miembros se venden con esos fines.

Masefield, John (1 jun. 1878, Ledbury, Herefordshire, Inglaterra–12 may. 1967, cerca de Abingdon, Berkshire). Poeta inglés. En su juventud entró a la marina y luego llevó una vida muy precaria en EE.UU. durante varios años, antes de radicarse en Londres. Es conocido principalmente por sus poemas sobre el mar, *Baladas de agua salada* (1902, entre las que se cuentan "Fiebre del mar" y "Cargoes", y por sus extensos poemas narrativos, como *La misericordia eterna* (1911), que se caracterizan por el uso de ásperos coloquialismos, desconocidos en la poesía inglesa de comienzos del s. XX. Después de recibir el título de poeta laureado en 1930, su poesía se hizo más austera. También escribió novelas de aventura, ensayos y obras para niños.

máser Dispositivo que produce y amplifica RADIACIÓN ELECTROMAGNÉTICA en el rango de MICROONDAS del espectro. El primer máser fue construido en 1951 por CHARLES H. TOWNES. Su nombre es un acrónimo de Microwave Amplification by Stimulated Emission of Radiation (amplificación de microondas por emisión estimulada de radiación). La longitud de onda producida por un máser es tan constante y reproducible que puede utilizarse para controlar un reloj que se adelantará o retrasará no más de un segundo en cientos de años. Los máseres se han empleado para amplificar las señales débiles devueltas por satélites de radar y comunicaciones, y han permitido medir ondas de radio débiles emitidas por Venus, dando una indicación de la temperatura del planeta. El máser fue el principal precursor del LÁSER.

Maseru Ciudad (pob., est. 1999: área metrop., 373.000 hab.), capital de Lesotho. Se encuentra a orillas del río Caledon, en la frontera con la República de Sudáfrica. En 1869, MOSHESH, jefe de la nación Basuto (sotho), fundó el pueblo cerca de Thaba Bosiu, su fortaleza en las montañas. La extracción de diamantes es importante para su economía. Maseru constituye el único centro urbano del país y allí se encuentran los edificios gubernamentales, un colegio técnico y la Universidad Agrícola de Lesotho. Roma, ubicada al sudeste, es la sede de la Universidad Nacional de Lesotho (1945).

Mashad *o* **Meshed** Ciudad (pob., 1996: 1.887.405 hab.) del nordeste de Irán, en el valle del río Kashaf. Ha sido desde hace siglos un importante centro comercial situado en la ruta de caravanas y vías del Medio Oriente. Sufrió daños durante un ataque mongol en 1220 y fue saqueada por turcomanos y uzbecos en los s. XVI–XVII. NĀDIR SHA (r. 1736–47) hizo de ella su capital. La ciudad, donde descansan los restos de HĀRŪN AL-RASHÍD, es un lugar de peregrinación de los musulmanes chiitas que visitan la tumba del octavo imán, 'Alī al-Riḍā'.

Masinisa (c. 240–148 AC). Gobernante del antiguo reino norafricano de NUMIDIA. En un principio fue aliado de CARTAGO, pero más tarde se cambió de bando para ayudar a Roma tras ser persuadido por ESCIPIÓN EL AFRICANO (206). Después de ganar la batalla de ZAMA (202), se le concedió un reino más extenso. Aunque molesto con la presencia del ejército de CATÓN en África (149), se mantuvo fiel a Roma y como cliente (protegido) de Escipión hasta su muerte.

Masjid-i Shah Célebre MEZQUITA del s. XVII en Isfahán, Irán. La mezquita, como parte del esfuerzo de reconstrucción del sha safawí ABBAS I, estaba situada en el centro de Isfahán, a lo largo de un gran paseo peatonal central llamado el *maydān*. Junto a las estructuras del mismo período que la acompañan, la mezquita se destaca por su bóveda de estructura precisa y por el uso de azulejos coloreados.

Nicho abovedado con arabescos de Masjid-i Shah, Isfahán, Irán.
FOTOBANCO

Maslow, Abraham H(arold) (1 abr. 1908, Nueva York, N.Y., EE.UU.–8 jun. 1970, Menlo Park, Cal.). Psicólogo estadounidense. Fue docente en el Brooklyn College (1937–51) y en la Universidad Brandeis (1951–69). Profesional de la PSICOLOGÍA HUMANISTA, es conocido por su teoría de la "autorrealización". En *Motivación y personalidad* (1954) y *Hacia una psicología del ser* (1962) sostuvo que cada persona tiene una jerarquía de necesidades que deben ser satisfechas, que abarca desde necesidades fisiológicas básicas hasta el amor, la estima y, finalmente, la autorrealización. A medida que se satisface cada necesidad, el funcionamiento consciente pasa a ser dominado por el nivel inmediatamente superior de la jerarquía emocional.

Masolino *orig.* **Tommaso di Cristoforo Fini** (1383, Panicale, Romaña–probablemente 1440–47, Florencia, República de Florencia). Pintor italiano. Provenía del mismo distrito en la Toscana que su contemporáneo más joven MASACCIO, con quien su quehacer artístico se relaciona estrechamente. Trabajaron juntos en los frescos para la capilla Brancacci en Santa Maria del Carmine en Florencia. La influencia de Masaccio resulta evidente en las contribuciones de Masolino; sin embargo, luego de la muerte de Massaico, Masolino retomó el estilo gótico más decorativo de sus primeros años.

Mason, George (1725, cond. de Fairfax, Va.–7 oct. 1792, cond. de Fairfax, Va., EE.UU.). Estadista de la independencia de los Estados Unidos de América. Propietario de una extensa plantación, participó en iniciativas para promover la expansión de las colonias hacia el oeste. En 1774 colaboró con su vecino GEORGE WASHINGTON en la redacción de las Resoluciones de Fairfax (1774), que exigían el boicot a las mercaderías inglesas. En 1776 redactó la constitución del estado de Virginia y la declaración de derechos de VIRGINIA, la que influyó en THOMAS JEFFERSON y sirvió de modelo a otros estados. Fue miembro de la Cámara de delegados de Virginia (1776–88) y asistió a la CONVENCIÓN CONSTITUCIONAL, pero no firmó la Constitución de los ESTADOS UNIDOS DE AMÉRICA, que en su opinión otorgaba facultades amplias e indefinidas al gobierno central.

George Mason, detalle de una pintura al óleo de L. Guillaume, según un retrato de J. Hesselius.
GENTILEZA DE LA VIRGINIA HISTORICAL SOCIETY, EE.UU.

Mason, James (15 may. 1909, Huddersfield, Yorkshire, Inglaterra–27 jull. 1984, Lausana, Suiza). Actor de cine británico. Después de estudiar arquitectura en la Universidad de Cambridge, debutó en la pantalla grande en *Late extra* (1935). Poco después se consagró como estrella del cine británico en películas como *Perfidia* (1943), *El séptimo velo* (1945) y *Larga es la noche* (1947). A fines de la década de 1940 se mudó a Hollywood; sin embargo continuó haciendo cine en Gran Bretaña. Fue conocido por sus pulcras caracterizaciones de individuos de vida ruin. Actuó en más de 100 filmes, entre los que se cuentan *Madame Bovary* (1949), *Ha nacido una estrella* (1954), *Con la muerte en los talones* (1959), *Lolita* (1962), *La soltera retozona* (1966), *Los niños del Brasil* (1978) y *Veredicto final* (1982).

Mason, James Murray (3 nov. 1798, cond. de Fairfax, Va., EE.UU.– 28 abr. 1871, Alexandria, Va.). Político estadounidense. Nieto de GEORGE MASON, a partir de 1820 ejerció como abogado en su Virginia natal. Se desempeñó en el poder legislativo federal (1826, 1828–32), y en la Cámara de Representantes (1837–39) y el Senado de EE.UU. (1847–61). Partidario de la secesión, en 1861 renunció a su asiento en el Senado. Fue nombrado comisionado de la Confederación en Inglaterra y capturado en alta mar, junto a JOHN SLIDELL, a bordo del *Trent*; estuvo preso durante dos meses (ver caso TRENT). Liberado en 1862, permaneció en Inglaterra hasta 1865, pero no logró obtener apoyo para la causa de la Confederación.

Mason-Dixon, línea Originalmente, línea divisoria entre Maryland y Pensilvania. En 1765–68, Charles Mason y Jeremiah Dixon hicieron un reconocimiento de la línea de

375 km (233 mi), con el fin de definir los límites en disputa entre las concesiones de tierras de los Penn, propietarios de Pensilvania, y los Baltimore, propietarios de Maryland. El término se usó por primera vez en los debates parlamentarios que condujeron al compromiso de MISSOURI (1820) para referirse a la línea divisoria entre los estados esclavistas al sur de ella, y los no esclavistas, al norte. Todavía se emplea en sentido figurado como línea divisoria entre el Norte y el Sur.

masonería *o* **francmasonería** Organización de personas que adhieren a principios de fraternidad y símbolos identificadores mediante enseñanzas y prácticas, que se agrupan en SOCIEDADES SECRETAS. Surgida de los GREMIOS de constructores medievales (*stonemasons*, en inglés), la masonería se convirtió en sociedad honoraria en los s. XVII–XVIII, adoptando los ritos y ornamentos de órdenes religiosas antiguas y de hermandades de caballería. La primera asociación de logias, la Gran Logia, fue fundada en Inglaterra en 1717, y la masonería se extendió pronto a otros países del Imperio británico. Los masones desempeñaron un activo papel en la guerra de independencia de Estados Unidos y luego en la política estadounidense; en el s. XIX el temor popular a su influencia llevó al surgimiento del movimiento ANTIMASÓN. Pueden ser miembros sólo hombres adultos que estén dispuestos a expresar su creencia en un Ser Supremo y en la inmortalidad del alma. En Latinoamérica, las logias han atraído con frecuencia a librepensadores y anticlericales; en las naciones anglosajonas, sus miembros han provenido en su mayor parte de protestantes blancos. La masonería también ha dado origen a organizaciones sociales como la Ancient Arabic Order Nobles of the Mystic Shrine.

Vista aérea de Boston, capital y mayor centro cultural y financiero de Massachusetts, EE.UU.
ARCHIVO EDIT. SANTIAGO

masoquismo Trastorno psicosexual en el que un individuo alcanza la liberación erótica al ser sometido a dolor o humillación. El término deriva del nombre de Leopold von Sacher-Masoch, novelista austríaco del s. XIX que escribió ampliamente acerca del goce sexual que le producía el maltrato verbal y físico. El grado de dolor puede variar; generalmente el masoquista lo busca y en cierta medida lo controla. Con frecuencia se presentan rasgos masoquistas y sádicos en el mismo individuo.

Massachusetts Estado (pob., 2000: 6.349.097 hab.) en el nordeste de EE.UU. Forma parte de NUEVA INGLATERRA y se ubica junto al océano Atlántico; limita con los estados de Vermont, New Hampshire, Rhode Island, Connecticut y Nueva York. Ocupa una superficie de 21.399 km² (8.262 mi²) y su capital es BOSTON. Sus suelos son poco fértiles y rocosos y la agricultura tiene un papel limitado en la economía, si bien el cultivo de arándanos es importante. La región era habitada por los indios algonquinos cuando en 1602 llegó el primer colonizador inglés, Bartholomew Gosnold. PLYMOUTH fue colonizada por los PEREGRINOS, quienes arribaron en el *Mayflower* en 1620. La Massachusetts Bay Co. fundó y gobernó la colonia de la bahía de MASSACHUSETTS, lo que fomentó el asentamiento de los puritanos. En 1643 se unió a la Confederación de NUEVA INGLATERRA y en 1652 adquirió MAINE. En 1675, los asentamientos del sudeste y del centro del estado se vieron envueltos en la guerra del REY FELIPE. Después de perder autonomía de la corona en 1684, pasó a formar parte del dominio de Nueva Inglaterra en 1686. En 1691, su segunda carta de constitución concedió a la colonia la jurisdicción sobre Maine y Plymouth.

En el s. XVIII, Massachusetts se convirtió en centro de la resistencia a la política colonialista de Gran Bretaña; fue escenario del BOSTON TEA PARTY (motín del té) y de levantamientos en las batallas de LEXINGTON Y CONCORD, acontecimientos que marcaron el inicio de la guerra de independencia de los ESTADOS UNIDOS DE AMÉRICA. En 1788 pasó a ser el sexto estado en ratificar la constitución estadounidense. Se colocó a la vanguardia de la REVOLUCIÓN INDUSTRIAL del s. XIX y se hizo conocida por sus plantas textiles. En la actualidad, sus principales industrias son la electrónica, la alta tecnología y las comunicaciones, y también es famoso por sus diversas instituciones de enseñanza superior. El turismo desempeña un papel importante, especialmente en la región del cabo COD y en las colinas de BERKSHIRE.

Massachusetts, colonia de la bahía de Primera colonia inglesa en MASSACHUSETTS. En 1630, un grupo de 1.000 refugiados puritanos provenientes de Inglaterra (ver PURITANISMO) se asentó en la zona. En 1629, la Massachusetts Bay Co. había obtenido de Gran Bretaña una concesión que le permitía comerciar y colonizar en Nueva Inglaterra. Los accionistas puritanos concibieron la colonia como un refugio ante la persecución religiosa que vivían en Inglaterra, y transfirieron el control de la compañía a los emigrantes instalados en Massachusetts. Los colonos, dirigidos por JOHN WINTHROP, fundaron su colonia junto al río CHARLES, en lo que posteriormente sería BOSTON. En 1684, Inglaterra anuló el estatuto de la empresa y en 1691 estableció el gobierno de la corona con un nuevo estatuto, que incorporó Maine y la colonia de PLYMOUTH a la colonia de la bahía de Massachusetts.

Massachusetts Institute of Technology ver MIT

Massachusetts, Universidad de Sistema universitario estadounidense con sedes en Amherst, Boston, Worcester, Lowell y North Dartmouth. El campus principal, ubicado en Amherst (fundado en 1863), está compuesto de nueve *colleges* (colegios universitarios) y escuelas, y ofrece cerca de 80 programas de licenciatura, 70 programas de maestría, 40 programas de doctorado y varios programas de educación permanente. La escuela de medicina se encuentra en el campus de Worcester, mientras que Boston es la sede de los *colleges* de servicio público y comunitario, administración de negocios y otros campos de estudio.

Massasoit (c. 1590, cerca de la actual Bristol, R.I.–1661, cerca de Bristol). Jefe indígena de América del Norte. Fue el gran *sachem* (jefe intertribal) de los indios wampanoag, que habitaban en zonas de Massachusetts y Rhode Island. En marzo de 1621, varios meses después de la llegada del *Mayflower*, viajó a Plymouth y estableció relaciones pacíficas con los colonizadores, a quienes transmitió técnicas de pesca y cultivo. En 1623, cuando cayó gravemente enfermo, los peregrinos, en retribución, lo cuidaron hasta que se recuperó. Tras su muerte, los intentos conciliadores se desvanecieron poco a poco hasta llegar a la sangrienta guerra del REY FELIPE (1675), que dirigió su hijo METACOM.

Masséna, André, duque de Rívoli *post.* **príncipe de Essling** (6 may. 1758, Niza, Francia–4 abr. 1817, París). General francés. Ingresó al ejército en 1775, sirvió en el ejército del gobierno revolucionario y ascendió a general en 1793. En las campañas contra los austríacos en Italia se convirtió en el oficial de mayor confianza de NAPOLEÓN I; luego comandó el ejército francés en Suiza y derrotó a los rusos en Zurich

(1799). Enviado por Napoleón a restaurar el desmoralizado ejército de Italia, defendió con éxito Génova contra los sitiadores austríacos e hizo posible la victoria francesa en la batalla de MARENGO. Fue nombrado mariscal en 1804 y duque de Rívoli en 1808. Demostró gran heroísmo en contra de los austríacos, especialmente en Aspern-Essling y en la batalla de WAGRAM (1809), por lo que Napoléon lo nombró príncipe de Essling (1810). Al comandar las fuerzas francesas en Portugal y España (1810–11), fue derrotado por los británicos, dirigidos por el duque de WELLINGTON. Relevado de su mando, regresó a París, donde apoyó la restauración de la monarquía.

Massenet, Jules (-Émile-Frédéric) (12 may. 1842, Montaud, cerca de Saint-Étienne, Francia–13 ago. 1912, París). Compositor francés. Desde 1851 estudió en el conservatorio de París. Cuando su familia abandonó París en 1854, se escapó para proseguir sus estudios y trabajó como pianista, percusionista y profesor para obtener el sustento. Su duro trabajo dio frutos cuando obtuvo el Premio de Roma en 1863 y comenzó a escribir óperas en 1867. Se consagró con el oratorio *Marie-Magdeleine* (1873), y su ópera *Le Roi de Lahore* se presentó en la Opéra de París en 1877. A continuación siguió la serie de éxitos por los cuales principalmente se conoce, como *Hérodiade* (1881), *Manon* (1884), *Le Cid* (1885), *Esclarmonde* (1889), *Werther* (1892), *Thaïs* (1894) y *Don Quichotte* (1910).

Massey, (Charles) Vincent (20 feb. 1887, Toronto, Ontario, Canadá–30 dic. 1967, Londres, Inglaterra). Administrador canadiense, primer gobernador general de Canadá nacido en el país (1952–59). En 1913–15 se desempeñó como profesor de historia de la Universidad de Toronto. Durante la primera guerra mundial fue subsecretario del comité ministerial de guerra. Después de la guerra y hasta 1925 dirigió un negocio de maquinaria agrícola. Participó activamente en política en las filas del Partido Liberal, perteneció al gabinete de W.L. MACKENZIE KING (1925) y más adelante fue el primer representante diplomático canadiense en EE.UU. (1926–30) y alto comisionado de Canadá en Gran Bretaña (1935–46). Tras ejercer como rector de la Universidad de Toronto (1947–52), recibió el nombramiento de gobernador general. Su hermano fue el actor Raymond Massey (n. 1896–m. 1983).

Massine, Leonid orig. **Leonid Fiódorovich Miassin** (9 ago. 1896, Moscú, Rusia–15 mar. 1979, Colonia, Alemania Occidental). Bailarín, profesor y coreógrafo francés de origen ruso. En 1914 se incorporó a los BALLETS RUSOS y, en 1915, produjo su primer ballet, *Soleil de minuit*, al que siguieron *Parade* (1917), *El sombrero de tres picos* (1919) y *Pulcinella* (1920). Amplió las reformas de MICHEL FOKINE, enriqueciendo la caracterización de muchos personajes. En 1932–38 trabajó como primer bailarín y coreógrafo del BALLET RUSO DE MONTECARLO. Presentó novedosas coreografías y diseños escenográficos en sus ballets *Les présages* (1933), *Choreartium* (1933) y *Rouge et noir* (1939), que se cuentan entre los primeros basados en

Leonid Massine, 1935.
FOTOBANCO

sinfonías. En 1938–42 dirigió su compañía reformada Ballet ruso de Montecarlo y, en 1966, asumió el cargo de director artístico del nuevo Ballet de Montecarlo.

Masson, André (-Aimé-René) (4 ene. 1896, Balagny, Francia–28 oct. 1987, París). Pintor y artista gráfico francés. Después de estudiar pintura en Bruselas y París, fue grave-

mente herido en la primera guerra mundial, y un pesimismo agobiador inundó su arte. Se unió al movimiento surrealista (ver SURREALISMO) en 1924 y se convirtió en el principal representante del AUTOMATISMO. A fines de la década de 1920, y durante la siguiente, pintó turbulentas imágenes de violencia, dolor psíquico, erotismo y metamorfosis física, utilizando líneas sinuosas para delinear formas biomorfas abstractas. Vivió en España (1934–36) y después en EE.UU. (1941–45), donde fue un vínculo importante entre el surrealismo y el EXPRESIONISMO ABSTRACTO. Posteriormente, regresó a Francia y se concentró en la pintura paisajista.

Massys, Quentin ver Quentin METSYS

mastaba (árabe: "banco"). Antigua tumba egipcia en forma de pirámide truncada, de planta rectangular, construida de ladrillos de barro, y posteriormente, de piedra. Un ducto vertical profundo descendía a la cripta mortuoria subterránea. Las mastabas del Antiguo Imperio se usaban de preferencia como sepulcros para personas que no pertenecían a la realeza. Las cámaras de provisiones se llenaban con alimentos y utensilios, y los muros solían decorarse con escenas de la vida cotidiana del difunto. Lo que originalmente era un nicho lateral se transformó en una capilla con un altar y una puerta falsa por la cual el espíritu del difunto podía salir y entrar a la cámara.

mastectomía Extirpación de una mama, habitualmente por CÁNCER DE MAMA. Si el cáncer se ha extendido, con una mastectomía radical se pueden remover los tejidos y estructuras vecinos, incluidos los músculos torácicos y los GANGLIOS LINFÁTICOS. La mastectomía radical modificada, que respeta al menos el músculo principal del pecho, garantiza de igual manera una sobrevida alta y facilita la reconstrucción. La mastectomía simple consiste en la extirpación de una sola mama. La lumpectomía es la extirpación exclusiva del tumor.

Masters Tournament ver Torneo de MAESTROS

Masters, William H(owell) y Johnson, Virginia E(shelman) (27 dic. 1915, Cleveland, Ohio, EE.UU.–16 feb. 2001, Tucson, Ariz.) (n. 11 feb. 1925, Springfield, Mo., EE.UU.). Equipo de investigadores estadounidenses que abordaron la sexualidad humana. Juntos (como médico y psicóloga, respectivamente) fundaron y dirigieron el Instituto Masters & Johnson en Saint Louis, Mo., EE.UU. Observaron relaciones sexuales de parejas en condiciones de laboratorio, empleando equipo bioquímico para registrar los estímulos y las reacciones sexuales. Su libro, *La respuesta sexual humana* (1966), fue considerado el primer estudio integral de la fisiología y anatomía de la actividad sexual humana (ver RESPUESTA SEXUAL). Se casaron en 1971 y siguieron colaborando después de su divorcio en 1993.

masticación Movimientos ascendentes, descendentes y laterales del maxilar inferior, usando los dientes para triturar los alimentos y facilitar su deglución. Durante la masticación, la lengua convierte los alimentos en un bolo y la saliva lo lubrica para tragarlo. La masticación ablanda las carnes y las fibras vegetales y las expone a las enzimas digestivas.

mastín Raza de perro fuerte, pero dócil, de Europa y Asia, que se remonta a 3000 AC. Los mastines pelearon con osos, leones, tigres, toros y gladiadores en las arenas de Roma y se usaron en Inglaterra para acosar y morder toros y osos encadenados. Su alzada es de 70–75 cm (28–30 pulg.) y pesa 75–85 kg (165–185 lb). Tiene cabeza ancha, hocico negro y corto, y orejas negras colgantes. Su pelaje es corto y de color damasco, gris plateado o pinto. El mastín inglés es un híbrido

Mastín.
SALLY ANNE THOMPSON

entre el BULLDOG y el mastín, con una alzada de 61–69 cm (24–27 pulg.) y 45–59 kg (100–130 lb) de peso. Se utiliza como perro policial y guardián.

mastitis INFLAMACIÓN de la mama. La mastitis aguda, por lo general causada por BACTERIAS, comienza casi exclusivamente en las tres primeras semanas del amamantamiento, y puede ser curada con antibióticos sin detener la lactancia. Los pechos pueden estar hinchados, rojos, duros y sensibles; sin tratamiento es posible que se formen ABSCESOS. La mastitis puede ser localizada o diseminada, y probablemente estar comprometido el sistema LINFÁTICO de las mamas. Las niñas pueden presentar breves inflamaciones de las mamas, inducidas por hormonas, poco después de nacer y durante la pubertad. La mastitis crónica ocurre por lo general como parte de enfermedades sistémicas (p. ej., TUBERCULOSIS, SÍFILIS). Un tipo raro se observa preferentemente en mujeres mayores con una historia de dificultades en el amamantamiento. Algunos casos de mastitis se parecen a ciertos cánceres.

mastodonte Cualquiera de varias especies extintas de ELEFANTE (género *Mastodon*), que vivieron en todo el mundo hace 23,7 millones–10.000 años, o más recientemente en Norteamérica, donde fueron contemporáneas con grupos de amerindios. Se han encontrado restos bien conservados. Los mastodontes comían hojas y presentaban molares pequeños y los colmillos superiores largos, paralelos y curvados hacia arriba; los machos presentaban además colmillos inferiores más cortos. Eran más bajos que los elefantes modernos, con cuerpos largos, de contextura pesada y patas cortas como columnas. Tenían pelo largo y marrón rojizo. El cráneo era similar al de los elefantes actuales, pero más bajo y aplanado, y las orejas, pequeñas. La cacería humana puede haber desempeñado un papel en su extinción. Ver también MAMUT.

mastoiditis INFLAMACIÓN de la apófisis mastoides, una prominencia ósea ubicada justo detrás de la oreja, casi siempre debido a OTITIS media. Puede extenderse al interior de las pequeñas cavidades del hueso, bloqueando su drenaje. En los casos muy graves se infecta toda la cámara del oído medio. Produce dolor detrás del oído y en un lado de la cabeza. La temperatura y el pulso pueden aumentar. Los tejidos que recubren el hueso pueden hincharse y finalmente desarrollar un ABSCESO, que indica destrucción de la capa ósea externa. Las complicaciones de su extensión hacia el interior comprenden abscesos dentro del cráneo, TROMBOSIS e infección del OÍDO INTERNO; la meningitis representa un serio peligro. Rara en la actualidad, debido al tratamiento de la otitis media, la mastoiditis responde habitualmente al tratamiento ANTIBIÓTICO precoz, de lo contrario, se impone el drenaje quirúrgico con extirpación de todo el hueso dañado.

Mastroianni, Marcello (28 sep. 1924, Fontana Liri, Italia–19 dic. 1996, París, Francia). Actor de cine italiano. Debutó en el cine en 1947 y a mediados de la década de 1950 ya era un actor reconocido en Italia. Poseía una atracción misteriosa, con la que cambiaba su estampa cinematográfica de displicente a encantador, consagrándose en películas como *Noches blancas* de LUCHINO VISCONTI (1957) y *La dolce vita* de FEDERICO FELLINI (1960). Actuó en más de 100 filmes, entre los que destacan *8½* (1963), *Ayer, hoy y mañana* (1963), *Nos habíamos amado tanto* (1975), *Ojos negros* (1987) y *Viaje al principio del mundo* (1997).

mastuerzo Cualquiera de varias plantas de la familia de las CRUCÍFERAS apreciadas por el sabor de sus hojas basales tiernas que se comen en ensaladas, como condimento y guarnición. El BERRO es tal vez el mastuerzo comestible más popular. El mastuerzo común de jardín o lepidio (*Lepidium sativum*) se cultiva ampliamente, en particular, la variedad de hoja rizada que se usa como guarnición. Otros mastuerzos son malezas (p. ej., *Barbarea vulgaris*), variedades silvestres (p. ej., *Cardamine pratensis*) y ornamentales (p. ej., la especie *Arabis*).

masturbación Estimulación erótica de los órganos genitales propios, generalmente para alcanzar el orgasmo. La conducta masturbatoria es común en niños y adolescentes y también es practicada por muchos adultos. Según diversos estudios, en EE.UU. más del 90% de los hombres y el 60–80% de las mujeres se han masturbado alguna vez. Las enseñanzas de la moral cristiana condenaron la masturbación como el pecado de Onán, que en el Antiguo Testamento fue censurado por desperdiciar su simiente, y la Iglesia católica aún la condena oficialmente.

Masuria, lago ver Lago MAZURIA

Mata Hari *orig.* **Margaretha Geertruida Zelle** (7 ago. 1876, Leeuwarden, Países Bajos–15 oct. 1917, Vincennes, cerca de París, Francia). Cortesana holandesa y supuesta espía en la primera guerra mundial. En 1895 se casó con Campbell MacLeod, oficial escocés; vivieron en Java y Sumatra (1897–1902), tras lo cual regresaron a Europa y se separaron. En 1905 comenzó a bailar en París bajo el nombre de Mata Hari (expresión malaya para designar el Sol). Hermosa, exótica y dispuesta a bailar prácticamente desnuda, pronto tuvo numerosos amantes, entre ellos oficiales militares. Los detalles de sus actividades de espionaje no son claros, pero aparentemente trabajó para Alemania desde 1916. Fue arrestada por los franceses en 1917, enjuiciada por un tribunal militar y ejecutada por un pelotón de fusilamiento.

Mata Hari.
H. ROGER-VIOLLET–HARLINGUE

matabelé ver NDEBELÉ

matador *o* **espada** En TAUROMAQUIA, torero principal que trabaja con la capa e intenta matar al toro con una estocada entre los omóplatos. La mayoría de las técnicas usadas por los toreros modernos fueron creadas en la década de 1910 por el español Juan Belmonte (n. 1894–m. 1962). El atuendo tradicional de los toreros, conocido como "traje de luces", no brinda protección alguna. El público juzga la actuación del torero de acuerdo con su talento, gracia y osadía. Casi todos los toreros son corneados al menos una vez por temporada, con distintos niveles de gravedad, y muchos han recibido heridas mortales.

Matamba Reino histórico africano del pueblo MBUNDU, en el nordeste de LUANDA, Angola. Era un estado poderoso a comienzos del s. XVI, período en que entró en conflicto con los colonos portugueses de Angola. Alrededor de 1630 fue conquistado por Nzinga, ex gobernante de NDONGO, quien lo fortaleció y detuvo la expansión angoleña hacia el este durante la década de 1670. Un tratado de 1684 se mantuvo vigente hasta que los portugueses capturaron parte del territorio de Matamba en 1744. El resto, asignado a Angola por tratados europeos suscritos en 1870–1900, permaneció como reino autónomo hasta su ocupación por tropas portuguesas a principios del s. XX.

Matamoros Ciudad (pob., 2000: 376.279 hab.) del norte del estado de TAMAULIPAS, México. Ubicada en la ribera meridional del río BRAVO, frente a la localidad de Brownsville en Texas, EE.UU., fue fundada en 1824. Sirvió de escenario de cruentos combates durante la guerra MEXICANO-ESTADOUNIDENSE y en 1846 fue ocupada por las tropas de EE.UU. En la actualidad es uno de los principales puertos de entrada de turistas a México y un importante centro comercial.

Mataram Reino histórico de JAVA. Originalmente estado vasallo de Pajang, ganó poder a fines del s. XVI bajo el mandato de Senapati, su primer rey. El territorio se expandió a comienzos del s. XVII, pero más tarde el reino comenzó a decaer. A mediados del s. XVIII perdió poder y territorio ante la COMPAÑÍA HOLANDESA DE LAS ÍNDIAS ORIENTALES, y en 1749 era ya un estado tributario de esta. Las guerras de sucesión ocurridas en 1755 llevaron a su división en las regiones de Surakarta y Yogyakarta.

mate *o* **yerba mate** Bebida estimulante semejante al té, popular en muchos países sudamericanos, preparada como infusión con las hojas de un arbusto o árbol siempreverde (*Ilex paraguariensis*) emparentado con el ACEBO. Contiene cafeína y tanino, pero es menos astringente que el té. Para preparar el mate, las hojas secas (*yerba*) se colocan en calabazas huecas y secadas (mates o *culhas*), y luego se vierte agua hirviente sobre ellas para remojarlas. Se utiliza una bombilla para sorber el mate desde la calabaza, frecuentemente de plata, que lleva un colador en un extremo para retener las partículas foliares. Aun cuando se suele servir puro, el mate se acompaña a veces con leche, azúcar o jugo de limón.

matemática Ciencia de la estructura, el orden y la relación que evolucionó de contar, medir y describir las formas de los objetos. Trata sobre el razonamiento lógico y el cálculo cuantitativo. Desde el s. XVII ha sido una herramienta indispensable para las ciencias físicas y la tecnología, hasta el punto de ser considerada el lenguaje subyacente de la ciencia. Entre sus ramas principales se cuentan el ÁLGEBRA, el ANÁLISIS, la ARITMÉTICA, la COMBINATORIA, las geometrías EUCLIDIANA y NO EUCLIDIANA, la teoría de JUEGOS, la teoría de los NÚMEROS, el ANÁLISIS NUMÉRICO, la OPTIMIZACIÓN, la teoría de PROBABILIDADES, la teoría de CONJUNTOS, la ESTADÍSTICA, la TOPOLOGÍA y la TRIGONOMETRÍA.

matemática, filosofía de la Rama de la filosofía que se ocupa de la EPISTEMOLOGÍA y la ONTOLOGÍA de las matemáticas. A comienzos del s. XX surgieron tres escuelas de pensamiento, llamadas LOGICISMO, formalismo e INTUICIONISMO, para explicar y resolver la crisis de los fundamentos de las matemáticas. El logicismo postula que todas las nociones matemáticas son reducibles a leyes de pensamiento puro o principios lógicos; una variante conocida como PLATONISMO matemático, sostiene que las nociones matemáticas son ideales trascendentes o formas independientes de la conciencia humana. El formalismo sustenta que las matemáticas consisten simplemente en la manipulación de configuraciones finitas de símbolos según reglas prescritas, un "juego" independiente de cualquier interpretación física de los símbolos. El intuicionismo se caracteriza por rechazar toda noción de verdad que sea trascendente al conocimiento o la evidencia. Por tanto, sólo se admiten aquellos objetos que puedan ser construidos (ver CONSTRUCTIVISMO) en un número finito de pasos, al tiempo que se rechazan los infinitos actuales y la ley del tercero excluido (ver leyes del PENSAMIENTO). Los impulsos principales de estas tres escuelas de pensamiento se vinculan, respectivamente, con BERTRAND RUSSELL, DAVID HILBERT y el matemático danés Luitzen Egbertus Jan Brouwer (n. 1881–m. 1966).

matemática, fundamentos de la Investigación científica sobre la naturaleza de las teorías matemáticas y el alcance de los métodos matemáticos. Comenzó con los *Elementos*, de EUCLIDES, como una investigación sobre las bases lógicas y filosóficas de la matemática –en esencia, la pregunta sobre si los AXIOMAS de cualquier sistema (sea GEOMETRÍA EUCLIDIANA o CÁLCULO) pueden asegurar su integridad y consistencia. En la era moderna, este debate se dividió por algún tiempo en tres corrientes de pensamiento: LOGICISMO, formalismo e INTUICIONISMO. Los logicistas suponían que los objetos matemáticos abstractos pueden desarrollarse completamente a partir de ideas básicas de conjuntos y de pensamiento racional o lógico; una variante del logicismo, conocida como PLATONISMO matemático, contempla estos objetos con una existencia externa e independiente de cualquier observador. Los formalistas creían que la matemática era la manipulación de configuraciones de símbolos de acuerdo a reglas preestablecidas, un "juego" independiente de cualquier interpretación física de los símbolos. Los intuicionistas rechazaban ciertos conceptos de la lógica y la noción de que el MÉTODO AXIOMÁTICO sería suficiente para explicar toda la matemática, considerando en cambio la matemática como una actividad intelectual que trata sobre construcciones mentales (ver CONSTRUCTIVISMO) independientes del lenguaje y de cualquier realidad externa. En el s. XX, el teorema de GÖDEL terminó con cualquier esperanza de encontrar una base axiomática de la matemática que fuera a la vez completa y libre de contradicciones.

Mateo, san (floreció s. I DC, Palestina; festividad en Occidente: 21 de septiembre; en Oriente: 16 de noviembre). Uno de los doce APÓSTOLES, tradicionalmente considerado el autor del primer EVANGELIO. Según los Evangelios, era un recaudador de impuestos llamado Leví, a quien Jesús lo llamó para que fuera su discípulo. No se tiene más información acerca de él. El Evangelio de san Mateo estaba dirigido a una audiencia judeocristiana en un ambiente judío y puede haber sido escrito originalmente en hebreo, pero en la actualidad se duda de la autoría del apóstol san Mateo. La tradición sostiene que ejerció su ministerio en Judea, tras lo cual fue misionero en Etiopía y Persia. Las leyendas difieren acerca de si murió o no como mártir.

"Evangelio según san Mateo", reproducción de un manuscrito ilustrado.
FOTOBANCO

materia Sustancia que constituye el universo observable y, junto con la ENERGÍA, forma la base de todos los fenómenos objetivos. Los ÁTOMOS son los elementos constitutivos básicos de la materia. Toda entidad física puede describirse física y matemáticamente en términos de cantidades interrelacionadas de MASA, INERCIA y GRAVITACIÓN. La materia se presenta en varios estados; los más conocidos son gaseoso (ver GAS), LÍQUIDO y SÓLIDO (PLASMAS, VIDRIOS y diversos otros que no están bien definidos), cada uno con propiedades características. De acuerdo con la teoría especial de la RELATIVIDAD de ALBERT EINSTEIN, materia y energía son equivalentes y convertibles una en otra (ver ley de CONSERVACIÓN).

materia oscura MATERIA cósmica no luminosa e indetectable directamente por los astrónomos, cuya existencia se supone debido a que la materia visible en el universo no es suficiente para explicar los efectos gravitacionales que se observan. Hasta hoy se cree que existe en grandes cantidades, y de hecho juega un rol fundamental en muchas teorías sobre el origen del universo y su presente estructura a gran escala. También desempeña un papel importante en modelos de GRAVITACIÓN y otras fuerzas fundamentales entre partículas (ver INTERACCIÓN FUNDAMENTAL). Se ha propuesto numerosos candidatos que conformarían la materia oscura, pero ninguno ha sido aún confirmado.

material compuesto Material sólido que resulta de combinar dos o más sustancias (física, no químicamente) y cuyas propiedades son superiores para una cierta aplicación que aquellas de las sustancias originales. El término se refiere específicamente a una matriz estructural (como el plástico) dentro de la cual se halla inmerso un material fibroso (como el carburo de silicio). El más conocido de los materiales compuestos es el plástico reforzado con fibra de vidrio. Gracias a su rigidez, liviandad y resistencia al calor, los materiales compuestos son los preferidos en numerosas aplicaciones estructurales, de refuerzo, o de alta exigencia.

materiales, ciencia de los Estudio de las propiedades de los materiales sólidos y de cómo estas están determinadas por la composición y estructura del material, tanto macroscópica como microscópicamente. La ciencia de los materiales emanó de la física del estado sólido, la metalurgia, la cerámica y la química, de ahí que las numerosas propiedades de los materiales no puedan ser comprendidas dentro del contexto de una única disciplina. Un conocimiento básico de los orígenes de las propiedades de los materiales permite seleccionarlos o diseñarlos para una enorme variedad de aplicaciones, desde aceros estructurales hasta chips de computadoras. La ciencia de los materiales es, por lo tanto, importante para muchos campos de la INGENIERÍA, como la electrónica, aeroespacial, telecomunicaciones, procesamiento de la información, energía nuclear y la conversión de energía. Ver también MÁQUINA PARA ENSAYOS; MECÁNICA; METALOGRAFÍA; RESISTENCIA DE MATERIALES.

materialismo En METAFÍSICA, doctrina según la cual la naturaleza esencial de toda realidad es material. En la filosofía de la MENTE, una forma de materialismo, llamada a veces materialismo de estado central, afirma que los estados de la mente son idénticos a los estados del cerebro humano. Para explicar la posible existencia de estados mentales en criaturas que no tienen el sistema nervioso humano (p. ej., pulpos y marcianos), los defensores del funcionalismo identificaron los estados mentales particulares con los papeles funcionales o causales que desempeñan esos estados con respecto a otros estados físicos y mentales del organismo; esto permite la "realizabilidad múltiple" del mismo estado mental en estados físicos diferentes. (En rigor, el funcionalismo es compatible con el materialismo y el no materialismo, aunque la mayoría de los funcionalistas son materialistas). Como una forma de materialismo, el funcionalismo es "no reductivo", porque sostiene que los estados mentales no pueden ser completamente explicados en términos que refieran sólo a lo que es físico. Aunque no idénticos con los estados físicos, los estados mentales, según esta tesis, "supervienen" en ellos, en el sentido de que no puede haber cambio en los primeros sin producirse algún cambio en los últimos. El "materialismo eliminativo" rechaza todo aspecto de lo mental que no pueda ser explicado totalmente en términos físicos; en particular, niega la existencia de las consabidas categorías de estado mental supuestas por la PSICOLOGÍA DEL SENTIDO COMÚN. Ver también teoría de la IDENTIDAD; el problema MENTE-CUERPO.

materialismo dialéctico Planteamiento filosófico expuesto en los escritos de KARL MARX y FRIEDRICH ENGELS y más tarde por GUEORGUI PLEJÁNOV, VLADÍMIR LENIN y STALIN, filosofía oficial del COMUNISMO. Su principio central, tomado del HEGELIANISMO, consiste en que todo crecimiento, cambio y desarrollo histórico es el resultado de la lucha entre opuestos. (En términos filosóficos, una tesis es contrapuesta por una antítesis, lo que resulta en una síntesis). Específicamente, es la lucha de clases –la lucha entre la clase capitalista y poseedora de la tierra, por un lado, y el proletariado y campesinado, por el otro– la que crea la dinámica de la historia. Las leyes de la dialéctica histórica se consideran tan poderosas que los dirigentes individuales tienen muy poca importancia histórica. Concebido originalmente para operar ante todo en el ámbito social, económico y político, el principio fue extendido en el s. XX incluso al ámbito científico, con importantes consecuencias en la ciencia soviética. Marx y Engels expusieron sus puntos de vista filosóficos en el curso de polémicas y breves estudios históricos; no existe una exposición sistemática del materialismo dialéctico.

Maternidad divina Dogma fundamental de la ortodoxia cristiana que sostiene que JESÚS no tuvo padre natural, sino que fue concebido por MARÍA a través del poder del ESPÍRITU SANTO. Basada en los relatos de infancia de los EVANGELIOS de san Mateo y san Lucas, la doctrina fue aceptada universalmente por la Iglesia cristiana en el s. II. Continúa siendo un artículo de fe fundamental del catolicismo, de la ortodoxia oriental, de la mayoría de las iglesias protestantes y del Islam. Corolario de este dogma es la doctrina de la virginidad perpetua de María, aceptada por las iglesias ortodoxa y católica y por algunos teólogos luteranos y anglicanos. Ver también INMACULADA CONCEPCIÓN.

maternidad sustituida Práctica según la cual una mujer (madre sustituta) engendra un hijo para una pareja que no puede tener descendencia, por lo general, debido a que la esposa es estéril o no puede llevar a término el embarazo. La madre sustituta es fecundada ya sea por INSEMINACIÓN ARTIFICIAL (habitualmente con espermios del marido) o por la implantación de un embrión producido por fertilización in vitro. La madre sustituta generalmente renuncia a todos los derechos derivados de la maternidad, aunque esto ha causado controversia legal.

Mather, Cotton (12 feb. 1663, Boston, colonia de la bahía de Massachusetts–13 feb. 1728, Boston). Líder puritano estadounidense. Hijo de INCREASE MATHER, obtuvo una maestría en el Harvard College y fue ordenado ministro congregacionalista en 1685, tras lo cual asistió a su padre en la North Church de Boston (1685–1723). Contribuyó a lograr la expulsión del impopular gobernador británico de Massachusetts, EDMUND ANDROS (1689). Aunque sus escritos sobre brujería sembraron la histeria que desembocó en el juicio a las brujas de SALEM, desaprobó los juicios y argumentó contra el uso de la "evidencia espectral". Entre sus escritos más conocidos están *Magnalia Christi Americana* (1702), una historia de la iglesia en Nueva Inglaterra, y su *Diary* (1711–12). Su *Curiosa Americana* (1712–24) le valió ser miembro de la Sociedad Real de Londres. Fue un temprano partidario de la inoculación contra la viruela. Ver también CONGREGACIONALISMO; PURITANISMO.

Cotton Mather, retrato de Peter Pelham; colección de la American Antiquarian Society, Worcester, Massachusetts, EE.UU.

GENTILEZA DE LA AMERICAN ANTIQUARIAN SOCIETY, WORCESTER, MASS., EE.UU.

Mather, Increase (21 jun. 1639, Dorchester, colonia de la bahía de Massachusetts–23 ago. 1723, Boston). Líder puritano estadounidense. Hijo de un clérigo puritano, se educó en el Harvard Collage y en el Trinity College de Dublín. Regresó a Nueva Inglaterra y fue ministro de la North Church de Boston (1661–1723). Junto a su hijo, COTTON MATHER, logró la destitución del odiado gobernador de Massachusetts, EDMUND ANDROS, y obtuvo una nueva carta para la colonia en 1691. Fue rector del Harvard College (1685–1701). Entre sus escritos destaca *Case of Conscience Concerning Evil Spirits Personating Men* [Caso de conciencia respecto a espíritus malignos que se hacen pasar por hombres] (1693), que contribuyó a poner fin al juicio a las brujas de SALEM. Ver también PURITANISMO.

Mathias, Bob *p. ext.* **Robert Bruce Mathias** (n. 17 nov. 1930, Tulare, Cal., EE.UU.). Decatleta estadounidense. De niño sufrió anemia y se dedicó al atletismo para cobrar fuerza.

En 1948, a los 17 años de edad, ganó la medalla de oro en el DECATLÓN olímpico y se convirtió así en el más joven medallista de oro de la historia del atletismo olímpico. Obtuvo una segunda medalla de oro en 1952, año en que jugó *fullback* en el equipo de fútbol americano de la Universidad de Stanford, en el Rose Bowl. Ganó las 11 competencias de decatlón en las que participó durante su carrera. Después fue parlamentario en la Cámara de Representantes de EE.UU.

Mathura, arte de Arte visual budista que prosperó en el centro de peregrinación y de intercambio comercial de Mathura, Uttar Pradesh, India, desde el s. II AC hasta el s. XII DC. Los budas eran representados de pie y sentados, con hombros amplios, pecho grande, piernas separadas y pies firmemente plantados, transmitiendo una sensación de enorme energía. Las figuras femeninas son abiertamente sensuales.

Yakṣī (espíritu femenino de la naturaleza) sosteniendo una bandeja y una jarra, relieve de arenisca roja, Mathura, Uttar Pradesh, India, s. II DC; Museo arqueológico, Mathura, India.
P. CHANDRA

Matías I *o* **Matías Corvino** húngaro **Mátyás Corvin** orig. **Mátyás Hunyadi** (24 feb. 1443, Kolozsvár, Transilvania–6 abr. 1490, Viena). Rey de Hungría (1458–90). Dedicó gran parte de su reinado a luchar contra las pretensiones de los HABSBURGO y a intentar reconstruir el estado húngaro tras décadas de anarquía feudal. Elevó los tributos, modernizó el ejército y codificó la ley húngara. Después de rechazar a los turcos en la frontera meridional de Hungría, organizó un sistema de defensa contra ellos. Logró el control de Bosnia (1463), pero perdió una contienda contra Polonia por la zona de Bohemia. Por mucho tiempo fue rival del emperador FEDERICO III; ocupó Viena y otros territorios de los Habsburgo, pero tras su muerte sus conquistas se perdieron.

Matilde *o* **Maud** (1102, Londres, Inglaterra–10 sep. 1167, cerca de Ruán, Francia). Hija de ENRIQUE I de Inglaterra y aspirante al trono inglés. En 1114 contrajo matrimonio con el emperador Enrique V, quien falleció en 1125. Se casó por segunda vez con Godofredo Plantagenet. La muerte de su hermano en 1120 la dejó como única heredera legítima de Enrique, quien la nombró su sucesora en 1127. ESTEBAN de Blois, sobrino de Enrique, se apoderó del trono a la muerte del rey, en 1135, y su ejército derrotó a los partidarios de Matilde en 1141. Ella continuó su resistencia y se retiró a Normandía en 1148. Su hijo se convirtió en ENRIQUE II de Inglaterra y ella se mantuvo como su consejera, supervisando sus posesiones en el continente.

Matilde de Canossa *llamada* **Matilde la Gran Condesa** (1046, Lucca, Toscana–24 jul. 1115, Bondeno, Romaña). Condesa de Toscana. Gran amiga del papa GREGORIO VII, lo respaldó en su lucha contra el rey ENRIQUE IV (ver QUERELLA DE LAS INVESTIDURAS) y fue en su castillo de Canossa donde el rey cumplió la penitencia de permanecer descalzo ante Gregorio (1077). Después de la segunda excomunión de Enrique, combatió contra él en forma intermitente hasta su muerte (1106), usando a veces una armadura para dirigir sus propias tropas; ayudó a financiar las operaciones militares del papa e indujo a Conrado, hijo de Enrique, a que se rebelara contra su padre (1093). Su inquebrantable apoyo a los papas de Roma fue honrado en 1634 con el traslado de sus restos a la basílica de San Pedro.

Matisse, Henri (-Émile-Benoît) (31 dic. 1869, Le Cateau, Picardía, Francia–2 nov. 1954, Niza). Pintor, escultor y artista gráfico francés. Trabajaba como procurador cuando comenzó a interesarse por el arte. Después de estudiar con GUSTAVE MOREAU en la École des Beaux-Arts, expuso cuatro pinturas en el Salón y obtuvo un triunfo cuando el gobierno compró su obra *Mujer leyendo* (1895). Seguro de sí mismo y emprendedor, experimentó con el puntillismo, pero finalmente lo abandonó en favor de los remolinos de pincelada espontánea y el desbordamiento del color, que se conoció como FAUVISMO. Aunque sus temas fueron en gran medida domésticos y figurativos, sus obras muestran una vitalidad mediterránea distintiva. También se abocó a la escultura y produjo unas 60 piezas a lo largo de su vida. El ARMORY SHOW expuso 13 de sus pinturas. En 1917 se mudó a la Riviera francesa, donde sus pinturas se tornaron menos atrevidas, pero su producción continuó siendo prodigiosa. Después de 1939 se dedicó cada vez más a las artes gráficas, y en 1947 publicó *Jazz*, un libro de reflexiones sobre el arte y la vida, con ilustraciones de colorido brillante, con "dibujos hechos con tijeras": los motivos se pegaban después de haber sido recortados de hojas de papel de color. Estuvo enfermo gran parte de sus últimos 13 años de vida; diseñó la magnífica Chapelle du Rosaire, en Vence (1948–51), como regalo para las monjas dominicas que lo cuidaron. Entre sus pinturas destacan *La alegría de vivir* (1906), *El estudio rojo* (1915), *La lección de piano* (1916) y *La danza I* y *La danza II* (1931–33).

Matlock Ciudad (pob., est. 1995: 14.000 hab.) del distrito de Derbyshire Dales en el condado administrativo e histórico de DERBYSHIRE, centro-norte de Inglaterra. Se compone de un grupo de poblados establecidos a lo largo del río DERWENT, en una región que se destaca por la belleza de sus valles y sus escarpadas colinas. Entre Cromford (lugar donde RICHARD ARKWRIGHT instaló la primera hilandería accionada por energía hidráulica en 1771) y el puente de Matlock del s. XVI, el río discurre a través de un estrecho desfiladero. La ciudad solía ser un famoso balneario que ofrecía tratamientos hidroterápicos.

Región del Pantanal en el Mato Grosso, cerca de Porto Jofre, Brasil.
FOTOBANCO

Mato Grosso Estado (pob., est. 2002: 2.604.742 hab.) del sudoeste de Brasil. Cubre una superficie de 906.807 km² (350.120 mi²); limita con Bolivia por el sudoeste y el oeste. Su capital es Cuiabá (pob., 2002: 493.200 hab.), que se fundó en 1719, después del descubrimiento de oro en sus cercanías. Mato Grosso pasó a ser una capitanía independiente en 1748, una provincia del imperio en 1822 y un estado de la unión federal en 1889. Una de las pocas regiones de frontera que subsisten en el planeta, el Mato Grosso está compuesto de herbazales, densos bosques y extensas altiplanicies, con algunas zonas que permanecen prácticamente inexploradas.